कला का सौन्दर्य

(साहित्य तथा अन्य कलाएँ)

खण्ड-2

सम्पादक

यतीन्द्र मिश्र

वाणी प्रकाशन

वाणी प्रकाशन

4695, 21-ए, दरियागंज, नयी दिल्ली 110 002

शाखा

अशोक राजपथ, पटना 800 004

फ़ोन : +91 11 23273167 फ़ैक्स : +91 11 23275710

www.vaniprakashan.in
vaniprakashan@gmail.com
sales@vaniprakashan.in

KALA KA SAUNDARYA-2
(Sahitya Tatha Anya Kalayen)
edited by Yatindra Mishra

ISBN : 978-81-8143-889-8
Art

संस्करण 2008, 2012
आवृत्ति 2017

मूल्य : ₹2000 (चारों खण्ड)

एस.जी. प्रिंटर्स, दिल्ली-110 093 में मुद्रित

वाणी प्रकाशन का लोगो मक़बूल फ़िदा हुसेन की कूची से

अनुक्रम

केदारनाथ अग्रवाल अली सरदार जाफरी
डॉ. नगेंद्र उस्ताद नसीर अमीनुद्दीन डागर
मन्मथनाथ गुप्त नरेश मेहता
शिवदान सिंह चौहान यशपाल जैन
शलभ श्रीराम सिंह मोगूबाई कुर्डीकर
नूरजहाँ शैलेश मटियानी
एवं राधिकाप्रसाद त्रिपाठी
के प्रति
सहित की
सादर श्रद्धांजलि

वैखरी

जिस विनम्र संकोच के साथ अयोध्या को एक सांस्कृतिक रूप में विकसित करने तथा यहाँ पर एक साहित्यिक मंच बनाने के उद्देश्य से 'सहित' का प्रवेशांक हमने प्रस्तुत किया था, आज उसके विस्तार स्वरूप यह दूसरा अंक आपके सम्मुख है। इस बीच पत्रिका को मिली हिंदी जगत् की व्यापक सकारात्मक प्रतिक्रिया ने इस बात के ऊपर हमारा विश्वास बढ़ाया है कि हम जिन मानवीय सरोकारों को लेकर इस कार्य में उतरे थे, वह धीरे-धीरे अपना आकार ले रहा है।

इस अंक के साथ अब 'सहित' का प्रकाशन वर्ष में दो बार होगा। अतः हम दो बार आपके सामने अपने रचनात्मक उद्देश्यों को लेकर उपस्थित रह पाएँगे, जिसके लिए भविष्य में आपकी सम्मति, स्वीकृति एवं सहयोग के हम आकांक्षी हैं।

अभी-अभी समाप्त हुई इस शताब्दी ने भौतिक स्तर पर हमारे हजारों वर्षों के संकल्प को मूर्त्त रूप दिया है। एक ऐसे समय में जब हम पूरे विश्व को एक रेखीय धरातल पर एक साथ देख और महसूस सकते हैं, यह याद करना कि हमारी भाषायी स्मृति का इतिहास आज भी उतना ही महत्वपूर्ण, प्रासंगिक तथा नया है, जितना वह वर्षों पूर्व अपने आरंभ के अवसर पर था। हिंदी को अपनी गौरवशाली परंपरा को प्रशस्त बनाने का अवसर देने वाली 'सरस्वती' पत्रिका के प्रकाशन का शताब्दी वर्ष सन् 2000 के अंत के साथ पूरा हुआ है। 'कवि वचन-सुधा' से जो पत्रिका आंदोलन आरंभ हुआ और जिसमें हिंदी की विकास-यात्रा को पूर्ण रूप से समृद्ध करने में 'सरस्वती' ने अपना योगदान दिया, वह अप्रतिम है। हिन्दी की इस सौ वर्ष पुरानी कीर्त्ति को याद करने का यह अवसर इसलिए भी महत्वपूर्ण है कि इसी बहाने हम जगन्नाथ दास रत्नाकर, श्यामसुंदर दास, राधाकृष्णदास, कार्तिक प्रसाद खत्री, किशोरीलाल गोस्वामी, महावीरप्रसाद द्विवेदी, पदुमलाल पुन्नालाल बख्शी एवम् श्रीनारायण चतुर्वेदी को फिर से याद करने का एक साथ दुर्लभ अवसर पा रहे हैं, जिन्होंने आज भी हमें उनके अवदान के प्रति उत्तरदायी बनाया है। अतः आज 'सरस्वती' को याद करते हुए हमें अपनी प्रशस्त परंपरा का न केवल पुनः स्मरण करना चाहिए बल्कि उस परंपरा से निःसृत जीवनानुभूति को अनुभवों का अंग बनाते हुए अपने विकास और भविष्य का वस्तुनिष्ठ ढंग से आकलन भी करना चाहिए। सरस्वती का पुनः स्मरण करते हुए उसके अलग-अलग अंकों में प्रकाशित तीन लेख, जो बाद में अत्यन्त महत्वपूर्ण

हुए, हम यहाँ साभार प्रकाशित कर रहे हैं। लेखों के साथ उनके प्रकाशन की सूचना संलग्न है।

ललित कलाओं (विशेषकर संगीत एवं चित्रकला) पर अकसर अभिजनवादी प्रवृत्तियों के प्रति प्रतिबद्ध होने का आरोप लगाकर साहित्य और बुद्धिजीवी समाज में उनके प्रवेश को निषिद्ध कर दिया जाता है। इसी कारण यह रूपंकर अभिव्यक्तियाँ वर्षों से उपेक्षित होते-होते हाशिए पर पहुँच गई हैं, जिसके फलस्वरूप हमारी सांस्कृतिक चेतना की उर्वर जमीन कुछ बंजर और शुष्क हुई है। पूरा भक्ति काल जिस वजह से निर्गुनियों, संतों और कवियों के कारण आज भी अपनी समग्रता में स्वीकार्य है, साधारण जनजीवन में रचा पगा है, उसका एक तर्कपूर्ण कारण यह भी है कि वह पूरी तरह संगीत, चित्रकला, स्थापत्य, नृत्य आदि से जुड़ा रहा है। काँगड़ा शैली की पूरी चित्र-परंपरा कृष्णोपासक सम्प्रदाय की न केवल चाक्षुष अभिव्यक्ति है बल्कि भारतीय संस्कृति की विविधवर्णी शैली का एक सुंदर प्रतीक भी। इसी तरह भक्ति के पद, निर्गुण वाणी, हवेली संगीत, ध्रुपद, धमार, विभिन्न पर्वों से जुड़े संस्कार-गीत आदि आज तक जिस तरह गाए जाते हैं, उनकी लोकव्याप्ति अपरोक्ष रूप से ऐसा संस्कार निर्मित करती है कि व्यक्ति-व्यक्ति के प्रति सुख-दुःख, आशा-निराशा, हर्ष-विषाद, खोने-पाने का एक समष्टिमूलक साझा समभाव विकसित होता है। इनसान को अपना सुख, दूसरों के सुख से जुड़ा हुआ प्रतीत होता है और दूसरों का दुख, अपना दुख बनकर एक साझा कष्ट लगने लगता है। यही वह योजक दृष्टि है जो अमानवीयकरण के विरुद्ध एक साथ खड़ी होती है और समय-समय पर—'हम एक हैं', का बोध कराती है।

वैसे, सत्ता की महत्ता को अस्वीकार करने की परम्परा इस देश में रही है और यह बेहद सुखद तथ्य है कि हमने अपने उद्यम से शक्ति और प्रतिष्ठा अर्जित की, उसके लिए सत्ता की शर्तों को स्वीकार नहीं किया। मीरां को अकबर के पास नहीं जाना पड़ा था, स्वयं अकबर मीरां से मिलने, उसकी भक्ति से प्रभावित होकर साधारण वेश में गये थे। हिन्दी के कालजयी कवि तुलसीदास ने शक्ति की अधीनता को ठुकराया भी और उसे ललकारा भी—'तुलसी अब का होइंगे, नर के मनसबदार।' कबीर ने अपने समय में समाज के लिए लड़ते हुए, सिकन्दर लोदी के अत्याचार को नकार दिया था। ऐसे अनगिनत उदाहरण हैं, जिनसे हमारी सकारात्मक अस्वीकार की परम्परा दृढ़ता से खड़ी दिखाई देती है। अतः मात्र यह सोचकर संगीत और अन्य कलाओं को खारिज करना कि यह हमारी प्रगति का मार्ग अवरुद्ध करते हैं, हास्यास्पद है। हमें जन-जन के बीच स्वीकार्य होने के लिए, अपनी समृद्ध विरासत को विकसित होता देखने के लिए तथा अपने मौलिक तात्पर्य को गर्व से जीवित रखने के लिए, इन उपादानों को सँभालना होगा, सहेज कर नयी पीढ़ी को सौंपना होगा। ललित कलाओं से अभिजनवादी मानकर मुँह मोड़ना, हमारा अपनी जड़ों से, अपनी सांस्कृतिक छवि से मुँह मोड़ना है। इस नयी सहस्राब्दी में इनके प्रति उत्साह और सम्मान दिखाने की आवश्यकता है, जिनसे हमारी विरासत नित नये-नये सन्दर्भों को स्वीकार करती हुई प्रगति करे और साहित्येतिहास की उर्वर जमीन को शुष्क होने से बचाये।

अपनी कलाकृतियों में सूफी भावों को विशिष्टता से चित्रित करने वाले प्रमुख चित्रकार मनजीत बावा के सहयोग के लिए 'सहित' उनका हार्दिक आभारी है। वरिष्ठ कवि, आलोचक, संस्कृतकर्मी अशोक वाजपेयी ने विगत 16 जनवरी 2001 को अपनी वय के साठ वर्ष पूरे किये। उनकी षष्टिपूर्त्ति के अवसर पर इस अंक में उनसे कलाओं और हिन्दी के रचनात्मक समाज पर एक साक्षात्कार, कुछ नई कविताएँ, मदन सोनी द्वारा उनके प्रतिनिधि कविता चयन पर एक लेख तथा युवा समीक्षक सदन

झा द्वारा 'कभी-कभार' की समीक्षा प्रकाशित की जा रही है। 'सहित' उनके दीर्घायुष्य एवं सतत सर्जनारत रहने की कामना करता है। वरिष्ठ कथाकार एवं प्रसिद्ध चित्रकार रामकुमार जी ने हमारे बार-बार अनुरोध करने पर अपनी एक कहानी पूरी की, जो उनके अनुसार पिछले तीन वर्षों से अधूरी थी। उनकी इस सहृदयता के लिए हम उनके कृतज्ञ हैं। इस अंक में संयोजित-समेकित सामग्री के लिए 'सहित' सभी रचनाकारों एवं मित्रों के सहयोग व परामर्श के लिए आभार व्यक्त करता है।

यह अंक जब आपके हाथों में है, तब एक गहरा दुःख भी मन में कहीं गहरे बैठा है। विगत 26 जनवरी 2001 को भूकंप के प्रकोप ने गुजरात को जिस तरह क्षत-विक्षत किया, उसकी पीड़ा आज भी हम सभी महसूस कर रहे हैं। साहित्य कुछ और करता हो, न हो, इतना अवश्य करता है कि मनुष्य को संवेदनशील और संवेदनशील को अतिरिक्त संवेदनशील बनाता है। यदि इन प्रयासों से इस भाव का बोध सबमें थोड़ा भी बचा रहे, तो साहित्य का अपना दायित्व सार्थक रूप से संपन्न होता नजर आएगा। सब कुछ हारकर, सब गँवा देने के बाद भी पुनः उत्कट जिजीविषा प्राप्त करने का नाम ही जिंदगी है। इसलिए यह कार्य भी हमें और आपको न सिर्फ पूरा करना है, अपितु एक दूसरे में सम्प्रेषित भी करते रहना है। उस भयानक त्रासदी में दिवंगत हुए व्यक्तियों के प्रति हार्दिक संवेदना के साथ 'सहित' आपको अर्पित है। इस अंक के संबंध में आपकी प्रतिक्रियाओं का स्वागत है। यही वह कड़ी है, जो हमें भविष्य में रचनात्मकता के समस्त सकारात्मक पक्षों से संबद्ध रखेगी और बेहद मुश्किल क्षणों में एक दूसरे के प्रति उत्तरदायी भी बनाएगी।

—यतीन्द्र मिश्र

हिंदी की आधुनिक अवस्था*

कामताप्रसाद गुरु

आशावादी लोगों को हिंदी की आधुनिक अवस्था पर बड़ा संतोष हो रहा है। वे समझते हैं कि इस भाषा ने कम से कम पिछले पंद्रह वर्षों में बड़ी उन्नति की है। उनकी समझ में यह अवधि हमारी मातृ-भाषा के इतिहास में एक महत्त्व-पूर्ण काल है। इस काल में, आशावादी लोगों के मतानुसार, हिंदी की शब्द-संख्या बढ़ी है; इस भाषा में अनेक अन्य ग्रन्थ लिखे गए हैं; हजारों लोग इसके प्रेमी और सहायक हुए हैं; नए-नए लेखक और प्रकाशक उत्पन्न हो गए हैं; और किसी-किसी नाटक-मंडली ने इसे आश्रय दिया है। इसके सिवा इस भाषा का प्रचार सभासमाजों में हो रहा है; अंग्रेजी-पढ़े लोग इसे गौरव की वस्तु समझने लगे हैं; और सरकार भी अपने लाभ की कई बातें इस भाषा में छापने लगी है। आशा-वादियों के लिए सब से अधिक आनंद की बात तो यह है कि हिंदी भाषा ने भारत के अधिकांश प्रांतों में दिग्विजय प्राप्त की है। अपनी भाषा की ऐसी बढ़ती देखकर किस हिंदीभाषा-भाषी को आनंद न होगा ? यथार्थ में किसी भी जाति की भाषा की बढ़ती और प्रचार उस जाति के धर्म अथवा राज्य के प्रचार से कम नहीं।

निराशा-वादियों के मन की दशा (हिंदी की आधुनिक अवस्था के संबंध से) कुछ और ही है। वे कहते हैं कि हिंदी में अभी रखा ही क्या है ! उन्नत भाषा के जो लक्षण हैं वे इस भाषा में बहुत ही कम पाए जाते हैं। उनकी समझ में हिंदी पच्चीस वर्ष पहले जहाँ थी, प्रायः वहीं अब भी है। दो एक डग धरती इधर-उधर जीत लेने से जीत नहीं समझी जाती।

शब्दों की संख्या की बढ़ती के संबंध में निराशा-वादी लोगों का यह कहना है कि जो शब्द हिंदी में बढ़े हैं, उन में लगभग आधे तो संस्कृत के ऐसे शब्द हैं जिनके कारण हिंदी के मूल और प्रचलित शब्दों का लोप हो गया है–अर्थात् हिंदी-भाषा-भाषी लोग अपना मूल धन ही बहुत कुछ गँवा बैठे हैं। बढ़े हुए बाकी शब्दों में से कुछ तो विदेशी भाव व्यक्त करते हैं और कुछ ऐसे हैं जो इधर-उधर केवल वाक्य-रचना की थोड़ी-बहुत सुंदरता बढ़ाते हैं। एक ही देशी भाव को बिना विदेशी सहायता के, कई प्रकार से व्यक्त करने के लिए हमारी भाषा में अभी शब्द-संख्या बहुत कम है। कानूनी शब्द तो हिंदी में नाम-मात्र को भी नहीं; और जो कुछ थोड़े से शब्द राजा लक्ष्मणसिंह के सदृश दूरदर्शी लोग बना गए हैं, उन्हें समझनेवाले और उनका प्रचार करनेवाले भी विरले ही हैं। कहावत प्रसिद्ध है कि क्या सौ रुपए की पूँजी और क्या एक बेटे की संतान ! भला, क्या इतने ही इने-गिने शब्दों के बल पर हिंदी पूर्ण दिग्विजय की आशा कर सकती है !

इसी के साथ-साथ निराशा-वादी लोग हिंदी की अस्थिरता पर भी कटाक्ष करते हैं। वे कहते हैं कि हिंदी में साहित्य-विषयक एकरूपता का अभाव है। अनेक स्थानों में लेखक और वक्ता लोग भाषा का मन-माना प्रयोग करते हैं। कोई कोई तो अपने गौरव से इतने गिर गए हैं कि वे अपने लेखों और भाषणों को बिना उर्दू के वाक्यों के अपूर्ण और नग्न समझते हैं। ये लोग हिंदुस्तान में रहकर उर्दु-स्तान की सैर करते रहते हैं ! कुछ लोगों में यह धुन समाई हुई जान पड़ती है कि हम मनमानी भाषा लिखें और लोग उसे आर्ष-प्रयोग मानें। निराशावादियों का कहना तो वहाँ तक है कि हिंदी में आज

---

* 'सरस्वती' अक्टूबर अंक, 1918 (संपादक–महावीर प्रसाद द्विवेदी एवं देवीप्रसाद शुक्ल) से साभार।

तक ऐसा कोई ग्रंथ ही नहीं लिखा गया जिसकी भाषा पूर्णतया शुद्ध हो। हिंदी की छपाई के विषय में ये लोग कहते हैं कि इस भाषा के छापेखानों को अभी बारह बरस तक और अपना काम सीखना चाहिए।

लेखकों के विषय में निराशा-वादी लोग बहुत ही निराश हैं। जिस योग्यता के लेखक अन्यान्य भाषाओं में हुए हैं और हैं, वह योग्यता हिंदी-लेखकों से अभी कोसों दूर है। हिंदी में तो जो लोग "आप का भवदीय" लिखे लेते हैं वही लेखक समझ लिए जाते हैं ! दूसरी भाषाओं में जिस कोटि के लोग साहित्य-मंदिर के द्वारपाल होने के भी अधिकारी नहीं, उस कोटि के लोग हिंदी में महन्त बने हुए भाषा-देवी का चरणामृत बाँट रहे हैं ! हिंदी के इन स्वयम्भू लेखकों के लिए प्रत्येक विषय पर लेखनी चलाना और बड़े-बड़े विदेशी लेखकों के लेखांश उद्धृत करना बाए हाथ का खेल है। अंग्रेजी-पढ़े हिंदी-लेखकों की यह दशा है कि आप उनकी खिचड़ी भाषा ही न समझ सकेंगे और न वे स्वयं इस बात को समझ सकेंगे कि आप उनकी भाषा नहीं समझते। लेखक तो टिड्डी-दल की तरह बढ़ रहे हैं; पर वे करते क्या हैं—अनुवाद, छायानुवाद, भावानुवाद अथवा सारानुवाद ! इतने बड़े हरिश्चंद्र तक को तो मिश्र-बंधु महोदयों ने अच्छा 'अनुवादक' कह डाला है। निराशावादी लोगों को हिंदी-लेखकों और पाठकों की गुण-ग्राहकता भी बड़ी विचित्र जान पड़ती है। ये लोग अपने भाइयों को उपाधियाँ देने में बड़े उदार हैं, यहाँ तक कि बे-सिर-पैर की लंबी चौड़ी हाँकनेवालों को ये स्काट का अवतार मानने में संकोच नहीं करते ! सौभाग्य की बात इतनी ही है कि ये अपनी दूषित उपमाओं से केवल विदेशियों को कलंकित करते हैं; अपने देश के रत्नों को घूरे पर नहीं फेंकते।

ग्रंथों की बढ़ती को निराशा-वादी लोग हिंदी की यथार्थ बढ़ती नहीं मानते। वे कहते हैं कि अनुवादित (अथवा अनूदित) ग्रंथों से किसी भाषा अथवा जाति को गौरव प्राप्त नहीं होता। आप जिस भाषा से अनुवाद करते हैं उसके सामने अपनी भाषा की क्या कुछ बड़ाई कर सकते हैं ? अथवा उसके बोलनेवालों के सामने अपनी जाति की क्या प्रतिष्ठा बढ़ा सकते हैं ? सभ्यता की प्रदर्शिनी में ऐसे लेखकों और उनके ग्रंथों को सदैव नीचा स्थान मिलेगा। फिर अनुवादित ग्रंथों में आप अपने निज के विश्वास, संस्कार, रीति-भाँति, वेश-भूषा, बोल-चाल, आदि कैसे व्यक्त कर सकते हैं ? साहित्य के द्वारा आपको अपनी समाज का चित्र खींचना है; और यह बात तभी हो सकती है, जब आप में मौलिक ग्रंथ लिखने की योग्यता है। धरोहर के धन से आप धनी नहीं हो सकते।

हिंदी के प्रेमियों और सहायकों की संख्या की बढ़ती से निराशा वादियों को विशेष आनंद न क्योंकि यदि बारह करोड़ हिंदी-भाषा-भाषियों में कुछ हजार लोग इसकी ओर प्रवृत्त हुए भी क्या ! सौ में निन्यानवे हिंदी-भाषा-भाषी तो अर्धक्षित हैं और हज़ार में जो दस-पाँच किसी प्रकार शिक्षित हैं उनमें बहुतेरे यह भी नहीं जानते हमारी मातृ-भाषा हिंदी है और उसकी बढ़ती के लिए हमें कोई उद्योग करना चाहिए। फिर, अब तक, कई एक शिक्षितों की यही धारणा है कि हिन्दी के बदले उर्दू को अपनी मातृ-भाषा बतलाने से विशेष गौरव और प्रतिष्ठा है तथा पदवी प्राप्त होता है। जो इने-गिने लोग इस भाषा की ओर प्रवृत्त हुए उनमें अधिकांश कर्त्तव्य का विशेष विचार न कर केवल इसीलिए हिंदी-प्रेमी बने हुए हैं कि ऐसा होना समय के अनुकूल और बड़े-बड़े लोगों की इच्छा के अनुसार है। ऐसी अवस्था में हिंदी-प्रेमियों की संख्या की बढ़ती एक प्रकार के भेड़िया-धसान का उदाहरण है।

निराशा-वादियों को प्रकाशकों से भी संतोष नहीं है। ये लोग आज तक अनुवाद ही करा रहे हैं; और पुस्तक-प्रकाशन को इन्होंने निरा व्यवसाय ही समझ लिया है। यदि अश्लील पुस्तकों की अच्छी बिक्री होती है तो ये लोग उन्हें भी छप डालते हैं' शिष्टता का कुछ भी विचार नहीं करते। कई एकों को तो यह भी ज्ञान नहीं कि हिंदी-साहित्य में किन-किन विषयों की कमी है और कौन-कौन लेखक उन विषयों पर पुस्तकें लिख सकते हैं। इन लोगों में ऐसे थोड़े ही हैं जो पुस्तकें के गुण-दोषों का विवेचन स्वयं कर सकते है। इस प्रकार के प्रकाशक उच्च कोटि के ग्रंथों का संग्रह कहाँ तक कर सकते हैं ! इन्हें तो केवल पुस्तकों के दाम नियत करना आता है।

जिन नाटक-मंडलियों ने हिंदी को आश्रय दिया है उनकी संख्या उँगलियों पर गिनी जाने के योग्य है और उनमें अधिकांश पात्रों की मातृ-भाषा हिंदी नहीं है। इसलिए भाषा की शुद्धता की दृष्टि से ये मंडलियाँ लाभ के बदले हानि कर रही हैं। जिन के पात्रों की मातृ-भाषा हिंदी है, ऐसी नाटक-मंडलियाँ प्रायः नहीं के बराबर हैं और जो हैं उन पर, लोभ के वश, उर्दू और बाजारी नाटकों का भूत सवार है। इस विषय में केवल उतना ही कहना बस होगा कि हिंदी ने कुछ भी उन्नति नहीं की। निराशा-वादियों को सब से अधिक दुख इसी बात का है। हिंदी में न सच्चे नाटक-कार हैं, न नट हैं, न सूत्रधार हैं और न प्रतिष्ठित नाटक-मंडलियाँ हैं। ये सब

दोष दूर हो सकते हैं; पर इनकी ओर ध्यान देना कोई अपना कर्त्तव्य ही नहीं समझता। हम लोगों में से बहुत से अभी तक नाटकों की रचना और अभिनय को निन्दित ही समझ रहे हैं। और संस्थाएँ स्थापित करना तथा चलाना हमारे लिए प्रायः दुःसाध्य है।

सभा-समाजों और लिखा-पढ़ी में हिंदी का प्रचार देखकर निराशा-वादी अवश्य कुछ आशावादी हुए हैं; पर उन्हें पूर्ण संतोष तभी होगा जब वे राष्ट्रीय महासभा के सभापति का भाषण हिंदी में सुनेंगे। अभी तक तो बहुत से हिंदी प्रेमी कहलानेवाले ऐसे पाए जाते हैं जो हिंदी लिखने में अपनी प्रतिष्ठा समझते हैं। आशा है कि निराशावादी इस विषय में आगे को और भी आशावान् होंगे।

भारतवर्ष के अन्यान्य प्रांतों में राष्ट्र-भाषा के रूप में हिंदी का जो आदर हो रहा है उससे भी निराशा-वादियों को आनंद है। यद्यपि कई लोग हिंदी की योग्यता पर, ईर्ष्या अथवा अज्ञान के कारण, कटाक्ष करते हैं तो भी अधिकांश शिक्षित लोग इस बात को स्वीकार करते हैं कि हिंदी या हिंदी के सदृश्य और व्यापक भाषा ही हिंदुस्तान की राष्ट्र-भाषा हो सकती है। इस विषय में हिंदी और उर्दू का विरोध होता ही रहेगा; पर अन्त में जीत उसी की होगी जिसका पक्ष सत्य और साधार होगा। किसी एक भाषा के व्यापक होने के लाभों को समझ कर ऐसा कौन होगा जो अपनी भाषा के लिए वह गौरव प्राप्त कराने का उद्योग न करे। इस लोगों को भी इसी भाव से प्रेरित होकर सतत् उद्योग करना चाहिए। जय-पराजय तो ईश्वर के हाथ है।

सरकार ने पाठशालाओं के बाहर हिंदी को जो थोड़ा-सा आश्रय दिया है वह मृग-जल के समान है। युद्ध-समाचार और युद्ध-ऋण से संबंध रखनेवाले विज्ञापनों में सरकार शुद्ध हिंदी का प्रयोग करने लगी है और रामायण की चौपाइयों को अपने अर्थ के अनुकूल घटाने-बढ़ाने भी लगी है; परंतु कचहरियों में वही पुरानी नवाबी बरती जाती है। यदि सरकार को इस बात का विश्वास है—और यह विश्वास स्पष्ट दिखाई देता है—तो उसे कानूनी भाषा में, एकदम नहीं, तो धीरे-धीरे (अपनी ही नीति और प्रतिष्ठा के अनुसार) सरलता के लिए परिवर्तन करना चाहिए। सरकार की ओर से दो भिन्न-भिन्न प्रकार की भाषा-शैलियों का प्रचार लोगों के मन में संदेह उत्पन्न करता है जो प्रजा-रंजन के तत्त्व के विपरीत है। निराशा-वादियों को इस विषय में विशेष आशा नहीं देख पड़ती। जन्म-सिद्ध और और अधिकांश की प्राप्ति के लिए जैसा नियमशील आंदोलन किया जाता है वैसा हमें अपनी भाषा के अधिकार के लिए भी करना चाहिए।

अपने लेख को समाप्त करने के पूर्व अब हमें यह देखना है कि भविष्यत् में हिंदी अपने प्रचार के लिए कौन-सा रूप धारण करे। इस विषय से संबंध रखनेवाली कुछ बातें अभी अगस्त 1918 की सरस्वती के ''हिंदी और उर्दू के विरोध'' में आई हैं। लेखक का कहना है कि ''भविष्य की राष्ट्र-भाषा का रूप न तो हिंदी ही होगा और न उर्दू की। वह एक ऐसी भाषा होगी जिसमें वर्त्तमान समय की सब भाषाओं का कुछ न कुछ अंश अवश्य होगा। लेखक महाशय के ये विचार उर्दू के संबंध में भी हैं; क्योंकि आप एक जगह यह भी लिखते हैं कि ''यदि लेखक ने प्रचलित फारसी (या अंग्रेजी) शब्दों का थोड़ा भी प्रयोग किया, तो वह भाषा को अशुद्ध बनाने का दोषी समझा जाता है।'' इसमें संदेह नहीं कि भविष्यत् की हिंदी में भारतवर्ष की (और विदेशी) भाषाओं के शब्द आवश्यकतानुसार अवश्य आवेंगे; पर उर्दू के शब्द तो इसमें अभी तक आवश्यकता से अधिक भरे हुए हैं, जिनके कारण सार्थक, सरल और स्वाभाविक हिंदी-शब्दों का लोप सा हो रहा है। यदि प्रचलित शब्दों के साथ साथ हम को उर्दू के शब्दों की और भी आवश्यकता हुई तो हमारी हिंदी फिर एक बार उर्दू हो जाएगी और तब इसका पुनरुद्धार कठिन हो जाएगा। लेखक महाशय जिनको ''प्रचलित फारसी शब्द'' कहते हैं, वे सभी की दृष्टि में 'प्रचलित' नहीं है; क्योंकि उनमें से अनेक शब्दों के पर्यायवाचक हिंदी-शब्द पहले ही से हमारी भाषा में विद्यमान हैं। हाँ, एक बात अवश्य है कि फारसी के कुछ ऐसे शब्द हिंदी में मिलते हैं जिनके पर्यायवाची हिंदी-शब्द सुनने ही में नहीं आते। ऐसे शब्दों को छोड़ दूसरे फारसी-शब्दों को अपने मन से 'प्रचलित' समझ कर उनका उपयोग करना सच मुच भाषा को अशुद्ध बनाने का दोषी होना है।

हमारी भाषा में किसी भी भाषा के कितने ही शब्द क्यों न आवें, हमें अभी केवल यह देखना है कि आगे को हमारी भाषा-शैली कैसी होगी। आज कल कुछ समय से हिंदी में बहुधा चार प्रकार की शैलियाँ पाई जाती हैं, यथा, (1) संस्कृत शब्द-मय (2) हिन्दी शब्द-मय (3) फारसी (और अंग्रेजी) शब्द-मय (4) खिचड़ी। इनमें से पहली तीन शैलियों में तो लेखकों का शुद्ध या अशुद्ध सिद्धांत पाया जाता है; परंतु चौथी शैली के लेखक अपने को किसी गुरु के चेले नहीं मानते। इनकी शैली में बहुधा गंगा-मदार का जोड़ा रहता है, जो भाषा रचना के तत्त्वों के विरुद्ध है। अभाग्यवश लोगों की यह धारणा सी हो रही है कि भविष्यत् में यही खिचड़ी-शैली

की भविष्य सफलता का स्वप्न देखने लगे हैं। निराशा वादी लोग इस गड़बड़ शैली को भाषा की स्थिरता के लिए बड़ी ही हानिकारक समझते हैं। इस शैली से भाषा व्यापक भले ही हो जाए, परंतु वह स्वेच्छाचारिणी होकर अनेक रूप धारण किए हुए विचरेगी और उसके सेवकों को उसे पहचानना कठिन हो जाएगा।

पहली तीन शैलियों में केवल दूसरी ही अनुकरणीय है; क्योंकि उसी में हिंदी हिंदी रह सकती है। इसमें संस्कृत और फारसी-शब्द तभी मिलाए जाएँ जब हिंदी शब्द न मिलें अथवा उनसे काम न चले। जिस समय संस्कृत और फारसी शब्दों में प्रयोग के संबंध से झगड़ा होने लगे उस समय हमें स्वभाव ही से संस्कृत-शब्दों का पक्ष लेना चाहिए; क्योंकि ऐसा करने से हम केवल अपनी ही सहायता न करेंगे, किंतु अपने बहु-संख्यक देश-भाइयों को भी सहायता पहुँचा सकेंगे।

□

भविष्यत् में हिंदी का रूप क्या हो ?*

मुकुटधर पाण्डेय

अक्टूबर 1918 की 'सरस्वती' में श्रीयुत पंडित कामताप्रसाद गुरुजी का 'हिंदी की आधुनिक अवस्था' शीर्षक लेख प्रकाशित हुआ है। उसमें, उन्होंने, आशावादी और निराशावादियों को लेकर हिंदी के विषय में अनेक बातें लिखी हैं। मुझे उनके विषय में कुछ कहना नहीं है। कहना है सिर्फ लेख के अंतिमांश पर, जिसमें आपने इस प्रश्न पर विचार किया है कि भविष्यत् में हिंदी अपने प्रचार के लिए कौन-सा रूप धारण करे ? जान पड़ता है अगस्त 1918 की 'सरस्वती' में प्रकाशित श्रीयुत कालिदास कपूर, बी.ए.-लिखित 'हिंदी और उर्दू का विरोध' शीर्षक लेख को पढ़ कर ही श्रीयुत गुरुजी के हृदय में उपर्युक्त प्रश्न पर कुछ लिखने का विचार उदय हुआ। आपने अपने लेख में उक्त लेख का जिक्र किया भी है। मेरा व्यक्तिगत संबंध न तो गुरुजी से और न कपूरजी से। इस अवस्था में यह स्पष्ट है कि मैं विचारणीय प्रश्न पर जो कुछ लिखूँगा सिर्फ हिंदी के हित के ख्याल से लिखूँगा—उसमें पक्षपात की गंध जरा भी नहीं होगी।

गुरुजी के लेख से जाना जाता है कि आप शुद्ध हिंदी-शब्दों के पक्षपाती हैं। खिचड़ी-शैली आपको बिलकुल पसंद नहीं। आप उर्दू-फारसी के सिर्फ उन्हीं शब्दों का प्रयोग उचित समझते हैं, जिनके पर्यायवाची शब्द हिंदी में बिलकुल नहीं हैं। आपको भय है कि भिन्न-भिन्न भाषाओं के शब्दों के मिल जाने से हिंदी स्वेच्छाचारिणी होकर अनेक रूप धारण कर लेगी जिससे उसका पहचानना भी कठिन हो जाएगा।

निवेदन इस पर अब यह है। गुरुजी यह बात खुद जानते हैं कि हिंदी का शब्द-भंडार अभी तक संकीर्ण ही बना है। पिछले पंद्रह वर्षों में यद्यपि अनेक नए शब्दों की सृष्टि हुई है तथापि कहना ही पड़ता है कि हिंदी में भाव-प्रकाशन की कठिनता अभी तक पूरी तरह नहीं हुई। जब कोई लेखक किसी खास विषय पर लिखने बैठता है तब उसको इस बात का ठीक-ठीक अनुभव होता है। इस अवस्था में शुद्ध हिंदी-शब्दों से कहाँ तक काम चल सकता है, यह गुरुजी खुद सोच सकते हैं। भाषा को उन्नत बनाने के लिए उसके शब्द-भंडार को विस्तीर्ण बनाने की जरूरत होती है। जिस भाषा में एक ही अर्थ के द्योतक जितने शब्द हों उसे उतनी ही उन्नत समझना चाहिए। इस समान-अर्थ-सूचक (Synonyms) शब्दों के आधिक्य से एक ही भाव को अनेक प्रकार से प्रकट करने में सहायता पहुँचती है। आज कल जब कि हिंदी को उच्च शिक्षा के लिए माध्यम बनाने का यन्त्र चल रहा है तब उसके ऐसे शब्दों की संख्या बढ़ाना हिंदी-सेवियों का मुख्य कर्त्तव्य है। मैं नहीं सोचता, गुरुजी किस ख्याल से यह फरमाते हैं कि उर्दू के उन शब्दों का प्रयोग करना (चाहे वे प्रचलित भी क्यों न हों) जिनके कि पर्यायवाचक शब्द हिंदी में पहले से ही हो, भाषा को अशुद्ध बनाने का दोषी होना है। हिंदी में उर्दू के अप्रचलित शब्दों को घुसेड़ना किसी को भी इष्ट नहीं होगा। यहाँ मतलब है सिर्फ उर्दू के उन शब्दों से जिनका हिंदी-जनता में खूब प्रचार है और जिन्हें लोग बोलने के समय अक्सर काम में लाते हैं। गुरुजी अपने लेख के प्रारंभ में एक जगह निराशा-वादियों की ओर से कहते हैं—''एक ही देशी-भाव को बिना विदेशी सहायता के कई प्रकार से व्यक्त करने के लिए हमारा भाषा में अभी शब्द-संख्या बहुत कम है। कानूनी शब्द तो हिंदी में नाम मात्र को नहीं; और

---

* 'सरस्वती' जनवरी 1919 अंक (सं. महावीर प्रसाद द्विवेदी एवं देवीप्रसाद शुक्ल) से साभार।

जो कुछ थोड़े से शब्द राजा लक्ष्मणसिंह के सदृश दूरदर्शी लोग बना गए हैं, उन्हें समझनेवाले और उनका प्रचार करनेवाले भी विरले ही हैं। ×++ भला क्या इतने ही इने गिने शब्दों के बल पर हिंदी-पूर्ण दिग्विजय की आशा कर सकती है ?" कभी नहीं कर सकती। पर इस अभाव की पूर्त्ति का उपाय क्या हो सकता है ? संस्कृत या और किसी भाषा का आश्रय लेकर नए शब्दों के गढ़ने का परिणाम प्रायः वही होगा, जो गुरुजी के कथनानुसार राजा लक्ष्मणसिंह के यत्न का हुआ। इधर विदेशी-शब्दों से सहायता ग्रहण करना भी स्वीकार नहीं। तब फिर शब्द-संख्या बढ़ाने के लिए क्या उपाय करना चाहिए ? संसार की किसी भी उन्नत भाषा को लीजिए और उसके शब्दों के उत्पत्ति-क्रम पर विचार कीजिए। तब मालूम होगा कि उनका एक बहुत बड़ा हिस्सा विदेशी शब्दों से ही बना है। हाँ, समय की रगड़ से घिस कर अब उन शब्दों ने भले ही अन्य रूप धारण कर लिया हो। अंग्रेजी को ही दे दिया। कौन कह सकता है कि यदि यह विदेशी शब्दों से अपने शब्द-भंडार को मरने में आगा पीछा करती तो आज उसकी इतनी तरक्की हो जाती ? शब्द-समूह को बढ़ाने के सिर्फ दो ही उपाय हैं। एक तो नए शब्दों का गढ़ना और दूसरा विदेशी-शब्दों का ग्रहण करना। इन उपायों से अपनाए हुए शब्द अपनी नवीनता के कारण पहले पहल लोगों को बहुत कुछ खलते हैं। प्रायः रक्षण-शील-दल उनको लेकर झगड़ा भी खड़ा कर देता है। पर धीरे-धीरे ज्यों-ज्यों समय बीतता जाता है त्यों-त्यों वह उन्नति-शील-दल के सामने दबता जाता है। नए शब्द पुराने शब्दों में धीरे-धीरे बिलकुल मिल जाते हैं। वे लिखने पढ़ने और बोलने में इस बहुतायत से आने लगते हैं कि रक्षण-शील लोगों को उनका उच्चारण करने और उन्हें देखने का अभ्यास सा हो जाता है। धीरे-धीरे उनके प्रति उनका विरोध एकदम मिट जाता है।

किसी एक भाषा में विदेशी शब्दों के आ मिलने का दूसरा कारण यह है कि जब दो भाषाओ का संपर्क होता है, तब भाषा-विज्ञान के नियमानुसार यह कदापि नहीं हो सकता कि एक के शब्द दूसरे में जाकर न मिलें। हाँ, यदि ऐसा करने में उन्हें अपने स्वाभाविक रूप को छोड़कर नए ढाँचे में ढलना पड़े तो, यह जरूर हो सकता है। इस विदेशी-शब्द-मिश्रण को भाषा की स्थिरता के ख्याल से हानिकारक समझ उससे बचने के यत्न करने का फल बहुत बुरा होता है। आदिम काल में इस प्रकार के यत्न से संस्कृत-भाषा की कुछ कम हानि नहीं हुई। आर्य जब पहले पहल पंजाब में पहुँचे तब वही के आदिम-निवासियों की भाषा के शब्द उनकी भाषा में (जो पुरानी अथवा वेद की संस्कृत कही जा सकती है) मिलने लगे।

यह देख कर आर्यों को भ्रम होने लगा कि कहीं इस गड्डमगोल से हमारी भाषा कोई अन्य ही रूप धारण न कर ले। इस डर से उन्होंने अपनी भाषा का संस्कार कर उसे व्याकरण के नियमों की जंजीर से जकड़ दिया। इस तरह वर्तमान संस्कृत उत्पन्न हुई। किंतु इसका फल क्या हुआ ? आर्यों ने संस्कृत के चारों ओर व्याकरण का परकोटा खड़ा कर उसमें आदिम-निवासियों की भाषा के शब्दों को आकर मिलने से रोक तो दिया; पर ज्यों-ज्यों आर्यों और अनार्यों का पारस्परिक संबंध बढ़ता गया त्यों-त्यों स्वयं संस्कृत के शब्द ही उच्छृखंल कैदियों की तरह उस परकोटे को लांघ कर आदिम-निवासियों की भाषा में मिलने लगे। निदान प्राकृत के नाम से एक तीसरी ही भाषा खड़ी हो गई, जिसे सर्वसाधारण काम में लाने लगे। संस्कृत सिर्फ पुस्तकों में रह गई।

हिंदी का संपर्क फ़ारसी से शताब्दियों से रहा है। इधर उसके सामने 'कल की छोकरी' उर्दू भी पैदा हुई। अंग्रेज़ी से भी उसका संपर्क हुए बहुत दिन बीत चुके। इस बीच में हिंदी ने फारसी उर्दू और अंग्रेजी के अनेक शब्दों को अपना लिया। अभी यह काम जारी ही है और तब तक जोरों से जारी रहना चाहिए, जब तक हिंदी अपनी पूरी-पूरी तरक्की नहीं कर लेती।

हिंदी को इन विदेशी शब्दों से दूर रखने से शायद उसकी भी वही शोचनीय दशा न हो जाए जो संस्कृत की हुई। फिर तो लोग एक दूसरी ही भाषा बोलने लगेंगे और हिंदी सिर्फ साहित्य की भाषा रह जाएगी। यों तो बोलने की भाषा स्वाभाविक और लिखने की कुछ अस्वाभाविक या बनावटी होने के कारण दोनों में थोड़ा बहुत फर्क जरूर रहता है। पर, विदेशी शब्दों के लिए हिंदी का दरवाजा एकदम बंद कर देने से बीच में जो नई भाषा उत्पन्न होगी, वह उससे बहुत कुछ जुदा होगी।

पाठकों से यह बात छिपी नहीं कि आवश्यकता अपनी पूर्ति के लिए खुद युक्ति ढूँढ़ निकालती है। आदिम-काल में मनुष्य-जाति को अपने विचार प्रकट करने के लिए ज्यों-ज्यों शब्दों की आवश्यकता होने लगी त्यों-त्यों वह या तो नए शब्द बना कर अपना मतलब निकालने लगी या एक मनुष्य-समूह अपने पड़ोसी अन्य मनुष्य-समूह के बनाए शब्दों को अपनाने लगा। हिंदी में भी अभी सब प्रकार के विचार प्रकट करने के लिए शब्दों की आवश्यकता नहीं गई। अतः उसे उसकी पूर्ति का उपाय जरूर ही करना पड़ेगा। उसे ऐसा करने से रोकने का यत्न व्यर्थ जाएगा—इसमें शक नहीं।

श्रीयुत गुरुजी कपूरजी के लेख का कुछ अंश उद्धृत कर लिखते हैं—''इसमें संदेह नहीं कि भविष्यत् की हिंदी में भारतवर्ष की (और विदेशी) भाषाओं के शब्द आवश्यकतानुसार अवश्य आवेंगे। पर उर्दू के शब्द तो इसके अभी तक (भी ?) आवश्यकता से अधिक मरे हुए हैं, जिनके कारण सार्थक सरल और स्वाभाविक हिंदी शब्दों का लोप सा हो रहा है। यदि प्रचलित शब्दों के साथ-साथ हमको उर्दू के शब्दों की और भी आवश्यकता हुई तो हमारी हिंदी फिर एक बार उर्दू हो जाएगी और तब इसका पुनरुद्धार कठिन हो जाएगा।''

गुरुजी की यह आशंका ठीक है या गलत—इस पर कुछ नहीं कहा जा सकता। हमें तो उसकी कोई जरूरत ही समझ नहीं पड़ती। जो कहीं उर्दू के शब्दों के अनुकूल ही हवा चली तो वह क्या किसी के रोके रुक सकती है ? इस बात का निर्णय तो अकेले समय ही के हाथ है। बोलचाल की भाषा का जो रूप होगा, वही रूप किसी का भी होगा।

मालूम नहीं हिंदी से पहले कब उर्दू हुई थी जो गुरुजी को उसके फिर एक बार उर्दू हो जाने का डर है। हाँ, यदि आप राजा शिवप्रसाद के दल की खिचड़ी-भाषा को ही उर्दू समझते हों तो आपका कहना ठीक हो सकता है।

उर्दू शब्दों के कारण, गुरुजी के कथनानुसार जो सार्थक, सरल, और स्वाभाविक हिंदी-शब्दों का लोप सा हो रहा है—उसके लिए दुःखित होने की आवश्यकता नहीं। समय के मुख में पड़े कर अनेक शब्द नष्ट हो जाते हैं और नए शब्द उनका स्थान ले लेते हैं। यह अस्थिरता ही जीवित-भाषा का लक्षण है। उर्दू के शब्दों के सामने उनके पर्यायवाचक हिंदी शब्दों का लोप हो जाना ही इस बात का प्रमाण है कि वे उन हिंदी-शब्दों से कहीं अधिक प्रचलित हैं किसी शब्द का जीवित रहना या नष्ट हो जाना उसके प्रचार ही पर अवलंबित है। प्रचार के आगे शब्द की सार्थकता, सरलता और स्वाभाविकता का मूल्य कम हो जाता है।

एक बार मैं एक 'साहब' से उनके बँगले पर मिलने गया। बाहर उनका अर्दली चपरासी खड़ा था। वह यू. पी. तरफ का 'पण्डत' था—मुझे पहले से जानता था। देखते ही बोला—''साहब हवा खाने निकल गए आज मुलाकात नहीं हो सकती—कल सुबह-आइए जरूर मुलाकात होगी।'' इसमें जो शब्द बड़े टाईप में हैं, उनसे गुरुजी को कुछ एतराज हो सकता है। क्योंकि उनके पर्याय वाचक 'सार्थक सरल और स्वाभाविक शब्द' हमारी भाषा में विद्यमान हैं। आज कल के अधिकांश लेखक चपरासी के उक्त कथन को इस प्रकार लिखेंगे—''साहब वायुसेवनार्थ चले गए—आज भेंट नहीं हो सकती—कल प्रातः आइए—अवश्य भेंट होगी।'' पर मेरी राय में यदि उक्त वाक्य-समूह चपरासी के शब्दों में ही लिखा जाए तो भी कोई हानि नहीं। क्योंकि उसमें जो विदेशी शब्द आए हैं, उन्हें हिंदी-जनता अच्छी तरह समझ सकती है।

आज कल हमारे साहित्य में हरिश्चंद्र की शैली तो प्रचलित है ही और रहेगी ही; पर अब हिंदी की राष्ट्रीयता के ख्याल से उसमें बोल चाल में आनेवाले विदेशी शब्द मिला कर एक नई शैली का, जिसे गुरुजी 'खिचड़ी शैली' कहते हैं, प्रचार भी वाञ्छनीय होना चाहिए। वह शैली अरबी फारसी के बड़े-बड़े शब्दों से भरी हुई राजा शिवप्रसाद की शैली नहीं होगी। इसके लिए हिंदी के रक्षण-शील-दल को चिंतित होने की आवश्यकता नहीं। उसे इस बात की भी फिक्र नहीं करना चाहिए कि इस प्रकार की दो एक शैलियों के प्रचार से हिंदी के कई रूप हो जाएँगे, जिससे आगे चल कर वह पहचानी भी नहीं जाएगी। अंग्रेजी आदि भाषाएँ क्या एक ही शैली में लिखी जाती हैं ? क्या उनमें भी भिन्न-भिन्न शैलियाँ नहीं होतीं ? फिर आज वे भाषाएँ पहचानी जाती हैं या नहीं ? गुरुजी आज कल की हिंदी में प्रचलित चार प्रकार की शैलियों का उल्लेख कर कहते हैं कि इनमें केवल 'हिंदी-शब्द-मय' शैली ही अनुकरणीय है; क्योंकि उसी में हिंदी हिंदी रह सकती है। हिंदी की रक्षा का आपको इतना ख्याल है कि आप उसमें एक से अधिक शैली का होना हानिकर समझते हैं ! खैर, आपने हिंदी की चार ही शैलियाँ बतलाई पर मैंने कहीं पढ़ा था कि हरिश्चंद्र ने उसकी बारह प्रकार की लेख-शैलियाँ दिखलाई हैं।

हिंदी के शब्द-समूह को विस्तृत करने और उसके समानार्थ-सूचक शब्दों की संख्या बढ़ाने के ख्याल से उन्नतिशील-दल आज कल जान बूझ कर बोल चाल में आनेवाले विदेशी शब्दों का प्रयोग करने लगा है। ऐसा करने में उसका अभिप्राय केवल यह है कि वे शब्द आज कल के साहित्य अर्थात् लिखने की हिंदी में प्रवेश प्राप्त कर लें। इससे उनके पर्यायवाचक हिंदी-शब्दों का लोप नहीं हो सकता। हिंदी के उस स्थान में पहुँच जाने पर जहाँ कि उसे एक भाव को अनेक प्रकार से प्रकट करने की आवश्यकता होगी, वे शब्द जो इस समय लुप्तप्राय समझे जाते हैं, उसके प्रांगण में खुद उपस्थित हो जाएँगे।

उक्त खिचड़ी-शैली के प्रचार से हिंदी के समानार्थ-सूचक शब्दों की संख्या बढ़ाने में अच्छी सहायता मिल सकती है। ऐसे शब्दों की आवश्यकता पहले कई बार बताई जा चुकी है। संस्कृत में एक एक शब्द के आठ-आठ दस-दस पर्यायवाचक शब्द पाए जाते हैं। अंग्रेजी

में (Synonyms) शब्दों की सैकड़ों पृष्ठों की अलग पुस्तक ही है। ऐसे शब्दों की अधिकता से कवियों को भी बड़ा लाभ होता है। कविता में परिमित मात्राओं में ही भाव व्यक्त करना पड़ता है। अतएव, समानार्थ-सूचक अनेक शब्द रहने से कवि आवश्यकतानुसार उन में से किसी भी शब्द को काम में ला सकता है। शब्दों की कमी कवि के रचना-मार्ग में कभी-कभी भारी रुकावट ला कर खड़ी कर देती है। पर वह उससे रूकनेवाला नहीं। प्रतिभा के उन्मेष में वह किसी तरह उसे हटा कर आगे बढ़ता है। हमारे महाकवियों की रचनाओं में यत्र-तत्र जो विदेशी शब्द पाए जाते हैं, उसका कारण कुछ अंशों में यह भी हो सकता है।

दूसरी बात यह कि इस खिचड़ी-शैली के प्रचार से आज कल की हिंदी को संस्कृटाइज्ड (Sanskritized) कह कर उस पर कठिन होने का इल्जाम लगानेवाले एक बड़े भारी दल का मुख बंद हो जाएगा। इस दल में नवयुवक छात्र और नए फेशन के लोग भी शामिल हैं। उनकी सुविधा का प्रबंध कर उनके हृदय में हिंदी-प्रेम उत्पन्न कर देने से हिंदी की उन्नति और प्रचार में उनसे बहुत कुछ सहायता मिल सकने की आशा है।

श्रीयुत गुरुजी किसी विदेशी शब्द को इसलिए प्रचलित नहीं मानते कि उसका पर्यायवाचक हिंदी (?) शब्द पहले ही से हमारी भाषा में विद्यमान है।

आपने अपना यह विचार किन कारणों की नींव पर खड़ा किया है—यह समझ में नहीं आता। इस प्रकार की रक्षा से हिंदी को हानि के सिवा लाभ होने की संभावना नहीं। वह भारत की राष्ट्र-भाषा (Lingua Franca) है। इसलिए ऐसी संकीर्णता छोड़ कर उसे उदार बनना चाहिए। भारत में मुसलमान भी एक बहुत बड़ी संख्या में बसते हैं। हिंदी के लाभों से उन्हें वंचित नहीं रहना चाहिए। इधर प्रांतीय अन्य-भाषा-भाषियों के सुभीते का भी पूरा ख्याल रखना होगा। संस्कृत-शब्द-मय शैली से प्रांतीय भाषा-भाषियों को लाभ है और बोल चाल की हिंदी से दूसरे प्रकार के लोग लाभ उठा सकते हैं। इन बातों के विचार से हिंदी में जुदा-जुदा शैलियों का होना अत्यंत आवश्यक है।

खिचड़ी-शैली के विषय में गुरुजी लिखते हैं—"अभाग्य-वश लोगों की यह धारणा सी हो रही है कि भविष्यत् में यही खिचड़ी-शैली सफल होगी और इसके अनुयायी भी बढ़ते हुए दिखाई देते हैं।" यदि सचमुच ही लोगों की यह धारणा है तो इसे हिंदी का अभाग्य नहीं सौभाग्य करना चाहिए। उक्त शैली के अनुयायियों का बढ़ते जाना ही इस बात का प्रमाण है कि यह लोगों को बहुत पसंद आई है। यदि गुरुजी सर्व-साधारण की चाह और रुचि के खिलाफ हिंदी से उसकी बहिष्कार करा सके तो, अहोभाग्य समझना होगा।

आप हिंदी की रक्षा के ख्याल में ऐसे डूब गए हैं कि छोटी-छोटी बातों से भी आपको उसके लिए भय हो जाता है। प्रांतीय भाषा-भाषी वक्ताओं या लेखकों का आवश्यकतानुसार टूटी फूटी हिंदी में अपना विचार प्रकट करना आपको हानिकार जान पड़ा है। ऐसे लोगों को आप नई शैली को उत्तेजन देने और हिंदी की स्वाभाविकता नष्ट करने का दोषी समझते हैं। मालूम नहीं उनसे नई शैली को क्या उत्तेजना मिल सकती है और गया है। वे हिंदी की स्वाभाविकता को किस प्रकार नष्ट कर सकते हैं ! जब से महात्मा गाँधी ने हिंदी का पक्ष लिया है तब से कुछ अन्य-भाषा-भाषी वक्ताओं का ध्यान उसकी ओर गया है। वे हिंदी की उपयोगिता को समझने लगे हैं। अतः आवश्यकता से दब कर हिंदी में किसी कदर अपना मनोभाव प्रकट करते हैं। इससे हिंदी का प्रचार हो रहा है। उसके साहित्य की भाषा पर भला इसका क्या असर पहुँच सकता है ? गुरुजी का यह मतलब तो नहीं है कि ऐसे वक्ता या लेखक हिंदी में कुछ कहना या लिखना ही बंद कर दें ? आप भाषा की स्थिरता को अत्यंत आवश्यक समझते हैं। बात है भी ऐसी ही। बोलने की भाषा में तो स्थिरता आ ही नहीं सकती, पर लिखने की भाषा का, जिसमें साहित्य निर्मित होता है—विविध विषयों के उपयोगी ग्रंथ बनते हैं, रूप अवश्य स्थिर होना चाहिए। उसमें अस्थिरता बनी रहने से धीरे-धीरे उसका रूप बिलकुल बदल जाएगा और एक समय ऐसा आएगा कि उसमें लिखे हुए ग्रंथों से लोग कुछ भी लाभ नहीं उठा सकेंगे। इसीलिए लिखने की भाषा के पैरों में व्याकरण की बेड़ी दरकार होती है। पर इसके लिए भी समय निश्चित होना चाहिए। यदि किसी भाषा की स्वतंत्रता उसकी प्राथमिक अवस्था में ही छीन ली जाएगी तो वह अपनी उन्नति कर फूले फलेगी किस तरह ?

हिंदी अपनी तरक्की की मंजिल को अभी तक तय नहीं कर पाई है। अतएव शब्दों को अपनाने और 'खिचड़ी' 'गढ़बढ़' आदि भिन्न-भिन्न शैलियों से काम लेने में उसे अभी कुछ दिन और स्वतंत्र रहने देना चाहिए। गुरुजी नियमों का 'गोरखधन्धा' तैयार कर हिंदी में स्थिरता लाने के लिए शायद व्यग्र हो रहे हैं। उनसे प्रार्थना है कि वह इतने दिन जैसे धैर्य धारण किए रहे, वैसे ही कुछ दिन और ख़ातिरजमा रखें।

गुरुजी हिंदी में सिर्फ हिंदी-शब्द-मय शैली का प्रचार चाहते

हैं। यहाँ हिंदी-शब्दों से आपका मतलब ठेठ हिंदी के शब्दों से तो नहीं है ? आपने अयोध्यासिंह का 'ठेठ हिंदी का ठाठ' तो देखा ही होगा। आप सोचे कि इस ढंग की हिंदी आज कल के कितने हिंदी-लेखक लिख सकते हैं ? ऐसी हिंदी में, मैं जहाँ तक जानता हूँ अब तक सिर्फ वही एक पुस्तक निकली है।

एक बात यह अवश्य संतोष-जनक है कि आप जहाँ 'खिचड़ी' आदि शैलियों को नापसंद करते हैं, वहाँ आपको 'संस्कृत-शब्द-मय' शैली से भी विरक्ति है। पर आपसे प्रार्थना है कि आप एक निगाह अपने लेख पर ही डालें उसे आप हिंदी-शब्द-मय समझते हैं या संस्कत-शब्द-मय ? 'स्वयम्भू' 'पूर्णतया' 'आर्य' आदि शब्दों के प्रयोग को आप कैसा समझते हैं ? 'उच्च' 'सदृश्य' 'पूर्ण' और 'पूर्व' आदि शब्दों के लिए प्रचलित हिंदी-शब्द नहीं थे क्या ?

सच तो यह है कि शुद्ध हिंदी-शब्दों से काम नहीं निकल सकता। बिना संस्कृत-शब्दों की सहायता के हिंदी का चलना मुश्किल है। पर उसे जहाँ तक बने संस्कृत के उन बड़े-बड़े शब्दों से जिनका कि मतलब समझने में जन-साधारण को कठिनता हो, बचाना चाहिए। साथ ही वह उर्दू फ़ारसी और अंग्रेज़ी के प्रचलित शब्दों से काम लें तो अच्छा। ऐसे शब्दों का तत्सम या तद्भव जो रूप सर्वसाधारण में प्रचलित हो—वही रूप रहने देना चाहिए।

भविष्यत् में हिंदी का क्या रूप होगा—यह तो समय ही दिखलायगा; पर यहाँ इतना अवश्य कहा जा सकता है कि जन-साधारण में उसी भाषा का आदर होता है जो बोल-चाल में आती है या बामुहाविरा होती है।

अंत में श्रीयुत गुरुजी से प्रार्थना है कि आप उपस्थित प्रश्न पर हिंदी और हिंदी-जनता के हित की दृष्टि से एक बार और विचारें। □

इक़बाल की कविता*

शमशेरबहादुर सिंह

उर्दू और फ़ारसी की कविता के इतिहास में गालिब के बाद हम इक़बाल के अतिरिक्त और कोई दूसरा प्रसिद्ध नाम नहीं ले सकते; और आधुनिक युग में भारत के रवींद्र और इक़बाल ही दो कवि हैं, जिनकों संसार ने अपने महाकवियों में स्थान दिया है। आज वे उन अमर सत्वों के साथ एक हो गए हैं जो समय के असित प्रवाह में समुज्ज्वल रूप से चिर काल के लिए स्थिर हैं। संसार की कुछ विभूतियों के लिए हमें अतिशयोक्ति का प्रयोग करना पड़ता हैं; क्योंकि यदि वे कवि हैं तो केवल कवि ही नहीं हैं; यदि वे राष्ट्र के निर्माता हैं तो केवल राष्ट्र के निर्माता ही नहीं है; दार्शनिक हैं तो दार्शनिक के अतिरिक्त और भी कुछ हैं। जीवन की गति-विधि को मोड़ने, देश की संस्कृति को अधिक परिष्कृत और माधुर्यपूर्ण करने, मनुष्य के वर्तमान को अधिक मूल्यवान् बनाने, उसके भविष्य को अनंत ज्योति की सत्ता से अधिक सजीव करने का पुण्य श्रेय इन्हीं आत्माओं को प्राप्त होता है।

दार्शनिक इक़बाल

मनुष्य का जीवन कितना विवश है; उसे सँभालने, उसे आशा की सांत्वना से शांत, सशक्त और मंगलमय करने की कितनी आवश्यकता है, यह युग-प्रवर्तक कवियों की वाणी के स्वर और कंपन, उनकी विह्वल आशाओं, उनके प्राणों की असह्य वेदना से ही कुछ-कुछ हम जान सकते हैं।

अपनी एक शुरू की कविता में इक़बाल कहते हैं कि मुझे इस तमपूर्ण संसार में हृदय-हृदय के अंतर-प्रकाश की दीपावली करनी है–

'जलाना है मुझे हर-शमए-दिल को सोज़े-पिन्हा से
तेरी ज़ुल्मत में मैं रौशन चिराग़ाँ करके छोड़ूँगा।'

इस तरह तक इक़बाल योरप नहीं गए थे। आँखों में देश की स्वतंत्रता का स्वप्न था और हृदय में स्वदेश-प्रेम का दर्द। नवयुवक कवि को अपनी उच्चाकांक्षा और कल्पना के विहार के लिए एक क्षेत्र मिल गया था। अपनी वाणी के द्वारा देश की सब जातियों को प्रेम के एक सूत्र में बाँधना ही कवि ने अपना लक्ष्य बनाया–

'पिरोना एक ही तस्बीह में इन बिखरे दानों को–
जो मुश्किल है तो इस मुश्किल को आसाँ क़रके छोड़ूँगा !'

इस प्रेम-सूत्र के द्वारा अपनी निहित शक्तियों को जानने और आत्म-ज्ञान प्राप्त करने के लिए कवि विकल है। वह विश्व की एकता का मनुष्य और प्रकृति में, जड़ और चेतन में, सबमें प्रत्यक्ष अनुभव करना चाहता है।

'बस्तए-रंगे-ख़सूसियत न हो मेरी ज़बाँ;
नौए-इन्साँ क़ौम हो मेरी, वतन मेरा जहाँ;
दीदए-बातिन प राज़े-नज़्मे-कुदरत हो अयाँ;
हो शनासाए-फ़लक शमए-तख़य्युल का धुआँ;
उक़दए-अज़दाद की काविश न तड़पाए मुझे;
हुस्ने-इश्क़ अंगेज हर शै में नज़र आए मुझे !'

अर्थात्-गुण-भेद के बंधन में मेरी वाणी न फँसे, बल्कि मानव-मात्र को मैं अपनी जाति और संसार भर को अपना वतन समझूँ; प्रकृति के रहस्य मेरे अंतर-चक्षुओं पर प्रकट हों; मेरी कल्पना का दीप-धूप

* 'सरस्वती' सितम्बर, 1938 अंक (सं. देवीदत्त शुक्ल एवं श्रीनाथ सिंह) से साभार।

आकाश की गहनता से परिचित हो;—मैं विभिन्नता की समस्याओं में पकड़कर विकल न रहूँ; बल्कि वस्तु-वस्तु में मुझे प्रेममय सौंदर्य दिखाई दे।

दीपक का प्रकाश सब स्थानों में एक-सा रहता है। किंतु मनुष्य का हृदय तो मंदिर-मस्जिद के भेद-भाव में फँसा हुआ है, अस्तु, कवि खिन्न होकर कहता है—

'काबे में बुतकदे में है यकसाँ तेरी जिया,
मैं इक्तियाज़े-दैरो-हरम में फँसा हुआ !'

किंतु—शमा हुई, चाँद हुआ, सूर्य हुआ; ये अपनी हकीकत को नहीं जानते, जानने समझने की मनुष्य की-सी विकल क्षमता भी इनमें नहीं। इस ज्ञान से कवि को कुछ सांत्वना मिलती है और अपने पथ की ओर संकेत भी—

'फिर भी एक माहे-मुबीँ ! मैं और हूँ, तू और है !
दर्द जिस पहलू में उठता है व' पहलू और है !

वह अपनी विह्वलता के दर्पण में चिर मिलन का आकर्षण देखकर तन्मय हो जाता है। वास्तव में अंतर की विकल आकांक्षा जिसे प्राप्त करना चाहती है वहीं सत्य है, शाश्वत है, वही सच्ची स्वाधीनता है; वह वस्तु-वस्तु के भेद से परे है और ज्ञानातीत है; किंतु प्रेमी को वह सुलभ है।

'जो तू समझे तो आज़ादी है पोशीदा मोहब्बत में
गुलामी है असीरे-इम्तियाज़े-मा-व-तू रहना !'

अर्थात् 'मैं' और 'तू' के भेद में बँध जाना ही पराधीनता है।

'जलाना दिल का है गोया सरापा नूर हो जाना
य' परवाना जो सोज़ाँ हो तो शमए-अंजुमन भी है'

अर्थात् यह उर शलभ यदि जल उठे तो यही सभा का दीप—संपूर्णतः ज्योतिर्मय—हो जाय !

हृदय मस्तिष्क से कहता है—

'इल्म तुझसे, तो मारफ़त मुझसे—
तू खुदा-जू खुदा-नुमा हूँ मैं !'

(मारफत-ईश्वर की पहचान) अर्थात्, तू ईश्वर का खोजी सही, उस ओर पथ-प्रदर्शक मैं ही हूँ।

'तू मकानों-ज़माँ से रिश्ता-ब-पा
तायरे-सिद्रह-आशना हूँ मैं !'

('सिद्रह'—सातवें आकाश का एक विटप) अर्थात् तू काल और स्थान के पग-बंधनों में पड़ा है, किंतु मेरे पख स्वर्ग के अंत-तम उपवनों से परिचित हैं।

उसकी सूक्ष्म-दर्शी कल्पना उस अवस्था में जब कुछ क्षण के लिए उसे पहुँचा देती है तब वह आश्चर्य और द्विधा से पूछ उठता है—

'मैं हुस्न हूँ कि इश्क़ सरापा-गुदाज़ हूँ
खुलता नहीं कि नाज़ हूँ मैं या नियाज़ हूँ'।

अर्थात् मैं पूर्णतः द्रवित प्रेम का स्वरूप हूँ अथवा पूर्ण सौंदर्य ? समझ में नहीं आता कि मैं स्वयं नाज हूँ अथवा नाज उठानेवाला !

नव-युवक इक़बाल की इस बेताबी, जोश और तड़प से हम पहले-पहले 'तसवीरे-दर्द' में प्रभावित होते हैं। कवि के स्वदेश-प्रेम, मानसिक तथा आध्यात्मिक स्वतंत्रता के लिए उसकी महत्वाकांक्षा और उसकी ओर प्रेरणा, एकता और प्रेम की अद्भुत विश्व-विजयिनी शक्ति और चमत्कार—इन सबका सुंदर दिग्दर्शन इसमें होता है। और फिर कैसी प्रवाहमय, ओजपूर्ण भाषा में प्रबल कल्पना-द्वारा इस भाव-शृंखला का पोषण हुआ है ! कुछ शेर देखिए—

नहीं मिन्नत-कशे-ताबे-शुनीदन दास्ताँ मेरी
ख़ामोशी गुफ्तगू है, बेज़बानी है ज़बाँ मेरी !

किसी में सुनने की ताब हो, ऐसी मेरी कहानी नहीं; मौन ही मेरी वार्तालाप, मेरी मूकता ही मेरी ज़बान है।

य' दस्तूरे-जबाँ बंदी है कैसा तेरी महफिल में ?
यहाँ तो बात करने को तरसती है जुबाँ मेरी !

कुछ कहने को हम विकल हैं; मगर कानून से हमारा मुँह बंद कर दिया गया है।

* * *

टपक ए शमा ! आँसू बन के परवाने की आँखों से !
सरापा दर्द हूँ, हसरत भरी है दास्ताँ मेरी !
सरापा—सिर से पाँव तक, पूर्णतः।

* * *

परेशाँ हूँ मैं मुश्ते-ख़ाक, लेकिन कुछ नहीं खुलता,
सिकंदर हूँ, कि आईना हूँ, या गर्दे-कदूरत हूँ !

मैं उड़ती हुई एक मुट्ठी धूल हूँ। किंतु कौन जाने यह (अमरत्व की खोजी) सिकंदर बादशाह की मिट्टी हो !—यह प्रतिबिंब हो विश्व-जीवन का ! अथवा कलुषता की गर्द हो केवल !

य' सक कुछ है मगर हस्ती मेरी मकसद है कुदरत का !
सरापा नूर हो जिसकी हकीकत, मैं व' जुल्मत हूँ !

कुछ भी हो, मेरा जीवन प्रकृति का उद्देश्य है; ज्योति जिसकी वास्तविकता है, मैं वह अंधकार हूँ।

* * *

असर यह भी है इक मेरे जनूने-फ़ितना-सामाँ का,

मेरा आईनए-दिल है क़ज़ा के राज़दानों में !

एक असर यह भी है मेरे इस उपद्रवपूर्ण पागलपन का कि मेरे हृदय का दर्पण भी मृत्यु का रहस्य जाननेवालों में से है।

रुलाता है तेरा नज़्ज़ारा, ए हिंदोस्ताँ, मुझको;

कि, इबरत-खेज़ है तेरा फ़साना सब फ़सानों में !

'इबरत-खेज़', करुण शिक्षा-पूर्ण।

* * *

फिदा करता रहा दिल को हसीनों की आदाओं पर

मगर देखी न इस आईने में अपनी अदा तूने !

'आईना', अर्थात् दिल।

तअस्सुब छोड़ नादाँ ! दह्र के आईना-खाने में

य' तसवीरें हैं तेरी जिनको समझा है बुरा तूने !

ओ नादान, असहिष्णु न बन ! इस दुनिया के शीशमहल में सब तेरे ही प्रतिबिंब हैं, जिन्हें तू बुरा बताता है।

बाद को यह कवित्व-शक्ति 'शमा-ओ-शायर', 'खिज़्रे-राह', 'तुलूए-इस्लाम', 'साक़ी-नामा' आदि कविताओं में आध्यात्मिकता की दृष्टि से अधिक पुष्ट तथा गम्भीर और गहन हो गई है। जिस महासागर के संगम के लिए उसकी मानस-धारा विकल थी, मानो वह उसे प्राप्त हो गया है, जहाँ से (मुस्लिम-जगत् के द्वारा ही सही) एक आह्वान-स्वर समस्त संसार के लिए उठता रहता है।

सुनिए–

आश्ना अपनी हक़ीक़त से हो एक दहकाँ ! ज़रा,–

दाना तू, खेती भी तू, बाराँ भी तू, हासिल भी तू !

रे गँवार ! अपने अस्तित्व से अभिज्ञ हो; देख कि बीच, खेती, वर्षा और खेत की पैदावार–तू ही सब कुछ है !

आह ! किसकी जुस्तजू आवारा रखती है तुझे ?–

राह तू, रहरौ भी तू, रहबर भी तू, मंज़िल भी तू !

तू किसकी खोज में भटक रहा है ? अरे, पथ और पथिक, पथ-प्रदर्शक और लक्षित स्थान, सब कुछ तू ही तो है !

काँपता है दिल तेरा अंदेशए-तूफ़ाँ से क्या !

नाखुदा तू, बह तू, कश्ती भी तू, साहिल भी तू !

तूफ़ान का डर क्या जब कि तू ही नाविक और तू ही सागर और तू ही उस पार का तट है ?

देख आकर कूचए-चाके-गरेबाँ में कमी !

कैस तू, लैला भी तू, सहरा भी तू, महफिल भी तू !

ओ विक्षिप्त, तेरी धज्जियों के चीर-चीर में जो गलियाँ-सी बन गई हैं उनमें घूम-घूमकर देख कि तू ही मजनूँ, तू ही लैला, तू ही वन और बयाबान और तू ही वह पर्दा है जिसमें लैला छिपी हुई है !

शोला बनकर फूँक दे ख़ाशाके-ग़ैरल्लाह को !

ख़ौफ़े-बातिल क्या ? कि है गारत-गरे-बातिल भी तू !

अनीश्वरता के तृण को आग की लपट बन कर फूँक दे ! क्या भय असत्य का ? आखिर असत्य और मिथ्या को नाश करनेवाला भी तू ही है।

–'शमा-ओ-शायर' से

पुनः कहते हैं–

य' मौज-नफ़स क्या है, तलवार है !

ख़ुदी क्या है, तलवार की धार है !

'मौजे-नफ़स', साँसकी गति-लहर; 'ख़ुदी', अहम्।

ख़ुदी-जल्वा-बदमस्त-ओ-खिल्वतपसंद !

समुंदर है इक बूँद पानी में बंद !

अहं ज्योति-दर्शन से विभोर एकांत का प्रेमी है; इस एक बूँद पानी में सागर की शक्ति छिपी हुई है।

अँधेरे उजाले में है ताबनाक !

मनो-तू से पैदा, मनो-तू से पाक !

अँधेरे और उजाले में बराबर तेज-पूर्ण; 'मैं' और 'तू' की रागात्मिकता से उत्पन्न भी, किंतु फिर राग मुक्त भी है।

अज़ल इसके पीछे, अबद सामने !

न हद इसके पीछे, न हद सामने !

इसका आदि अनादि है और अंत अनंत।

ज़माने के दरिया में बहती हुई !

सितम इसकी मौजों के सहती हुई।

यह अहं स[illegible]-सागर में प्रवाहित और इसकी लहरों से प्रताड़ित है।

तजस्सुस की राहें बदलती हुई

दमादम निगाहें बदलती हुई।

सब और दृष्टि-संचालन करती हुई यह प्रत्येक पथ से खोज में लीन है।

सुबक इसके हाथों में संगे-गराँ !

पहाड़ इसकी जर्बों से रेगे-रवाँ !

शैल-खंड का भार इसके हाथों में क्या है ? इसकी चोटों से गिरि-शृंग भी रेणु-रेणु है !

सफर इसका अंजामृ-ओ-आग़ाज़ है

यही इसकी तक़वीम का राज है !

यात्रा में ही इसका आदि और अंत है। इसकी शक्ति का रहस्य यही है।

किरन चाँद में है, शरर संग में

य' बेरंग है डूबकर रंग में !

यही चंद्रमा में शीतल किरण है और पत्थर में आग की चिंगारी है। यह सब रंगों में है, किंतु इसका कोई रंग नहीं।

ख़ुदी का नशेमन तेरे दिल में है

फ़लक जिस तरह आँख के तिल में है।

आँख के तिल में जैसे आकाश, उसी प्रकार तेरे हृदय में इस अहं का नीड़-निवास है।

अस्तु, देश-प्रेम के लोकप्रिय तरानों का स्थान इकबाल की बाद की कविता में इस्लामी-धर्म से अभिभक्ति एक अधिक व्यापक प्रकार के आदर्शवाद ने ले लिया, जिसमें इस्लामी दुनिया का सांस्कृतिक और धार्मिक संगठन का भाव अत्यधिक महत्त्वपूर्ण हो गया है। वास्तव में स्वदेश-प्रेम से ऊपर उठकर इक़बाल ने अपने धर्मानुयायियों को जिस आदर्श की ओर प्रेरित किया है उसे हम अनुदार कदापि नहीं कह सकते, यद्यपि कुछ पाठकों का इसके बारे में हमसे भिन्न मत है। क्योंकि इकबाल के 'मुस्लिम' की व्याख्या करने पर हम उसे संसार-समाज का एक आदर्श व्यक्ति पाते हैं। यह 'मुस्लिम' कोरी फिलासफी की अकर्मणयता और 'फिरंगी तहजीब' के चित्ताकर्षक याथातथ्यवाद के समकक्ष अपनी एकेश्वरवादी आस्था, अपना दृढ़ आत्म विश्वास और सूफियों के-से विश्व-विजयी प्रेम की अभूतपूर्व शक्ति को रखता है। इनके बल पर क्या वस्तु, क्या शक्ति उसके अधिकार में नहीं ! वह मृत्युंजय है और पूर्ण अर्थ में स्वतंत्र है। 'मर्दे-मुसलमान' की पंक्तियाँ हैं—

हर लहज़ा है मोमिन की नई शान नई आन,

गुफ़्तार में, करदार में, अल्लाह की बुरहान !

धर्म-भीरु पुरुष प्रतिक्षण नवीन गौरव को प्राप्त होता है; अपनी वाणी और कर्म से वह स्वयं ईश्वर की सत्ता का प्रमाण है।

'क़ह्हारी'-ओ 'गफ़्फ़ारी'-ओ 'क़ुद्दूसी'-ओ-'जब्रूत'

यह चार अनासिर हों तो बनता है मुसलमान !'

ईश्वरीय रोष तथा ईश्वरीय क्षमा, पवित्रता तथा गुरु-तेजस्व, ये चार गुण-तत्त्व जब मिलते हैं तब मुलसमान का आविर्भाव होता है।

हमसायए-जब्रीले-अमीं बंदए-ख़ाकी !

है इसका नशेमन न बुख़ारा न बदख़्शान !

ख़ाक से बने इस दीन-जन का वास तो ईश्वर के परम-सेवक (फ़िरिश्ता) हज़रत जब्रील के समकक्ष है; पृथ्वी के बुख़ारा बदख़्शाँ आदि को उसका घर न समझो।

वह राज़ किसी को नहीं मालूम, कि मोमिन—

क़ारी नज़र आता है, हक़ीक़त में है क़ुरआन !

यह रहस्य किसी को ज्ञात नहीं कि मोमिन स्वयं कुरान-शरीफ है, यद्यपि प्रकट-रूप से वह इस धर्म-पुस्तक का पारायण करनेवाला ही जान पड़ता है।

क़ुदरत के मक़ासिद का अ़यार इसके इरादे

दुनिया में भी मीज़ान, क़ियामत में भी मीज़ान !

उसके संकल्प प्रकृति के चरम उद्देश्यों का परिमाण हैं। जैसा कि संसार में, वैसा ही न्याय के अंतिम दिवस भी, तुला के समान, वह सदैव पूरा—आदर्श-रूप—उतरता है।

जिससे जिगरे-लाला में ठंडक हो, व' शबनम;

दरियाओं के दिल जिससे दहल जाएँ, व' तूफ़ान !

लाला के छोटे से फूल के हृदय पर वह ओस की शीतलता के समान है; किंतु वह ऐसा तूफान भी है जिससे दरियाओं के दिल दहल जाएँ।

फ़ितरत का सरोदे-अज़ली इसके शबो-रोज़,

आहंग में यकता सिफ़ते-सूरए-रहमान !

उसके दिवा-निशि में प्रकृति का अनादि संगीत है, जिसका स्वर-नाद 'सूरए-रहमान' (कुरान-शरीफ का एक अध्याय) सा ही अद्वितीय और असामान्य है।

किंतु वह संसार की विजय अपने ऐश्वर्य के लिए नहीं चाहता। उसका तो वैयक्तिक जीवन निःसंग दीनता पर—फकीरी पर—निर्धारित है, जो प्रतिक्षण सर्वशक्तिमान् से उसे मिलाए रखती है। उसकी दिग्विजय का भौतिक रूप तो एक गौणा रूप है, यद्यपि उसका यह रूप उपेक्षा के योग्य नहीं।

न तख़्तो-ताज में, न लश्करो-सिपाह में है

जो बात मर्दे-क़लंदर की बारगाह में है !

'मर्दे-क़लंदर की बारगाह'-त्यागी तपस्वी का डेरा

कवि कहता है कि ताज, निशान, लश्कर ये तो फकीरों के चमत्कार हैं—

फ़ुक्र के हैं मुअजज़ात–ताजो-सरीरो-सिपाह

फ़ुक्र है मीरों का मीर, फ़ुक्र है शाहों का शाह !

इल्म का मक़सूद है पाकीए-अक़्लो-ख़िरद !

फ़ुक्र का मक़सूद है इफ़्फ़ते क़ल्बो निगाह !

ज्ञान का ध्येय बुद्धि को निर्मल करना है, फ़ुक्र का दृष्टि और मन को पवित्र करना।

इल्म फ़क़ीहो-हकीम, फ़ुक्र मसीहो-कलमि

इल्म है जोयाए-राह, फ़ुक्र है दानाए-राह।

'ज्ञान' तत्त्वान्वेषक दार्शनिक है, किंतु 'फ़ुक्र' (फ़क़ीरी, तप, साधना) स्वयं मसीह और हज़रत मूसा की शक्ति से अभिभूत है। ज्ञानी केवल पथ खोजता रहता है, किंतु फ़क़ीर उसको जानता और समझता है।

फ़ुक्र मुक़ामे-नज़र, इल्म मुक़ामे-ख़बर

फ़ुक्र में मस्ती सवाब, इल्म में मस्ती गुनाह !

तप साक्षात्कार है, ज्ञान केवल श्रुति है। मस्ती फ़क़ीर के लिए आध्यात्मिक सुख है, किंतु, ज्ञानी के लिए बिडंबना है, पाप है।

दिल अगर इस ख़ाक में ज़िंदा-ओ-बेदार हो

तेरी निगह तोड़ दे आइनए-महो-माह !

इस विभूति के प्रसाद से यदि कहीं हृदय (मन) जाग उठे तो तेरी एक दृष्टि सूर्य और चंद्र का आईना तोड़ दे सकती है।

संसार की जो भी जाति अथवा राष्ट्र इस महान् (मुस्लिम) आदर्श का पालन करने में समर्थ होगा वही बड़े से बड़े ऐहिक और परलौकिक सम्मान-पद और शक्ति का अधिकारी होगा।

अगर है इश्क़, तो है कुफ़्र भी मुसलमानी;

न हो, तो मर्दे-मुसलमाँ भी काफ़िर-ओ-ज़िंदीक़ !

'ज़िंदीक़' (ज़िंदाअवस्ता को माननेवाला) अर्थात् विधर्मी। पश्चिमी सभ्यता के बारे में भी कहते हैं–

सरूरो-सोज़ में नापायदार है, वर्ना

मये-फ़िरंग का तह जुरअ भी नहीं नासाफ़ !

यानी इसकी ज्वाला, इसका नशा ठहरनेवाला नहीं, नहीं तो इस 'फ़िरंगी' हाला की भी तलछट ना-साफ़ नहीं, अर्थात् साफ़ है।

इक़बाल और वतन

इस्लाम का सच्चा पथ अलौकिक साधना का पथ है। सद्विचार, सद्भक्ति और एकेश्वरी आस्था से ही प्राचीन महापुरुषों की-सी क्षमता फिर मनुष्य में पैदा हो सकती है। आधुनिक राष्ट्रों का अस्थिर बल-प्रदर्शन तथा पूर्व-देशों में नाना देवों की पूजा-आराधना आत्म-निहित परब्रह्म की ज्योति के सम्मुख तृण के समान है।

पश्चिमी आदर्शों से अनुप्राणित देश-भक्ति भी जीवन की सच्ची महान् प्रेरणाओं को एक संकुचित सीमा में ही परतंत्र कर देती है। यह भी एक प्रकार की मूर्ति-पूजा है। इसकी पूजा के मोह के पीछे अपनी आंतरिक स्वतंत्रता के जीवन-स्रोत को तथा उसके परम उद्गम से अपने संबंध को हम विस्मृत कर देते और खो देते हैं। हम यहाँ 'वतनीय्यत' शीर्षक कविता ('बांगे-दरा' पृष्ठ 173-4) का सार-भाव देते हैं–

आधुनिक सभ्यता के मूर्ति-भवन में सबसे विशालकाल मूर्ति 'वतन' की है। 'जो पैरहन (वस्त्र) इसका है व' मज़हब का कफ़न है !' अस्तु, ए इस्लाम को ही अपना 'देश' माननेवाले, 'ए मुस्तफ़वी ! ख़ाक में इस बुत को मिला दे !' सीमा-बंधन का परिणाम तबाही है; तू स्थान की सीमा से स्वतंत्र हो जा ! 'वतन' का राजनीति की भाषा में कुछ और अर्थ है और धर्म की भाषा में (हमारे नबी का इरशाद) कुछ और है। इसी 'वतन' के कारण संसार की जातियों में प्रतिद्वंद्विता है। यही विदेश-विजय को व्यापार का ध्येय बना देता है। राजनीति सत्य से ख़ाली हो जाती है और कमज़ोर का घर गारत हो जाता है। ईश्वर की सृष्टि जातियों में बँट जाती है तथा इस्लाम के भ्रातृत्व का मूलोच्छेद हो जाता है।

अपनी स्वतंत्र शक्ति से यदि मनुष्य आध्यात्मिक गौरव को प्राप्त करने की ओर अग्रसर हो तो संसार की कोई शक्ति उसे कभी परतंत्र नहीं रख सकती। अनेक स्थलों पर इक़बाल ने मनुष्य की पावन श्रेष्ठता का गुण गान किया है। सर्व-नियंता के सम्मुख अनेक बार उसे सृष्टि की अन्य विभूतियों तथा फरिश्तों तक से अधिक पवित्र तथा ईश्वर की शक्ति व अनुकम्पा का एकमात्र अधिकारी और आधार बताया है। मनुष्य अपनी शक्तियों को पहचाने, उनके द्वारा निरंतर उत्थान को प्राप्त होता हुआ अधिकाधिक ज्योतिर्मय होता जाए–इक़बाल की कविता इसी लक्ष्य की ओर संसार को प्रेरित करती हैं।

इस ज़र्रे को रहती है वसअत की हवस हरदम

यह ज़र्रा नहीं, शायद सिमटा हुआ सहरा है !

इस कण को प्रतिपल विकास की अभिलाषा है।

संभवतः यह कण नहीं, कोई सिमटा हुआ मरु-प्रदेश है !

चाहे तो बदल डाले हैय्यत चमनिस्ताँ की

यह हस्तीए-दाना है, बीना है, तवाना है !

इसका प्रबुद्ध, चक्षुष्मान् शक्तिमय जीवन चाहे तो संसार का अस्तित्व ही बदल दे।

—'इन्सान' (बाँगे-दरा)

उरूजे-आदमे-ख़ाकी से अंजुम सहमे जाते हैं–
कि यह टूटा हुआ तारा महे-कामिल न बन जाए !

इस मिट्टी के पुतले का उत्थान देखकर नक्षत्र सहमे जाते हैं कि कहीं स्वर्ग-लोक से गिरा हुआ यह तारा बढ़ते बढ़ते व्योम का पूर्ण चंद्र न बन जाए ?

यहाँ दो अतीव सुंदर ग़ज़लें हम देते हैं। इनका अर्थ-गौरव जिस पूर्णता के साथ मनुष्यात्मा की महत्ता का द्योतक है, अनुवाद में उसकी झलक-मात्र भी कहाँ आ सकती है !

(1)

इस ग़ज़ल में विश्व की गति-विधि पर मनुष्य की गर्वोक्ति-पूर्ण टिप्पणी है; प्रश्नों के रूप में ईश्वर के प्रति एक हल्का-सा उलाहना है।

अगर कज-रौ हैं अंजुम, आसमाँ तेरा है या मेरा ?
मुझे फ़िक्रे जहाँ क्यों हो ! जहाँ तेरा है या मेरा ?

अर्थात् मुझे संसार की चिंता क्यों हो ? नक्षत्रों की गति उल्टी हैं तो हुआ करे ! आखिर यह विश्व, यह व्योम तेरा है या मेरा ? (तू ही तो इनका नियंता है, मैं तो नहीं !)

अगर हंगामाहाए-शौक़ से है ला-मक़ाँ खाली
खता किसकी है, या रब ! ला-मकाँ तेरा है या मेरा !

अगर यह असीम महत्त्वाकांक्षाओं के संघर्ष से शून्य है तो किसका अपराध है, प्रभु ? तुम्हारा ही तो है यह असीम ! न कि मेरा ?

उसे सुबहे-अज़ल इंकार की जुरअत हुई क्योंकर
मुझे मालूम क्या ! वह राज़दाँ तेरा है या मेरा !

मैं क्या जानूँ, उसे अनादि के प्रभात-काल में अवज्ञा का साहस कैसे हुआ ? तेरे ही तो अंतरंग रहस्यों का ज्ञाता है वह ! (अर्थात् मेरी उत्पत्ति पर इब्लीस (शैतान) क्यों नत-मस्तक नहीं हुआ, इसका कारण तू ही जानता है !)

मोहम्मद भी मेरा, जब्रील भी, कुरआन भी तेरा !
मगर यह हर्फ़े-शीरीं तर्जुमाँ तेरा है या मेरा ?

यह सब तेरे हैं—पैगम्बर भी (फरिश्तों में अन्यतम) जब्रील भी और कुरान भी; मगर यह (मानव की) सुमधुर वाणी किसकी भाष्यकार है ? तेरी या मेरी ?

इसी कौकब की ताबानी से है तेरा जहाँ रौशन,–
ज़वाले-आदमे-ख़ाकी ज़ियाँ तेरा है या मेरा ?

इस नक्षत्र की ज्योति से तेरे संसार में उजाला है; अब इस धूलि-कण-विनिर्मित मानव के ह्रास में बता हानि किसकी है ? तेरी या मेरी ?

(2)

यह ग़ज़ल तो मनुष्यात्मा की महत्ता की स्तुति ही है।

मेरी नवाए-शौक से शोर हरीमे-ज़ात में !
ग़ल्ग़लाहाए अल्-अमाँ बुतकदए-सिफ़ात में !

मेरी आकांक्षाओं के राग-स्वर की परब्रह्म के गृह में धूम है। उसके नाद से गुणों के मूर्ति-मंदिरों में 'त्राहिमाम् !' मच रही है।

हूरो-फ़रिश्ता है असीर मेरे तख़य्युलात में–
मेरी निगाह से ख़लल तेरी तजल्लियात में !

अप्सराएँ और स्वर्गदूत मेरी कल्पनाओं के बंदी हैं मेरे दृष्टि-पात से तेरी ज्योति के पारावार में खलल पैदा हो जाता है !

गरचे है मेरी जुस्तजू दैरो-हरम की नक़्शबंद
मेरी फ़ुग़ाँ से रुस्तख़ेज़ काबा-ओ-सोमनात में !

यद्यपि मेरी खोज की भावना ही-मंदिर और मस्जिद के चित्र निर्माण करनेवाली है, तथापि मेरा कातर क्रंदन काबा और सोमनाथ दोनों के लिए कयामत है !

गाह मेरी निगाहे-तेज़ चीर गई दिले-वजूद
गाह उलझ के रह गई मेरे तवहहुमात में !

कभी तो मेरी तीक्ष्ण दृष्टि स्थायित्व के मर्म तक को भेद जाती है और कभी ऐसा होता है कि अपनी शंकाओं में ही उलझ कर रह जाती है।

तूने य' क्या ग़ज़ब किया ! मुझको भी फ़ाश कर दिया मैं ही तो एक राज़ था सीनए-कायनात में !

(ए कवि !) सृष्टि के उर में मैं ही तो एक रहस्य था। उसे खोलकर तूने यह क्या उत्पात किया ?

इक़बाल की काव्य-कला

इक़बाल का संदेश प्रेम-साधना-द्वारा आत्म-विश्वास और आत्म-ज्ञान का संदेश है। यह आत्म-ज्ञान 'एकोब्रह्म द्वितीयो नास्ति' ('ला-इलाह-इलू-लिल्लाह') पर निर्धारित है, अर्थात् ईश्वर एक है और कोई दूसरा उसका सानी नहीं। इस मंत्र-द्वारा संसार में नव-जागृति

पैदा करने की ओर इस महाकवि ने अपनी काव्य की सभी शक्तियों को केंद्रित कर दिया है। इक़बाल ने प्रकृति-चित्रण के सर्वोच्च उदाहरण उर्दू-कविता को प्रदान किए हैं—; मनुष्य के साधारण हर्ष-विषाद तथा रागानुराग का वर्णन;—स्वयं अपने सुख-दुख की लिरिक अभिव्यक्ति; इन सबको इक़बाल ने अलंकार-रूप से केवल अपने आध्यात्मिक विश्वासों के प्रतिपादन तथा मुस्लिम-संस्कृति को अपनी वाणी-द्वारा परिष्कृत तथा समुत्थित करने के कार्य में लगा किया है। फलतः इक़बाल के पद्य नाना अर्थ-संकेतों से पूर्ण हैं; अनेक संचारी भावों से पुष्ट हैं; श्रेष्ठ तथा अत्यंत सजीव कल्पना-शक्ति से अनुप्राणित हैं; चमत्कारपूर्ण शब्द-विन्यास से सुसंस्कृत और अलंकृत हैं; ओजस्विनी भाषा के प्रवाह से गंभीर है। भावों में एक पैग़म्बराना शान, सूफ़ियों की सी एक मस्ती है, जिसके कारण छंद और गति में लोच और स्वर में एक हलकी-सी झंकार और कंपन पैदा हो गई है। नाद की गर्मी में एक स्थिर, दृढ़ यौवन की-सी गूँज है, जो कवि की अंतिम काल की कविताओं में अभिमंत्रित-सी हो गई जान पड़ती है। नाद और लोच और कंपन का अभी ज़िक्र किया गया है। उसका आभास पिछले उद्धरणों में मिल चुका होगा। फिर भी यहाँ उनकी 'मैं और तू' शीर्षक प्रसिद्ध कविता में इसके सौंदर्य का हम विशेष रसास्वादन कर सकते हैं।

'मैं और तू'

न सलीक़ा मुझमें कलीम का, न क़रीना मुझमें ख़लील का;
मैं इलाके-जादुए-सामरी, तू क़तीले-शेवए-आज़री !

न तो मुझमें हज़रत मूसा की-सी प्रतिभा है (जो तुझे, ऐ मुस्लिम ! धर्म-संकट से निकाल सकूँ) और न तुझमें हज़रत इब्राहीम की एकेश्वर-वादी आस्था के से ढंग हैं। अवस्था यह है कि इधर में झूठे चमत्कार के जादू पर मिटा जाता हूँ, उधर तू अपनी मूर्ति-पूजा के स्वभाव पर बलि है।

मैं नवाए-सोख़्ता दर गुलू, तू परीदा रंग, रमीदा बू;
मैं हिकायते-ग़मे-आरज़ू, तू हदीसे-मातमे दिलबरी !

मैं कंठ का जला-बुझा स्वर हूँ, तू उड़ा हुआ-सा रंग और विलीन हुई-सी सुगंध; मैं अभिलाषाओं की करुणा का उपदेश हूँ और तू प्रेमात्म-समर्पण के अंत पर एक शोक-अध्याय है !

मेरा ऐश ग़म, मेरा शहद सम, मेरी बूद हम-नफसे-अदम;
तेरा दिल हरम, गिरवे-अज़म, तेरा दीं ख़रीदए-काफ़िरी !

दुख मेरा ऐश और गरल मेरा मधुपान हैं, मेरा अस्तित्व नास्त्यावस्था के निकट है। तेरा हृदय जो पवित्र काबा है, मूर्ति-स्थानों में गिरवी पड़ा है। तेरा धर्म अधर्म से मोल लिया हुआ है।

दमे-ज़िंदगी रमे-ज़िंदगी, गमे-ज़िंदगी समे-ज़िंदगी;
ग़मे-रम न कर, समे-ग़म न खा, कि यही है शाने-कलंदरी।

जीवन की साँस ही जीवन की गति है, जीवन का शोक ही जीवन का विष है। ओ, रे ! इस गति का शोक न कर, इस शोक-विष का पान न कर; क्योंकि साधुओं की यही शान है !

तेरी ख़ाक में है अगर शरर, तो ख़याले-फ़ुक्रो-ग़ना न कर
कि जहाँ में नाने-शईर पर है मदारे-क़ुव्वते-हैदरी !

तेरी मिट्टी में अगर चिंगारी है तो अमीरी और फ़क़ीरी का ख़याल न कर, क्योंकि संसार में हैदरे करार (इस्लाम-धर्म के एक संत) की-सी शक्ति का आधार जो की रोटी ही है।

कोई ऐसी तर्ज़े-तवाफ़ तू मुझे एक चिराग़े-हरम बता
कि तेरे पतंग को फिर अता हो वही सरिश्ते-समंदरी !

ऐ काबा के पवित्र दीपक ! मुझे परिक्रमा की कोई ऐसी विधि बता जो मेरे पतंग को फिर वही अग्निवासी समंदर का-सा स्वभाव प्राप्त हो।

गिलए-जफ़ाए-वफ़ा-नुमा कि हरम को अहले-हरम से है—
किसी बुतकदे में बयाँ करूँ तो कहे सनम भी 'हरी ! हरी !'

भक्ति के रूप में जो विश्वासघात काबावालों ने काबा के साथ किया है उसकी शिकायत की चर्चा कहीं यदि किसी मंदिर में मैं करूँ तो मूर्तियाँ भी 'हरिः ! हरिः !' कह उठें !

* * *

करम, ऐ शहे-अरबो-अजम, कि खड़े हैं मुंतज़िरे-करम—
व' गदा कि तूने अता किया है जिन्हें दिमाग़े-सिकंदरी !

ए अरब और अजम (अरब के अतिरिक्त और भी देशों) के बादशाह ! (हज़रते-पैग़म्बर !) तेरी अनुकंपा की प्रतीक्षा में वे भिखारी खड़े हुए हैं जिन्हें तूने सिकंदर का-सा मस्तिष्क प्रदान किया है !

इक़बाल की कविता में वह शक्ति है जो मुर्दा दिलों में जान डाल देती है; बुझे हुए सर्द हृदय को गर्माकर मन को कर्म की प्रबल प्रेरणा से अस्थिर कर देती है। जीवन को अपनी सत्ता का आभास देकर आत्म-विश्वास के विजयोल्लास से भर देती है। यह कथन अतिशयोक्ति नहीं। इन पद्यों को पढ़कर भी क्या कोई संदेह कर सकता है—

गुलामी में न काम आती हैं शमशीरें, न तदबीरें !
जो हो ज़ौक़े-यक़ीं पैदा तो कट जाती हैं जंजीरें !
जौक़े-यक़ीं=दृढ़ विश्वास की आकांक्षा।

कोई अंदाजा कर सकता है उसके ज़ोरे-बाज़ू का ?–
निगाहे-मर्दे-मोमिन से बदल जाती हैं तक़दीरें !

निगाहे-मर्दे-मोमिन=स्वधर्मारूढ़ पुरुष की दृष्टि।

विलायत, पातशाही, इल्मे-अशिया की जहाँगीरी–
य' सब क्या हैं ? फ़क़त इक नुक्तए-इमाँ की तफ़्सीरें !

उपनिवेश, साम्राज्य, विज्ञान का संसाराधिपत्य—यह सब केवल एक धर्म-तत्त्व के ही अर्थ-विस्तार हैं।

बराहीमी नज़र पैदा मगर मुश्किल से होती है;
हवस छिप-छिप के सीनों में बना लेती है तसवीरें !

संसार में एक ईश्वर-शक्ति को ही देखनेवाली हज़रत इब्राहीम की-सी दृष्टि का पैदा होना सहज नहीं; लोभी आकांक्षाएँ हृदय में गुप्त रीति से विविध मूर्तियों का निर्माण कर लेती हैं।

तमीजे-बंदओ-आका फिसादे-आदमीय्यत है !
हज़र, ऐ चीरा-दस्ताँ ! सख़्त हैं फ़ितरत की ता' ज़ीरें !

सेवक और स्वामी का भेद-भाव मनुष्यता का दुर्गुण है। ऐ धन-मान की पगड़ी से सजनेवाली, बचो !—क्योंकि (चाहे मनुष्य के कानून और ताजीरें तुम्हारी रक्षा कर भी सकें) प्रकृति के नियम अति कठोर हैं !

हक़ीक़त एक है हर शै की, ख़ाकी हो कि नूरी हो !
लहू ख़ुरशीद का टपके अगर ज़र्रे का दिल चीरें !

प्रत्येक वस्तु चाहे वह ज्योति से निर्मित हो अथवा धूल-कण से, एक ही सत्य से पूर्ण है। किसी कण का यदि हृदय चीरें तो उसमें से सूर्य का रक्त टपकेगा।

यक़ीं मोहकम, अमल पैहम, मोहब्बत फ़ातहे-आलम
जहादे-ज़िंदगानी में हैं यह मर्दों की शमशीरें !

जीवन के संघर्ष में मर्दों की खंग और तलवार क्या है—दृढ़ विश्वास, अनवरत कर्म और विश्व-विजयनी प्रेम-भाव !

आधुनिक युग के कितने ही विषयों का समावेश इक़बाल की कविता में हुआ है, जिसका कुछ अनुमान इन शीर्षकों से हो सकेगा—'वतनीय्यत', 'तालीम और उसके नहायज' (शिक्षा और उसके फल), 'तहज़ीबे-हाज़िर' (आधुनिक सभ्यता), 'मोटर', 'असीरी', (परतंत्रता, 'खिज़्रेराह' में—'सल्तनत', 'सरमायाओ-मेहनत' (पूँजी और मेहनत), आदि, 'लेनिन', 'दीनोसयासत' (धर्म और राजनीति), 'मुसोलिनी', 'सिनेमा' 'योरप', 'फ़िरंग-ज़दः' (अँगरेजी, अर्थात् पाश्चात्य, सभ्यता से ग्रस्त) इत्यादि इत्यादि। जीवन के प्रत्येक महत्त्वपूर्ण विषय पर गंभीर गहन विचारों का निष्कर्ष उनकी कविता में हमें मिलता है, जो श्रेष्ठ स्पष्ट कवित्व-शैली में प्रभाव-पूर्ण रीति से व्यक्त किए गए हैं।

प्रकृति-चित्रण

इक़बाल की प्रकृति-चित्रण तो एक स्वतंत्र लेख का विषय है। इसमें जहाँ एक और आकार रूप रंग और स्वभाव के गहरे निरीक्षण का पता चलता है, वहाँ यह भी ज्ञात होता है कि उनसे उत्पन्न 'मूड' के ठीक-ठीक प्रतिबिंब भी उन्होंने कितनी सफलता-पूर्वक उतारे हैं। 'एक आरजू' 'कनारे-रावी' 'एक शाम—दरियाए-नेकर के किनारे पर' मशहूर उदाहरण हैं।

ख़ामोश है चाँदनी क़मर की
शाख़ें हैं ख़मोश हर शजर की

'क़मर', चाँद; 'शजर', पेड़

*** * ***

फ़ित्र**त बेहोश हो गई है**
आगोश में शब के सो गई है

'फ़ितरत', प्रकृति; 'आगोश', गोद; 'शब', रात।

कुछ ऐसा सकूत का फ़सूँ है
नेकर का ख़राम भी सकूँ है

'सकूत', शांति; 'फसूँ' जादू; 'खराम', मंद गति; 'सकूँ' शांत।

तारों का ख़मोश करवाँ है
यह काफिला बे-दरा रवाँ है

'बे-दरा', बिना घंटी की आवाज़ के।

ख़ामोश हैं, कोहो-दश्तो-दरिया
कुदरत है मराक़बे में गोया !

'कोह', पहाड़; 'दश्त', जंगल—बयाबान;-'मराक़बा', ध्यान की स्थिति या आसन।

ए दिल ! तू भी ख़मोश हो जा
आग़ोश में ग़म को लेके सो जा !

—'दरियाए-नेकर के किनारे' से

उनकी इन दो पंक्तियों में संव्यावसान का पूरा चित्र है—

सूरज ने जाते-जाते शामे-सियः-क़बा को
तश्ते-उफ़क़ से लेकर लाले के फूल मारे !

—'बज्मे-अंजुम' से

'शामे-सियः-क़बा', असित-वस्त्राभूषित संध्या; 'तश्ते-उफ़क़', अरुण द्राभा की (क्षितिज की सीमा से गोल) तश्तरी; 'लाला', लाल

रंग का एक वन-कुसुम।

अर्थात्—विदा के समय सूर्य ने संध्या-बाला को क्षितिज की तश्तरी से लेकर कुछ लाले के फूल मारे। प्रकृति में प्रेम-परिहास-पूर्ण रोमांस, अर्थात् जीवन-स्थित प्रेरणाओं की गति का आभास—और समय के सतत् नव-अनुरंजित प्रवाह की एक छाया-सी—दो पंक्तियों में जागृत कर दी गई है। इसमें विदा-भाव का उपहास-सा है, करुणा का हास-सा;...कवि ! यह प्रकृति के किस आंतरिक जीवन की झलक है ?

पुरानी इमारतों के साथ प्राकृतिक दृश्यों का एकीकरण करके ऐतिहासिक स्मृतियों से कल्पना को जगाते हुए कवि अपने भाव-संकेतों-द्वारा काल-परिवर्तन के पर्दों में से जीवन के अमर तत्त्व को प्रकाशित करता है। यथा, 'गोरिस्ताने-शाही', 'सिकलैया (जजीरए-सिसिली)', 'मस्जिदे-करतबा' इत्यादि में।

शायद इससे इनकार नहीं किया जा सकता कि कहीं-कहीं (विशेषतः अंतिम प्रौढ़तम रचना-काल के कुछ फुटकर पद्यों में) इस दार्शनिक कवि के कर्तव्योपदेश और आह्वान में उपदेश की मात्रा ने भाव के काव्यांश को किंचित् गौण-सा कर दिया है। कि हमें बरबस उक्तियों और नीति के दोहों की याद हो आती है। वास्तव में इक़बाल की गंभीर विचार-धारा में हास्य रस के सहकारी भाव का एकदम अभाव है। इसका पुट इक़बाल के वास्तविक गुरु ग़ालिब की रचनाओं में हमें अक्सर मिलता है। इस रसाभाव के कारण यद्यपि यहाँ यह ध्यान में आता है कि यह अभाव इक़बाल के यहाँ इतना कभी नहीं खटकता जितना साधारणतया मिल्टन की रचनाओं में—इस रसाभाव के कारण मनुष्य का साधारण गार्हस्थ्य जीवन उनकी काव्यदृष्टि को आकृष्ट नहीं करता। उनकी अहंमन्य आशावादिता हमें ब्राउनिंग की याद दिलाती है। अंतर यह है कि भारतीय कवि को मनोवैज्ञानिक समस्याओं के चित्रण में दिलचस्प नहीं है; उनका क्षेत्र एकदम दार्शनिक है। वे धार्मिक, सामाजिक और राजनैतिक समस्याओं की व्याख्या अक्सर करते हैं, लेकिन एक दार्शनिक की दृष्टि से। उनका धार्मिक आदर्श वाद दान्ते की-सी कल्पना के पंख फैलाकर, ग्येटे के व्यावहारिक ज्ञान-वैचित्र्य के क्षेत्र से भी ऊपर उठकर, भारतीय दर्शन-शास्त्र मात्र को कल्पना-जनक संघर्षहीन आदर्शवाद से पूर्ण कहकर, उसकी कवित्वपूर्ण आलोचना करता हुआ 'ला-इलाह' के परम-पद की प्रदक्षिणा। में लीन हो जाता है तथा 'मुस्लिम' के व्यक्तित्व-द्वारा श्रेष्ठ कविता के सब प्रेमियों को अपने शक्ति-प्रद काव्य-रसानंद में किसी भी समय तन्मय कर देने की पूर्ण क्षमता रखता है। जैसे-जैसे समय बीतता जाएगा, संसार को इस महाकवि पर और अधिक वास्तविक गर्व होगा, इसमें संदेह नहीं है। □

भारत की पहचान

विद्यानिवास मिश्र

भारत से दो तात्पर्य निकलते हैं कि एक तो भारत देश और दूसरा भारत देश में बसने वाला आदमी। हमारी पुरानी पाणिनीकालीन मुहावरेदानी में देशवाचक शब्द देश में रहने वाले के लिए प्रयुक्त होता है और देश के लिए भी प्रयुक्त होता है। कुरु का एक अर्थ कुरु प्रदेश और दूसरा कुरु जाति के लोग, अतः भारत के दोनों अर्थ हैं—भारत का आदमी भी भारत है, क्योंकि उस भरत की संतान है, जिस भरत के बारे में कहा गया है कि वह अग्निस्वरूप है, जो संभरण करने वाली आग होती है वही भरत है और उसी अग्नि और उसी तेज की उपासना करने वाला यह देश है भारत। इस देश की भौगोलिक सीमा में जन्म लेने वाला आदमी और यह पूरा देश; राष्ट्र का प्रयोग, मैं जानबूझकर नहीं करता हूँ। राष्ट्र 'देश' शब्द की तरह व्यापक शब्द नहीं है। स्वाधीनता प्राप्ति के पहले आपको देश शब्द ही अधिक मिलता है कविता में, साहित्य में, पत्रकारिता में देश शब्द अधिक मिलता है और 'राष्ट्र' शब्द जो मिला वह उधार के रूप में मिला। एक सीमित अवधारणा है 'नेशन' की और इसका संबंध रस्ते से है राशिओं का अर्थ ही यही होता है। जो 'जाति' शब्द हमारे यहाँ आता है। 'रक्त' संबंधी के लिए हमारे यहाँ जाति शब्द आता है उसी का वचाक नाशियों भी है तो नस्ल का तो कोई संदर्भ ही हमारे देश की ऐतिहासिक स्मृति में है ही नहीं। नस्ल को कभी हमने स्वीकार ही नहीं किया। नस्ल के आधार पर ऊँच-नीच की बात भी हमने स्वीकार नहीं की। जब नहुष ने युधिष्ठिर से प्रश्न किया कि आप ऊँच-नीच की बात भी हमने स्वीकार नहीं की। जब नहुष ने युधिष्ठिर से प्रश्न किया कि आप ऊँच-नीच का निर्णय कैसे करेंगे-जाति से करेंगे या नहीं करेंगे ? युधिष्ठिर का उत्तर यही था 'जाति रत्र महासर्प न परीक्ष्येति मे मतिः।'

जाति का निर्णय हो ही नहीं सकता। नस्ल के आधार पर आप निर्णय करने बैठेंगे तो क्या निर्णय करेंगे ? भिन्न-भिन्न नस्लों का इतना मिश्रण हुआ है कि इस आधार पर कोई निर्णय नहीं हो सकता। निर्णय करना है तो शील के आधार पर निर्णय कीजिए। शील की एक संकेतात्मक परिभाषा उन्होंने दी है कि यदि हम 'हम' के रूप में सोचते हैं 'मैं' के रूप में नहीं सोचते हैं, हम सब के रूप में सोचते हैं और तब काम करते हैं उसे आप कसौटी मानते हैं कि हम सबके द्वारा किया जा रहा है कि नहीं। हम सबके लिए किया जा रहा है कि नहीं। और जो काम किया जा रहा है वह हम सबके अनुकूल है या नहीं। तो वही धर्म होता है। वही आदमी को ऊँचा बनाता है वह नहीं होता है तो आदमी अच्छे कुल में उत्पन्न हो, अच्छे घर में पैदा हो, बड़े धनी घर में पैदा हो, विद्यावंत हो, कुछ नहीं होता है जिसमें शील नहीं होता है। जिसमें 'मैं' है उसमें शील नहीं होता है। यही परिभाषा उन्होंने दी है। आज भी यही परिभाषा 'लोकमत भारत' का स्वीकार करता है। 'मैं' के रूप में नहीं स्वीकार करता है और इसीलिए हिंदुस्तान की भाषाओं में अंग्रेजी का एक शब्द है 'हैव' (Have) उसका कोई पर्याय किसी भाषा में नहीं है—'आई हैव ए हाउस', 'आई हैव टू चिल्ड्रेन' और ऐसा यह 'हैव' ग्रस्त करता है कि लोग कहते हैं 'आई हैव प्राब्लम', 'आई हैव फीवर' जैसेकि उसके मालिक हों। 'हैव' तो मालिक के अर्थ में, प्रभुता के अर्थ में होता है। प्रभुता से कोई संबंध है ही नहीं। घर क्या ? घर क्या कोई प्रभु होता है ? बच्चों का कोई प्रभु होता है ? इसीलिए सीधे तो कोई कहता ही नहीं है कि मैं बच्चों का स्वामी हूँ ऐसा तो कोई नहीं कहता है। कहता है—मेरे बच्चे हैं

और आपके बच्चे हैं या आपके लड़के हैं। मेरा एक घर है, एक मकान है, दो मकान है। लेकिन 'मेरे' कहकर सीधे नहीं कहना चाहता, परोक्ष रूप से कहना चाहता है। कर्ता नहीं बनना चाहता। मालिक नहीं बनना चाहता। यह इस भाषा के स्वभाव में है यहाँ के आदमी के सोचने के स्वभाव में है। यह भाव उसकी पहली पहचान के रूप में होती है कि 'हम' के रूप में सोचना; 'मैं' के रूप में में नहीं सोचना। उनके यहाँ द्वंद्व है 'मैं' और 'शेष जगत'। हमारे यहाँ द्वंद्व है 'मैं' और 'हम' के बीच में। और 'मैं' की सोच को बराबर 'हम' चुनौती देता रहता है कि 'तुम' कौन हो; 'तुम' कौन होते हो। महाभारत में कई बार यह प्रश्न आया है। भीष्म ने एक श्लोक में इसकी बड़ी भर्त्सना की है कि जो लोग कहते हैं इदम् देयम्, इदम देयम् महामतेः कि यह देना है, वह देना है, किस बुद्धि से यह लोग कहते हैं ? जो यह कहते हैं वे चोर हैं। कौन देने वाला है ? किसकी संपत्ति है ? जो वह दे रहा है। तो जो आप दे रहे हैं वह उसी का हिस्सा है जो आपके पास है आपने जो दिया है यह उसी का दिया है जो आपने लौटाया है।

यज्ञ, वितरण का एक उपाय था, और कुछ नहीं था। जिसके पास धन संचित होता था वह उसको बाँटता था। बाँट देता और रिक्त हो जाता था। कालिदास के रघुवंश में आता है—

मृत्पात्रशेषामकरोद् धरित्रीम्

उनके पास कुछ नहीं बचा है सिर्फ मिट्टी के बर्तन बच गए हैं और जब दे दिया तब वह विश्वजित हुए। सब देने के बाद ही विश्व के ऊपर जय करने वाले हुए। विश्व से श्रेष्ठ हुए। 'जय' करने का अर्थ किसी को पराभूत करना नहीं है। श्रेष्ठतर होना है। श्रेष्ठतर हुए, तो बहुत सीधी-सीधी पहचान यही है और इसका निदर्शन मैं देना चाहता हूँ मुझे इस पहचान की जानकारी स्वयं पहले नहीं थी। इसका चेतना नहीं थी। मेरे कुछ साथी एक साथ कैलिफोर्निया विश्वविद्यालय में बर्कले में पढ़ाते थे; हमलोग तीन साढ़े तीन बजे-जहाँ अध्यापकों का काफी कक्ष था—वहाँ जाते थे। वहाँ का जो तरीका था—अपने आप ले आते थे—दूध भी, काफी भी, चीनी भी, क़ागज के पात्र ले आते थे, बनाते थे और पीकर फिर चले जाते थे। वहाँ जो महिला बैठती थी—वह जानती थी हमें। पहले से था मैं। वह लोग बाद में आए थे। पंद्रह दिन बाद उसने पूछा कि प्रो. मिश्रा आप बताइए कि यहाँ कोई पैटर्न नहीं है ? कौन ले जाता है ? कौन पैसा देता है ? अंततः जब हम बिल्कुल परेशान हो गए तो आपसे व्यक्तिगत प्रश्न पूछ रहे हैं। आप क्या हिसाब नहीं रखते हैं ? हमने पूछा कि किस चीज का हिसाब भई ! तो उसने कहा—यही कि कौन कॉफी ले जाता है। इसका भी हिसाब होता है हमने कभी सोचा ही नहीं। और इस भाषा से नहीं परिचय कि वहाँ लोग कहते थे—'शुड आई बाई योर डीनर', सुनकर आग लग जाती थी देह में कि यह कहने वाला कौन है जो हमारे लिए कोई डीनर खरीद करके ले रहा है। हमलोगों की यह भाषा नहीं है। सुनकर उसने कहा—'यू आर एन इम्पासिबिल पीपुल', ('तुम लोग असंभव लोग हो।') क्या असंभव है इसमें, यह तो बिल्कुल सहज बात है एक आदमी खाना खाने में लगा है—सामने बैठा कुत्ता जीभ लप-लप करता है तो उसे भी वह टुकड़े देता है अपने भोजन से। यह सोचकर कि तुम अगर नहीं खाओगे तो हमारे पेट में पचेगा नहीं। तुम्हारा यह हिस्सा है। यह हिस्सा देने का स्वभाव हिंदुस्तान में क्यों इतना भिना हुआ है। इसी कारण कि हम सोचते हैं कि हमारा अकेले खाना, अकेले पीना अपने सुख से सुख प्राप्त करना यह ठीक नहीं है। सुख तो दूसरे से प्राप्त होता है; दूसरे में प्राप्त होता है। अपने में सुख नहीं मिलता है।

सृष्टि का प्रयोजन यही है कि आदमी अकेले नहीं रहना चाहता था। एकाकी बनकर मन नहीं लग सकता था। जब दूसरे अच्छे लगें, दूसरों को हम अच्छे लगें, तब मन रमता है। दूसरों के लिए हम प्रीतिकर हों और 'मैं' एक शब्द देना चाहता हूँ प्रायः यूरोप की भाषाओं में जो शब्द है—प्रेम के लिए वह हमारे लुभ् शब्द के आसपास है। लुभ शब्द का अर्थ है लोभ करना, पाना, पाने की इच्छा करना और प्रेम के लिए जो शब्द है उसका अर्थ ही दूसरे के लिए प्रिय होना, अपने लिए नहीं। प्रिय का अर्थ होता है दूसरे के लिए, दूसरे की दृष्टि से सोचकर प्रिय होता है अपने लिए नहीं होता है। यह संस्कृति का अंतर है।

संस्कृति का यह अंतर जो नहीं समझता है वह भारत के स्वभाव को नहीं समझता है। और यह नहीं समझता है कि भारत से जो लोग सैकड़ों वर्ष पहले गए। दो-दो हजार वर्ष पहले गए, लेकिन कहीं-न-कहीं भारत से जुड़ाव उनके मन में है। भारत किसी-न-किसी रूप में उनके भीतर है और यह क्या है ? क्यों है ? इसकी तलाश करें तो बहुत से प्रश्नों का समाधान मिलेगा। श्रद्धेय संपूर्णानंदजी जब मुख्यमंत्री थे तो उनके पास एक प्रतिनिधिमंडल आया था हरिद्वार में उनसे मिलने के लिए। उन्होंने कहा—यदि आप कोई ऐसा उपाय करें कि हम अपने प्रतिनिधिमंडल से अलग जाकर के गंगा-स्नान कर लें। उन्होंने कहा—इसमें कौन मुश्किल है, हम करा देंगे व्यवस्था। और जब लौट वहाँ से तो उनके आँख में आँसू थे। आपको पच्चीस पुश्त के पहले

के मेरे पितर ने यह लिख करके दिया था मेरे कुल में कोई गंगा-स्नान कर आए तो...यह पच्चीस पुश्त तक हमलोग गंगा-स्नान नहीं कर पाए। आज हुआ है। यह पच्चीस पीढ़ियों का ऋण हम आज उतार पाए। आपको इसका मैं कितना धन्यवाद देता हूँ। संपूर्णानंदजी को बड़ा आश्चर्य हुआ कि यह क्या बात है गंगा के लिए इतना संचित कर्तव्य क्या रहता है ? क्या मतलब है इसका ? इसका कोई मतलब नहीं है सिवाय, जो सनातन जीवन-धारा है उसकी स्मृति गंगा के रूप में एक सनातन जीवन-धारा से जुड़ाव की आकांक्षा है कि जीवन का एक सनातन रूप है, जो बदलता रहता है परंतु निरंतर उसमें कुछ-न-कुछ जुड़ाव बना रहता है; विछिन्न नहीं होता है। यह जुड़ाव होना और आगे भी बढ़ते रहना, यह भारत की ऐसी सटीक पहचान है, जो और कहीं नहीं मिलती है। लोग सोचते हैं जो पुरानी है वे चली जाएँ। सड़ जाएँ। गल जाएँ। ठीक है जो सड़ने-गलने लायक है वह जरूर सड़ें-गलें। पर हमारी जो सर्व-व्यापकता है वह कैसे भूल सकता है ? लेकिन यह अतीत की ओर जाना नहीं होता है। अतीत को अपने भीतर समोना होता है—बहुत कुछ छोड़ करके, बहुत कुछ ग्रहण करके। आखिर, जड़ों से सारी चीजें नहीं लेता है; केवल रस लेता है। बहुत सारी चीजें हैं लेकिन सिर्फ रस लेता है आदमी। अपनी जड़ों से आदमी जब रस लेता है तभी उसमें फूल, फल आते हैं। रस नहीं लेता है तो फूल, फल नहीं आते हैं। बाँझ हो जाता है। उसकी सन्तानवादिता समाप्त हो जाती है। सन्तानवादिता को चलाने के लिए रस लेना आवश्यक है। अर्थात् अपने को उसके साथ अखंड करना आवश्यक है। यह अनुभव करना कि यह सब हम हैं। स्व. अज्ञेय की कविता है कि यह सवत्सा धेनु, यह पृथ्वी, यह पुष्प। यह सब मैं देता हूँ क्योंकि सब में 'मैं' अपने को देता हूँ। यह सबके साथ मैं जुड़ा हुआ हूँ। 'मैं' और उसको 'मैं' देता हूँ यह अपने पूरे परिवेश से, पूरे परिवेश में केवल जो दृश्य परिवेश है, वही नहीं। जो अदृश्य परिवेश है, जो अवमुक्त परिवेश है, वह सब है हमारा, एक अतीत भी है हमारा भविष्यत् भी है, स्वप्न भी है और सबसे ज्यादा हमारा वर्तमान है। कहाँ हम खड़े हैं ? 'मैं' यहीं से एक दूसरी पहचान की ओर चलता है कि किसी भी संस्कृति की पहचान, किसी भी देश की पहचान उसके 'कालबोध' और 'देशबोध' से होती है किस रूप में वह काल को ग्रहण करता है; सीधी रेखा में जाने वाले काल को ग्रहण करता है जो ऐतिहासिक काल है फिर, यह हुआ तो इसके कारण यह हुआ। एक तो काल का बोध यह है—सीधी रेखा में जाने वाला। जो अवधि बनाता रहता है कि यह अमुक काल है, अमुक काल है, अमुक काल है जैसे अवधि कोई पारमार्थिक आत्मिक है।

अवधि में ऐसा कुछ होता है साहित्य का इतिहास जो लिखते हैं कहते हैं—रीतिकाल था। कब-से-कब तक था ? अमुक समय से अमुक समय तक मानना चाहिए। इसके बाद रीतिकाल की कविता नहीं हुई ? होती रही। फिर भी एक भक्तिकाल था पर इसके बाद भी भक्ति काव्य लिखा जाता रहा...होता रहा। उन्नीसवीं शताब्दी में भी भक्तिकाल है ऐसा हो ही नहीं सकता। कोई विभाजन...एक रेखा बन नहीं सकती।

मुनष्य की संस्कृति चलती रहती है। इसका कोई सीमांकन नहीं होता है। न जाने कौन चीज़ें पहले की आ जाती हैं। न जाने कौन-चीजें बिसराई हुई आ जाती हैं। न जाने कौन-सी आगे की-लोगों की समझ में न आने वाली चीजें आ जाती हैं और सब साथ रहते हैं पर महत्त्व वर्तमान का है। हम कहाँ हैं और किस समय में हैं। इसका स्मरण ठीक-ठीक हो। एक ओर अनन्तकाल में हम जीते हैं, अनंत देश में जीते हैं। दूसरी ओर, हम निश्चित बिंदु में जीते हैं, जो मेरे प्रत्येक संकल्प में आता है।

इस भूमंडल में, इस जम्बू द्वीप में, इस आर्यावर्त देश में, इस प्रदेश में, इस जगह, इसके घर में और इस कल्प में, इस मन्वन्तर में, इस युग में, इस तिथि में, इस संवत्सर में, इस दिन, इस प्रहर में हम यहाँ हैं। यह जो 'देश' और 'काल' की विशिष्ट पहचान है और उसके साथ एक अनंत और निरवधि काल है और देश का स्मरण है। उसे जोड़ करके यह 'विशिष्ट' को रखना। संकल्प में यही सूचित करता है कि हम दोनों समयों को दोनों देशों को साथ-साथ जीते हैं। हम अपने को ब्रह्माण्ड से जुड़ा हुआ देखते हैं। हम जिस गाँव में रहते हैं उससे जुड़ा हुआ देखते हैं। हम अपने को सृष्टि के आदिकाल से जुड़ा हुआ देखते हैं। जब ब्रह्मा के प्रहर की बात करते हैं तो सृष्टि के आदिकाल की बात करते हैं और इस तरह हम अपने को तत्काल से जोड़े हुए रहते हैं। तत्क्षण से जोड़े हुए रहते हैं। यह दोनों को साथ करके चलना। यह एक-रेखीय काल गणना से नहीं संभव हो सकता है। यहाँ मानना पड़ेगा कि यह भिन्न प्रकार की गणना है। यह चक्रात्मक गणना भी नहीं है कि घूम करके उसी बिंदु पर आ जाएँ और यदि यह किसी प्रकार की गणना है तो इसको शंख की रेखाओं से आप कुछ-कुछ समझ सकते हैं। शंख में गोलाई में रेखाएँ चलती हैं लेकिन यह सभी वृत्त जो बनते हैं, वे खुले हुए रहते हैं। कोई वृत्त बंद नहीं होता है। लगता है, हम उसी रूप में चल रहे हैं। उसी रूप में कोई नहीं चलता है। दूसरा वृत्त उससे ऊपर चला जाता है, तीसरा

वृत्त और ऊपर चला जाता है, चौथा वृत्त और ऊपर चला जाता है, ऊपर जाता रहता है। लेकिन, यह न वृत्त है न रेखा है। यह एक शंख वलय की तरह से, स्पाइरल की तरह से समय का यह बोध है जिसमें किसी मायने में पीछे जाना भी है। भास्कराचार्य के सिद्धांत-स्मरण ग्रंथ में ज्योतिष के प्रसिद्ध ग्रंथ के अंत में एक श्लोक आता है कि हर जो अयरांश होता है जिसमें आज सायण में तेईस डिग्री का अंतर है। बताइए, एक बिंदु पर पहुँचता है कि फिर यह उलट जाता है, यह थोड़ा पीछे जाता है। समय को पीछे ले जाने वाला जो एक काल है इस रूप में नए विचारकों ने समय पर बहुत सारा विचार किया है लेकिन अभी तक एक-रेखीय समय के बोध से ग्रस्त है। यह समय का बोध ही उनका इतिहास का बोध है और कुछ नहीं है। हमारे पास वह सीमित इतिहास बोध नहीं है। हम सब पुराणों को देखते हैं तो पता चलता है कि राम के अवतार कई बार हुए। सबमें कुछ-न-कुछ अंतर है। कई इंद्र हुए, कई मनु हुए, सबमें कुछ-न-कुछ अंतर है। परंतु सबमें एक अविच्छिन्नता भी है; एक सूत्रता भी है और यह एक सूत्रता ही उनकी पहचान कराती है कि हाँ, राम के अनेक रूप हैं पर कोई-न-कोई रूप है जो सबमें बह रहा है, एक अंतः स्रोत के रूप में बह रहा है जो रूप स्मृति में भी किसी-न-किसी रूप में बना हुआ है। शिव को स्मृति राम के केवल बालरूप की है। काकभुसुण्डी को स्मृति केवल बालरूप की है। जिसके हाथ से रोटी छीनने की कोशिश की थी। वही स्मृति रहती है। सती ने अनेक ब्रह्माण्ड देखे, अनेक शिव, अनेक विष्णु देखे। लेकिन बिरही राम वही थे जो उन्होंने देखा था। यह कैसे संभव था। यह परिचय का आदमी परिचय के इतिहास बोध से ग्रस्त आदमी, हिस्टारसिटी के बोध से ग्रस्त आदमी नहीं समझ सकता है। समझ ही नहीं सकता है कि यह कैसे संभव होगा लेकिन जिसको पुराण का कुछ भी अर्थ मालूम है वह समझ लेगा। सोचेगा। क्योंकि कुछ चीजें तो सनातन हैं इस कालचक्र को भेदकर कुछ चीजें चली जाती हैं। बहुत से चरित्र चले जाते हैं और आख्यान बन जाते हैं। लीजेन्ड बन जाते हैं। पुराण बन जाते हैं। मिथक बन जाते हैं। अभी तो सवा सौ वर्ष गुज़रे हुए होंगे गाँधीजी को...एक गाँधीजी किसी-न-किसी आख्यान के रूप में बने हुए हैं और उस रूप में गाँधीजी शाश्वत हैं। सनातन है। एक जीवन लीला थी उसका कोई अंत होता है। परंतु उनका एक भास्वर रूप है जो बना हुआ है। कब तक भारत में बना हुआ है। यह दृष्टि ही दूसरे प्रकार की दृष्टि है।

'राम' और 'कृष्ण' हमारे लिए इतिहास पुरुष नहीं है। इतिहास पुरुष के रूप में उनकी क्या स्थिति है ऐसे इतिहास पुरुषों की हमने कोई खास महत्ता ही नहीं समझी, गरिमा ही नहीं समझी, वे सनातन पुरुष हैं। हमारे लिए राम का जन्म होता है। राम की जन्मतिथि हम नहीं मनाते हैं। स्मरण करें कि राम आज जन्मे थे बल्कि हम यह भावना करते हैं कि राम आज जन्म ले रहे हैं। जन्माष्टमी के दिन कृष्ण जन्म लेते हैं तो जन्म ले रहे हैं। इस रूप में देखना ही 'अस्ति' के रूप में देखना, वर्तमान के रूप में देखना यह हमारे स्वभाव में सहज सिद्ध है। और जितना ही पश्चिमी शिक्षा के या उच्च शिक्षा के प्रभाव से मुक्त होता है। उसके लिए यह समझना उतना ही आसान होता है। गँवार आदमी के समझने के लिए बहुत आसान है। पढ़े-लिखे व्यक्ति को समझने में थोड़ी दिक्कत होती है, इस द्वन्द्व में फँसता है कि इसके लिए इतिहास में कोई दस्तावेज है, शिलालेख है—इसमें जाता है और साधारण आदमी के लिए इसमें जाने की जरूरत है क्या कि जो हमारी साँसों में है, जो हमारी नसों में भिना हुआ है। इसके लिए दूसरे प्रमाणों की हमें आवश्यकता क्या है "जो है" "है" के बारे में प्रमाण क्या ? जब थे मानें। तब हम प्रमाण क्या ढूँढेंगे। लेकिन 'है' के बारे में प्रमाण ही क्या होगा। तो यह काल और देश की विचित्र पहचान इस देश में है। जिसमें अनंतकाल और क्षण दोनों का संयोजन है।

समय के जितने विभाजन और समय के जितने सूक्ष्म विभाजन हमारे यहाँ हैं उतने विभाजन कहीं किसी और भाषा में नहीं हैं। हमारे यहाँ दोपहर के पहले और दोपहर के बाद नहीं है। केवल पहला प्रहर, दूसरा प्रहर, तीसरा प्रहर है। सुबह की घटना इतनी रोमांचकारी होती है कि उसकी अनेक छायाएँ हैं। शाम की अनेक छायाएँ हैं। गोधूलिका, धुँधलका, धुँधलके के पहले का उजास है। बादल के न जाने कितने रंग हो जाते हैं। उन सबके लिए अलग-अलग नाम है। रात्रि के विभिन्न-भिन्न क्षणों के लिए अलग-अलग शब्द हैं यह जो बेला है, जिसमें शुक्रोदय है। यह बेला है जिसमें चिड़िया बोलती है। यह बेला है, जिसमें यह काम होता है।

हमारे यहाँ काल का संबंध क्रिया से है। कौन-सी क्रिया हो रही है। यह चिड़ियों के लौटने का समय है। बच्चों को चारा चुगाने का समय है। समय की यह पहचान सटीक, मूर्त पहचान होती है एक ओर यह पहचान है और दूसरी ओर एक अनन्तता का बोध भी हैं। अनन्तता का महासागर भी है। उस अनन्तता को समझने के लिए हम न जाने कितने बिंबों का प्रयोग करते हैं और सारे बिंब बड़े सटीक बिंब हैं। चाहे शंख का बिंब हो, चाहे अपने को खाने

वाले साँप का बिंब हो, चाहे तमस का बिंब हो और इन तमाम बिंबों से काल के इस अनन्त बोध को ग्रहण किया जाता है और सामान्य आदमी भी ग्रहण करता है। इसलिए उसकी पहचान देश और काल की सामान्य नहीं होती है। विशेष होती है। मुझे बार-बार एक गीत याद आता है कि पति बाहर गया हुआ है जो लौटा नहीं है। वसंत में भी नहीं लौटा है। होली में लौटने का सर्वमान्य समय है। वह यही शब्द गाती है कि 'की ओह देशवा कोयलिया न बोलै ले, अमवा न बौरे ले'। क्या उस देश में कोयल नहीं बोलती है। क्या उस देश में आम्र में मंजरियाँ नहीं आती हैं। यह देश और काल की ऐसी पहचान है, जो आँखों के सामने है। ऐन्द्रिय पहचान है कि आम का बौरना, कोयल का बोलना। इससे देश की पहचान है। केवल भूगोल से, नदी से, पहाड़ से नहीं पहचान है। उनसे भी है लेकिन बड़ी पहचान यह है कि जीवन में कौन छंद है, कितने रंग हैं, कितने स्वर हैं उन स्वरों से पहचान होती है। यह जो स्वरों को पहचानने की शक्ति है। यह जो नक्षत्रों से समय को पहचानने की शक्ति है वह हमारी पहचान है कि हम बड़े संदर्भ में समय को समझना चाहते हैं छोटे संदर्भ में समय को नहीं स्थापित करते हैं। हम बड़े संदर्भ में देश को पहचानना चाहते हैं। अगर न पहचानते तो हमारे देश बिछुड़ा हुआ आदमी न जाने आज से सात सौ वर्ष पहले यहाँ से गया। उसको कैसे यहाँ से जुड़ाव मौजूद बना हुआ है। राम की कहानी कैसे उनको जोड़े हुए है। कौन-सा सूत्र है जो जोड़ता है और इसके लिए जिस शब्द का प्रयोग करते हैं और हमारे यहाँ जो अब वर्जित शब्द है मैं इसका उदाहरण देना चाहता हूँ, मैं इसका एक-दो बार संकेत कर चुका हूँ मैं हिंदेशिया गया था, तो मैं जा रहा था। रास्ते में कुछ लोग पत्थरो पर खुदवा रहे थे। हमने पूछा अपने मित्र से, जो कला क्षेत्र के निदेशक थे। थे तो मुसलमान। लेकिन सुदर्शन नाम था उनका। उन्होंने कहा—इसमें हमारे यहाँ जो युद्धकाल था जो महाभारत का ही रूप है और रामायण काल है—जावा की भाषा में योगेश्वर द्वारा रचित। उसके श्लोक हम लिखवाते हैं अब आदमी जब मरने को होता है तब कहता है या पहले से ही कहता है कि हमारे लिए यह श्लोक हमारी कब्र पर अंकित हो। क्यों ? रामायण महाभारत से ही क्यों कहते हैं। कुरान से क्यों नहीं कहते हैं। उनका जो उत्तर था वह ऐसा मार्मिक था; मुझे कभी भूलता नहीं है। क्या आप समझते हैं कि सात सौ वर्षों से हमने इस्लाम कबूल किया तो क्या हम अपना धर्म भी छोड़ देंगे। 'रामायण' और 'महाभारत' तो हमारे धर्म हैं। माने धर्म का प्रयोग इस तर्क में, एक बड़े मानवीय संदर्भ में, कर्तव्य के अर्थ में, एक जातीय स्वभाव के अर्थ में उन्होंने किया कि यह हमारे स्वभाव में बना हुआ है। रामलीला में कहीं अपने को स्थापित करना हमारा स्वभाव है। यह उस भूमिका में अपने को उतारना हमें बड़े भाग्य से मिलता है यह तो हमारा स्वभाव है इसलिए अपने प्रिय श्लोक को हम अंकित करवाते हैं कि उसकी गूँज हमारे मन में रहे। यह कहाँ से आया है ? उसी कार्य और उद्देश्य के बोध से आया है कि आप भूगोल भूल जाते हैं; आप इतिहास भूल जाते हैं। लेकिन जो कहीं आपको जोड़े हुए है, तमाम ब्रह्माण्ड से जोड़े हुए है, सकल मानव-जाति से जोड़े हुए है। उसको नहीं भूलना चाहिए। आप उसको भूलेंगे तो अपने को कहाँ याद रखेंगे। क्योंकि जो बचेगा अपना वह इतना छोटा, इतना नगण्य होगा कि उसको देखा नहीं जाएगा। जब रिश्तों में जुड़ा हुआ रहता है तो समृद्ध दिखता है कि वह अमुक का मामा है, अमुक का पति है, अमुक का देवर है, अमुक का जेठ है। जब इन सारे रिश्तों में जो आदमी बँधा रहता है तो उसकी एक पूरी पहचान बनती है। मेरे आदमी के रूप में क्या पहचान है। कोई पहचान नहीं है। इसलिए मेरा आदमी जो है, हमारे समाज विज्ञानी जिसे 'इन्डीविजुयल' कहते हैं हमारे यहाँ इसका प्रावधान है ही नहीं। 'इन्डीविजुयल' नाम का प्राणी चिड़िया हमारे यहाँ है ही नहीं। जो सारे संबंध से रहित हो। एक केवल व्यक्ति हो। ऐसा कोई व्यक्ति है ही नहीं। रिश्ते में ही उसकी व्यंजना होती है। मेरा व्यक्ति तो हो ही नहीं सकता है। देशकाल की दृष्टि से, हमारा सारा जीवन, हमारे सारे अनुष्ठान, साहित्य, कला सब प्रभावित हैं यह सब प्रभावित है इसीलिए पश्चिम के लोगों को 'बाणभट्ट' की 'कादम्बरी' जंगल दिखायी पड़ती है। उनको हमारी 'कला' भीड़ दिखायी पड़ती है। हमारे मंदिरों की भीड़ उनको असह हो जाती है। क्यों ? वह शांति चाहते हैं। अनुशासन चाहते हैं। लेकिन यह नहीं सोचते कि उस भीड़ में अकेलापन है, इस भीड़ में अकेलापन नहीं है। आरती के समय लोग एक-दूसरे से सटे हुए खड़े होते हैं उसमें अकेलापन नहीं है और वहाँ एक अनुशासित रूप में है। विदेश में, खड़े हुए लोग हैं उनमें अकेलापन है, कोई किसी से जुड़ा हुआ नहीं है। सब एक-दूसरे से अलग हैं। यह जो सबमें समाहित होना है क्या करता है ? यह आदमी को उल्लास देता है यह वह नहीं समझ पाते हैं। उल्लास सबका होना चाहिए। सारी सृष्टि का उल्लास है। पौधों का उल्लास है। पक्षियों का उल्लास है। सारे उल्लास जब अपने भीतर आते हैं। तब उल्लास पूरा होता है। हमारी 'कला' क्या करती है। आप देखेंगे जो मंदिर है उसमें हाथी है, घोड़े हैं, शिकार है, न जाने क्या-क्या चीजें हैं। मंदिर है, आपका है। तो उसमें यह सब क्या

तूफान है। तूफान नहीं है। पूरा जीवन है। ईश्वर है और ईश्वर के साथ पूरा जीवन है। अगर ऐसा कोई परम ब्रह्म है जिसमें संपूर्णता का जोड़ न हो तो परमब्रह्म काहे का। अगर वह परमब्रह्म है तो उसमें संपूर्णता होनी चाहिए। उसमें सृष्टि के सारे रूप होने चाहिए। वह सारे रूप होते हैं। अगर छोटा-सा मंदिर होता है तो भी उसमें जीवन दिखाने का प्रयत्न होता है क्योंकि मंदिर ईश्वर का घर नहीं होता है। ऐसी कल्पना है ही नहीं। मंदिर, ईश्वर का रूप होता है। एक लघु रूप होता है। लघु रूप में मंदिर की स्थापना होती है इसलिए लोग मंदिर के भीतर नहीं जा पाते हैं वह शिखर देख लेते हैं मंदिर देख लेते हैं। एक उर्ध्वगति का प्रयत्न-मात्र देख लेते हैं और इस दुनिया में रहते हुए दुनिया से बाहर जाने का एक प्रयत्न देख लेते हैं। वह संतुष्ट हो जाते हैं तो इस संपूर्णता के भीतर से गुजरना चाहिए। कोई चीज भीड़ नहीं है तिरस्करणीय नहीं है। छोटा-से-छोटा प्राणी है। छोटे-से-छोटे मनुष्य हेय नहीं है क्यों हेय नहीं है ? सबका सबसे संबंध गूँथा हुआ है और सब एक माला में पिरोए हुए हैं। ऐसा असंबद्ध कोई प्राणी नहीं है। ऐसा असंबद्ध कोई नक्षत्रलोक नहीं है। ऐसा असंबद्ध कोई काल नहीं है। सब एक-दूसरे में गुँथे हुए हैं। इसी रूप में मामूली अल्पना होती है। गोबर के ऊपर होती है अल्पना। उसमें कमल, पक्षी सब ऐसे अलग-अलग नहीं दिखते हैं। एक-दूसरे में ओत-प्रोत दिखाई देते हैं कि हम चाहते हैं देखें कि—उनमें एक-दूसरे की आकांक्षा है। यह दूसरे की आकांक्षा रखना और दूसरे में अपनी सार्थकता देखना इस देश की पहचान है। बहुत ही साधारण आदमी की पहचान है। इसी रूप में सोचता है वह—अचेत रूप से सोचें, सचेत रूप से सोचें। सोचना, इसी रूप में है कि नदी सो रही है, पहाड़ सो रहा हैं, पेड़ सो रहा है। छेड़ो मत इन्हें। जीवन की व्यापकता की दृष्टि आदमी को संवेदनशील बनाए रहती है और जब से यह संवेदनशीलता समाप्त हुई है तब से हिंसा, असिहष्णुता यह सारी चीजें बढ़ गयी हैं। जब तक यह भाव था, यह सारे रिश्ते सजीव थे। खासकर के हमारे गाँव में सारे रिश्ते सजीव थे। खानपान नहीं था, रोटी-बेटी नहीं थी। लेकिन रिश्ते थे। रोटी-बेटी की चिंता न करते हुए रिश्ते थे। गाँव का आदमी काका, दादा यही हो सकता था, दूसरा नहीं हो सकता था। हमारे गाँव के लड़कों के, लड़कियों के लिए काका, दादा ही हो सकता था। भइया हो सकता था। वह किस जाति में पैदा हुआ इससे उसकी पहचान नहीं थी। एक रिश्ते के रूप में पहचान थी उसकी। उस रिश्ते को हटा दें तो क्या बचता है ?

आज भी आदमी शिक्षा नहीं ग्रहण कर रहा है। तुम पर्यावरण की रक्षा की बात करते हो भाई ! तो सोचो पर्यावरण क्या तुमसे अलग है ? तुम्हारा ही क्षेत्र नहीं है क्या ? अगर 'है' तो फिर रक्षा कैसी ? तुम तो भोग की दृष्टि से सोचते हो कि पर्यावरण अच्छा रहेगा तो अधिक समय तक पानी मिलेगा; अधिक समय तक स्वच्छ हवा मिलेगी। जब पर्यावरण को अपना अंग मानोगे, अपना प्रतिबिंब मानोगे, अपनी प्रतिच्छाया मानोगे, तो पर्यावरण की चिंता उस रूप में करोगे कि हमारी एक टहनी टूट रही है। पेड़ की टहनी नहीं टूट रही है। हमारी ही टहनी टूट रही है। उस रूप में देखोगे कि जब पेड़ कट जाएँगे तब हमारा इतना आक्सीजन कम हो जाएगा। तो पेड़ को तुम उपभोगी रूप में सोचते हो। पेड़ उपभोग्य नहीं है अगर पेड़ भोग्य है तो तुम भी पेड़ के उपभोग्य हो। अकेला पेड़, उपभोग्य नहीं है तुम भी उपयोग्य हो। मनुष्य की भूमिका अन्न के रूप में भी है और नारी के रूप में भी है। अन्न के रूप में अपने को दूसरों का आस्वाद्य बनाता है। और अन्न का उपभोग करनेवाला भी है। तो यहाँ इस स्थिति में माँग अपने आप नियंत्रित होती है। हमारी संस्कृति में भोग का नियंत्रण है दूसरों के लिए। दूसरे को यदि नहीं मिल रहा है तो हमको मिलने से हुआ क्या ? हमारे पास हमारी आवश्यकता से अधिक क्यों है ? दूसरे की आवश्यकता की पूर्ति नहीं हो रही है। हमारे पास जो कुछ है उसका क्या मूल्य है। यह भावना इसी दृष्टि से है जब संवेदनशीलता समाप्त हो जाती है तब समस्त ब्रह्माण्ड से हमारा जुड़ाव टूट जाता है। प्रगति के हम विजेता हो जाते हैं। प्रगति के हम प्रतिस्पर्द्धी हो जाते हैं। तब हम अपने आस-पास के साथ भी यही रिश्ता रखते हैं। हमारा दूसरों के साथ यही रांबंध है। कोई हगारा विधेय है हम उसके विधाता हैं हम बनाने वाले हैं वह बनता है। न्यूटन की भौतिक विज्ञान में दृष्टि है कि आदमी सबकुछ कर सकता है। आदमी में नियंत्रित्व तो है। लेकिन नहीं सोचता है आदमी में नियंत्रित्व अगर किसी में है तो रिश्ते में है। कि जितने सहज रिश्ते होंगे उतना ही आदमी नियंत्रित होगा, संयत होगा। और रिश्तों की जानकारी नहीं होगी; अपेक्षा नहीं होगी तो आदमी संयत नहीं होगा।

मैं यह बताना चाहता हूँ कि भारत भूगोल का नाम नहीं है, एक विशेष जाति के इतिहास का नाम नहीं है, केवल आक्रमणों के इतिहास का नाम नहीं है, कुछ प्रतिशोध के इतिहास का नाम नहीं है। प्रतिशोध की भावना ही नहीं थी हमारे यहाँ। इतिहास का बोझ रहता है तो आदमी के मन में प्रतिशोध की भावना आती है। पहला इतिहास ग्रीस में हेरोडेटस ने लिखा और अंत में यह फलश्रुति भी दी कि इस इतिहास को जो पढ़ेगा मैं चाहूँगा कि वह दारा ने जो एथिंस

को जलाया था, तो हाथ में मशाल ले करके परसोपोलिस को जलाने आएगा। जो इतिहास इस प्रकार के प्रतिशोध माँगता है, उसको हम स्वीकार नहीं करते हैं। जिसने जलाया, किसको जलाया, उससे हमारा क्या मतलब ? जो हमारे साथ है उसके साथ कैसे रहा जाए; इस पर हमें ध्यान देना चाहिए। और साथ रहना हमारी लाचारी है। वह इसलिए नहीं कि साथ रहने में हमारा कोई लाभ होता है। हम कुछ कर ही नहीं सकते हैं। अच्छी तरह से साथ रहें यही हम कर सकते हैं। यही हमारे स्वभाव की माँग है। हिंदुस्तान की यह दृष्टि इतनी महत्त्वपूर्ण है।

आज के विश्व के लिए जहाँ प्रभुता धीरे-धीरे समाप्त हो रही हो। राजनीतिक प्रभुता तो विदा हो चुकी है। आर्थिक प्रभुता भी विदा होने ही वाली है पाँच छः वर्षों में। सब खोखले होते जा रहे हैं। इतने तथाकथित अतिसंपन्न, अतिविकसित देश में लेकिन सब खोखले हो रहे हैं तो वे जिंदगी के रस (Quality of life) से कट रहे हैं। तो निश्चय ही इस संबंध में कोई जीवन नहीं रहता है जो केवल प्रभुता और दास्ता के रूप में सोचता है। जब आदमी साहचर्य के रूप में सोचता है अपने को, उसकी दृष्टि दूसरी होती है। उस दृष्टि की आवश्यकता विश्व को है। इसलिए भारत की पहचान होगी तो शायद हम नहीं करेंगे। विश्व अपनी आवश्यकता से करेगा, उसके बाद हम करेंगे।

मैं विशेष और नहीं जोड़ना चाहता हूँ सिवाय इसके कि एक पिता और माता के रूप में जिसके साथ हमारा संबंध है, वह दूसरे प्रकार का संबंध है।

पहाड़ निरे पहाड़ नहीं हैं। हर पहाड़ के साथ एक-न-एक कहानी जुड़ी हुई है, एक आख्यान है, एक मिथक है। और उसके साथ, हर तीर्थ के साथ, एक मिथक जुड़ा हुआ है उसके नाते वह तीर्थ हमसे जुड़ा हुआ है। हम उस तीर्थ में नहीं स्नान करते हैं। असंख्य स्मृतियों की आकाशगंगा में स्नान करते हैं। यह अनुभव अपने आप में मनुष्य को बहुत समृद्ध करने वाला अनुभव होता है इनमें कोई छिछली भावुकता की बात नहीं करता हूँ। एक जो जीवन की अखंड-जीवन दृष्टि से, जीवन की एकता की दृष्टि से संगत है। उसी की बात करता हूँ, कोई इसकी संगति है ही नहीं। अगर संगति हो विरोधी हिंदुओं में होती है तो एक-दूसरे से असंबद्ध होने में होती है जब तक वे संबद्ध नहीं होते हैं। तब तक तो वे विरोधी हैं। संबंध स्थापित हो जाता है तो विरोध शांत हो जाता है तब संबंध को देख सकने की क्षमता आती है सबकी पहचान में अपनी पहचान पाना और अपनी पहचान में सबकी पहचान पाना। इससे आती है यह सर्वात्मक दृष्टि, यह अखंडात्मक दृष्टि। भारत की एकमात्र सटीक पहचान है। इस पहचान से हम कट रहे हैं। इसलिए हम अपने से भी कट रहे हैं और इस पहचान से जुड़ने का एक मर्तबा जरा-सा भी प्रयत्न करेंगे तो पहचान होगी ही। पहचान तो है हमारे बीच में। भीतर कहीं है अपने अचेत रूप में। वह पहचान ऊपर आएगी और हम अपने लिए नहीं अपने इस छोटे-से देश के लिए नहीं, छोटा ही देश है पूरे विश्व में कितना बड़ा है—एक सुई की नोक के बराबर भी नहीं है तो पूरे ब्रह्माण्ड में इसका क्या अस्तित्व है। लेकिन नहीं, इसका अस्तित्व है कि पूरे ब्रह्माण्ड की आत्मा के साथ अपने को जोड़ने की बात की है। पूरे ब्रह्माण्ड में जीवन का एक आलोक इसने देखा है यही इसकी सबसे सही पहचान है।''

अगर आपको सच में भारत को पहचानना है तो अत्यंत साधारण लोगों से, उनके व्यवहार से, उनके चाल से, उनके उत्सवों से, उत्सवों के साथ उनकी तल्लीनता से, उसी से भारत की सही पहचान बनती है। शायद पोथियाँ नहीं सहायक होंगी, थोड़ी बहुत होंगी। लेकिन सबसे ज्यादा क्रियात्मक रूप में जो भारत है जैसे हल चलाता है मणिपुर का आदमी, वैसे ही हल चलाता है, द्वारिका के पास का आदमी, वैसे ही हल चलता है कन्याकुमारी के पास का आदमी। उसी तरह से शुरू करता है, उसी तरह से बाएँ से दाएँ की ओर जाता है। सारा काम दक्षिणावर्त होता है। परिक्रमा दक्षिणावर्त होती है। वही एक स्वभाव है। आदमी हमारे यहाँ जो गिनती करता है, कानी उंगली से गिनती करता है, दाहिने जाता है। अंगूठे से कोई गिनती नहीं करता है। जापान में, जर्मनी में, अमेरिका में सब जगह अंगूठे से गिनती शुरू होती है। जो सबसे छोटी अँगुली है उससे गिनती शुरू होती है उसको प्राथमिकता है। यह सारी छोटी-छोटी चीजें हैं। कोई बड़ी चीज नहीं है। लेकिन भीतर स्वभाव में कहीं रची-पची चीजें हैं ये। वहीं पहचान में भारत आता है और कहीं नहीं भारत आता है। भारत का चेहरा वही है। जो ऊपर से सुंदर नहीं है। श्रमक्षत है। श्रम की बूँदों से एकदम शिथिल है। शकुन्तला के उस रूप की तरह है जब क्यारियों में पानी देती है और बाल छितरा गए हैं। सम्हाल नहीं पाती है केश। एकदम शिथिल हो गयी है। उसी रूप में दुष्यन्त मोहित हुआ है, वही रूप भारत का रूप है।

□

वार्तालाप : मंजीत बावा से मनीष पुष्कले

'तर्क से सूत्र बनता है, चित्र नहीं'—मंजीत बावा

बैगनी शेर और सफेद बकरी। एक गाय और स्त्री। चरवाहा। तोता और स्त्री। शेर और गिलहरी। कृष्ण और गाय। और... और...

* * * * *

इन सभी चित्रों में **'और'** काफ़ी महत्त्वपूर्ण लगता है, दरअसल यह **'और'** मंजीत के चित्रों में बात को बढ़ाता हुआ नहीं वरन् बातचीत के उस सार को प्रस्तुत करता हुआ नज़र आता है, जो मौन में घटता है। यह मौन संवाद, शेर और गिलहरी के बीच, जो खुद भी एक ऐसे हरे से पनपे हैं जहाँ पर इनकी प्रकृति में फ़र्क ख़त्म हो चुका है, यह संवाद सपाट हरेपन में साफ़-साफ़ झलकता है।

मंजीत भाषा को नाकाफी मानते हैं स्वयं को प्रस्तुत करने में, शायद इसी कारण रंगों से भाषा काफ़ी पीछे छूट जाती है। अतः अब एक ऐसा सपाट रंग लगता है, जो निर्दोष है। जो मौन का परिणाम है। या शायद जिसका परिणाम मौन है।

और मंजीत के चित्रों का **'और'** भाषा की पहुँच से दूर विद्यमान रंगों के खेतों में सरसों के फूलों के समान उपस्थित है जिसके बीचों-बीच एक चरवाहा खड़ा है, उसकी स्त्री किसी दूसरे चित्र में तोते से बात कर रही है। लेकिन मौन में। या शायद लालायित है तोते के मुँह को चूमने के लिए और अगर चूम चुकी है तो मैं उस ध्वनि को कैसे व्यक्त करूँ जो हवा में घुल चुकी है। और फिर हवा भी सपाट गुलाबी रंग के रूप में विद्यमान है। **क्लिम्ट** का प्रसिद्ध चित्र **द किस** याद आ रहा है। मंजीत के इस चित्र में उस चुंबन की गूँज सुनाई दे रही है। **क्लिम्ट** के चित्र का नायक मृत्यु को प्राप्त हो चुका है और मंजीत के चित्रों में तोते के रूप में जन्मा है।

मंजीत एक बार फिर पिता बने हैं।
एक पुत्र, एक पुत्री और एक पक्षी।
रवि, भावना और भैरव।

* * * * *

मनीष—पहले मैं स्वामी की चिड़िया से बात शुरू करना चाहता हूँ, जिसमें पक्षी एवं पहाड़ के मूल स्वभाव के साथ खिलवाड़ किया गया है, पक्षी की निरंतरता एवं गतिशीलता को पहाड़ के ठहराव एवं जड़ता में तब्दील कर दिया है, पहाड़ अब उड़ रहे हैं। पक्षी स्तब्ध हैं। विलीन होते जा रहे हैं।

मंजीत—वैसे स्वामी ने चिड़िया से जीवन की मजबूरी को ही खत्म कर दिया। उनके स्वभाव में ही था स्वयं को स्वयं से परे होकर देखना। वे स्वयं में से जीवन को निष्कासित कर जो बचा है उसे देखने में समर्थ थे। उन्होंने पहाड़ से उसकी जड़ता को भी निष्कासित कर दिया। इस कारण उनके चित्रों में ठहराव की गुणवत्ता पनप सकी। एक बार मैंने उनसे पूछा कि आपके चित्रों में चिड़िया से पहाड़ बहुत बड़ा लगता है, उस चित्र में चिड़िया यथार्थ भी था और आकार के लिहाज से यह संबंध भी यथार्थवादी था, फिर भी पहाड़ और पक्षी अपनी सांसारिक मर्यादा में रहते हुए उसी मर्यादा को तोड़ते नज़र आते थे।

वे कहते भी थे **'अंजन माहे निरंजन रहिये।'**

* * * * *

चित्रों में आकाश का परिणाम आकार है ?
या आकार का परिणाम आकाश ?
या आकार और आकाश की सुगबुगाहट ही चित्र हैं ?
क्या आकाश को बुझाते हो, या बुझे हुए आकाश में आकार को प्रज्ज्वलित करते हो ?

मनीष–स्वामी और आपके संबंधों को लेकर बात की जाए तो यह संबंध चित्रफलक पर भी दिखाई देता है। स्वामी के चित्र की तरह आपके चित्रों में भी दो प्रमुख तत्त्व हैं, आकृति एवं पार्श्व। लेकिन दो अलग-अलग संसार या अस्तित्वों के रूप में। हमारी चित्र परम्परा में पार्श्व को समान महत्त्व दिया गया है। आप अपने पार्श्व रूपी आकाश के बारे में क्या सोचते हैं ?

मंजीत–हमारी परंपरा में सपाट रंग लगाना पहले से ही था। पहाड़ी मिनियेचर को ही देखें। बाद में यूरोपियन सोच के आधार पर महत्त्व दर्शाने के लिए हमारे ही कई साथी चित्रकारों ने व्यक्तिचित्र के चारों तरफ़ सपाट रंग लगाया।

मेरा रंग लगाना इस अन्दाज़ से नहीं है। चित्र में स्वयं के आकार को पाने के लिए जो संघर्ष चित्रकार करता है वही संघर्ष मैंने भी किया है। न्यूमेन के संघर्ष की कल्पना मैं कर सकता हूँ। मार्क रोथको के चित्र खुद व खुद हमारी संस्कृति से आकर जुड़ते नज़र आते हैं।

मैंने कोशिश की है रंगों के आधार पर अपने आकार को एक ऐसी कब्र दे सकूँ, जिसमें वे जब चाहे, सो जाएँ।

* * * * *

क्या चित्रों के इर्द-गिर्द कोई संवाद है ?
कोई संयोग ?
या इस संवाद एवं संयोग के होने और न होने के बीच ही चित्र अपने में ही छिपे हैं ?
चित्रों में स्थापना है या स्थगन ?
रंग, आकार, अवकाश का स्थगन ही चित्र हैं ?
जिसे चित्रित करना है उसे स्थगित भी ?
या स्थगन को चित्रित करते हो ?

मनीष–जिस तरह से सपाट रंग आपके चित्रों में उपस्थित है, जहाँ आकार एवं पार्श्व की सुगबुगाहट के कारण एक भाव उत्पन्न होता है, जैसे आकारहीन आकार से आकार पनप रहा है ? जिसे आप कब्र की संज्ञा दे रहे हैं उसे मैं गर्भ भी मान रहा हूँ।

मंजीत–मेरा भी ऐसा ही सोचना है कि जिसे पार्श्व की मान्यता दी है हमारे आलोचकों ने, वो वास्तव में नहीं है। और अगर कुछ है, तो **कुछ भी न होने का संकेत। आकार** भी कुछ न होने की पीड़ा से ग़्रस्त नहीं है, क्योंकि उनको यह बोध है कि वे कुछ न होने में ही हो सकते हैं।

* * * * *

क्या चित्रों में वर्णन के लिए कोई भाषा है ?
कोई आकार ?
क्या इनमें क्षरण का वर्णन है ?

मनीष–तो आप 'पार्श्व' की व्याप्त मान्यता से सहमत नहीं ?

मंजीत–हम इस बात को तो मानेंगे ही, कि जब एक सुर से दूसरे सुर तक जाना है, तो जो बीच का अवकाश है, वह काफी महत्त्वपूर्ण है। शब्द की अपनी महत्ता है, शब्दों को तर्क की लौं में लाकर, कुछ भी सिद्ध किया जा सकता है। लेकिन सत् को सिद्ध नहीं किया जा सकता। **सत्य सभी तर्कों से परे है** कोई भी इतिहासकार इस सत्य तक नहीं पहुँच सकता। इतिहास स्वयं झूठा है। फिर अंदेशे बचते हैं। इसलिए सेमीनार, जो विचारों के आदान-प्रदान की दृष्टि से काफ़ी महत्त्वपूर्ण होते हैं, गड़बड़ वहाँ करते हैं जब वे उसी को सत्य मानकर चलते हैं, जिसे वह कह रहे हैं। तर्क शास्त्रों के आधार पर हो सकते हैं लेकिन सत्य सभी तर्कों से परे है। उदाहरण के लिए चित्र में जो रहस्य है, जिसकी खोज में कोई आकार जन्म लेता है, उसकी कोई तार्किकता नहीं हो सकती। और अगर तर्क होता तो कोई प्रणाली बनती, कोई सूत्र बनता पर चित्र नहीं। **इसलिए इस रहस्य की सिर्फ़ खोज है, प्राप्ति नहीं।** इसका कोई अंत नहीं। अंत किसी भी चित्र का नहीं।

* * * * *

क्या आभास का आकार हो सकता है ?
क्या आभास रंगों और आकारों से परे होता है ?
वह क्या है जिसके कारण चित्र बनते हैं ?
चित्र के कारण क्या होते हैं ?
कारणों का चित्र कैसा होता है ?

मनीष–आपके चित्रों में आकार की निरंतरता एवं पार्श्व की स्थिरता में कोई संयोग तो नहीं। वैसे भी मंजीत के चित्रों को लेकर आध्यात्मिकता की बात होती रही है।

मंजीत–मैं आध्यात्मिकता को चेतना के स्तर पर लेना चाहता। किसी की भी जीवन शैली उसी के सोच की ही पर्याय होती है, अन्यथा वह शैली सिर्फ़ मुखौटा बनकर रह जाएगी। ऐसी स्थिति में उस चित्र या कविता में भी वही झलकेगा। चित्र चालाकी से नहीं बनते। अगर आदमी का मूल स्वभाव उसके चित्र में आ सके तो वह चित्र पवित्र होगा, सहज होगा। मैं हुसैन का सम्मान करता हूँ। शायद इसे ही आध्यात्मिकता कह सकते हैं, या सहजता या खोज या चिंतन या स्वयं की अजमाइश।

वैसे अध्यात्म शब्द काफी भारी लगता है मुझे।

* * * * *

वह रहस्य क्या है जहाँ चित्र अभिव्यक्त होते हैं ?
क्या चित्र किसी अभिव्यक्त रहस्य को और ज़्यादा उजागर करते हैं ?
या उसको नकारते हैं ?
या इस उजागर और नकारने के संतुलन में ही चित्र हैं ?

मनीष—क्या यह मान लिया जाए कि जीवन और चित्र में कोई भेद नहीं। एक ऐसा संसार जहाँ **'होना'** एवं **'होने का होना'** का एकात्म हो चुका है। क्या यह परस्पर मेल ही अध्यात्म है ?

मंजीत–नाम कुछ भी दे इस मेल का, कम से कम उन लोगों को आसान हो जाएगा जो इस मेल में नहीं मेले में हैं। भाषा नाकाफी है इस मेल को अभिव्यक्त करने के लिए। लेकिन फिर भी इस मेल के आसपास की बात हो ही सकती है। नाम देना भाषा की लाचारी भी है। **मेल के गर्भ में सिर्फ मौन ही समा सकता है।** भाषा रूपी सभी बंदूक-तमंचे इस मेल के सामने फेल हैं।

* * * * *

क्या चित्र भी विचलित होते हैं ?
क्या चित्र का धर्म होता है ?
क्या चित्र बनाने के लिए चित्रकार होना जरूरी है ?
मनुष्य और चित्रकार में क्या अंतर है ?
जीवन और चित्र में क्या अंतर है ?

मनीष–विषय-स्वभावगत् चित्र एवं चित्रकार में दूरियाँ बढ़ रही हैं। लेकिन फिर भी हुसैन, गायतोण्डे, स्वामी, भूपेन, अम्बादास सरीखे के कुछ चित्रकार हैं, जहाँ यह दूरी नदारद है। क्या कहेंगे ?

मंजीत–क्या कहूँ ! जो जिस ढंग से जीना चाहता है, जी रहा है। हुसैन की बेचैनी उनके केनवॉस पर उतरती है। कुछ खुद को शत प्रतिशत प्रस्तुत करने में सक्षम है। परंतु कुछ अपने होने में संशय भी हैं। अम्बादास एवं गायतोण्डे पवित्र आत्माएँ हैं। रजा जिस सहजता से हरे के साथ लाल रंग लगाते हैं, यह सहजता उन्होंने जीवन भर की साधना के बाद पाई है। उनके चित्रों में जीवन उनके रंगों की छुअन से पनप उठता है।

मैं विषय को केंद्रित कर चित्र नहीं बना सकता हालाँकि विषय मेरें चित्र में काफ़ी महत्त्वपूर्ण है। लेकिन फिर भी चित्र अगर विषय के अर्थों से मुक्त न हो सके तो वो चित्र अच्छा नहीं हो सकता। मैं गाँधी का सम्मान करता हूँ, लेकिन गाँधी का व्यक्तिचित्र बनाकर इस सम्मान को व्यक्त नहीं करना चाहता। हाँ, जब विषय ज़्यादा महत्त्वपूर्ण लगता है तब चित्रण किए हैं पर चित्र नहीं बनाए। मसलन बाबरी मस्जिद घटना के दौरान कई तरह का चित्रण किया। साथ ही यह भी जानता हूँ कि बाबरी मस्जिद घटना के बाद जो भी चित्र बनाए हैं उनका संबंध इस घटना से रहा है। मैं कैसे भूल सकता हूँ, कि जो लोग दंगों के दौरान मारे गए, वे मेरे ही अंश थे। जिस धर्म के नाम पर लोग लड़ रहे थे वह मेरा ही धर्म था। इस बात से सिद्ध होता है कि *मनुष्य सबसे ज़्यादा स्वयं के प्रति ही अमानुष हो गया है।* अब हम मनुष्य होने के नाते नहीं मनुष्य के लिए

जीते हैं।

बाद की पीढ़ी में जरूर मैं मानता हूँ कि वैचारिक शून्यता आई है, साधना के प्रति उदासीनता एवं साधनों से प्रेम का परिणाम हैं यह दूरियाँ। लेकिन युवा पीढ़ी के कुछ लोग काफ़ी अच्छा काम कर रहे हैं।

फिर भी अब चिन्तन कम है, चिन्ता ज़्यादा।

* * * * *

पहले क्या चित्रित करते हो ?

चित्र का अंत या शुरुआत ?

क्या लगता है जहाँ शुरुआत है वहीं अंत ?

क्या चित्र का कोई अंत होता है ?

मनीष–स्वामी कहा करते थे, प्रकृति अनंत संभावनाओं का प्रतीक है। प्रकृति से आपका संवाद आपके चित्रों में किस तरह स्थापित हुआ ?

मंजीत–मुझे याद है वह शाम जब मैं 'झरना' में था, सूर्य ढल रहा था, पेड़ पलाश से लदे पड़े थे। वह पहला दृश्य था जब मैंने प्रकृति में लाल रंग को महसूस किया। मैं फिर कहूँगा भाषा काफ़ी नहीं इस रहस्यमय सौंदर्य को अभिव्यक्त करने के लिए। **मौनालिसा शायद कुछ और नहीं इसी प्रकृति की मुस्कान है इसलिए रहस्यमयी है।**

उस दृश्य को देखने के बाद मेरे मन में लालसा हुई कि मैं वैसा दृश्य चित्रण करूँ लेकिन जैसे ही मैंने इसे करने की कोशिश की, मैंने पाया कि लगाया हुआ लाल रंग प्राकृतिक लाल न होकर हिंसक लाल है। मैंने तुरंत वह केनवस बंद कर दिया। फिर सोचना शुरू किया कि क्या भेद है दोनों रंगों में। **काफ़ी समय बाद मैंने महसूस किया कि वह हिंसा रंग में नहीं स्वयं मुझमें थी।** शायद इसी समझ के कारण अब मेरे शेर भी अहिंसक हैं।

रंगों के अलावा आकार को समझने में भी प्रकृति का ही योगदान रहा। मैं पाता हूँ कि प्रकृति में कहीं भी, कभी भी, कुछ भी अचानक खत्म नहीं हो जाता। दो सभ्यताओं के बीच भी कुछ संबंध होता है। प्रकृति के इसी विनय के फलस्वरूप उसका पैनापन खत्म हो जाता है। आग बरसती धूप में भी वह शीतलता का अहसास करा सकती है। यही कारण है कि चित्रों में अब कोई कोण नहीं, सिर्फ़ लय है। जो आपको कहीं ठहरने नहीं देती वरन् दो सभ्यताओं के बीच की निरन्तरता का अहसास कराती है।

* * * * *

राझाँ और गाय। कृष्ण और कुत्ते। शेर और केले !

* * * * *

मंजीत के बाद के चित्रों में पात्रों का विलीनीकरण हुआ है। एक चित्र जिसमें शेर एवं गाय एक दूसरे में समा रहे हैं। क्या यही वो मेल है जिसके गर्भ में सिर्फ़ मौन समा सकता है ? आकारों के विलीनीकरण के कारण ही मौन प्रस्फुटित हो रहा है।

* * * * *

अब सिर्फ़ बकरी है ! शेर है ! गाय है ! स्त्री है !
...और नहीं

* * * * *

वे आकार जो **और** के कारण थे अब नदारद हैं। क्या इस **और** का विलीनीकरण उस रहस्य को परिभाषित करता है जिसमें मौन घट रहा है !

जिस रहस्य का सिर्फ़ खोज है प्राप्ति नहीं !

* * * * *

□

केदार खण्ड का मौखिक इतिहास

(श्री हरि सिंह (आयु 97 वर्ष) से भेंट वार्ता से प्राप्त)

कृष्णनाथ

महाराज, अति कोई भी अच्छा नहीं। अति बूढ़ा हो गया। आँख से कम दिखाई पड़ता है। याद भी कम आता है। क्या खाया यह भी भूल जाता है। पहले आप आया होगा। तो सब बता दिया होगा। अब तो भूल गया।

प्रश्न : आप तिब्बत गए हैं ?

उत्तर : तिब्बत 15-16 साल तक व्यापार के सिलसिले में गए। कैलास-मानसरोवर भी हो आए।

प्रश्न : तिब्बत का रास्ता क्या है ?

उत्तर : वह भैरव की घाटी हो कर है। जो नदी आती है, जाड़ गंगा उसका नाम है उसके परली तरफ रामपुर-बुशहर है। एक गली है, पतली नहीं है उसके पार निलङ है। निलङ से आगे कोई पाँच सात मील में जादुङ पड़ता है। वहाँ जाड़ लोग बसते थे। अब तो नहीं बसते। निलङ जादुङ दो गाँव था।

प्रश्न : बगोरी वाले निलङ जादुङ रहते ? या पहले से बगोरी ही रहते ?

उत्तर : पूरी बात बताता हूँ। जब सरकार ने वहाँ से निकाला तो यह जमीन जाला वालों की थी। सरकार ने जाला वाले की जमीन लेकर जाड़ लोगों को दे दिया। तब से शीतकाल में डुँडा बसते। आज-कल बगोरी।

प्रश्न : व्यापार करने जाते तो क्या ले जाते ?

उत्तर : फाफरे का आटा और जौ।

प्रश्न : फाफरा क्या है ? कुटु ?

उत्तर : फाफरा वही है, कुटु वही है। ऋषि लोगों ने अपने वास्ते बनाया। फलाहार है। थोड़ा कड़वा लगता है।

प्रश्न : अब फाफरा बोते हैं ?

उत्तर : अब फाफरा कौन बोता है ? छेमी बोते हैं। उससे रोजगार करते हैं।

वहाँ से नमक, सुहागा। सुहागा कम, नमक ज़्यादा। नमक तालाब का है। पहाड़ का नहीं। पहाड़ का तो सेंधा नमक है, काला नमक। नमक अच्छा है। नीचे का नमक खिलाया बकरी को तो खोंसू (खुजली) निकलता है। वहाँ का नमक पशु के लिए बहुत अच्छा है। अब तो वह नमक बंद हो गया। अब तो नीचे का ही नमक खा रहे हैं।

प्रश्न : आपको ऊपर का नमक अच्छा लगता था या नीचे का ?

उत्तर : ऊपर का नमक खारा ज़्यादा था। थोड़ा ज़्यादा हो जाए तो कड़ुवा हो जाता था। नीचे का नहीं। पशु के लिए ऊपर का नमक अच्छा था।

प्रश्न : वहाँ से ऊन, पशम लाते थे ?

उत्तर : ऊन, पशम लाते थे। पशम बकरी में नीचे से निकलता है। बकरी का बाल निकल जाता है। एक सेर में एक पाव पशम रहता है। रुपये में सेर भर पशम हो जाता था। पशम और ऊन बराबर-बराबर था। रुपये में भी व्यापार होता था।

प्रश्न : रुपया वहाँ चलता था ?

उत्तर : नकद रुपया गला कर चाँदी बना देते थे। वहाँ चाँदी बहुत बिकता था।

प्रश्न : वहाँ मंडी कौन थी ?

उत्तर : हमारी मंडी पुल्लिग थी।

ज्ञानी तो जुहार, नीति माना वालों की थी। हमारी मंडी तो पुल्लिग थी।

प्रश्न : आप थोलिङ मठ गए थे ?

उत्तर : थोलिङ मठ तो नजदीक है। हम तो कैलास मानसरोवर तक गए।

कैलास-मानसरोवर में :

बिना हवा पत्थर उड़ते

बिन हवा हिम बरसते

कैलास-मानसरोवर एक ही है न ?

ऊपर कैलास है, नीचे मानसरोवर है। कैलास का दूर से दर्शन किया।

ऊपर कौन जाता ? वहाँ बड़ा भारी ठंड है।

प्रश्न : थोलिङ मठ और बदरीनाथ में कोई संबंध है ?

उत्तर : है। कहते हैं, कहते हैं, शास्त्र में तो हमने पढ़ा नहीं, कहते हैं कि पहले बदरीनारायण भगवान थोलिङ मठ में था। वहाँ गोहत्या करते हैं। मांस और जल का भोग लगाते हैं। तो भगवान का वहाँ से भागने का मन हुआ। पहरेदार को मालूम हुआ। लेकिन भगवान छत फोड़ कर बदरीनारायण आ गया। वहाँ सोने का छत है। वह फोड़कर भगवान भागा है। जहाँ वैसा ही रखा है।

प्रश्न : थोलिङ मठ में चंदन का खंभा है ?

उत्तर : खंभा तो है। पता नहीं चंदन का है या नहीं।

वहाँ लकड़ी नहीं है। पेड़ नहीं है। झाड़ है। उसमें काँटा है। उसको उखाड़ कर जलाते हैं। बकरी, गाय का कंडा जलाते हैं। ठंडा बहुत है। ठंडा बहुत है। वर्षा कम है। हवा से ठंडा है। भारी हवा चलती है। धूप कि अभी तड़-पड़ हो जाए। ऊँचाई है। सूरज नजदीक है।

प्रश्न : जमीन रेत-रेत है ?

उत्तर : रेत-रेत है। किसिम किसिम की जमीन है। जहाँ नदी है वहीं उतराई-चढ़ाई है। बाकी मैदान है। कहीं सफेद है, कहीं स्याह। किसिम-किसिम की जमीन है। जहाँ नदी के खड्‌ में हवा कम है वहाँ जो, वा, जो वा दो जात है, जौ अलग चीज है, वा के दाने जैसे हमारा गेहूँ है उसी के मुकाबले वा है। वह होता है।

प्रश्न : वह भी यहाँ आते थे ?

उत्तर : आते थे। यहाँ नमक, सुहागा, ऊन, पशम सब लाते थे।

प्रश्न : इधर से कौन जाता था ?

उत्तर : पाँच-छः गाँव से हम ही जाते थे। दो-चार नौकर साथ में लेते थे। हमेशा, कितने साल। पहले तो कोई और नहीं जाता था। बाद में दो चार और जाते थे।

प्रश्न : वहाँ जंगली जानवर हैं ?

उत्तर : जंगली घोड़ा है। टोली की टोली। रास्ता का पता नहीं। यहाँ चुगते हैं, वहाँ चुगते हैं। विल्सन एक छोटा बच्चा पकड़ कर लाया। यहाँ मर गया। वहाँ का जीव है। यहाँ गरमी से मर गया। चंवरी (याक) जंगली भी है, घर का है।

तिब्बत में बड़े-बड़े सेठ हैं, रईस हैं, 1,000 बकरी है, पशु है खिलाना कुछ नहीं, उसी का व्यापार करते हैं।

प्रश्न : वे लोग बौद्ध मजहब को मानते हैं ?

उत्तर : हाँ, बुद्ध भगवान की पूजा करते हैं।

प्रश्न : बड़ा मंदिर बनाते हैं ?

उत्तर : ओह, बहुत बड़ा है। बड़ा-बड़ा मूर्ति बनाते हैं। मिट्‌टी की मूर्ति बनाते हैं। आदमी से बड़ी।

(सिर उठाकर) ऐसे देखना पड़ता है।

प्रश्न : बगोरी के जाड़ और तिब्बती एक ही हैं ?

उत्तर : जाड़ की पैदानरी अलग है। यहाँ के हैं। भाषा तिब्बती है। तिब्बती से नस्ल से, शकल से फरक हैं।

प्रश्न : जाड़ दोनों की भाषा जानते हैं ?

उत्तर : दोनों भाषा जानते हैं। हम भी थोड़ी तिब्बती जानते हैं : बुद्ध को सेडे. कहते हैं। बुद्ध भगवान को मानते हैं।

प्रश्न : वहाँ आपकी खातिर करते थे ?

उत्तर : क्यों नहीं। दोस्त है। आढ़त में रखते। खाना-पीना अलग है। हमें मौन कहते। टायदी (ब्राह्मण) कहते। उनका छुआ नहीं खाते, यह जानते थे। वह लोग गोमांस खाते हैं। हमारा दोस्त कहता कि गो (=पालङ) नहीं खाते, याक खाते हैं। एक बार याक का चारों पैर बाँध दिया। मुँह बाँध दिया। घर में घुसा दिया। मैंने देखा वह फों-फों करता है। लगा कि मर जाएगा। हम घर में घुस गया। मुँह खोल दिया। तो वह लोग डंडा लेकर आया। हमारे साथ जाड़ था। बोला कि यह हमारा बड़ा भाई है। इसको मारोगे तो हत्या

लगेगा। हम भी लड़ कर मर जाएगा। यह लोग गौ (पालङ) मारने को बड़ा भारी पाप मानते हैं। इनके सामने मत मारो। तो वह लोग हटे। लेकिन जोङ (तहसीलदार) के यहाँ मुकदमा किया कि हमको मारा।

प्रश्न : यहाँ का रास्ता तो पैदल का रहा होगा ?

उत्तर : हाँ, पैदल, डाँडी में, कंडी में बूढ़े-बूढ़े कंडी में। ऋषिकेश से ही पैदल-पैदल चलते थे। पीछे टिहरी तक रास्ता आ गया। टिहरी से धरासू होकर जौनपुर मुलुक है। हमारा टिहरी-गढ़वाल का। जौनपुर मसूरी हो कर रास्ता जाता है। चढ़ाई-उतराई। उधर से रास्ता था। यह रास्ता नहीं था। हल्का पाँव था। हवा की तरह चलता था। यहाँ से निकलता तो पैदल उत्तर काशी पहुँच जाता। लोग कहते कि तुम बहुत चलते हो। बहुत बोलते हो। जल्द खत्म हो जाओगे। बैठ-बैठ कर वह तो मर गया। चलते-चलते मैं चलता जा रहा हूँ, महाराज। दक्षिण में रामेश्वर, उत्तर में कैलास गया।

× × ×

स्वामी कृष्णाश्रम यहाँ बहुत रहे। माघ का महीना। हम उसको भिक्षा देता। तो हवा, बरफ हमारा हाथ जकड़ जाता। उसे पसीना आता। हाथ गरम रहता। कुनगर (पहले कुनगर कहते थे, अब सुनगर कहते हैं) में हमारा नाता-रिश्ता था। हमारी फुफेरी बहन थी। उसे चेली किया। वह तो नंगा रहता था। लेकिन चेली के लिए बहुत संग्रह किया। मैंने कहा कि आप क्यों प्रपंच में पड़ते हो ? विरक्त हो ? वह इशारे से कहते कि यह चेली क्या खाएगा।

× × ×

पाँच गाँव में मेरे बराबर बूढ़ा कोई नहीं। मुखबा में मुझसे थोड़ा कम शशिधर है। अब शरीर छूट जाए तो ठीक था। अभी तो हाथ-पाँव चलता है। आगे क्या हो ?

प्रश्न : जमाना बहुत बदल गया ?

उत्तर : बहुत। हमने आदमियों का सब कार्रवाई किया : गल्लेदारी किया, ठीकेदारी किया, दुकानदारी किया। बहुत-बहुत काम किया। सब बताऊँ तो किताब बन जाए। मेरे बारे में कौन बताया कि बूढ़ा है ? बूढ़ा तो और भी हैं। मैं पढ़ा नहीं। माता-पिता मर गए। बहुत पढ़ा नहीं। सत्संग किया। सत्संग से बोध हुआ। बूढ़ा तो और भी है। मेरे से बूढ़ा तो पाँच गाँव में कोई नहीं। लेकिन और कोई कहीं गया-आया नहीं। हमारे दो तो लड़की है। दो लड़का है पहली स्त्री मर गयी। एक लड़का लड़की उससे थी। लड़की तो है। लड़का खत्म हो गया। वह मर गई। तो बड़े-बड़े लोगों ने कहा कि हरिसिंह शादी करो। लड़का-लड़की होगा। तो यह दूसरी स्त्री है। उससे दो लड़का, दो लड़की है। नाती, नातिन है। पार्वती देवी पहली स्त्री से है। हरसिल ब्याही हैं। 70-75 वर्ष की होंगी।

राहुल सांकृत्यायन ने लिखा है कि किरसन महाराज ने राजाराम ब्रह्मचारी की बहू को गीता पढ़ाया। क्या यह सच है ?

प्रश्न : क्या माई जी (भगवतस्वरूप) पहले हरसिल ब्याही थीं ?

उत्तर : हाँ, राजाराम ब्रह्मचारी का गूँगा लड़का था गंगादत्त। देखने में बड़ा सुंदर था। स्वामी कृष्णाश्रम वहाँ ठहरते थे। स्त्री ने कहा कि हमें चेली बनाओ। स्वामी जी ने बहुत मना किया। राजाराम ब्रह्मचारी नाराज होगा। यहाँ ठहरा, बहू को योगी किया। स्त्री मानती नहीं थी। तो स्वामी जी भाग कर गंगोत्री चले गए। वह भी चार दिन पीछे गंगोत्री गयी। महाराज, मैं गृहस्थिन नहीं हूँगी, मुझे चेली कीजिए। तो महाराज ने उसे चेली बनाया। फिर, उसके लिए संग्रह किया। प्रपंच में पड़े। मैं सोचता हूँ कि वह इतना कड़ा स्वामी था कि इंद्र को भय हुआ होगा। इसके तप से सिंहासन हिला होगा। वह माघ के महीने में नंगा रहता था। हाथ गरम रहता। पसीना आता। जब कि हमारा हाथ जकड़ जाता। तो शायद इंद्र ने यह छल किया हो। चलो भाई जी है, एक शिवाला है, सत्यनारायण का मंदिर है। पूजा-पाठ करती है। (उदास हो जाते हैं।)

× × ×

हरिः ओम ! हरिः ओम ! हरिः ओम !

× × ×

(श्री हरि सिंह पवार से 10-9-88 को भेंट वार्ता से प्राप्त)

ग्राम–धराली

पोस्ट–हरसिल

जिला–उत्तर काशी

रास्ता पहले यही था। 6 फीट का सड़क था। ऐसा ही रास्ता था। अब पक्की सड़क है। लकड़ी का पुल था। भैरव घाटी में बहुत लंबा पुल है। पहले लकड़ी का था। ऐसे हिलता था। वहाँ से बहुत लोग वापस आता था। एक अंग्रेज टिहरी राजा से परमिट लेकर शिकार को आया। 50-60 कुली साथ था। भैरव घाटी के पुल को देखकर बोला, वापस चलो। आगे नहीं गया। अब तो पक्का पुल है गाड़ी जाता है।

× × ×

पहले सुकी चट्टी से कोई हरसिल रुकता, कोई झाला रुकता। मुख्य चट्टी है : उत्तर काशी-मनेरी-भटवाड़ी-गंगनानी-सुक्की-धराली-भैरव चट्टी, वहाँ से गंगोत्री।

9-9 मील चलते। खिचड़ी खाते। भंडारा करते। शुद्ध घी का पकवान खाते। धीरे-धीरे चलते। ठाठ से बैठते। सुबह चलते। दोपहर तक चट्टी पर बैठ जाते। बड़ी भारी भीड़ होती। सड़क पर भी बैठते। अब तो बाजी लगाते हैं। सुबह उत्तर काशी से चलते। कोई दर्शन करते हैं कोई दर्शन नहीं करते। बस हवा खाने आते। यह क्या यात्रा है ? लंका—भैरवघाटी पुल हो जाने से यात्री नहीं। 'ट्ररिस्ट' हो गया। आया, गया। आया, गया। आया, गया।

× × ×

धराली

पांडव स्वर्गारोहण के लिए जा रहे थे। लेकिन उन्हें गोत्रहत्या लगी थी। श्रीकंठ के पास ही धराली है। शंकर भगवान श्रीकंठ में निवास करते थे। उन्होंने सोचा कि पांडव उन्हें न छुएँ। तो वे भागे। भीमसेन तो महाबली थे वे उनके पीछे-पीछे दौड़े। शंकरजी श्रीकंठ के पार केदार चले गए। वहाँ भी भीमसेन ने पीछा किया। वहाँ ग्वाले गाय चरा रहे थे। शंकर जी ने अपना भेष बदलकर साँड का रूप ले लिया और गायों के साथ मिल गए। भीम पहुँचे तो शंकर भगवान का कहीं पता नहीं था। उन्होंने लड़कों से पूछा कि तुमने कोई जोगी इधर आते देखा है। लड़कों ने कहा, नहीं। हमने तो कोई जोगी नहीं देखा। भीम को बड़ा आश्चर्य हुआ कि मैं तो पीछे-पीछे ही था। वह कहाँ गए होंगे। सोचा कि कहीं शंकर जी ने भेष तो नहीं बदला। भीम ने लड़कों से कहा कि अपनी सारी गायें अलग करो। वे दो शिलाओं पर टाँग फैलाकर खड़े हो गए। गायें उनकी टाँग से होकर निकलने लगीं। सिर्फ वह साँड नहीं निकला। शंकर भगवान भीम की टाँगों से होकर भला कैसे निलकते ? तो भीम को लगा कि यही शिवजी हैं। अब उन पर वह झपटे। तो शिव जी भूमि में घुस गए। उनकी पीठ केदार में है और मुँह पशुपति नाथ (काठमांडो, नेपाल) में। केदार का जब निर्वाण-दर्शन कराते हैं। जब शिला की सजावट हटाते हैं, अब तो उस पर वस्त्र और कई सजावट कर रखी है, वह हटा कर प्राकृतिक शिला को दिखाते हैं। उसे ही निर्वाण-दर्शन कहते हैं। तो वह साँड के पृष्ठभाग जैसा है।

उधर, पांडवों ने कल्प केदार धराली को श्राप दिया कि हम लोग बड़ी श्रद्धा से आए थे। शिवजी का दर्शन करना चाहते थे। कर नहीं सके। तो आने वाले युग में कल्प केदार (धराली) का कोई मान नहीं रहेगा। सो आज कल्प केदार का मान नहीं है। यह मंदिर भी खुदान से निकला है।

ऐसा भी कहते हैं कि पांडवों ने यहाँ मंदिर बनवाए। इनकी प्राण प्रतिष्ठा ये शंकर से कराना चाहते थे। शंकर नहीं चाहते थे क्योंकि इन्हें गोत्रहत्या लगी थी। तो भीम बलपूर्वक उन्हें नहलाने गए। तो शंकर भागे इत्यादि।

2,002 संवत् में यह पूरा मंदिर था। सुक्की टॉप फटा। भागीरथी झील बन गई। यह सारा क्षेत्र डूब गया। खंड प्रलय-सा हुआ। उसमें ही यह मंदिर भी डूब गया। खुदान से इसमें से सबसे बड़ा मंदिर निकला। कहते हैं यह पांडवों का बनवाया मंदिर है। □

कुँवर नारायण : बारह कविताएँ

कुँवर नारायण जी की यह कविताएँ सत्तर के दशक की हैं, जो किन्हीं कारणवश अभी तक अप्रकाशित थीं। इन्हें पहली बार एक साथ यहाँ प्रकाशित किया जा रहा है। इनके प्रकाशन की अनुमति देने के लिए हम कवि के आभारी हैं।

–संपादक

शब्दों के बीच

अर्थ है वह खाली जगह भी
जो शब्दों के बीच होती
जिसमें उज्ज्वलता भरते ही
शब्द जगमगाने लगते

यह पृष्ठ–
एक निरभ्र खाली जगह
उस पर लिखते ही फूल
वह खिल उठता

फ़ासले जो शब्दों को अलग करते
उन्हें एक दूसरे अर्थ में जोड़ते भी

विवशता उस प्यार की जो एक दूरी है
सामर्थ्य उस प्यार की जो जीवन है...

कोई नाम दो उन्हें

एक मटमैले घोल से निकलकर
अकसर देखा गया है
अलग-अलग रंगों को खिलते

लाल
पीला
नीला
सफेद...कोई नाम दो उन्हें
वे बाज़ नहीं आते
अपने को सिर्फ़ फूल कहने से
पृथ्वी को माँ कहने की नादानी से

बच्चों की तरह खेलते हैं वे
मिट्टी से, धूप से, हवा से, पानी से
जैसे सीधे अभी निकलकर चले आ रहे हों
नानी की कहानी से।

बहाव में वह

एक साफ़ सुथरे चौकोर काग़ज़ की तरह
उठाकर ज़िंदगी को प्यार से
सोचता हूँ... इस पर कुछ लिखूँ...
फिर
उसे कई मोड़ देकर
कई तहों में बाँटकर
एक नाव बनाता हूँ
और बहते पानी पर चुपचाप छोड़कर
उससे अलग हो जाता हूँ।

बहाव में वह
काग़ज़ नहीं
एक बच्चे की खुशी है।

अपने समानांतर

कि जैसे दुनिया कोई खुली हुई चीज़ हो
आजमाने के लिए,
कि जैसे दुनिया कोई ढकी हुई चीज़ हो

धोखा खाने के लिए,
कि जैसे दुनिया कोई असली चीज़ हो
पाने लायक,
कि जैसे दुनिया कोई फालतू चीज़ हो
गँवाने लायक,

और यह सब उसकी आँखों में हो और खो रहा हो
जो एक आँख से हँस और दूसरी से रो रहा हो।

एक शाम

मैं एक शाम
अपने अतीत की यादों में डूबता चला जा रहा हूँ

मुझमें घर लौटती चिड़ियों का शोर,
मुझमें शान्त जल पर पड़ती परछाइयों की स्थिरता,
मैं अपने ही दरवाज़े पर अपनी ही आहट,
मैं दूर से आती अपनी ही आवाज़ में सुना हुआ एक नाम,
मैं अपने ही कन्धों पर उगता खर-पतवार,

मैं अपने वर्तमान को इतिहास के खँडहरों में देखता,

यह कैसी है शाम
जो इतनी तरह से मेरी होती चली जा रही।

फूल फिर एक घटना

फूल फिर एक घटना है जो घट रही
खुश्बू एक ख़बर है जो फैल रही
उसके अथाह वैभव की !

रंग चीख़ते
''बचाओ ख़ून हो रहा हरियाली पर''
स्तब्ध है सन्नाटा

हत्यारा समय फिर निकल भागा
सर्वस्व लूटकर
आदमी के बनाए किसी भी कानून की
गिरफ्त से छूटकर !

लौटते हुए

जिस रास्ते से गए थे
लौटते वक़्त वही रास्ता
वही रास्ता नहीं होता।

डगर चढ़ते
चढ़ता सूरज
ढलानों पर उतरते...

उतरता सूरज
वही सूरज नहीं होता।

कविता के बहाने

कविता एक उड़ान है चिड़िया के बहाने
कविता की उड़ान भला चिड़िया क्या जाने !
बाहर भीतर
इस घर, उस घर
कविता के पंख लगा उड़ने के माने
चिड़िया क्या जाने ?
कविता एक खिलना है फूलों के बहाने
कविता का खिलना भला फूल क्या जाने !
बाहर भीतर
इस घर, उस घर
बिना मुरझाए महकने के माने
फूल क्या जाने ?
कविता एक खेल है बच्चों के बहाने
बाहर भीतर

यह घर, वह घर
सब घर एक कर देने के माने
बच्चा ही जाने।

फिर एक पेड़

यहाँ एक पेड़ था
जहाँ एक फाँक है

बिजली गिरी होगी
ठीक उसके ऊपर

यहाँ एक नीड़ था
जहाँ अब राख है

रोशनी हुई होगी
चारों तरफ़ जंगल में

यहाँ एक स्वप्न था
जहाँ अब शांति है

जहाँ अब शांति है
उग रहा फिर एक अंकुर
फिर एक पेड़
फिर एक जंगल
फिर एक स्वप्न
उसी फाँक से।

सादगी

तुम्हारे कपड़ों का दोष है
मिट्टी का नहीं
जो उसे छूते ही
मैले हो गए तुम

मुझे शर्म आती है
तुम्हें शर्मिन्दा देखकर,
मिट्टी से ज़्यादा
तुम्हें गन्दा देखकर।

सादगी अ़भाव की नहीं
एक़ पूरी संस्कृति की परिभाषा है।

और

तुम शुरू होना–एक़ घटना
मैं याद रखूँगा
पहला अंक–प्रस्तावना

तुम बोलते रहना–एक ध्वनि
मैं सुनूँगा
पहला शब्द–कैसे बना

तुम देखते रहना–कोई स्वप्न
मैं रचूँगा
पहला स्वप्न–एक रचना

तुम लिख कर मिटा देना मुझे
मैं लिख कर सिद्ध करता रहूँगा

बार-बार तुम्हें–जीवन से बड़ा एक सपना।

खजुराहो

गर्भगृह में आते ही एक आकस्मिक विचार–
कि मुझे विच्छिन्न करते हुए
उस प्रकाश से–जो बाहर है–
यदि बन्द हो जाए सदैव को प्रवेशद्वार ?
और मैं अकेला छूट जाऊँ

इन्हीं मूर्त्तियों के साथ
अपहृत इन्हीं के मायालोक में
इनके रूप पर आसक्त
खो जाऊँ   मन्त्रमुग्ध   प्यार की दैवी मुद्रा में
रह जाऊँ बन्दी इस समृद्ध सौन्दर्य का
कुछ इसी तरह जैसे ये
शार्दूल, अप्सराएँ, देवदासियाँ
शाल भंजिकाएँ,
कामलिप्त जोड़े
लजाती कुमारियाँ मुँह मोड़े...
    और तोरण के बाहर
    एक दास की तरह प्रतीक्षा करता रह जाए
    निस्पृह समय...
किन्तु फिर कभी न खुले गर्भगृह !

और तभी लगा अकस्मात
मूर्त्तियों के कोलाहल से भर उठा
मण्डप, अन्तराल, अर्द्धमण्डप
और उन सबने ज़िन्दा होकर
एक अश्लील प्रसव वेदना की शक्ति से
मुझे
तिलमिलाते प्रकाश में बाहर ढकेल दिया।
□

अशोक वाजपेयी से वार्तालाप

यतीन्द्र मिश्र और प्रभात रंजन

मैं कृतज्ञ कवि हूँ और चाहता हूँ कि मेरी कविता मेरी कृतज्ञता का ज्ञापन हो।

–अशोक वाजपेयी

***यतीन्द्र मिश्र :* एक कवि के रूप में आपका आत्मबोध, आत्मदया और आत्मनिर्वासन क्या हैं ?**

अशोक वाजपेयी : हो सकता है कि यह कुछ गोलमोल सी बात लगे पर सही यही है कि कविता ही मेरा आत्मबोध है : जितना मैं उसे रचता हूँ उतना, बल्कि शायद कुछ ज़्यादा ही, वह मुझे रचती है। अपने होने का सबसे सक्रिय और ऊर्जस्वित बोध होता है मुझे कविता से। उसी में मुझे यह अहसास हो पाता है कि अपने से जो बृहत्तर है, बहुत सारा जो अनपहचाना बाहर और वह भी जो अनजाना अंदर है उससे मैं जुड़ रहा हूँ : मैं उनसे बोल रहा हूँ और वे मुझसे। मेरा आत्मबोध सिर्फ़ अपने में होने का नहीं है–वह हमेशा ही दूसरों के साथ, उनमें मेरे होने और उनके मुझमें होने का एक तरह का द्वंद्वात्मक बोध है।

आत्मदया से बचता हूँ और जहाँ तक मैं जानता हूँ कम से कम साहित्य के संदर्भ में उससे कभी ग्रस्त, सौभाग्य से, नहीं हुआ। पर यह भी जानता हूँ कि आत्मदया से कुछ मूल्यवान् और सर्जनात्मक निकलना संभव है। कोई भी मनोभाव, यहाँ तक कि शत्रुता और घृणा भी, सृजन के लिए अप्रासंगिक नहीं होता।

अकेला तो बहुत बार अनुभव करता हूँ–अपने रचनाकर्म में, अपनी आलोचना में और अपने सार्वजनिक काम में। लेकिन किसी तरह का आत्मनिर्वासन मुझे महसूस नहीं होता। कविता जिसका घर-पड़ोस हो गयी हो, जैसा कि मेरे साथ हुआ है, वह आत्मनिर्वासित अनुभव नहीं कर सकता। क्यों करे ?

***यतीन्द्र मिश्र :* 'बहुरि-अकेला' की एक पंक्ति है–'हाशिए पर रहता है अंत कितने ही अंतरंग का क्यों न हो।' इस कविता में आज की स्थिति का जो चित्रण है वह आपने कुमार गंधर्व के अवसान के संदर्भ में उठाया है, क्या आपको लगता है–कला, साहित्य, संगीत तथा अन्य रूपंकर अभिव्यक्तियाँ सभी के अन्त अथवा सभी की स्थिति पर अवचेतन में किया गया यह एक महत्वपूर्ण आंकलन है ?**

अशोक वाजपेयी : कविता का काम आकलन करना नहीं है क्योंकि वह स्वयं पर संदेह करती विधा है–वह उपसंहार करने से भी बचती है। कविता में जिस उक्ति का हवाला है वह उक्ति साधारण मानवीय स्थिति का बखान करती है और जितना साधारण लोगों पर लागू होती है उतना ही अन्य अधिक विशिष्ट या सर्जनात्मक स्थिति पर भी। हम उसे हाशिये पर डालकर, 'अंत' का सामना करने से बचना चाहते हैं। यीट्स ने कहा था कि मनुष्य बहुत अधिक सचाई सह नहीं सकता–मनुष्य बहुत अधिक दुःख भी सह नहीं पाता। दुःख की सच्चाई तो और भी कम।

***यतीन्द्र मिश्र :* पूर्वज, पितर, देवता, वरदान, जन्म, मृत्यु, तीर्थ, अनहद, ऋत्विक, नेति, देवदूत, दिगन्त, ब्रह्म, शैव और अनुपस्थिति से मिलकर आपकी कविता की एक परिधि बनती है। भारतीय अर्थों में आप परंपरा के नवीनीकरण और भाषा संपदा के कवि हैं जिसकी काव्य चेतना में एक ओर आनंद कुमार स्वामी का सौंदर्य बोध, शास्त्रीय संगीत के प्रति अनन्य आस्था और स्वामीनाथन, कारन्त, रजा की मैत्री है दूसरी ओर श्रीकांत वर्मा, रघुवीर सहाय, त्रिलोचन आदि के प्रति धुर आस्था। आप अपनी काव्य-पीठिका को किस तरह परिभाषित करना पसंद करेंगे और आपकी काव्य संवेदना में इन सभी की अनुगूँजें किस**

तरह अपना रूपाकार ग्रहण करती हैं ?

अशोक वाजपेयी : हमारे संदर्भ में परंपरा का निरंतर अर्थसंकोच किया जाता रहा है। परंपरा तो हमारे यहाँ परिवर्तन के विरुद्ध नहीं खड़ी होती। वह निरंतर परिवर्तनशील, लगातार अपना नवीनीकरण कर पाती है, तभी परंपरा है। इधर अंतर इतना भर आया है कि पहले आप स्वाभाविक रूप से परंपरा में होते थे, अब आत्मचेतस् रूप से परंपरा में होते हैं। मेरे मन में निरंतरता का, निरंतर उपस्थिति का बहुत गहरा आकर्षण है। मुझे लगता है कि समकालीनता भी इस निरंतरता का ही एक आयाम या विस्तार है। इसे बहुत आसानी से हम अपनी रोज़मर्रा की ज़िंदगी में देख सकते हैं : वहाँ परंपरा और आधुनिकता एक साथ हैं और उनमें कोई बैर नहीं है। मेरी कविता इस अदम्य मानवीय निरंतरता का अवगाहन करने की चेष्टा है—उसमें रचने का आशय इस निरंतरता में इज़ाफ़ा करना है। जो पहले था वैसा अब नहीं है लेकिन जो अब है वह पहले भी रहा है। मेरी धारणा है कि रचना एक साथ, परंपरा और आधुनिकता के चालू युग्म से परे, अपनी अद्वितीयता और अपनी निरंतरता खोजना और पाना है। मैं नाराज़ और क्षुब्ध, चिढ़ा और चिड़चिड़ाता-बड़बड़ाता, दूसरों को कोसता और अपने पर खीझता कवि नहीं हूँ : मैं तो कृतज्ञ कवि हूँ और मैं चाहता रहा हूँ—कितना सफल हुआ नहीं जानता—कि मेरा कविता मेरी कृतज्ञता का ज्ञापन हो। मुझे जीवन थोड़ा-बहुत न समझ में आता, न सहने योग्य लगता, न कुछ रचने की उत्तेजना होती अगर उसमें शास्त्रीय संगीत, दूसरों की कविता, दूसरी कलाएँ और इतने सारे कृपालु मित्र न होते। कहीं-न-कहीं मेरी कविता में वे सब बोलते हैं—मेरी अपनी आवाज़ का विन्यास उनके स्वरों से कहीं-न-कहीं बनता रहा है। कुमार गंधर्व की जिजीविषा, मंसूर की आस्था, स्वामीनाथन की आदिम ऊर्जा, रज़ा का रंग-मौन और संयम, कारन्त की अथक कर्मठता आदि से मिलकर ही मेरे जीवन और मेरी कविता के लोक रूपायित हुए हैं। वे उनका प्रसाद हैं, शायद प्रासाद भी।

***यतीन्द्र मिश्र :* समस्त कलाएँ व व्यापक साहित्य जगत् जिसमें असंख्य लघु पत्रिकाएँ भी शामिल हैं मिलकर एक बृहत्तर समाज क्यों नहीं बना पा रहीं ?**

अशोक वाजपेयी : उनका होना, सक्रिय और जीवन्त होना, इस बात का अकाट्य प्रमाण है कि एक भरा-पूरा समाज और एक स्पन्दित सृजन-समुदाय है। हम अकसर इस तथ्य को नज़रंदाज़ करते हैं कि स्वयं समाज को अपने समाज होने का अहसास जिन चीज़ों से होता है उनमें साहित्य और कलाएँ भी हैं। इतने सारे कला-उपक्रम हैं तो उसके रचयिता और भावक भी हैं। इतनी सारी पत्रिकाएँ हैं तो उनके लेखक और पाठक भी हैं।

***यतीन्द्र मिश्र :* अपने समवर्ती और पूर्ववर्ती कवियों को ध्यान में रखकर, आप अपने समय की व्याख्या किस प्रकार करेंगे ?**

अशोक वाजपेयी : चूँकि मनुष्य के लिए, इसलिए कविता के लिए भी, कोई समय कठिन या सरल, स्वर्ण या भस्म युग नहीं होता। सो मेरा समय भी ऐसा ही है—अनेक जटिलताओं, सरलताओं, अन्तर्विरोधों और तनावों से अँटा पड़ा समय। संहारों-विध्वंसों, दमनों-अत्याचारों का समय लेकिन मनुष्य का स्वतंत्रता, समता और न्याय की दिशा में आगे बढ़ने का समय—जिजीविषा और जिज्ञासा के, मनुष्य की अपराजेयता के भव्य स्थापत्य और रूपाकार खोजे-गढ़े जाने का समय। अस्तित्व, पर्यावरण, सृजन की अपार बहुलता का समय। बहुलता को दबोचने-दबा ने की कट्टरताओं की हिमाक़त का समय। यातना-शिविरों, शरणार्थियों के हुजूम का समय और सारी दुनिया के बिल्कुल पड़ोस में आ जाने का समय। आंदोलनों, अभियानों, क्रांतियों का समय। झूठ के लगभग, सच की तरह, विराट् और संसारव्यापी हो जाने का समय। शोर, चीखों और कीर्तनों का समय : समय एकांत मौन का, प्रार्थना का समय। साधारण की बढ़ती महिमा का समय। स्थानीयता के एसर्शन का समय : बहुत सारी स्थानीयताओं

के लोप और ध्वंस का समय। भूमण्डल द्वारा सब कुछ को बाज़ार में बदलने का समय : सरकार और समाज को बाज़ारू बनाने के गहरे-सजग प्रतिरोध का समय। स्वप्नों-दुस्स्वप्नों का समय। समय गद्य का और कविता के लिए कम होती जगह का समय। इन सबको समेटते हुए—कुछ को भुलाते और कुछ को याद रखते हुए—छोटे से छोटे सच को खराब न जाने का इसरार करता मेरा समय। मैं उसकी व्याख्या कैसे करूँ ? अभी बीता नहीं है और जब बीत जाएगा तो व्याख्या करने का समय नहीं रहेगा !

यतीन्द्र मिश्र : **हमारे हिंदी के साहित्यिक समाज में संगीत व अन्य कलाओं की उपेक्षा बहुत सजग तौर पर हुई है। साहित्य में इनके अंतःप्रवेश को प्रायः यह कहकर बाधित किया जाता रहा है कि यह अंततः अभिजन वृत्तियों को समर्थन देता है। हमारी हिंदी रचना/आलोचना की वे कौन-सी दरारें हैं जो संगीत व अन्य कलाओं पर सम्यक् रूप से ध्यान न दिए जाने के कारण पैदा हुई हैं ?**

अशोक वाजपेयी : हिंदी समाज का सांस्कृतिक दायवंचन पिछले बीस-पचीस वर्षों में बहुत तेज़ी से हुआ है। संगीत और अन्य कलाओं के प्रति दुर्लक्ष्य उसी का हिस्सा है। संगीत और अन्य कलाओं की उपेक्षा इस कारण करना कि वे अभिजनों की वृत्तियाँ हैं एक तरह के कुत्सित समाजशास्त्र के सामने अपढ़ और मूर्ख आत्मसमर्पण करना है। हमारा संगीत और ज़्यादातर कलाएँ हमारे अपने लोकजीवन से उपजी हैं और उनकी काया पर, उनकी बन्दिशों और रूपाकारों पर हमारे सामान्य जीवन की अपार छवियाँ कभी भी देखी जा सकती हैं। उनमें अकसर सूक्ष्म परिष्कार और अद्भुत अमूर्तन है जो कि कलात्मक उत्कृष्टता के ही आयाम हैं। अगर यह आभिजात्य भी मान लिया जाए तो इसकी उपेक्षा अक्षम्य और कलाविरोधी है। कालिदास, भवभूति, जयदेव, तुलसीदास, सूरदास, ग़ालिब, अज्ञेय, प्रसाद, निराला आदि बिना बुद्धि और संवेदना के आभिजात्य के बिना संभव नहीं थे जैसे कि संसार का बहुत सारा महान् साहित्य, संगीत और कलाएँ भी। हिंदी साहित्य की समस्या यह नहीं है कि उसमें आभिजात्य का प्रभाव है बल्कि यह कि उसमें आभिजात्य का अभाव और अवज्ञा है।

संगीत और कलाओं पर ध्यान न देने के कारण हिंदी आलोचना सभ्यता-समीक्षा होने से कम रह जाती है और उसमें अनेक सूक्ष्मताओं और विन्यासों की प्रतीति नहीं हो पाती। यह आकस्मिक नहीं है कि हिंदी आलोचना कथ्य प्रधान है याने वह शिल्प और रूप की गहरी विवेचना करने में प्रायः अक्षम है और उससे कतराती रहती है। उसमें रूप और कथ्य के द्वैत की धारणा का भी लगातार वर्चस्व रहा है जबकि उत्कृष्ट सृजन में यह द्वैत न तो रचना के स्तर पर होता है और न ही आलोचना के स्तर पर उसे देर तक मानकर चलना चाहिए।

कई अर्थों में आज की अधिकांश हिंदी रचना अपनी पारंपरिक स्मृति गँवा चुकी रचना है। शास्त्रीय संगीत स्मृति में रसी-बसी विधा है : उसमें परिवर्तन को गहरा प्रतिरोध है और उसका सहज स्वीकार भी। अगर लेखकों और अन्य कलाकारों के बीच संवाद और सहकार, समझ और पारस्परिक आदान-प्रदान होता तो निश्चय ही कई नये प्रयोग, नयी संरचनाएँ हो सकते, जो कि संसार भर में हुए हैं। हमारा साहित्य सिर्फ़ साहित्य है—दूसरी कलाओं से अकसर बेखबर या उन पर व्यर्थ निराधार शंका करता हुआ।

यतीन्द्र मिश्र : **आपके अनुसार एक कवि की क्या परिभाषा होनी चाहिए ?**

अशोक वाजपेयी : इतने क़िस्म के कवि हैं और इतने क़िस्म की कविता कि किसी एक परिभाषा में उन्हें अँटा पाना मुमकिन नहीं, ज़रूरी भी नहीं। परिभाषा करने की चेष्टा एक तरह से कविता-विरोधी हरकत है। कविता भाषा की क्रिया, स्पंदन और रूपायन है, बिना परिभाषा बने हुए। यहाँ तक कि जो परिभाषा में कभी समाता नहीं है वही तो है कविता का मूल उत्स। जीवन-व्यापार, जैसे कि कविता भी, परिभाषा से नहीं भाषा से चलता है।

यतीन्द्र मिश्र : **आप साहित्य में विश्व-कविता, विश्व-साहित्य व वैश्विक-विमर्श के प्रति अत्यधिक आग्रही रहे हैं, आपने साक्षात्कारों, आलोचना तथा अन्यान्य साहित्यिक टिप्पणियों में एक विश्वग्राम या पड़ोस की बात अकसर उठाई है कि सारे विश्व की भाषा के साथ हिंदी को चलना चाहिए। इससे एक अतिरिक्त अर्थ यह भी निकलता है कि हमारी भाषा जो प्राचीन सिद्धों के युग से लेकर वाचिक कविता और संत-साहित्य आदि से होती हुई आज विकसित हुई है, उसे किसी के सहारे की ज़रूरत भी है। बिना विश्व-मैत्री के उसका विकास संभव नहीं। इसपर आपकी क्या प्रतिक्रिया है ?**

अशोक वाजपेयी : मैं आग्रही तो नहीं रहा हूँ पर इस मामले में बाखबर, कुछ ख़बरदार और सजग ज़रूर रहा हूँ। बीसवीं शताब्दी के उत्तरार्द्ध तक आते-आते जिस दुनिया में हम दाख़िल हो गए हैं उसके कुछ पहलू ऐसे हैं जिन्हें हम, अपना नुकसान करके ही, नज़रंदाज़ कर

सकते हैं। यों तो किसी भाषा को, फिर वह सिर्फ़ पचीस लोगों की ही भाषा क्यों न हो, किसी सहारे की ज़रूरत नहीं, वह अपने लोगों की जिजीविषा, जिज्ञासा और सिसृक्षा से समृद्ध होती है। पर यह भी उतना ही सही है कि दूसरी भाषा से प्रतिकृत होकर भाषाएँ अपने को समृद्ध करती रही हैं। स्वयं हिंदी ने अरबी, फ़ारसी, अंग्रेजी आदि से संपर्क में आने पर अपनी मूल्यवान इज़ाफ़ा किया है। हम अब एक बड़ी दुनिया का हिस्सा हैं और उसके भाषिक और साहित्यिक संवाद में हमें पूरी तेजस्विता और आत्मविश्वास के साथ शिरकत कर सकना चाहिए। हममें कई कमियाँ है, हिंदी में ज्ञानोत्पादन क्षीण है, वैचारिक सघनता की कमी है लेकिन, फिर भी, हम इस विश्वसंवाद में अपनी शर्तों पर हिस्सा लेने में सक्षम हैं। यह हम कर सकें इसके कुछ अवसर जब-तब मैंने जुटाने की चेष्टा की है। नीरन्ध्र परंपरावादियों की तरह हम जगत्गुरु ग्रंथि में सिमटे और आत्मतुष्ट-आत्ममुग्ध रहें या कि ज़्यादातर मार्क्सवादियों की तरह दृष्टि और विचार में पश्चिम के अनुचर बने रहें इन दोनों से मेरी असहमति रही है। हम पश्चिम के भूमण्डलीकरण के युग में हैं और उसका हमें वैचारिक और सर्जनात्मक दोनों ही स्तरों पर गहरा और सख्त प्रतिरोध कर सकना चाहिए। तभी हम उसे समझ, सह और अपनी शर्तों पर इस मुठभेड़ का सर्जनात्मक उपयोग कर सकते हैं।

यतीन्द्र मिश्र : **हमारी लोक-परंपरा जिसका पूरा संस्कार स्मृति पर आधारित था और जिसके द्वारा हम अपनी लोक-मान्यताओं, पर्वों, जातिगत उत्सवों तथा इनसे निःसृत होने वाले विधि-विधानों को गीतों, वाचिक-कविता के माध्यम से अब तक संजोते आए थे, आज उसके चरित्र में बदलाव आया है। इसका लोक-साहित्य की सर्जनात्मकता पर भी गंभीर प्रभाव पड़ा है। क्या आज लोक-साहित्य यूटोपिया भर होकर रह गया है या उसकी कोई सम्भावना अभी भी शेष बचती है ?**

अशोक वाजपेयी : कोई भी परंपरा, चाहे लोक की हो या कि शास्त्र की, हमारे यहाँ सौभाग्य से परिवर्तनाभिमुख रही है। इसलिए उसमें लगातार बदलाव आते रहे हैं। बीसवीं शताब्दी में सब तरह के परिवर्तनों की—राजनैतिक, सामाजिक, तकनीकी, वैज्ञानिक आदि—गति पहले के मुक़ाबले बहुत तेज़ हो गयी है। इस तेज़ी के अपने अच्छे-बुरे नतीजे निकल रहे हैं। लोक परंपरा तभी बच सकती है जब लोकजीवन बचे : अब अगर वही तेज़ी से बदल रहा है तो परंपरा का बदलना लाज़िमी है। हमें यह भी नहीं भूलना चाहिए कि लोककलाओं के कुछ नए रूप भी उभर रहे हैं। फ़िल्मी संगीत एक तरह का नया लोकसंगीत ही है। राजनैतिक प्रतिरोध की विधा के रूप में नुक्कड़ नाटक। फिल्में जो गाँवदेहातों में चाव से देखी-समझी जाती हैं। टेलीविजन पर आनेवाले धारावाहिक।

लोक अभिव्यक्ति कोई यूटोपिया नहीं है वह लोक की अनिवार्य और अदम्य अभिव्यक्ति है। उस पर गहरा संकट ज़रूर है। लेकिन वह बची हुई है, नये रूप ले रही है। जहाँ तक मैं जानता हूँ, बुंदेलखण्ड में रात-रात भर हज़ारों लोग आज भी राई नाच देखते हैं, छत्तीसगढ़ में पण्डवानी सुनते-सराहते हैं। मधुबनी की लोकचित्रकारी वाणिज्य के स्पर्श से विकृत न होकर सक्रिय हुई है।

यतीन्द्र मिश्र : **अपनी तमाम सारी शृंगार कविताओं के द्वारा आप हिंदी में एक नई रीति-परंपरा गढ़ते दिखाई पड़ते हैं। बहुत सारे समीक्षक आपको देह और रति के कवि के रूप में ही स्वीकार करते हैं, जोकि पूर्णतया सही नहीं है। फिर भी, मेरा मानना है कि कविता में रीति की जो नयी परिपाटी आपने विकसित की वह अन्य समकालीनों में मुश्किल से मिलती है। आप अपने कवि को इस परिप्रेक्ष्य में कितना प्रासंगिक मानते हैं ?**

मुझे नहीं लगता कि मैंने कोई नयी रीति-परंपरा गढ़ने की चेष्टा की है। मैंने तो भरसक, याने अपने इस विशेष समय में अपनी प्रतिभा-भर, शृंगार की महान् भारतीय परंपरा के उत्तराधिकार को अपनी कविता में किसी हद तक सहेजने और पुनराविष्कृत करने की कोशिश की है। एक ऐसे समय में जब देह की पूरी तरह से अवज्ञा हो रही हो या उसका निरे मनोरंजन और विज्ञापन के लिए उसका शोषण व्यापक रूप से किया जा रहा हो देह का कविता में पुनर्वास, एक सामाजिक टिप्पणी होने के अलावा, ऐन्द्रिय गरिमा को पुनरवस्थित करने का यत्न भी है। मुझे इस पर तो एतराज़ नहीं है कि कुछ लोग मुझे देह और रति का कवि मानें पर वे मेरी कविता में प्रगट जिजीविषा, आसक्ति, मृत्यु, अनुपस्थिति, शब्द और सृजन की महिमा के उतने ही सक्रिय अभिप्रायों को नज़रंदाज़ करें यह खेद की बात है। मेरे अन्य समकालीन अगर मेरे कुछ अभिप्रायों को शेयर नहीं करते तो इसमें अचरज की कोई बात नहीं है। उनके अपने सरोकार हैं और वे उनके माध्यम से सार्थक कविता कर रहे हैं। किसी भी समय में सक्रिय कवियों में जो समानता या साझेदारी होती है वह महत्वपूर्ण है पर उतना ही महत्वपूर्ण है उनकी विषमताएँ और परस्पर विभेद। मेरी कविता को ज़्यादातर चालू कविता के प्रतिपक्ष के रूप में पढ़ा-समझा जा सकता है। जो अलग है, वह भी प्रासंगिक हो सकता है। किसी भी समय की कविता कीर्तन नहीं होती जिसमें सभी एक

सुर में गा रहे हों। अगर मैं बेसुरा नहीं हूँ और स्वर साधना मुझे आता है तो मुझे अपना अलग स्वर लगाने का अवकाश होना चाहिए। सूचियों में मेरा नामोल्लेख न सही लेकिन इस बारे में खबर और आश्वस्ति है कि मेरी आवाज़ सुनी जाती है।

यतीन्द्र मिश्र : **इस पूरी सदी को खँगालने के बाद हिंदी का शेष साहित्य क्या बचेगा, जिसे हम ससम्मान नई सदी में ले जा सकें।**

अशोक वाजपेयी : मेरी राय में ऐसा बहुत सा है जो ससम्मान और निस्संकोच अगली सदी में हम कृतज्ञता और गौरव से ले जा सकेंगे। जयशंकर प्रसाद, निराला, प्रेमचंद्र, रामचंद्र शुक्ल, जैनेंद्र कुमार, अज्ञेय, मुक्तिबोध, शमशेर, हजारीप्रसाद द्विवेदी, रामविलास शर्मा, फणीश्वरनाथ रेणु, धर्मवीर भारती, विजयदेव नारायण साही, रघुवीर सहाय, त्रिलोचन, नागार्जुन, नरेश मेहता, श्रीकांत वर्मा, कृष्ण बलदेव वैद, कृष्णा सोबती, कुँवरनारायण, निर्मल वर्मा, विनोदकुमार शुक्ल आदि। कम से कम तीस-चालीस लेखक और कम से कम सौ कृतियाँ।

यतीन्द्र मिश्र : **हिंदुस्तानी शास्त्रीय एवं उपशास्त्रीय गायन की परंपरा दिनोंदिन समृद्ध हुई है। इस संगीत परंपरा ने अपने गायन के लिए साहित्य की जिस बड़ी परिधि को चुना उसमें हमारी वाचिक कविता, संत साहित्य, रीति-शृंगार के पद तथा बाद की हिंदी कविता से भारतेंदु, प्रेमधन के गीतों को स्थान मिला। यदि गौर से हम देखें तो पाएँगे कि सारे शास्त्रीय व उपशास्त्रीय गायक-गायिकाओं में जैसे भारतेंदु युग के बाद की हिंदी कविता को अपनी कलाभिव्यक्ति के लिए नहीं चुना या एक तरह से खारिज कर दिया। एक कला दिन-दिन विकास करते हुए, दूसरी विकसित होती हुई कला के संसाधनों को छोड़कर अलग हो जाती है और अपनी प्राचीन परंपरा का दामन पकड़े हुए आगे बढ़ती है और समृद्ध भी होती है। आधुनिक हिंदी कविता के संगीत से हुए इस अलगाव के बारे में आप क्या सोचते हैं ?**

अशोक वाजपेयी : कविता और संगीत एक ही समाज और संस्कृति में जन्म लेते, बढ़ते हैं तो सहोदर होने के कारण उनमें अभिप्रायों, दबावों और तनावों आदि की समानता होगी। लेकिन उनकी अपनी-अपनी स्वायत्तता भी है : कविता में ऐसा कुछ होता है जो संगीत कभी नहीं पकड़ सकता जैसे कि संगीत में भी ऐसा बहुत सा है जो कवितातीत है। प्रायः उन्नीसवीं शताब्दी तक अभिप्रायों और चिंताओं की यह साझेदारी संगीत और कविता में बनी रही। उसके बाद आधुनिकता का जो प्रोजेक्ट, दुर्भाग्य से, हमारे यहाँ वर्चस्वशाली हुआ उसमें साहित्य, रंगमंच और ललित कलाओं को एक ओर और संगीत तथा नृत्य को दूसरी ओर कर दिया। वैसे भले हमारे भक्ति और रीति के कवि रागों में निबद्ध अपनी कविताएँ लिखते रहे हों, उनमें से बहुत कम का उपयोग शास्त्रीय संगीत में होता रहा है। बल्कि कबीर, तुलसी, सूर, मीरा आदि का शास्त्रीय गायन हमारी अपनी परंपरा में अधिक कल्पनाशीलता और समझ से बीसवीं शताब्दी की घटना है। ध्रुपद, ख़्याल, ठुमरी आदि की हज़ारों बंदिशें हैं जो कवियों ने नहीं संगीत के वाग्गेयकारों ने रची हैं और शास्त्रीय संगीत में सदा से उन्हीं का प्राधान्य रहा है, कविता का नहीं। बन्दिशों में से अधिकांश का कविता के रूप में कोई महत्व नहीं है। शब्द संगीत में केंद्रीय नहीं हो सकते क्योंकि वहाँ केंद्रीयता स्वरों की ही है जबकि कविता में शब्द केंद्रीय हैं, इस अन्तर को भूलना नहीं चाहिए।

संगीत से आज की हिंदी कविता का अलगाव निरी छान्दिकता से उसकी दूरी नहीं है बल्कि अधिक गहरे वह समरसता और तादात्म्य से, परंपरा से भी दूरी के कारण है। आज की ज़्यादातर कविता स्मृतिहीन कविता है : उसे कुछ पुराना न याद है, न वह याद कर सकती है। इसने कविता को किसी हद तक विपन्न किया है।

यतीन्द्र मिश्र : **साहित्य में अध्यात्म की संवेदना पिछले कुछ वर्षों में निषिद्ध हुई है। जातीय स्मृतियों व अनुभवों का एक बड़ा हिस्सा हमारी अभिव्यक्ति की बुनावट में अब नहीं आ पाता। क्या अध्यात्म अब महज एक साम्प्रदायिकता की समस्या में बदल गया है या साहित्य की अपनी अंतःप्रकृति में उसकी कोई जगह अर्थ और संवेदना को विस्तारित करने में अभी भी बची हुई है ?**

अध्यात्म के निषेध के कुछ ठोस कारण रहे हैं और कुछ अपरीक्षित पूर्वग्रह। हमें यह नहीं भूलना चाहिए कि हमारे समाज में अध्यात्म के नाम पर बहुत सारे पाखण्ड, मनुष्य-विरोधी कर्मकाण्ड होते और फलते-फूलते रहे हैं। इस छद्‌म आध्यात्मिकता ने स्त्रियों, दलितों, गरीबों, मध्य वित्तीय लोगों आदि का बेहद शोषण भी किया है। ऐसा अध्यात्म अकसर सत्ता के निकट रहा है और शासक की चापलूसी में भी उसकी हिस्सेदारी रही है। ज़ाहिर है कि ऐसे अध्यात्म का क़तई निषेध होना चाहिए और अगर ऐसा हुआ है तो ठीक ही हुआ है। लेकिन सच्चा अध्यात्म साहित्य के प्रमुख सरोकारों में रहा है और सारी आधुनिकता के बावजूद पश्चिम में भी है। आप यीट्स, ज्वायस, ईलियट, रिल्के, काफ़का, हेमिंग्वे, आलबेयर काम्यू आदि को, बिना

उनके अध्यात्म को पहचाने, ठीक से समझ भी नहीं सकते। हमारे समय में अध्यात्म समरस और सीधा-सरल मामला नहीं हो सकता, न ही इन आधुनिक मूर्धन्यों के यहाँ है ही। पर वृहत्तर से जुड़ने की ललक, समय से पार समयातीत से संबंध बना सकने की उत्कण्ठा, मनुष्य की नियति की चिंता, मनुष्य के भविष्य की उत्सुकता' अपनी नश्वरता से जूझते हुए अनश्वरता की आकांक्षा; पवित्रता की खोज; ब्रह्माण्ड-प्रकृति- समाज-पड़ोस के अटूट संबंध का सजग बोध आदि सभी अध्यात्म के अंग हैं। उनका निषेध सिर्फ़ भारतीय ही नहीं सारी मनुष्य जाति की परंपरा से अपने को वंचित करना है। अध्यात्म मनुष्य की जातीय स्मृति तो है ही, और उसका समकालीन यथार्थ भी। साहित्य उसका निषेध कर दरअसल किसी टिकाऊ और स्मरणीय अर्थ में मानवीय बल्कि यथार्थपरक भी नहीं रह सकता। साहित्य ही वह जगह है जहाँ राजनैतिक शक्तियाँ, सामाजिक सचाई, व्यक्तिगत यथार्थ किसी को भी विशेषाधिकार प्राप्त नहीं है क्योंकि इन सबको समेटता हुआ साहित्य सिर्फ़ मानवीय को सबसे ऊपर रखता है। यह मानवीय बिना अध्यात्म के अधूरा और अर्थच्युत होगा। स्वतंत्रता, समता और न्याय के जो मूल्य आज साहित्य में सबसे ऊपर माने जाते है और उचित ही, वे अपने उद्गम और फलितार्थ दोनों में ही मूलतः आध्यात्मिक हैं।

हमारे समय की एक विडम्बना यह है कि अध्यात्म को साम्प्रदायिकता से जोड़कर देखा-समझा जाने लगा है हालाँकि बहुत सारे सम्प्रदायवादी अपनी छद्म धार्मिकता को ग्राह्य बनाने के लिए, अध्यात्म का सहारा लेते रहे हैं और इसलिए समूचे अध्यात्म को दूषित मानना अस्वाभाविक नहीं है। कोई भी धर्म अध्यात्म के बिना संभव नहीं लेकिन अध्यात्म का धर्म के बिना होना संभव है। हमारा शास्त्रीय संगीत, जिसे गाने-बजानेवाले अनेक धर्मो और सम्प्रदायों से आते हैं, धार्मिक संगीत नहीं है लेकिन आध्यात्मिक ज़रूर है। कई बार मुझे लगता है कि साहित्य में अध्यात्म के निषेध ने हमारे मध्यवर्ग में एक आध्यात्मिक शून्य पैदा करने में कुछ भूमिका निभायी है और छद्म धार्मिकता और आध्यात्मिकता उस शून्य को आसानी से भरने का अवसर पा गयी हैं। उनके पीछे संगठित राजनीति के बल ने इस अवसर का पूरा फायदा उठाया है। जो भी हो, देर-सबेर साहित्य को बुनियादी तौर से अपने को पुनः नैतिक और आध्यात्मिक कर्म के रूप में स्थापित करना ही होगा—कोई और राह नहीं है। अध्यात्म को हमारे समय में सामाजिक स्वतंत्रता और निजी मुक्ति दोनों के बीच संतुलन-भूमि बनना होगा—उसे रागसिक्त भी होना होगा और हमें कर्मसौंदर्य की ओर ले जाए यह सामाजिक ज़िम्मेदारी भी उठानी होगी। वह कंदरा-गुफा, अपसरण और एकांत का अध्यात्म नहीं, चौक-बाज़ार, भीड़ और संगत-सोहबत, जीवनासक्ति का अध्यात्म होगा। बल्कि साहित्य का अध्यात्म तो यही रहा है : प्रसाद, निराला, अज्ञेय, मुक्तिबोध आदि को देख लीजिए। राग-विराग निजता-सामुदायिकता दोनों से बना-बुना अध्यात्म।

यतीन्द्र मिश्र : **अगले सौ वर्षों के बाद (जाहिर है जिसमें बहुत सारे बिल्कुल नए कवि भी जीवित नहीं रहेंगे) की हिंदी कविता का परिदृश्य कैसा होगा ?**

अशोक वाजपेयी : मैं ऐसी अटकल लगाना ज़रूरी नहीं समझता। इतना भर जानता हूँ कि भले छायावाद के चार हज़ार कवियों में से आज चार-ही बचे हों, आज की कविता से इस संख्या से कहीं अधिक कवि बचेंगे। बहुत सारी कविताएँ भी। परिदृश्य में क्या होगा यह कहना कठिन है। पर वह बहुलताभरा होना चाहिए : उसमें कशमकश, आपा-धापी, शोरोगुल सब होंगे। उसमें बहुत अधिक बदल गयी और फिर भी अपने मूल में वही बनी हुई मानवीय स्थिति का अनेक कोणों और अनुभव केंद्रों से बखानें होगा। शायद समाज में तब तक अधिक स्वतंत्रता अधिक समता और अधिक न्याय आ चुके होंगे : कविता उनकी चौकसी करती होगी। उसमें आध्यात्मिक भराव होगा, नैतिक ऊर्जा और रूपाकारों की अपार बहुलता। उसमें दुख से प्रति सहानुभूति होगी और सुखी होने का साहस भी।

यतीन्द्र मिश्र : **एक संस्कृतिकर्मी अशोक वाजपेयी, एक कवि अशोक वाजपेयी, एक नौकरशाह अशोक वाजपेयी और एक कुलपति अशोक वाजपेयी इन सबमें अंतर किस तरह करेंगे ? इन सबमें वह कौन-सा अशोक वाजपेयी है जो स्वयं को अपने बेहद करीब पाता है ?**

अशोक वाजपेयी : अंतर मैं कैसे कर सकता हूँ क्योंकि मैं इन सबके गड्डमड्ड का ही नाम हूँ ! सरकारी नौकर-नौकरी से अब तो रिटायर भी हो चुका—,कुलपति और संस्कृतिकर्मी हर समय नहीं रहा हूँ पर कवि और मनुष्य सारे समय रहने की कोशिश रही है। असल तो वही है। बाद में अगर भूलेभटके किसी को याद आएगा तो वही। वही काम का है। कोशिश यह भी थी कि नौकरी, सांस्कृतिक सक्रियता में भी कवि-संवेदना बनी रहे।

यतीन्द्र मिश्र : **थोड़ी देर के लिए यदि आपसे कहा जाए कि यह आपके अंत का समय है, उस क्षण, उस आसन्न अवसान को ध्यान में रखते हुए आप क्या चुनना पसंद करेंगे—अपनी**

कविताएँ, अपने किसी प्रिय कवि की कोई रचना, समयातीत को भरने वाला मल्लिकार्जुन मन्सूर, कुमार गंधर्व का संगीत, परिवार में किसी की अमिट स्मृति अथवा रचनाकार का मोक्ष ?

अंतिम समय में मैं निश्चय ही मल्लिकार्जुन मंसूर और कुमार गंधर्व के संगीत से घिरा रहना चाहूँगा। अपनी माँ को याद कर उनके पास एक बार फिर जाना चाहूँगा। मोक्ष मुझे नहीं मिल सकता : मैं अपनी सारी असह्य अपवित्रता के साथ इसी मटमैली ज़िंदगी में वापस आऊँगा। मरने के बाद भी समय होता है, उम्मीद करता हूँ कि मेरे लिए भी कुछ तो ज़रूर होगा।

प्रभात रंजन : **हिंदी के साहित्यकार होने के नाते आप 'हिंदी संस्कृति' के बारे में कुछ बताएँगे और उसमें किस तरह के परिवर्तन आप अनुभव करते हैं !**

अशोक वाजपेयी : जब एक हिंदी समाज है तो उसकी हिंदी संस्कृति भी है : मुझे लगता है कि अपार और अदम्य बहुलता उसकी मुख्य विशेषता है—वह बहुलता हिंदी समाज के भोजन, रहन-सहन, विचारसरणियों, जीवनशैलियों, तीज-त्यौहारों, स्थापत्य, लोकसंपदा, लोकविश्वासों, सर्जनात्मक अभिव्यक्तियों आदि की विस्मयकारी विविधता में चरितार्थ होती है। इस संस्कृति में सामुदागिकता की बहुत गहरे तक उपस्थिति है और व्यक्तित्व का इज़हार या किसी तरह का एसर्शन बेहद कठिन और उलझा हुआ मामला है। इस संस्कृति में ऐसा भी बहुत कुछ, दुर्भाग्य से, है जो अतीतजीवी और पुराणपंथी है। बल्कि एक दिलचस्प अन्तर्विरोध यह है कि एक ओर ऐसी प्रगतिविरोधी पुराणपंथिता है ओर दूसरी और हिंदी समाज इस समय भयावह सांस्कृतिक विस्मरण और दायवंचन के दौर से गुज़र रहा है। कहीं न कहीं हिंदी संस्कृति पर गहरा संकट है। अव्वल तो उसमें वैचारिक ऊर्जा और बौद्धिक बेचैनी घट रही है—विभिन्न वैचारिक अनुशासनों में हिंदी की विपन्नता जगजाहिर है। दूसरे, उसके मुख्य अंचल से जिस तरह से शास्त्रीय संगीत और नृत्य के घराने ग़ायब हुए हैं, जिस तरह से हिंदी रंगमंच के कलाकार शीर्षस्थानीयता से दूर से दूरतर होते गए हैं, यह स्पष्ट है कि हिंदी सर्जनात्मकता का भूगोल सिकुड़ रहा है और जल्दी ही शायद वह सिर्फ़ साहित्य तक महदूद हो जानेवाला है। तीसरे, इस अंचल की राजनीति में दलितों और स्त्रियों की अधिकार-चेतना बहुत धीमी गति से, अन्य अंचलों के मुक़ाबले, बढ़ी है। चौथे, आर्थिक, वैज्ञानिक और आर्थिक विकास में यह अचंल न सिर्फ़ पिछड़ रहा है बल्कि समूचे देश के संदर्भ में एक बीमारू बोझ माना जाने लगा है। पाँचवे, देश के अन्य क्षेत्रों की तुलना में सबसे अधिक धर्मोन्माद, साम्प्रदायिकता, दंगेफ़साद हिंदी क्षेत्र में ही है। हालाँकि हिंदी साहित्य की अपनी परंपरा और उसकी समकालीन सर्जनात्मकता से ऐसी शक्तियों को कोई समर्थन नहीं मिलता, फिर भी उनकी व्याप्ति हिंदी अंचल की राजनीति और इसलिए भारतीय राजनीति को दूषित और विकृत करती है। छठें, कुछ इस तरह की धारणा बलवती होती जा रही है कि हिंदी समाज अपने लेखकों और बुद्धिजीवियों का कोई सम्मान नहीं करता : हिंदी क्षेत्र कठमुल्लेपन और कट्टरताओं का क्षेत्र है, उसमें बुद्धि की, सर्जनात्मकता और 'एडवेंचर' की अप्रतिष्ठा है। यह सब पिछले बीस-पचीस बरसों में हुए परिवर्तन है, भले इनके मूल पहले तक खोजे जा सकते हों। यह एक विडम्बना ही है कि ले-देकर हिंदी समाज के पास उसका साहित्य ही अब एकमात्र तेजस्वी उपलब्धि है जिसके प्रति वह सिरे से उदासीन है। हिंदी में निरे औसतपन और 'मीडियाक्रिटी' का जो वर्चस्व है वह अकारण नहीं है। मैं हिंदी संस्कृति को लेकर बेहद हताश हूँ। उसकी भाषाएँ उसकी परंपरा, उसकी सर्जनात्मकता और कल्पनाशीलता सब क्षरित हो रही हैं और हम में से ज़्यादातर लोग हाथ पर हाथ धरे बैठे हैं।

प्रभात रंजन : **एक छोटा-सा सवाल जैसाकि संस्कृति के विद्वानों ने स्वीकार किया है कि जन-संस्कृति और अभिजात-संस्कृति के मध्य द्विपक्षीय संबंध होता है, दोनों ही एक-दूसरे को प्रभावित करते हैं। ऐसी स्थिति में आप 'अपसंस्कृति' को किस प्रकार व्याख्यायित करेंगे !**

अशोक वाजपेयी : मुझे अपसंस्कृति की अवधारणा को लेकर कुछ परेशानी है। ऐसा लगता है कि जैसे एक शुद्ध और पवित्र संस्कृति है जिसे तथाकथित अपसंस्कृति दूषित करने पर आमादा है। मुझे लगता है कि ऐसी संस्कृति शायद ही कहीं होती हो—हमारे यहाँ तो क़तई नहीं है। संस्कृति में कई धाराएँ एक साथ चलती हैं और उसका प्रवाह धाराओं की बहुलता के बिना संभव नहीं है। कई बार लगता है कि अपसंस्कृति जैसे पदों का इस्तेमाल जनसंस्कृति को ऐसी ही एक धारा के रूप में मानने से इनकार को अभिहित करने या छुपाने के लिए किया जाता है। तथाकथित अभिजात संस्कृति भी अंततः जनसंस्कृति का किंचित् विलम्बित परिष्कार ही है। वैसे ही जनसंस्कृति कई बार अभिजात संस्कृति के कुछ तत्त्वों का अनुसरण और कुछ तत्त्वों का प्रतिरोध करती है। संस्कृति को दोनों ही चाहिए जन भी और अभिजन भी। दोनों के बीच द्वंद्वात्मक रिश्ता और संवाद भी

चाहिए। मैं अपसंस्कृति उसे कहूँगा जिसमें कोई एक ही बचे और दूसरा ग़ायब हो जाए। संस्कृतियाँ अपने सहज जीवत्व से ऐसे अतिरेक से बचती हैं।

***प्रभात रंजन :* आप अक्सर अपने लेखों, अपने भाषणों में भारत की सांस्कृतिक बहुलता की बात करते रहे हैं। यह कहा भी जाता है कि राष्ट्र अपनी संस्कृति का निर्माण करता है। दूसरी ओर टी.वी. और मीडिया के इस दौर में यह सवाल उठने लगा है कि सांस्कृतिक विविधता खतरे में है। यह माना जाने लगा है कि वैश्वीकरण के फलस्वरूप राष्ट्र का राजनीतिक भविष्य और सांस्कृतिक अस्मिता खतरे में है। ऐसे में राष्ट्र की संस्कृति को क्या नवीन संदर्भों में नई परिभाषा की आवश्यकता है !**

अशोक वाजपेयी : भारत की सांस्कृतिक बहुलता सिर्फ़ एक अवधारणा भर नहीं, एक शुद्ध ऐन्द्रिय तथ्य है। जिस देश में नृतत्व की दृष्टि से चार हजार छह सौ से अधिक समुदाय हों, जिनमें कोई भी जातीय रूप से 'शुद्ध' न रह गया हो, उस देश में बहुलता के सिवाय और कुछ हो भी नहीं सकता। फिर एक सभ्यता के रूप में हमारा कई हज़ार बरसों का ऐतिहासिक अनुभव भी बहुलता का है। मुझे इसमें कोई संदेह नहीं है कि बहुलता हमारा अतीत रही है, वह हमारा वर्तमान है और वही हमारा भविष्य भी। अगर हम थोड़े सजग और अक़्लमंद होते याने कि वे लोग, जो प्रभुत्वशाली हैं, तो हम नए संचारसाधनों और भूमण्डलीकरण से सुलभ होनेवाले नए अवसरों का उपयोग अपनी इस बहुलता को सशक्त करने में कर सकते थे। उलटे लगता यह है कि हम अपनी बहुलता 'उनके' लिए स्वादपरिवर्तन की सामग्री बनाए दे रहे हैं। स्वयं इस शताब्दी के पूर्वार्द्ध में गाँधी, अरविंद, लोहिया जैसे चिंतकों ने पश्चिमी सभ्यता का जो रैडिकल क्रीटीक विकसित किया था उससे हम अपसरण कर रहे हैं। पश्चिम के सामने ऐसा निरुपाय आत्मसमर्पण और बढ़ती हुई अमरीकापरस्ती हमारी बुद्धि को सबसे बड़ा खतरा है। हमें अपनी संस्कृति से प्रतिरोध और संघर्षशीलता के तत्वों को सक्रिय और पुनस्संयोजित करना होगा और खुला भी रहना होगा पर आत्मसजग और आत्मबोध से लैस भी। हम संसार की गिनी-चुनी सभ्यताओं में से एक हैं और इस मामले में और भी अद्वितीय हैं कि हम अब तक अटूट रहे हैं : इस संपुजित पूर्वानुभव का हम पुनराविष्कार कर नयी चुनौतियों का मुक़ाबला करने की चेष्टा नहीं करते लगते। बिना हर स्तर पर प्रतिरोध किए हम अपने को बचा नहीं सकते।

***प्रभात रंजन :* मृत्यु आपकी कविताओं की एक प्रमुख संवेदना रही है। भारतीय दर्शन में मृत्यु को कायांतरण माना गया है। भारतीय संस्कृति में मृत्यु के प्रतिमान के विविध आयाम रहे हैं। समय के साथ मृत्यु संबंधित मान्यताओं में क्या परिवर्तन आए हैं ! आप भारतीय संस्कृति के अध्ययन में इस अछूते विषय को किस प्रकार महत्वपूर्ण मानते हैं ?**

अशोक वाजपेयी : नश्वरता मेरी कविता का ही क्यों मनुष्य मात्र का एक बुनियादी सरोकार रहा है। मुझे इस बात पर थोड़ा विस्मय होता रहता है कि इस सरोकार का हमारी कविता से इधर लगभग लोप कैसे हो गया। आधुनिक जीवन-पद्धति एक स्तर पर यों चलती है मानों कि सब कुछ अजर-अमर है। हमारी अपनी परंपरा में जो मुक्ति-बोध है या कि अमरता-बोध वे नश्वरता को ही समझने और उससे निपटने की विधियाँ है। मेरी कविता में, किसी हद तक, इस परंपरा के उत्तराधिकार को सहेजने की कोशिश रही है—काया और नश्वरता दोनों को समेटने की, समझने-सहने की, दोनों को बदले हुए प्रसंगों में अवस्थित करने की, दोनों को समय से कभी जोड़ने और कभी विच्छिन्न-मुक्त करने की। क्योंकि जीवन मृत्यु के बिना पूरा नहीं होता और क्योंकि कोई भी संस्कृति जीवन को समझने, बिताने-सहने आदि की प्रक्रिया का ही संस्कार है उसमें मृत्यु की स्थिति समझे बिना, उसमें जीवन की स्थिति की ठीक समझ और सही आकलन सम्भव ही नहीं हैं। कई बार मुझे लगता है कि भारतीय संस्कृति में सक्रिय नश्वरता और अनश्वरता बोध को ठीक से विवेचित नहीं किया गया है। हम ग्रीक अर्थ में ट्रैजिक नहीं हैं पर हमने अपनी समरसता में ट्रैज़िक की अवज्ञा नहीं की है।

***प्रभात रंजन :* संस्कृति और राज्य का संबंध राजनीतिशास्त्रियों एवं संस्कृति के अध्येताओं के अध्ययन का एक प्रमुख विषय रहा है। विद्वानों का यह मानना है कि राज्य जन-संस्कृति को, अपने हितों की पूर्ति हेतु, आत्मसात् कर एक लंबे कालावधि में उसके मूल तत्त्वों को नष्ट कर देता है। क्या यह संबंध इतना सरल और एक पक्षीय होता है ?**

अशोक वाजपेयी : मुझे लगता है कि बौद्धिक विकास के जिस मुकाम पर हम पहुँच गए हैं उस पर इतना तो बिल्कुल साफ़ हो चुका है कि कोई भी मानवीय संबंध इकतरफ़ा नहीं होता। राज्य और संस्कृति का संबंध भी इस तरह इकतरफ़ा न हो सकता है, न होता है। जैसा राज्य वैसी संस्कृति, जैसी संस्कृति वैसा राज्य दोनों ही उक्तियाँ अधूरी सचाई व्यक्त करती हैं। यह भी स्पष्ट ही है कि राज्य एक स्तर

पर संस्कृति की उपज है। राज्य द्वारा संस्कृति बनाने का विराट् प्रयोग सोवियत व्यवस्था में हुआ और हम सभी जानते हैं कि रूस की बुनियादी संस्कृति को नष्ट करने या उसका स्थानापन्न गढ़ पाने में सोवियत व्यवस्था अन्ततः असफल हुई। हमारे प्रगतिशील-जनवादी मित्रों की यह ख़ामख़याली है कि सोवियत व्यवस्था किसी पूँजीवादी षड्यंत्र से नष्ट हुई। वह खुल्लमखुल्ला युद्ध तो था ही। लेकिन उसे नष्ट किया स्वयं रूसी समाज की अंतःसलिल हो गयी पर सक्रिय सप्राण संस्कृति ने। वह व्यवस्था लगातार अपने से असहमत संस्कृतिकर्मियों और लेखकों आदि को ज़िलावतन करती रही और वे सब प्रतिरोध के प्रतीक बनते गए। नाज़ी राज्य ने भी जर्मन संस्कृति को विकृत करने का उद्यम किया और अन्ततः वह नष्ट हुआ। राज्य जल्दी बदलता है, संस्कृति उतनी तेजी से, सौभाग्य है, नहीं बदली जा सकती। आप राज्य से निष्कासित किए जा सकते हैं पर आप को संस्कृति से निष्कासित कोई नहीं कर सकता—न आततायी शासक, न कट्टर धर्मगुरु, न सांस्कृतिक पोलिस, न पंडित-मौलवी-पादरी।

***प्रभात रंजन :* एक संस्कृति-कर्मी के रूप में आप अपना आकलन किस प्रकार करना चाहेंगे ?**

अशोक वाजपेयी : मैं अपना आकलन खुद करने लगूँ ऐसी नौबत या बुड्भस अभी नहीं आये हैं। यह काम दूसरों का है जिन्हें ब्योरों में बारीकी से जाकर, धीरज और जतन से, आकलन करना चाहिए। मैं तो सिर्फ़ यह भर कह सकता हूँ कि मैंने ईमानदारी और खुले मन से यह कोशिश भर की कि हमारे समय का श्रेष्ठ धूप में चमके, कि युवा प्रतिभा समय पर प्रोत्साहन पाए, कि समाज में समझदार रसिकता का विस्तार हो, कि लेखक और कलाकर्मी संवादरत हों, कि कलाओं को मनोरंजन मानकर निचला दरज़ा देने की सामाजिक आदत दूर हो सके, कि राजनीति के वर्चस्व के बरक़्स साहित्य और कलाओं का अपनी जगह वर्चस्व हो, कि सर्जनात्मक और वैचारिक बहुलता को हर तरह से पोसा-बढ़ाया जाए।

□

अशोक वाजपेयी : छः कविताएँ

चींटी

चींटियाँ इतिहास में नहीं होतीं :
उनकी कतारें उसके भूगोल के आरपार फैल जाती हैं;
किसी चींटी को न इतिहास याद रखता है,
न कोई चींटी अपनी नन्हीं सी काया पर
इतिहास की धूल पड़ने देती है।

चींटियाँ सच की भी चिंता नहीं करतीं :
सच भी अपने व्यास में
रेंग रही चींटी को शामिल करना जरूरी नहीं समझता।

चींटी का समय लंबा न होता होगा :
जितना होता है उसमें वह उस समय से पेरशान होती है
इसका कोई ज्ञात प्रमाण नहीं है।

इतिहास, सच और समय से परे और उनके द्वारा अलक्षित
चींटी का जीवन फिर भी जीवन है :
जिजीविषा से भरा-पूरा,
सिवाय इसके कि चींटी कभी नहीं गिड़गिड़ाती
कि उसे कोई देखता नहीं, दर्ज नहीं करता
या कि अपने में शामिल नहीं करता।

कवि की मुश्किल यह नहीं है कि वह चींटी क्यों नहीं है
बल्कि यह कि शायद वह है,
लेकिन न लोग उसे रहने देते हैं,
न इतिहास, सच या समय।

घोड़े

क्षितिज के पार से
जहाँ लम्बी घासों की तरह
तारे चमकतार झिलमिलाते हैं
अपनी टापों से उन्हें रौंदते हुए
वे घोड़े आते हैं,
अपनी मांसपेशियों में गठे हुए,
बिना किन्हीं शहसवारों के—
फिर भी ऐसे जैसे कि
वे अपने शिविर लौट रहे हों :
हम हारे-थके योद्धाओं की तरह
उन्हें आते देखते हैं,
जैसे उनका आना
युद्ध-समाप्ति का पूर्वाभास हो।

पर्वतों के पार
अनजानी उपत्यकाओं से
घोड़े आते हैं
जैसे उनकी घरवापसी हो
और हम प्रतीक्षा कर रहे हों कि
उन पर सामान लादकर हम आगे के पड़ाव की ओर
चल देंगे

फिर घोड़े आते हैं
दसों दिशाओं से
अपनी पीठों पर थोड़ा सा आकाश लादे हुए
कुछ नक्षत्रों को खोंसे हुए
पृथ्वी का मंगल चाहते हुए
अपनी गति के ऐश्वर्य से सबको चकित करते हुए
घोड़े आते हैं—
कविता में आते हैं अकस्मात् अप्रत्याशित शब्दः
बादलों के बीच अचानक उजाला;
भीड़ में देवता।
घोड़े आते हैं।

आग और उसके बाद

वे आग बुझाने के बाद पीपल के नीचे बने चौंतरे पर
सुस्ता रहे हैं :
कल वे आग लगाने के बाद कुछ उसकी लपटों से,
कुछ अपनी फुरती से थक गए थे।
वे उस सबको मौका मिलने पर राख कर देना चाहते हैं
जो उनका नहीं है और कभी नहीं होगा :
रहीम की दुकान, अब्दुल का ढाबा, करीम का ठेला,
उसके बगल में रामस्वरूप का स्टोर
और यशोदाबाई की खोली।
जलाने-बुझाने का उन्हें लम्बा अभ्यास है--
नष्ट करने का सुख वे बरसों से जानते हैं
रचने और बचाने के अवसर उन्हें कम मिले हैं।

वे आग के अलावा अफवाहें फैलाना बखूबी जानते हैं—
पान की किसी दूकान से वे आग की तरह दूर सिनेमाघर तक,
खोलियों से कोठियों तक
अफवाहें फैला देते हैं ताकि
जल्दी ही लोग सड़क पर उतर आयें;
जीने की झंझट और हँसी-खुशी के सिलसिले सब थम जायें :
धमनियों में अदृश्य बहनेवाला लहू
कुछ बाहर नज़र आने लगे।
वे चितेरे हैं
जो लहू के नक़्शे और चेहरे, तरह-तरह के अमूर्त आकार खींचते हैं।
आग लगाने के बाद सब कुछ को जलते देख दुःख उन्हें भी होता है।
बुझाने के बाद कुछ अच्छा करने का खुशनुमा अहसास।

वे जानते हैं कि
उनके पास कुछ भी नहीं है
न प्यार, न नफरत—
कुछ कर गुजरने का हौसला भर
जिसमें वे आग लगाते, आग बुझाते हैं
और फिर चौंतरे पर बैठकर सुस्ताते हैं।

बीतते को देखना

मैं बीतते को देखना चाहता हूँ
पल-पल बीतने को,
अक्षर-अक्षर छितराने को,
पंखुरी-पंखुरी कुम्हलाने को।

हो सके तो मैं बचाना चाहता हूँ
सुंदरता को समय से,
अपनी पगडण्डी को किसी मार्ग में लय होने से,
अपने सच को अपने ही अंदर मुरझाने से,
अपनी आवाज को थरथराने और घबराने से।

मैं कोशिश करना चाहता हूँ कि
बचा सकूँ
बचपन की पाठ्यपुस्तक से हितोपदेश का कोई अधपाठ,
अँधेरे में याद आया पर गया न जा सका प्रणयगान,
हलवाई के यहाँ से फेंके गए जूठे दोनों पर झपटते गरीब बच्चों के जीवन की असंभव मधुरिमा,
प्रार्थना का समय गुजर जाने के बाद याद आए उसके शब्द।

तकलीफ से असमय बूढ़े होते जा रहे शरणार्थी चेहरों में भभकती आँखों में
हो सके तो मैं घर-जमीन का एक नक्शा खींचना चाहता हूँ :
अपने पोते को ककहरा सिखाते हुए
मैं फिर से दुहराना चाहता हूँ–
अपने तिनका-तिनका छीजते समय की यातना-पट्टी पर
फिर भी झिलमिलाती उम्मीद की वर्णमाला।

मैं बीतने को देखना चाहता हूँ
पल-पल बीतने को,
अक्षर-अक्षर छितराने को,
पंखुरी-पंखुरी कुम्हलाने को।

ऐसी है कथा

एक पुराण से अकस्मात् झरा एक शब्द वहाँ
जहाँ हरी घासों पर से बह रहा था जल
और एक चिड़िया उस पर झुकी डाल से लटककर
कुछ बूँदे अपनी चोंच में भरने का खिलवाड़ कर रही थी

हिरण बहुत दूर से उस जगह से
और वीरबहूटियों को उसका पता न था–

थोड़ी देर निश्चल पड़ा रहा सतह पर शब्द
थोड़ी देर जल ने उसके हलके भार को अनुमाना
हरी घासों को लगा एक नरम सा छायाभास
तभी चोंच से बची एक भारी बूँद
उस शब्द पर गिरी और उसे प्रवाह के अंदर ले गयी–

थोड़ी देर जलमग्न शब्द छटपटाया
थोड़ी देर कसमसायी उसकी पुराणस्मृति
तब तक कुछ करने का समय नहीं बचा
एक काई-ढँके पत्थर से टकराकर
अक्षरअक्षर छितरकर
वह हरिताभ जलसुषमा में समा गया।

पुराण से वह लुप्त शब्द
किसी को याद नहीं है :
उसके बिना अनुमान से पाठ पूरा होता है।
ऐसी बल्कि यही है कथा
जो कोई नहीं कहता।

शब्द नहीं गाते

शब्द नहीं गाते,
गाता है नक्षत्रों के बियाबान पर चँदोबे की तरह तना आकाश,
अपनी कक्षा पर परिक्रमा करती हुई पृथ्वी,
शाम के रंगों के पार बहती क्षीणतोया नदी,
चट्टान पर उड़ान के पहले सुस्ताती पीली चिड़िया,
बिजली के तारों में फँसी चिथड़ा होती हुई पतंग को ताकता बीमार बच्चा :

किसी भी छोर से
अमेजान के जंगल की असूर्यम्पश्य छाँह में
धीरे-धीरे रेंगती हुई एक वीरबहूटी सिर उठाकर अकस्मात्
शुरू करती है उजाले का एक हलका सा गान–
जिसे उठाकर ले जाती है पक्षियों की एक कतार,
बादलों की घनघमण्ड गरज के पार

देवशिशुओं की मंडली में,
जहाँ से होता है अंवरोह किसी गाँव के ढाबे के पास
धूनी जमाए जोगी के इकतारे में,
जिसे साथ ढो ले जाती है मुख्य सड़क तक जानेवाली
एक भर्राती बस–
जिससे उतरती एक औरत उसे गठरी में बाँधकर ले जाती है अपने नैहर
जहाँ से दबी सिसकारी के बीच से निकलकर पहुँचता है गान
देहाती स्कूल के ढह गए बरामदे में लगी पाँचवी क्लास में,
जहाँ पहाड़े दुहराते हुए बच्चे उसे गेंद की तरह उछाल देते हैं
सन्यासियों की तरह खड़े ठूँठों की तरफ,
जो पतझरी जमीन पर उसमें करते हैं एक धीर बढ़त,
जिसे खेत से ताजा कटी सब्जियों के ढेर में डालकर
हरिताभा देते हुए ले जाता है कुँजड़ा हाट में
जहाँ सिक्कों की खनक को नजरंदाज करते हुए उठता है गान–
पलाश पर फूलों की तरह सुलगता हुआ
जिसे खिड़की से हाथ बढ़ाकर लपक लेती है
प्रेम में उद्धत हो गयी लड़की
जिसकी शान्त आग में भस्म होता है सारा संगीत :
शब्द नहीं गाते, गाता है सारा ब्रहमाण्ड।

□

सत्य के बरक़्स सच

मदन सोनी

हम अगर पिछले चालीसेक वर्ष की कविता के संदर्भ में किंचित सत्तामीमांसात्मक-सा सामान्यीकरण करते हुए ऐसे दो ध्रुवों की कल्पना करें जिनमें से एक को प्रतिबद्धता का (=यथार्थवादी) और दूसरे को अतिक्रामिता का ध्रुव कहा जा सके तो अशोक वाजपेयी की कविता की (और कुल मिलाकर उनके साहित्य-विमर्श से उभरती दृष्टि की भी) स्थिति इन ध्रुवों के संदर्भ में दिलचस्प ढंग से मूलगामी मध्यवर्ती की ठ़हरती है। ऊपरी तौर पर उसमें दोनों ही ध्रुवों के प्रति कुछ स्तरों पर आकर्षण और कुछ स्तरों पर विकर्षण या उदासीनता को लक्ष्य किया जा सकता है, पर असल में वह एक तीसरी अवस्था की संकल्पना है जो दोनों ध्रुवों के बीच किसी 'तानवपूर्ण संतुलन' या 'विरुद्धों के सामंजस्य' जैसी किसी चीज़ से उत्पन्न न होकर दोनों से स्वतंत्र और स्वायत्त है। अधिक महत्वपूर्ण बात यह है कि वह सत्ता के प्रति एक दृष्टि होने से अधिक स्वयं एक सत्ता है : कल्पना की सत्ता में सत्ता की कल्पना।

हालाँकि हम जिन दो ध्रुवों का जिक्र कर रहे हैं, उनके संदर्भ में हमें शायद ही कोई ऐसा महत्वपूर्ण कवि दिखाई दे जो इन ध्रुवों को उनकी सन्तृप्ति के चरम बिंदु तक ले जाने का उपक्रम करता हो, किंतु ये ध्रुव इस दौर की कविता की उन्मुखता के दो प्रमुख बिंदु कहे जा सकते हैं। इनमें भी 'प्रतिबद्ध' या यथार्थोन्मुख सत्तादृष्टि अधिक प्रभावी रही है। यूँ जिसे हम 'प्रतिबद्धता' कह रहे हैं, 'अतिक्रामिका;' एक अर्थ में, उसके पीछे भी लक्ष्य की जा सकती है, और वह सिर्फ इस अर्थ में नहीं कि यहाँ भी आप एक दमनात्मक अवसादजन्य राजनैतिक-सामाजिक-आर्थिक 'यथा-स्थिति' का अतिक्रमण करते हैं, बल्कि वह इस अतिक्रमण की प्रेरक उस 'प्रामिस्ड लैंड' की संकल्पना के अर्थ में है जिसके तमाम संघटक तत्त्वों, नियमों और साधनों के वर्तमान और यथार्थ होने के बावजूद, और बावजूद उसकी अवश्यमभाविता के, जो कहीं भविष्य में, कल्पना में, है। फिलहाल वह (हमेशा ही) एक अनुपस्थिति है। इसीलिए प्रतिबद्धता अगर एक सिरे पर 'यथार्थ' या 'वर्तमान' के प्रति है, तो दूसरे, अपेक्षाकृत अधिक सम्मोहक, सम्पोषक सिरे पर इस अनुपस्थिति के प्रति है, जो इस खास अर्थ में इसे अतिक्रामी बनाती कही जा सकती है।

किंतु तब भी इसे इस शब्द के सच्चे अर्थ में 'अतिक्रामिता' कहना सही नहीं है, क्योंकि यह अनुपस्थिति या 'प्रॉमिस्ड लैंड' अंततः 'लैंड' ही है; यह 'लैंड' अर्थात् पार्थिवता, भौतिकता, इन्द्रियग्राह्यता, उसकी अनिवार्य शर्त है—सिर्फ उसकी चरितार्थता की ही नहीं बल्कि उसकी कल्पना की भी। इसकी आस्था इन्हीं शर्तो से परिसीमित इस जगत की एकमात्रता में है—उन उपभोक्ताओं की केंद्रीयता, प्रभुता के अधीन विनियोजित जगत की एकमात्रता में जो प्रतीतियों को ही यथार्थ मानकर इस यथार्थ से अपनी विषयिता का पोषण करते हैं। वे न इन प्रतीतियों के पार की किसी वास्तविकता में विश्वास करते हैं, न ही उन इन्द्रियों के पार की किसी वास्तविकता में, जो इन प्रतीतियों को ग्रहण करती हैं, और इसीलिए जो इस तरह की किसी संभावना को अटकल के स्तर पर भी स्वीकार नहीं करते कि प्रतीतियाँ (और इस तरह उनसे निर्मित जगत) और इंद्रियाँ एक दूसरे से निर्मित भी हो सकती हैं, और इस नाते वे अपने से स्वतंत्र किसी उभयनिष्ठ आधार की पूर्वपिक्षा करती हैं। 'कमॉडिटि' और 'अतिरिक्त मूल्य' को भेदने का दावा करने वाली यह दृष्टि इस बात को

विचारणीय नहीं मानती कि 'कमॉडिटी' की संभावना के लिए खुला हुआ यह संसार अपने आप में एक 'कमॉडिटी' हो सकता है—एक विराट 'मदर कमॉडिटि' जिसे भेदने के लिए ऐसी दृष्टि और जगह आवश्यक होगी जो इस 'मदर कमाडिटि' के प्रभाव-क्षेत्र से स्वायत्त हो। यह दृष्टि अधिक से अधिक 'दूसरे प्रजातंत्र' का दावा कर सकती है—ऐसी मुक्त, सग और न्यायपूर्ण व्यवस्था का दावा जहाँ तमाम उपभोक्ताओं और प्रतीयमान वास्तविकता के बीच अविकल संचरण संभव हो सके, किंतु वह, मसलन जूलियन बेण्डा के 'बुद्धिजीवी' की तरह, यह अतिक्रामी घोषणा नहीं कर सकती कि ''मेरा राज्य यह जगत नहीं है।''

यह सत्ता-दृष्टि कविता को कल्पना के स्तर पर सबसे अधिक कुपोषण का शिकार बनाती है। वह उसे 'सशर्त कल्पना' या, रमेशचंद्र शाह से शब्द लेकर कहें तो, 'पराधीन कल्पना' उपलब्ध कराती है। यह सशर्त कल्पना कविता को इस संसार के परे तो नहीं ही देखने देती, वह उसे इसी संसार की प्रगट वास्तविकता से छेड़छाड़ करने की भी गुँजाइश नहीं देती। मेज़ मेज़ की शक्ल में होती है या अपनी ही जैसी किसी दूसरी प्रतीति का प्रतीक। चीज़ें अक्सर सूचना या विश्लेषण के रास्ते और अपने बेहतर क्षणों में संवेदन के रास्ते आती हैं। यह चीज़ों का अपना रस, अपना रूप, अपना चलन है जिसे कविता अपने रस, अलंकार और छंद के रूप में साधती है। वह 'अलौकिक' रस या सौंदर्य की साधना नहीं, लौकिक रस या सौंदर्य को भाषा में 'व्यवहार्य' बनाने की, 'उपभोग' का एक और, सूक्ष्म, मानसिक अवसर उपलब्ध कराने की साधना है।

जैसाकि हमने कहा, यह सत्ता-दृष्टि पिछले चालीस पचास वर्षों में सबसे अधिक प्रभावी और लोकप्रिय रही है; यद्यपि यह इसकी, संभवतः सहज, विडम्बना कही जा सकती है कि अपनी प्रभविष्णुता के लिए यह दृष्टि जितनी इस दौर की कविता की ऋणी है, स्वयं इस कविता के पास ऐसा लगभग कुछ नहीं है जिसके लिए वह इस दृष्टि के प्रति ऋणी महसूस करे। और यह इस दृष्टि के सर्वथा अनुरूप है कि कविता उसे उपजीव्य उपलब्ध कराने मात्र में खुद को कृतार्थ अनुभव करे, बजाय उससे उपजीव्य प्राप्त कर अपना 'निजी' स्वायत्त प्रभाव-क्षेत्र रचने के; वह 'एक' साधना है, साध्य नहीं।

इसके विपरीत इन्हीं पिछले चालीस पचास वर्षों की कुछ कविता से उभरती एक दूसरी सत्ता-दृष्टि भी है जिसे हम अतिक्रामिता के उसके संवेगों की ख़ास चारित्रिकता में पहचान सकते हैं। यह नहीं कि उसमें इस संसार के प्रति, उसकी रंगतों, छवियों के प्रति, या कि ऐन्द्रियता के प्रति प्रतिरोध का भाव है, बल्कि यह सब उसमें प्रतिबद्ध सत्ता-दृष्टि के मुकाबले अक्सर अधिक ही है, किंतु जो चीज उसे इस दृष्टि से अलग करती है वह उसमें इन्हीं तमाम चीज़ों के प्रति प्रश्नहीन, निःसंशय आस्था का अभाव है। वह इन सबसे महज़ विमोहित नहीं है, बल्कि विमोहन के क्षणों में भी ऐसे परिप्रेक्ष्य की आकांक्षा भी करती है जहाँ इनकी विमोहक प्रतीति को 'प्रतीति' की तरह पहचाना जा सके, उनके अंतरंग में झाँका जा सके, शायद उनका कोई ऐसा मर्म पाया जा सके जो उनकी प्रतीति में कभी उजागर नहीं होता। रूप के प्रति आसक्ति के क्षणों में ही उसका तत्त्वान्वेषण करने वाली दृष्टि वह संवेदन के अपेक्षाकृत स्निग्ध, चिकने, सपाट रास्ते को बुद्धि के रोढ़ों से टोपोलॉजिकल बनाती है और इस तरह अवबोध तथा अभिव्यक्ति दोनों ही स्तरों पर सौंदर्य को अपेक्षाकृत जटिल साधना के विषय के रूप में प्रस्तावित करती है। वह ऐसी चेतना पर आधारित है जिसकी प्राथमिक विषय-वस्तु वह स्वयं है—एक आत्मोन्मुख स्वचेतन चेतना जो उपभोक्ता, उपभोग्य और उपभोग की निर्मिति को उसकी पुख़्तगी और आत्मतोष से वंचित करती है। यद्यपि वह भी यह नहीं कहती कि ''मेरा राज्य यह जगह नहीं है'' किंतु वह इस जगत की निरपेक्ष सत्ता पर, उसके सौंदर्य से पर्याप्त मुग्ध होने के बावजूद अविश्वास करती है, और किसी ऐसे स्रोत के अस्तित्व को लेकर आश्वस्त प्रतीत होती है जो इस जगत का आधार और उद्देश्य है, जो इस जगत को 'सत्ता की प्रतीति' प्रदान करता है। इसे वह 'सत्य' कहती है। साहित्य, इस दृष्टि में, 'सत्य को जानने का एक रास्ता है',—सिर्फ 'रास्ता' सिर्फ 'एक' रास्ता और वह भी एक खतरनाक रास्ता, क्योंकि वह गल्प है जो सत्य को असत्य में बदल देता है, जैसे कि यह जगत भी 'सत्' का एक 'असत्' प्रारूप है। यह उस 'शब्द' से निर्मित रास्ता है जो 'सत्य' के साथ (जैसे कि यह 'सत्य' उस 'शब्द') के साथ तनाव साधे रहता है। कवि, जो 'सत्य' और 'शब्द' दोनों को ही अपना 'बन्धु, सखा, चिर सहचर' मानता है, दोनों के अद्वैत की कामना करता है; और चूँकि शब्द जब तक शब्द की अपनी पहचान में स्थित है, 'तना' हुआ है, कविता (या साहित्य) भी तभी तक है, अतः इस अद्वैत की प्राप्ति के साथ वह खुद-ब-खुद लुप्त हो जाएगी; जब साध्य उत्पन्न हो जाएगा तो साधन स्वयं ही व्यर्थ हो जाएगा।

इस तरह ये दोनों ही सत्ता-दृष्टियाँ संसार के प्रति अपने-अपने नज़रिए की मूलभूत भिन्नता के बावजूद, और इस भिन्नता के नतीज़े में साहित्य के स्वरूप, स्वभाव और प्रभाव आदि विभिन्न स्तरों पर

उभरने वाले महत्वपूर्ण भेद के बावजूद, एक उभयनिष्ठ प्रतिच्छेद बिंदु पर मिलती प्रतीत होती हैं : दोनों ही अपनी-अपनी तरह से एक प्रदत्त, अटल, अचर, आदर्श सत्य के अस्तित्व में विश्वास करती हैं और साहित्य को उसका एक साधन मानती हैं; एक भंगुर, अस्थायी असत् साधन-इस महत्वपूर्ण भेद के साथ कि पहली के लिए जहाँ यह साधन, साध्य से अलग तक वस्तुनिष्ठ सत्ता है, तो दूसरी के लिए वह असल में उस साध्य सत्य की ही साधन-रूप में प्रतीति है; उस 'सत्य' का ऐसा 'पाठ-भेद' जो 'भेद' होते हुए भी अपना निवारक बोध कराने वाला भी है।

यह किंचित लंबी भूमिका अशोक वाजपेयी की सत्ता-दृष्टि की पहचान के लिए आवश्यक है, क्योंकि वह, जैसा कि हमने आरंभ में संकेत किया, इन दोनों से भिन्न, संभवतः इनके बीच, एक स्वतंत्र सत्ता दृष्टि है, और जिस वातावरण में वह विकसित हुई है, जिसके प्रति वह निषेधात्मक रूप से प्रतिश्रुत है, जिसके बीच वह विवादी रूप में प्रस्तुत है, जिसके संदर्भ में वह एक 'तीसरा रास्ता', या कभी-कभी 'तीसरा मोर्चा' है, उस वातावरण की रचना इन्हीं दृष्टियों से हुई है।

अशोक वाजपेयी की सत्ता-दृष्टि की सबसे मौलिक और प्राथमिक चरित्रिकता स्वयं 'सत्ता-दृष्टि' को समस्यात्मक बनाने की उसकी कोशिश में है। उनके यहाँ उस सत्य का ही अस्तित्व सबसे अधिक संदेह के घेरे में है जो संभवतः किसी भी सत्ता-दृष्टि की अनिवार्य पूर्वपिक्षा है, जो किसी भी सत्ता का 'रेफरेण्ट' है। यह संदेह यहाँ उसकी अस्वीकृति और कभी-कभी उसके प्रचारित अवतारी रूपों, अवधारणाओं और हठपूर्ण दावों के प्रति विद्वेष और तिरस्कार के स्तर तक पहुँच जाता है। ऊपरी तौर पर ऐसा लग सकता है कि इस निषेध का लक्ष्य स्वयं सत्य न होकर उसके वे संस्थापित, संस्थान-समर्थित रूप हैं जिन्हें पिछली सदियों में मनुष्य की नियति के रूप में प्रचारित किया गया, और जो, जैसा कि इनका इतिहास बताता है, अन्ततः सबसे अधिक आतंकदायी और मनुष्य-विरोधी साबित हुए, सबसे अधिक असत् साबित हुए। लेकिन ऐसा नहीं है कि इसकी सारी जिम्मेदारी वे उसके संस्थापन या संस्थान-समर्थन पर डालकर, स्वयं उसका, उसकी स्वसन्दर्भिता का, उसके 'अपने आप में होने का' बचाव करते हों। जब वे 'दर्शन का सत्य', 'राजनीति का सत्य', 'धर्म का सत्य', 'सूचना का सत्य', 'अफवाहों का सत्य' जैसे पदों का व्यंग्यात्मक प्रयोग करते हुए सत्य की बहुरूपता की ओर, उसके छायाभासों की ओर इशारा करते हैं, तब वे ऐसा कोई आग्रह नहीं कर रहे होते हैं कि हमें सत्य को, उस पर आरोपित इन गुणों या संस्थापनों से मुक्त करके उसे देखना चाहिए। वह सत्य को उसकी निर्गुणता में स्वीकार करने का भी आग्रह नहीं है, क्योंकि उनका संदेह सिर्फ **'क्रूरता, दमन और नरसंहार से लहूलुहान सामाजिक सत्य'** को लेकर नहीं है, वह **'आत्मा के झिलमिल से निकले निजी सत्य'** को लेकर भी है। उनका संदेह, असल में, सत्य के होने को लेकर है- उसकी उस 'निरपेक्षता', 'निश्चितता' को लेकर जो उसके होने की शर्त है। अशोक वाजपेयी 'अज्ञेय' के बाद सम्भवतः अकेले लेखक हैं, जो इस प्रत्यय-'सत्य'-से आविष्ट से प्रतीत होते हैं। किंतु अज्ञेय के लिए जहाँ वह एक सोद्देश्य स्वीकार की गयी चुनौती और सृजन की शर्तों पर अपरिहार्य अन्वेष्य है, अशोक वाजपेयी के लिए वह सृजनात्मक कल्पना के समक्ष मानो ऐसी प्रेतबाधा है जिसका निरन्तर निरसन जरूरी है। वे कहते हैं कि "साहित्य के लिए भी उसका (सत्य का) दावेदार बने रहना न तो व्यावहारिक है और न ही शायद उसके जीवत्व और महत्व के लिए आवश्यक ही।" लेकिन उनका निषेध उसे महज 'अव्यावहारिक' और 'अनावश्यक' कहने तक ही सीमित नहीं है, बल्कि वह इसके बावजूद जिस तरह बारबार उनके विमर्श में खंडनीय रूप से ले आया जाता है, उसके उसके तात्त्विक निषेध का ही भाव जाहिर होता है।

और यह निषेध सिर्फ 'विमर्श' तक सीमित नहीं है, वह कविता में भी है—बहुविध, अधिक अनुप्राणित, प्रत्यायक, यद्यपि विवक्षित रूप में। यह एक ऐसी दुनिया (की कल्पना) है जिसका कोई एक सुनिश्चित, अनतिक्राम्य, आदर्श, अंतिम संकेतित नहीं है, कोई भी ऐसा वैज्ञानिक, दार्शनिक आध्यात्मिक 'मदर रेफरेण्ट' जिस पर इस दुनिया के नाम-रूप अपने अर्थ के लिए, अपनी चरितार्थता के लिए निर्भर हों। इस दुनिया में एक नाम दूसरे नाम की ओर, एक रूप दूसरे रूप की ओर, संकेत करता है, किसी भी दशा में किसी ऐसे अनाम, अरूप सत्य, की ओर नहीं जिसमें किसी भी नाम रूप को निःशेष किया जा सके। इस दुनिया की 'सबसे सुंदर और सबसे भयानक बात' उसमें 'शब्द का अर्थ शब्द ही' होना है।

'सत्य' के बरक्स वे 'सच' (या 'सचाई') को रखते हैं। और दोनों के जिस भेद को यहाँ रेखांकित करने की कोशिश है, वह महज़ तत्सम और तद्भव का भेद नहीं है, वह वैसा ही मूलगामी तात्त्विक भेद है जैसा मसलन अंग्रेजी में लिखते हुए Being और being(s) के बीच दर्शाया जाता है। इस तरह यह 'सत्य' (Truth) के बरक्स उसे लाघव प्रदान करता, निकट और आत्मीय बनाता 'सच' (Truth)

है, जो हमेशा बहुल उपस्थित है—सचाइयाँ-जिसकी हर इकाई अपने में स्वतंत्र है—"अपने नाम रूप को सहेजे हुए/किसी विराट में अपने को लीन किए बिना" उन शब्दों की तरह यद्यपि अपना अर्थ आप ही हैं किंतु जो इस आपे को खोए बिना एक दूसरे के साथ मिलकर एक इबारत तैयार करते हैं, पुनः ऐसी इबारत जो अपना अर्थ आप ही है किंतु जो अपना यह आपा खोए बिना ऐसी ही दूसरी इबारतों के साथ मिलकर उस पुस्तक की रचना करती है जो अपना अर्थ स्वयं ही है...स्वसंदर्भी सचाइयों का एक अंतहीन सिलसिला। हम चाहें तो इसे रूपक के तौर पर 'बहुदेववाद' जैसा कुछ कह सकते हैं, लेकिन ऐसा बहुदेववाद जहाँ ये देवता अपनी दिव्यता के लिए, अपने होने के लिए किसी परम सत्य के ऋणी नहीं हैं। वे ऐसे किसी सत्य के व्यक्त रूप नहीं हैं, 'स्वयं को व्यक्त करती स्वतंत्र सचाईयाँ हैं। अपनी अभिव्यक्ति में ही सचाइयाँ; एक तरह से देहगत आत्मभाव जो देह के साथ ही जन्मा है और जिसे देह के साथ ही जल जाना है ('नहीं, सिर्फ देह ही नहीं जलेगी/अन्त्येष्टि में/आत्मा भी भस्म हो जाएगा')। आत्मा के अस्तित्व को स्वीकार करती हुई भी यह उससे भिन्न सत्ता-दृष्टि है जिसके फलक में, निर्मल वर्मा के शब्दों में, "एक छोर पर देवी-देवताओं का सौरमंडल है, जहाँ बहुत से ईश्वर एक साथ चमकते हैं, वहीं दूसरे छोर पर निराकार ब्रह्म की सौर्वभौम उपस्थिति है, जो अपने होने के लिए किसी विश्वास पर आस्था की अपेक्षा नहीं रखती।"

अशोक वाजपेयी की सत्ता दृष्टि में सत्ता का सीमान्त, या कहें उसका चरम, 'व्यक्त' ही है (एक तरह का निरपेक्ष सगुणवाद)—वह सिर्फ पहले छोर पर नहीं, दूसरे छोर पर भी है। इसीलिए ऊपरी अंतर्विरोध के बावजूद इसमें गहरी आंतरिक संगति है कि जहाँ एक ओर वे 'सत्य' के तत्सम के बरक्स 'सच' के तद्भव का आग्रह करते हैं, वहीं स्वयं इस 'सच' को पूरी तत्सम गरिमा के साथ प्रस्तुत करते हैं। और यह प्रस्तृति सिर्फ उनकी शब्दावली (जो कि प्रधानतः तत्सम है) तक सीमित नहीं है बल्कि उसका विस्तार व्यक्त को, देह और देहगोचर वस्तुजगत को, नितांत ऐन्द्रिक कार्यव्यापारों को श्रीसमृद्ध पवित्रता के भाव में देखने तक है। एक सत्य या एक अनश्वर आत्मा के निषेध का अर्थ यहाँ संसार का उपभोक्तावादी लूट के लिए उपलब्ध हो जाना नहीं हैं; इसके विपरीत इस निषेध की कीमत यहाँ उन अनंत दिव्यताओं की स्वीकृति से चुकाई गयी है जो संसार की हर वस्तु में उनका मर्म बनकर मौजूद हैं—उसे आविष्ट या अनुप्राणित करती हुई; निरंतर 'एक टक घूरती' ऐसी निगाह जो हर कर्म और वचन की साक्षी है। इस अर्थ में यहाँ कोई भी वस्तु अपने में निरी पार्थिव नहीं है, बल्कि वह मानों इस तरह सिंदूर में रंगी हुई है जो उससे उसकी पार्थिवता छीने बिना उसे देवता बनाती है; उसे ऐसी दुतरफा (आत्म—) चेतना प्रदान करती है जिसके सहारे उस वस्तु की पार्थिवता अपनी दिव्यता को देखती है और दिव्यता अपनी पार्थिवता को।

अशोक वाजपेयी पार्थिवता को उसके चरम संघनित रूप में अग्रभूमि पर लाते हैं—बहुत आग्रहपूर्वक, कुछ-कुछ चिकित्सकीय सी कठोरता के साथ, मानों अपने अकेले उद्यम से वे समूची आधुनिक हिंदी कविता के संकोच की यवनिका को एकबारगी हटाकर उसके अंधेरे नेपथ्य से उसे बाहर ले आना चाहते हों। 'पृथ्वी' और उन्मुक्त 'रति' के अभिप्राय इसी संघनित पार्थिवता के रूप में हैं। दोनों ही मामलों में यह, प्रथमतः, उसका अधिभौतिकीकरण किए बिना उसे उसके अंतर्निहित अपार्थिव लाघव के साथ गोचर बनाने की कोशिश है। लेकिन इससे अधिक वह उसे अपार्थिव शक्तियों के साथ समान अंतर्क्रिया के रिश्ते में रचने की भी कोशिश है। मसलन वे जब 'पृथ्वी' को एक लगभग अ-मानवीय एकांत में अपनी ही विपुल जिजीविषा में चरितार्थ सचाई के रूप में देखते हुए उसे नटखट बच्ची, चौकन्ने जानवर, बिल्ली, कीड़े, अधखाए फल, अधपके अमरूद, गहने गुरियों से सजी हुई गुड़िया, अंतरिक्ष में लटका दी गयी लालटेन जैसे बिम्बों में रचते हैं तो यह सिर्फ 'पृथ्वी' के प्रति नहीं बल्कि पृथ्वी को एक तत्त्व के रूप में ग्रहण करती 'पार्थिवता' मात्र के प्रति भी एक मूलगामी दृष्टि है; वह पार्थिवता को उसकी एक और निरी भोगकेन्द्रिक रूप में पूजित तथा दूसरी ओर जड़त्व और तमस रूप में अपरिग्रहणीय मानी जाने वाली छवियों से उबारकर एक स्पृहणीय निर्दोषिता के भाव में प्रतिष्ठित करना है। आप यहाँ एक वृक्ष को—एक लगभग जड़ मानी जाने वाली वस्तु को—पूरे आत्मगौरव के साथ, अपनी सत्ता से अन्तरिक्ष को रचता हुआ और उसे अपनी छाया भेंट करने का प्रस्ताव करता हुआ पाते हैं। यहाँ आप आकाश को पृथ्वी की ओर विस्मय से ताकता हुआ देखते हैं। पार्थिवता यहाँ दिव्यता के अधोस्तर पर नहीं है, वह नैश्वरता के विरुद्ध स्वयं ईश्वर द्वारा की जा रही भक्ति (कविता) का विषय है। कुछ-कुछ ऐसी ही बात हम उस 'रति' के बारे में भी कह सकते हैं जो स्त्री देह के रूपक में पार्थिव को आत्यंतिक रूप से लक्षित करती है और जहाँ "आत्मा शरीर का अनंत स्वप्न देखती है।" यहाँ भी अशरीरी शक्तियाँ, विभूतियाँ, देवता, ईश्वर सभी शृंगार की प्रक्रिया में सहभागी है। शृंगार इन कविताओं में

सिर्फ 'रस' होने के नाते 'अलौकिक' नहीं है, उसके विभाव में लौकिक और अलौकिक दिनों ही ऊर्जाओं का भाग कल्पित है—ऐसा अग्निषोम जिसमें पार्थिवता और दिव्यता दोनों अपनी-अपनी आहुतियाँ देते हैं।

ऊपर हमने जिस दुतरफा चेतना का जिक्र किया है उसका एक और रूप है, जहाँ एक छोर पर ईश्वर, देवता, मंत्र, प्रार्थना, मनौतियाँ, मंदिर, फूल, अक्षत, अनंत, आकाश मार्ग, स्वर्ग, नरक, प्रणति, पाप, पुण्य, अप्रत्याशित अनुग्रह, दैवी गवाक्ष, आत्मा, शाप, वरदान, मुक्ति, पोथियाँ, यमदूत, जन्मान्तर, पितरों का तट, विष्णु पदी, हरिचंदन और पारिजात की देवच्छाया, पुण्यतोया, ब्रह्मरात्र, देवासुर संग्राम, देवदूत, शून्य, ब्रह्मारण्य, अग्निपताकाएँ, यमद्रुम, नैमिषारण्य, अनहद, नेति, यवक्षा नदी की तीर्थशाला, शुभानन ऋत्विक, देववृक्ष, बलि पशुओं का आर्त्तनाद, मधुसुरजा का रक्तस्नात अंत, नीचे अश्व पर आरूढ़ भव्य अवतारी पुरुष, रक्त की नदी जैसे व्यंजक हैं जो हर चौथी-छठी पंक्ति में आ उपस्थित होते हैं—उस आध्यात्मिक वातावरण की रचना करते हुए जहाँ कविताएँ अपनी भौतिक अवस्थिति से विचलित होकर अतिक्रामिता के भाव से आविष्ट प्रतीत होती हैं; ऐसे क्षण जब दिव्यता मानो अपने इहलौकिक पार्थिव आधार को अपनी दृष्टि से रंजित कर रही होती है; वहीं उतनी ही सघनता के साथ जैसे इस वातावरण की सुरसंगति को उसके भीतर से ही भंग करते हुए इस तरह के बिंब भी मौजूद हैं : घात लगाए बैठा हुआ ईश्वर, होटल में खाने की मेज पर बैठा हुआ ईश्वर, बूढ़ा ईश्वर, ईश्वर-दूषित चेहरा, चाय की दुकान पर अखबार पलटता देवता, अज्ञात कुलशील देवता, घूरे पर चीज़ें बीनते फटेहाल बच्चों की तरह देवता, दुर्दान्त बूढ़ा देवता, ऊबे देवता की दुकान, देवताओं की दुष्टताएँ, स्वर्ग के ऐश्वर्य का आतंक, स्वर्ग की नीरसता, आत्मा का अँधेरा, भस्म होती आत्मा, आकाशगंगा में आवारागर्दी करता नक्षत्र, देवलोक में किराए से रहने की जगह...। ये दिव्यता के प्रति 'आधुनिक दृष्टिकोण' जैसी कोई चीज़ नहीं है; इनकी मंशा उसे पूछताछ के लिए तलब करने, उसे राजनैतिक-सामाजिक रिश्तों, संघर्षों के मिथकों, कूटों के रूप में पढ़ने, या उसे परिमेय, बुद्धिसंगत बनाने की नहीं है; ये बिंबात्मक अभिव्यक्तियाँ दिव्यता को लाघव, निकटता, अभिगम्यता, आत्मीयता प्रदान करते हुए उस दूसरे क्षण की रचना करती हैं जब दिव्यता का पार्थिव आधार मुड़कर दिव्यता की ओर देखता है। पत्थर, सिंदूर और देवता-एक दूसरे के परस्पर साक्षी इन तीनों को अपनी दृष्टि में आभ्यन्तरीकृत करने के बाद ये कविताएँ उस पत्थर के अकेलेपन को लक्ष्य करती हैं जिसे कोई नहीं देखता, 'लोग देवता को ही देखते हैं,' 'फीके पड़ गए सिंदूर के बावजूद'। दिव्यता के आवरण में अदृश्य, अलक्षित पार्थिवता का यह चरम—पत्थर—अकारण नहीं कि इन कविताओं में बारबार लौटता है—सिर्फ ऐन्द्रिक विषय के रूप में नहीं, बल्कि अतिशय विषयप्रवण इन्द्रिय-आत्म के रूप में भी—'बिना माथा झुकाए प्रार्थना करते' हुए, 'बिना पसीजे कामना करते' हुए, 'बिना शब्द कविता लिखते' हुए। वह लौटता है अनेक विकल्पों के साथ, जिनमें से एक, जो उसकी 'अकिल में पत्थर पड़' जाने के बराबर है, यह भी है कि वह पत्थर के सिवा 'कुछ और होना चाहे'—फिर वह 'कुछ और' देवता होना ही क्यों न हो। ये पत्थर कविताओं में लौटते हैं और 'प्रतीक्षा करते हैं' इस प्रश्न के उत्तर की कि 'क्या लोग सिर्फ पत्थर की ओर लौटते हैं ?'

लेकिन हम जैसे ही यह निष्कर्ष निकालने की कोशिश करते हैं कि यह पार्थिवता के आवरण में अलक्षित दिव्यता को लक्षित करने वाली सत्ता-दृष्टि के विपरीत सत्ता दृष्टि है, हम पाते हैं कि उसकी निगाह सिर्फ पत्थर के अकेलेपन पर नहीं है, बल्कि उस देवता पर भी है जो 'धीरे-धीरे उदास ओझल' हो रहा है। पत्थर की शर्त पर देवता, लेकिन उसी क्षण में देवता की शर्त पर पत्थर।

एक दूसरे का निषेध करती इन शर्तों के साथ, जाहिर है, उस दुनिया में नहीं रहा जा सकता जिसमें पत्थर ही देवता की अनिवार्य शर्त है, ऐसी दुनिया जिसमें पत्थर के लिए देवता की कीमत चुकाई जा सकती है; और उस दुनिया में तो खैर नहीं ही रहा जा सकता जिसमें देवता को, या कह लें देवत्व को, पाने के लिए पत्थर का देवता में मिट जाना जरूरी है, और जिसमें देवता को पाने की इच्छा को लेकर स्वयं देवता की अवधारणा तक सब कुछ अन्ततः पत्थर है। इसके लिए अस्तित्व का, इन दुनियाओं से भिन्न, ऐसा रूप अनिवार्य है जहाँ इन परस्पर विरोधी शर्तो के साथ, इनके अंतर्विरोध की रक्षा करते हुए रहा जा सके। ठीक इस बिंदु पर अशोक वाजपेयी के लेखन में 'साहित्य' का अर्थ भिन्न और निर्णायक महत्व का है। हर महत्वपूर्ण लेखक की अपनी एक अंतर्निहित सत्ता-दृष्टि होती है जो उसके भीतर किसी न किसी स्तर पर अस्तित्व की शर्तों को समझने, परिभाषित, प्रस्तावित, परिष्कृत करने या बदल देने में व्यक्त होती है। लेकिन जहाँ तक इस समझ, परिभाषा, प्रस्ताव, परिष्कार या बदलाव की चरितार्थता का प्रश्न है, इस चरितार्थता का गल्प रचने के बावजूद, उसकी यथार्थ निष्पत्ति के लिए हर लेखन उसी अस्तित्व की ओर निर्देश करता है जो उसके समझने आदि का विषय रहा होता है—वह अस्तित्व जिसमें उसका लेखक और पाठक रहते

हैं। इस लगभग साधारण-सी बात का उल्लेख इस नाते जरूरी था कि अशोक वाजपेयी का लेखन, जैसा कि हमने संकेत किया, इससे भिन्न कुछ करता प्रतीत होता है। हमारे पास इस उत्प्रेक्षा के लिए पर्याप्त आधार है कि कविता उनके यहाँ अस्तित्व के जिस रूप का प्रस्ताव करती है—जिसके संकेत हमने अब तक की चर्चा में दिए हैं—उसकी चरितार्थता की संभावना भी वह कविता में ही देखती है। दूसरे शब्दों में वह कविता में किया गया कविता का ही एक प्रस्ताव है : एक वैकल्पिक अस्तित्व के रूप में कविता। वह अस्तित्व के जिए रूप का, घोर अंतर्विरोधी सचाइयों के जिस सह-अस्तित्व का सपना देखती है, उसकी कोई, संभावना, जाहिर है, इस जगत में नहीं है। यह संभावना इस जगत में लाए जा सकने वाले सामाजिक, राजनैतिक आदि परिवर्तनों से भी परे है क्योंकि ऐसा हर परिवर्तन इस जगत के मानो उस आधारभूत नियम के सापेक्ष होने को विवश है जो कि 'विकल्प' का, इस या उस में से किसी एक को चुनने का, नियम है। इसीलिए अनस्तित्व का सहारा लिए बगैर इस विकल्पात्मक जगत को अतिक्रांत करने का एक ही तरीका है कि बजाय संसार को बदलने के या उसका एक युटोपिया रचने के, होने के ढंग को ही बदलकर हुआ जाए। यह होने का बदला हुआ ढंग ही अस्तित्व का वह वैकल्पिक रूप है जिसे अशोक वाजपेयी कविता के भीतर के कविता के रूप में प्रस्तावित करते हैं; एक तरह से कविता हो जाने का प्रस्ताव। कुछ-कुछ बोर्खेज के उस स्वप्नद्रष्टा की तरह की स्थिति जो स्वप्न में ही एक अस्तित्व को जन्म देकर उसे 'यथार्थ' पर आरोपित कर देता है; और इसी तर्क से, उस स्वप्नात्मक अस्तित्व की ही भाँति इस काव्यात्मक अस्तित्व की भी यह, हम चाहें तो कह लें, विडंबना है कि वह 'यथार्थ' से अछूता बना रहता है।

जैसा कि हमने कहा, हमारे पास इस उत्प्रेक्षा के लिए पर्याप्त आधार उपलब्ध है कि अशोक वाजपेयी की दृष्टि में कविता, या साहित्य, अस्तित्व का एक वैकल्पिक रूप है। वह तमाम सचाइयों के बीच किंतु उनसे विशिष्ट एक ऐसी सचाई है जिसमें कोई भी सचाई अपवर्जित नहीं है; जिसमें 'सचाई की बहुलता का अद्वितीय रूप से निःसंकोच स्वीकार है'; इसी अर्थ में 'वह मनुष्य का स्थायी प्रजातंत्र है'; उसमें अंतहीन केंद्र हैं; वह गल्प है, जैसे कि 'धर्म विज्ञान, इतिहास, राजनीति आदि सभी गल्प ही हैं' (जैसा कि बोर्खेज का 'यथार्थ' स्वप्नद्रष्टा भी अन्ततः खुद को पाता है), लेकिन वह एकमात्र ऐसा गल्प है 'जो अपनी गल्पता को आत्मचेतस ढंग से जानता और मानता है'; वह गल्प है और इसी रूप में उस 'सत्य' का विकल्प है जो अपनी गल्पात्मकता के प्रति अपने अज्ञान के नाते ही खुद को सत्य की तरह प्रस्तुत करता है, उनके निबंधों में कविता और साहित्य को लेकर ऐसी दर्जनों उक्तियाँ और अभिप्राय भरे पड़े हैं। साहित्य या कविता क्या है ? कविता में क्या होता है—ये उनके प्रिय और स्थायी विषय हैं। कविता के कहीं भी, दुनिया की किसी भी भाषा में होने को लेकर उनमें विस्मय, विह्वल उत्साह, स्वागत और समारोह का भाव है। वे जब किसी कवि या कृति-विशेष पर लिखते हैं तो वह व्याख्या, विश्लेषण या आलोचना जैसा कुछ बमुश्किल ही होता है, वह उसका स्वीकार, गुणगान और उसके सहारे कविता मात्र की किसी नई और ऐकांतिक शक्ति की पुष्टि का उद्यम ही अधिक होता है। शायद कविता के प्रति उनकी अच्युत, नीरन्ध्र आस्था के तर्क से ही उनके इस अन्तर्विरोध को भी समझा जा सकता है कि उनकी इस मान्यता के बावजूद कि स्वयं को लेकर सच्चे और खरे संशय, आत्मालोचन, यहाँ तक कि आत्माभियोग की सबसे अधिक गुँजाइश कविता में ही होती है, वे स्वयं, एक आलोचक के रूप में, कविता के इन क्षणों को उजागर करने या उनका निमित्त बनने में रुचि नहीं लेते। उनका साहित्य विमर्श वस्तुतः कविता से उनके विमोहित होने के ही भिन्न क्षण हैं जो उसके प्रति उनकी सूक्तियों, सुभाषितों के अनुभाव में प्रकट होते हैं। इन सुभाषितों, सूक्तियों में किसी अभिनव सृष्टि के उद्भव के पहले क्षण में किए गए उसके औचक साक्षात्कार का विस्मय दिखायी देता है। 'आसन्न प्रसवा माँ के लिए तीन गीत' 'साँझः शिशु जन्म' या 'वसंत के लिए एक कामना' जैसी उनकी आरंभिक कविताओं में प्रसव, प्रस्फुटन, उन्मीलन के प्रति जिस विस्मय का, स्वागत का, भाव है उसका विवक्षित संदर्भ वस्तुतः कविता का, या एक काव्यात्मक अस्तित्व के रूप स्वयं अपना जन्म है, जो शिशु-जन्म के रूपक में प्रस्तुत है। 'जन्म' के ये रूपक बाद की कविताओं में भी वापस आते हैं, क्योंकि वह 'हर बार एक ताजी और अभी-अभी जन्म कथा है'।

यह कविता को एक स्वायत्त सृष्टि के रूप में देखने की ही संगति में है, बल्कि शायद इस दृष्टि की अनिवार्यता है कि अशोक वाजपेयी शब्द पर अतिरंजित रूप से एकाग्र होते हैं। यह स्वाभाविक है क्योंकि वह इस सृष्टि का जैविक आधार, उसका नाभिक, उसका केंद्र है; सारी संघटनाएँ उसी के इर्द-गिर्द घूमती हैं; इन संघटनाओं के लिए वह अनतिक्राम्य है क्योंकि वह उनके होने का स्रोत है। कविताओं में उसकी अनेक छवियाँ, अनेक स्मृतियाँ हैं। वह एक

योनि है, वह कुछ भी कर सकने का भरोसा जगाता है, वह देवासुर संग्राम में लहूलुहान होता है, हमारे खिलाफ अरक्षणीय मुकदमें में वह हमारे पक्ष में वकालत करता है, वह हमारे अंत के बावजूद हमारी उत्तरजीविता के साक्ष्य के रूप में बचा रहता है, वह स्थगन से परे हैं, वह जन्म और मृत्यु से मुक्त करता है...। स्वयं 'शब्द' नामक शब्द से अशोक वाजपेयी की कविता-भरी हुई है; लगभग हर दूसरी-तीसरी कविता में वह अनिवार्यतः उपस्थित है; अक्सर अपने ही अर्थ में, अन्य उपस्थितियों के बीच एक उपस्थिति, और कभी-कभी एक उपमान। हिंदी में वे संभवतः अकेले कवि हैं जिनके यहाँ यह शब्द ('शब्द') इतना व्यापक और स्वसंदर्भी है—पदार्थ के रूप में अपनी ही ओर इंगित करता पद। और यह स्वसन्दर्भिता सिर्फ यहीं तक सीमित नहीं है, बल्कि वह अपनी इसी हैसियत में दूसरी सत्ताओं के समानान्तर स्वयं अपना ऐन्द्रिक संसार रचकर वे भूमिकाएँ भी निभाता है जिनके संदर्भ में वह अब तक एक डिस्पॅजेबल सामग्री मात्र था। शब्द में सत्याग्रह के बरक्स इसे हम शब्द का सत्याग्रह कह सकते हैं।

इस स्वसंदर्भी शब्द की उपस्थिति से आत्मचेतना का जो आवेश उत्पन्न होता है वह कविता के अन्यान्य अर्थों के वाहक दूसरे शब्दों को भी आवेशित करता है। इन कविताओं के शब्दों में अपने 'शब्द' होने की यह चेतना उनके चेहरे पर किंचित दर्प का सा आभास देती ऐसी आभा में प्रकट होती है जो उन्हें उनके अपने अर्थ में पूरी तरह पर्यवसित हो जाने से बचाती हैं; वह मानों उनके 'होने की छाप' के रूप में, या उनकी स्मृति के रूप में, उन्हें बचाये रखती है। इस प्रतिरोध का एक अन्य तर्क शायद इस तथ्य में भी देखा जा सकता है कि वे ज्यादातर तत्सम शब्द हैं : अपने मूल के या अपनी उस आदिम (aboriginal) अवस्था के करीब जहाँ शब्द और अर्थ के बीच वैसी द्वंद्वात्मक विग्रह की स्थिति नहीं है जैसी वह शब्द की तद्भव (साभ्यतिक ?) अवस्था में निर्मित हो गयी प्रतीत होती है।

इसीलिए चाहे वह प्रकृति हो, चाहे रति या और कुछ, अशोक वाजपेयी जब इन पर एकाग्र होते हैं तब वे, अगर इनसे पूरी तरह स्वतंत्र नहीं तो कम से कम इनके ब्याज से, कविता पर ही एकाग्र होते हैं—उन्हीं के रूपक के सहारे कहें तो उस मोची की तरह जो 'अपने दूसरे कामों, बातचीत, सुख चिंताओं से फुरसत लेकर आया है।' 'प्रेम' का यह 'रूपक' स्वयं कविता का भी रूपक है, बशर्ते कि हम इस पर ध्यान दें कि वह जिस चीज को 'उसके' (=नायिका-के) हिसाब से धीरे-धीरे काटता हुआ जूते की शक्ल दे रहा है, वह कुछ और नहीं बल्कि 'आकाश' है; वह असल में कविता के नाप के हिसाब से 'शब्द' के आधार तत्त्व (=आकाश) को धीरे-धीरे काटता हुआ 'शब्द' को गढ़ रहा है। इस दृष्टि से अशोक वाजपेयी के सारे ही रूपकों के केंद्र में कविता है। या तो वे कवि, कविता, और उसके कारणभूत, अंगभूत तत्वों, अवयवों के देह, इन्द्रिय, मन, प्राण और आत्मा को उपलक्षित करते हुए रूपक हैं, या फिर स्वयं कविता ही इस संसार की विभिन्न संघटनाओं के लिए सबसे सम्यक रूपक है। कविता अचर है। सत्य सिर्फ इतना है कि कविता भी झूठ ('गल्प') है और संसार भी, पर जहाँ संसार में इस सत्य की अखंड स्वीकृति के लिए बमुश्किल ही कोई गुँजाइश है, वहीं कविता में कविता और संसार दोनों अपने इस झूठ होने के सत्य को सहज, निःसंकोच स्वीकार करते हैं। अपने झूठ होने का सत्यः यही वह उभयनिष्ठ आधारभूत साक्ष्य है, जिसके समक्ष संसार के आधार पर कविता की उत्प्रेक्षा जितनी प्रत्यायक है उतनी ही प्रत्यायक कविता के आधार पर संसार की उत्प्रेक्षा है। कविता के भीतर कविता का या शब्द का (अतिरिक्त) आग्रह और इनके प्रतिध्वनित रूपक इसी सत्तादृष्टि के परिणाम हैं जिनका एक अतिरिक्त सौंदर्यात्मक पक्ष यह भी है कि कविता अपनी प्रभाव-निष्पत्ति में काव्य-विमर्श के संवेगों का भी सहज उपयोग करती हुई पाठक को उसकी तन्मयता से च्युत किए बगैर उसके विवेक को जाग्रत करती चलती है।

कविता में प्रस्तावित इस 'काव्यात्मक अस्तित्व' के लिए अशोक वाजपेयी एक नाम देते हैं, जो उनके साहित्य-कला-विमर्श में ही नहीं, उनकी कविता में भी प्रायः आता है : 'गोधूली'। यह प्रत्यय अस्तित्व की इस विशिष्ट अवधारण को एक तरह से देशकालगत रूप प्रदान करता है। गोधूली यानि संध्या; दो अवस्थाओं के बीच संधि का वह क्षण जब दोनों के बीच का भेद घुलकर एक तीसरी अवस्था में फलित होता है। हम इसे दो अवस्थाओं के बीच सा-हित्व (togetherness) की स्थिति भी कह सकते हैं। इस दृष्टि से 'गोधूलि' अस्तित्व की इस विशिष्ट अवधारण—कविता (साहित्य)—की मैत्री में ही है। काव्यात्मक अस्तित्व यही है—'होने न होने की गोधूलि'; एक प्रलम्बित संध्या जिसमें अस्तित्व पूरी तरह उजागर या ढंका हुआ होने की बजाय अपनी अनादि, विमोहक रहस्यात्मकता में प्रतीत होता है। इसे प्राप्त करने के लिए न तो जीवन-मरण के चक्र से छुटकारा पाना जरूरी है, न हर क्षण मृत्यु के प्रबंधन के चेतन या अवचेतन किंतु अनिवार्य व्यवसाय से आजीविका कमाने की जरूरत है। इस के लिए पात्रता जीवन और मृत्यु की उनके सा-हित्य में जीने में है,

उनके बीच पद और अर्थ का परस्पर रिश्ता कायम करते हुए खुद को इस संबंध से लक्षित पदार्थ के रूप में जीने में। सिर्फ जीवन और मृत्यु ही नहीं, जीवित और मृतक (पुरखे), मनुष्य और देवता, पृथ्वी और अंतरिक्ष, स्वर्ग और नर्क, गुण और निर्गुण, देह और आत्मा, स्त्री और पुरुष जैसे अनेक युगल हैं जो यहाँ मानो ऐसे ही परस्पर शब्दार्थ संबंध में अपेक्षित या कल्पित हैं।

इस शब्दार्थ संबंध के लक्ष्य पर होना संदेह, अनिर्णय, अनिश्चय दुविधा, असंगति, वदतोव्याघात को अस्तित्व की स्पृहणीय शर्तों की तरह स्वीकार करते हुए होना है। विकल्पों के बीच वरण करते हुए, एक ही कीमत पर दूसरे को तजते हुए नहीं, उनकी संधि पर होना; अंतर्विरोधों के शरों से बिंधे हुए, जीवन और मृत्यु के बीच मानों शाश्वत रूप से प्रलम्बित मध्यान्तर में होना...। निरंतर आवागमन, जन्म और मृत्यु का दोहराव यहाँ न केवल निवारणीय नहीं बल्कि काम्य है, क्योंकि वह इस काव्यात्मक अस्तित्व के सर्वथा अनुरूप, उसकी सहज लय गति को चिह्नित करता एक 'छांदिक आवर्तन' है। यह एक चिंतनात्मक अवकाश है—वह 'दिगम्बर, निहत्था क्षण' आत्माभियोग का क्षण जिसमें सारी 'भटकन' के बाद 'वापसी' होती है, जिसमें 'समय अपने लबादे उतारता है' और अपने ही 'रक्तरंजित हाथों से जवाब माँगता है'। यह 'हमारा समय' नहीं है; यह हमारे समय की पहचान कराने वाला वह कालपरिप्रेक्ष्य है जिसमें अपने-अपने समय में स्थित अलग-अलग सदियों की मानवीय और दिव्य सत्ताएँ काल चेतना ('कितना बना है ?') के एक सर्वनिष्ठ क्षण में एकत्र हैं। यहीं अस्तित्व का वह विशिष्ट रूप है जो अशोक वाजपेयी की 'कविता' (या साहित्य) की अवधारणा का अभिप्रेत है। महत्वपूर्ण बात यह है कि अस्तित्व के इस आदर्श को सिर्फ कविता में ही पाया जा सकता है—उस कविता में जिसकी रचना इस आदर्श से ही संभव है। दूसरे शब्दों में यह आदर्श उनकी सत्तादृष्टि और काव्यदृष्टि दोनों के संदर्भ में इस तरह उभयनिष्ठ है कि वह उन्हें दो नहीं रहने देता; वह स्वयं एक 'गोधूलि' है जिसे हम अपने विश्लेषण के अनुरोध से 'सत्ता' और 'कविता' के द्विधा रूपों में देख रहे हैं। अन्यथा अशोक वाजपेयी के लिए कविता लिखना या उससे तदात्म होना इस जीवन के अन्यान्य कर्मों में से एक, मानसिक, कर्म में मुब्तिला होना नहीं है, वह अपने कर्मरूपों और कर्मक्षेत्रों से संपन्न स्वयं एक भिन्न और स्वायत्त ('अनन्यपरतन्त्र') जीवन जीना है। यह संभवतः दोनों के इस विलयन का ही एक प्रभाव है कि हम उनकी कविता के लक्ष्य (रेफरेण्ट) की तलाश करते चलते हैं तो वहाँ हमें, कविता ही दिखायी देती है या, उन्हीं के शब्दों में 'सभ्यता का काव्यमुख'। □

बड़ा लड़का

कहानी

रामकुमार

उनका आदर सम्मान, स्नेह और आत्मीयता की भावना संबंधी, पास-पड़ोस के लोग और दूसरे परिचित सभी करते थे। दूसरों के सुख-दुख, उनकी समस्याओं और उलझनों में वे बहुत दिलचस्पी से भाग लेती थीं और उन्हें सुलझाने में मदद करती थीं। उनकी सूझ-बूझ की सब तारीफ करते थे। लेकिन अपनी कोई भी बात किसी के सामने प्रकट नहीं करती थीं। पूछने पर उदासीनता भरे स्वर में टाल देती थीं या उसके महत्त्व को ही नकार देती थीं। यह उनका बचपन का ही स्वभाव था जो उम्र बढ़ने के साथ-साथ, घर के जंजालों में उलझकर और भी रहस्यमय होता चला गया और वे मानो सब से बहुत दूर होती चली गईं।

बचपन में ही उनके चेहरे पर दृढ़ता और गंभीरता की एक ऐसी छाया थी जिससे सब घर वाले उनसे कुछ डरते से थे। यहाँ तक कि पिता तक जो अपने घर में कड़ा अनुशासन रखते थे—उनकी बात सहज रूप में टालने का साहस नहीं कर पाते थे। किसी बात पर घर में किसी से झगड़ा हो जाने पर तीन-तीन दिन तक अन्न का एक दाना भी मुँह में नहीं डालती थीं और सबकी खुशामद, आग्रह के बाद भी वे अपने निश्चय पर अडिग रहती थीं।

बचपन का एक उत्साह भी था जिसकी चमक उनकी गंभीरता के आवरण के भीतर दिखाई देती रहती थी। स्कूल की पढ़ाई, परीक्षाओं में अच्छे नंबर लाने की कोशिश, डिबेट से पुरस्कार पाने की आकांक्षा...यह सब था। लेकिन अचानक ही 13 वर्ष की उम्र में कुछ दिनों के बुखार के बाद डॉक्टर से पता चला कि उन्हें तपेदिक हो गया है लेकिन शुरुआत ही है, थोड़ी सावधानी से ठीक हो जाएगा। इस खबर से घर के सब लोग सन्न से रह गए क्योंकि उन दिनों तपेदिक एक घातक बीमारी समझी जाती थी। छूत की बीमारी के कारण उनके कपड़े, बिस्तरा, खाने-पीने के बर्तन सब अलग कर दिए गए और दूसरों को कड़ी हिदायत दी गई कि वे उनके पास न जाएँ। एक छोटे से कमरे में उनकी चारपाई एक कोने में बिछा दी गई। वे सहमी दृष्टि से सब कुछ उदासीन भाव से देखती रहीं, कहा कुछ नहीं।

स्कूल जाना बंद हुआ, पढ़ाई और सहेलियों का साथ छूटा। बुखार के कारण चारपाई पर लेटे रहने के अतिरिक्त और कोई चारा नहीं था। कमजोर इतनी हो गई थीं कि बिना सहारे के खड़ी भी नहीं हो सकती थीं। 13 वर्ष की उम्र में ही मृत्यु तक की संभावना का अहसास उन्हें छू गया। बिना किसी पर प्रकट किए कष्ट सहने की क्षमता उनके व्यक्तित्व का भाग बन गई जिससे भविष्य में उन्हें एक बहुत बड़ा सहारा मिला। भुवाली के सेनीटोरियम में केवल माँ के साथ बिताए वे चंद महीने उन्हें देर तक याद रहे। चुप रहना भी उन्हीं दिनों सीखा जिससे उनके भीतर उठती उथल-पुथल एक शांत महासागर बन गई और अपना अकेलापन भी अखरा नहीं।

ठीक होकर जब वापस घर लौटीं तो उनकी कायापलट ही हो गई थी। लंबे-लंबे घने काले बालों की झाड़ी पतझर की इनी-गिनी सूखी टहनियों में बदल गई थी। आँखों में एक ऐसी गहरी शून्यता की काई जमा हो गई थी जिसके पार कोई कुछ भी देख नहीं सकता था और न ही वे देख पाती थीं। चेहरा ऐसा सिकुड़ गया था कि पहचानना भी कठिन हो गया था। स्वास्थ्य

लाभ में कुछ महीने ऐसे ही बीत गए। जहाँ स्कूल, पढ़ाई, खेलकूद की जिंदगी छोड़ी थी, उसे उसी सिरे से आगे बढ़ाने की उनकी इच्छा नहीं थी। सिलाई, बुनाई के एक स्कूल में भर्ती होकर उनका अधिक समय घर पर ही बीतने लगा। घर के काम-काज में माँ की मदद करने लगीं। इस बीमारी के अनुभवों का उनकी आने वाली जिंदगी पर गहरा प्रभाव पड़ा था। जिसे स्पष्ट रूप में वे भी नहीं जान सकीं।

उनका विवाहित जीवन भी किसी रहस्य की मोटी तहों के भीतर ढँका रहा जिसमें एक छोटा-सा सुराख भी उन्होंने किसी बाहर के व्यक्ति के लिए भीतर झाँक सकने को नहीं छोड़ा। यह भी उनकी पुरानी आदत थी बचपन के दिनों की। मन में विवाह के प्रति एक गहरी सचमुच की वितृष्णा थी जिसे उन्होंने कभी परिवार में प्रकट नहीं किया। शायद इसकी व्यर्थता को वे समझती थीं। फिर सोचा कि मनुष्य जीवन की यह स्वाभाविक और आवश्यक नियति है जिसका विरोध करने की शक्ति उनमें नहीं थी। इस बात में उन्हें विशेष दिलचस्पी नहीं थी कि कहाँ और किस पुरुष के साथ उनका विवाह हो रहा है।

उनके पति एक सफल और नामी वकील थे जो उनकी बहुत इज्जत भी करते थे। उनकी किसी बात का विरोध नहीं किया। उनका पूरा दिन कचहरी और मुवक्किलों और कानून की किताबों में बीत जाता था। घर और परिवार की पूरी जिम्मेदारी उन पर ही थी। बच्चों की छोटी-मोटी बीमारियाँ, उनके स्कूल की पढ़ाई आदि को वे स्वयं ही आसानी से पूरा कर देती थीं और जरूरत पड़ने पर वकील साहब की सलाह भी ले लेती थीं। पैसे की कोई कमी नहीं थी। पैतृक संपत्ति भी थी और वकील साहब की अपनी आमदनी भी अच्छी थी।

विवाह के बाद जब वे मायके जातीं तो माँ जानना चाहती थीं कि वे कैसे लोग हैं, वकील साहब का स्वभाव कैसा है, उन्हें किसी तरह का कष्ट तो नहीं, लेकिन वे बहुत संक्षेप में, 'हाँ, न' कहकर चुप हो जाती थीं। कभी खीझकर कह भी देतीं, ''अम्माँ, अब मेरी चिंता छोड़ो। अब इन सब बातों को पूछने का फायदा ही क्या है। तुम लोग मेरी कोई मदद नहीं कर सकते—अगर मुझे जरूरत पड़े, तब भी। मुझे अकेले ही यह सब झेलना होगा—दुख भी और सुख भी।'' माँ एक लंबी साँस लेकर चुप हो जातीं। उनका मायके जाना भी धीरे-धीरे कम होता गया, पत्र लिखने से उन्हें गहरी विरक्ति शुरू से ही थी। वे जानती थीं अपने माँ-बाप की व्यस्तताओं को। बढ़ती उम्र, उम्र के साथ छोटे-मोटे रोग, छोटे भाई की समस्या। ऐसे भी किसी पर उन्होंने अपना कोई बोझ नहीं डाला। उनके पास असीमित सहनशक्ति थी।

बचपन में जन्माष्टमी के दिन पूरे परिवार में एक वही थीं जो निर्जल व्रत रखती थीं। दूसरे लोग दूध, फल या केवल पानी पी लेते थे और रात को 9 बजे पूजा करके खा-पी लेते थे लेकिन उनका व्रत रात के 12 बजे से पहले नहीं टूटता था। सबके अनुरोध के बावजूद भी वे अपनी जिद पर अड़ी रहती थीं। उनकी वही जिद भी उनके व्यक्तित्व का एक भाग बन गई थी।

विवाह के दो वर्ष बाद ही जब उन्हें पता चला कि वे माँ बनने वाली हैं तो सहसा उनका मन विद्रोह से भर उठा। वकील साहब की पत्नी बन कर जीने के संघर्ष में उनकी बहुत-सी शक्ति समाप्त हो गई थी और वे धीरे-धीरे उसे सामान्य बनाकर साँस लेने लगी थीं। और अब यह एक नई स्थिति के कगार पर सहसा जा पहुँचीं। उन्हें लगा जैसे पति उनके व्यक्तित्व का रहा-सहा भाग भी मिटा देना चाहते हैं जिससे वे केवल वकील साहब की पत्नी ही रह जाएँ। फिर यह सोचकर कुछ सांत्वना मिली कि इस स्थिति का सामना उन्हें 9 महीने बाद करना पड़ेगा और इस बीच शायद अपने आप को उसके लिए तैयार कर सकें। इस समाचार से घर भर में पूरे उत्साह का वातावरण छा गया। वकील साहब भी बहुत प्रसन्न थे और बार-बार उसे हिदायतें देते रहते थे, खाने-पीने का ध्यान रखने को कहते थें, खुद ताकत की दवाएँ खरीद कर लाए। यद्यपि उन्होंने पूरी कोशिश की थी कि परिवार और परिचितों के सामने अपने भीतर जमा होती हुई सर्दीली बर्फ की चट्टान की एक झलक भी प्रकट न होने दे। लेकिन दूसरों के उत्साह और खुशी में शामिल होना उन्हें अपने वश की बात नहीं लगी और उन्होंने बहाना बना दिया कि उन्हें चक्कर से आने लगे हैं जिससे लेटे रहने में उन्हें आराम मिलता है। जिससे लोगों ने उनकी उदासीनता की ओर अधिक ध्यान नहीं दिया। वे बराबर महसूस करती रहीं जैसे उनके भीतर कुछ बराबर टूटता जा रहा है।

फिर जब उन्होंने एक पुत्र को जन्म दिया तो घर में खुशी का एक वातावरण चारों ओर फैल गया। परिवार में जुड़े दूर-दूर के संबंधी, परिचित और कचहरी के वकील साहब के दोस्तों का एक ताँता-सा बँध गया। नाश्ते की प्लेटें, चाय, शर्बत घर भर में लोगों के सामने परोसे जाने लगे। वकील साहब का उत्साह

भी अपनी चरम सीमा तक पहुँच गया। इन दो-तीन वर्षों के दौरान अपनी पत्नी को वे जितना जान सके उससे उन्हें यह खतरा दिखाई देने लगा था कि शायद वे कभी पिता नहीं बन सकेंगे।

पास लेटे बच्चे को वे अकेले में घंटों चुपचाप देखती रहती थीं और इसे जानने और समझने की चेष्टा किया करती थीं लेकिन उन्हें अपने सामने एक दीवार-सी बनी दिखाई देती थी जिसके पीछे बच्चा कहीं खो जाता था। बिना बुलाए मेहमान की भाँति वह उनके जीवन में कहाँ से आ गया ? इस पर दया भी आती थी कि वे शायद उसे वह सब नहीं दे सकेंगी जो एक माँ को देना चाहिए। उनकी आँखें भर आतीं और वे उसे छूने लगतीं, उसका शरीर सहलातीं लेकिन उन्हें लगता जैसे उनके भीतर वह स्रोत कभी नहीं फूटा जो हर स्त्री में अपने पहले बच्चे के प्रति फूटता है। उन्हें वहीं ऐसा भी लगता जैसे उस बच्चे के पीछे वकील साहब की छाया एक अदृश्य रोशनी की भाँति सदा मँडराती रहती है। उन्होंने अपने आप को समझाने की कोशिश की। जो देखता वह यही कहता कि बेटा हूबहू अपनी माँ पर ही गया है। उसके बारे में सोचते हुए कुछ भय-सा भी लगता था। वे अपने मन को दिलासा देने की कोशिश करती थीं। हर आदमी अपना भाग्य लेकर आता है।

फिर दो वर्ष बाद एक और पुत्र पैदा हुआ। इस बार उन्हें किसी प्रकार का क्लेश नहीं पहुँचा। वे इस स्थिति के लिए तैयार थीं कि हर दो-तीन वर्ष बाद एक बच्चे को जन्म देंगी। लेकिन किसी कारण से ऐसा नहीं हुआ। वह सिलसिला अपने आप ही बंद हो गया।

वे उन दोनों लड़कों को पालने-पोसने में व्यस्त हो गईं। सोचा कि अपने जीवन के जो स्वप्न अधूरे ही रह गए थे, उन्हें इन दोनों में साकार करने की कोशिश करेंगी। शुरू-शुरू में बड़े लड़के के प्रति किए अन्याय के कारण अपराध बोध की भावना की छाया में अब अधिक स्नेह हो गया था। ऐसा भी उसकी उम्र बढ़ने के साथ-साथ उन्होंने महसूस किया कि स्वभाव में भी छोटे लड़के की अपेक्षा वह उनमें बहुत अधिक मिलता-जुलता है। न रोना-धोना, न कोई जिद, न कोई शैतानी...घंटों चुपचाप शांत लेटा रहता था। लेकिन धीरे-धीरे उसकी चुप्पी, उसकी उदासीनता से उन्हें चिंता होने लगी। तब सोचा नहीं था कि उसी के कारण आगे जाकर उन्हें इतना कष्ट उठाना पड़ेगा। उन्हें लगता जैसे उस घर और परिवार में वह एक परायेपन की भावना को मन में पाल रहा हो। उन्होंने इस विषय में वकील साहब से भी बात की लेकिन उन्होंने हँस कर टाल दिया और उन्हें समझाया कि बच्चों की इन छोटी-छोटी हरकतों पर वे अधिक ध्यान न दिया करें, बड़े होकर अपने आप ही ठीक हो जाएँगे। लेकिन वकील साहब की बात से वे आश्वस्त नहीं हो सकीं। छोटा लड़का उनसे चिपट जाता था, प्यार करता था। लेकिन बड़े लड़के के पास जाने की जितनी वे कोशिश करतीं उतना ही वह उनसे दूर भागता था। कई बार उसकी आँखों के भीतर उन्होंने झाँकने की कोशिश की जिससे वे कुछ देख सकें। लेकिन कुछ भी समझना संभव नहीं जान पड़ा। खामोश, अपने भीतर ही साँस लेता हुआ वह लड़का दूसरे बच्चों से बहुत भिन्न था, ऐसी धारणा धीरे-धीरे उनके मन में समाती जा रही थी। स्कूल जाने के बाद भी न उसके कोई दोस्त बने, न उसे खेलकूद में कोई दिलचस्पी थी, न रेडियो या सिनेमा का कोई शौक था। जब उसके कमरे में झाँकतीं तो या तो वह कोई पुस्तक पढ़ रहा होता या मेज पर झुके हुए कुछ लिख रहा होता। उसकी अनुपस्थिति में कमरे के भीतर कुछ पता लगाने की कोशिश करतीं। कोर्स की किताबों के अलावा कुछ साइंस फिक्शन की किताबें थीं, एक मोटी-सी कापी में पेंसिल से खिंची हुई कुछ लाइनें थीं, कभी अलग-अलग, कभी एक-दूसरे से टकराती हुई और कुछ नंबर...उन्हें लगा जैसे जादू का कोई खेल हो, या कुछ पहेलियाँ हों जिनका हल निकालने की बह कोशिश कर रहा हो। उससे पूछने पर वह हँस कर कह देता कि वे साइंस के कुछ सवाल हैं जो उनकी समझ में नहीं आएँगे। स्कूल और कालेज की परीक्षाओं में वह पास होता गया—न अधिक नम्बर न कम। बी.ए. पास करके घर वालों को सूचित किए बिना उसने एक बैंक में नौकरी कर ली मानों घर वालों के प्रति उसकी जिम्मेदारी खत्म हो गई हो। वकील साहब चाहते थे कि वह वकालत पढ़े और उनका हाथ बँटाए। लेकिन उसने इन्कार कर दिया। उन्हें डर था कि कहीं एक दिन वह घर आकर यह न कहे कि उसने एक कमरा किराए पर ले लिया है और अब वह घर से बाहर ही रहेगा। लेकिन ऐसा हुआ नहीं। नौकरी के बाद उसने जेब खर्च लेना भी बंद कर दिया।

कुछ दिनों से यह अफवाह उनके कानों तक भी पहुँची थी कि वकील साहब ने विष्णुपुरी में एक फ्लैट लेकर एक रखैल को रखा हुआ है जहाँ हफ्ते में दो-तीन बार शाम को वे जाते हैं। दोनों लड़कों को पालने में वे इतनी व्यस्त रहती थीं कि इस

खबर पर उन्होंने अधिक ध्यान नहीं दिया। उन्होंने सोचा कि इस तरह की बेसिर-पैर की अफवाहें लोगों के बारे में फैलती ही रहती हैं। लेकिन शीघ्र ही यह खबर सत्य जान पड़ने लगी। कुछ लोगों ने वकील साहब को इस युवती के साथ न्यू मार्केट में देखा था। उन दिनों अमीर और रईस पुरुषों के लिए रखैल को रखना एक साधारण-सी घटना समझी जाती थी। लेकिन उसके आत्म-सम्मान को वह एक चुनौती थी जिसे वे सहज रूप में सहन नहीं कर सकीं। वे जिस मध्यवर्गीय परिवार से आई थीं वहाँ इस प्रकार की घटनाएँ बहुत अस्वाभाविक मानी जाती थीं। कुछ दिनों तक इसी विषय को लेकर वे अपने आप से तर्क करती रहीं।

एक दिन वकील साहब के कचहरी चले जाने के बाद अपने कमरे के बगल में एक छोटे से कमरे को साफ करवाया, खिड़कियाँ खोलकर ताजी हवा को भीतर आने दिया। एक छोटी-सी चारपाई एक कोने में बिछा दी। जिस पर नई चादर, नया तकिया और राजस्थानी प्रिंट का एक बहुत सुंदर बेडकवर बिछा दिया। कुछ किताबें, कुछ जरूरी कपड़े और दूसरा अपना निजी छोटा-मोटा सामान भी उठवा लाईं। जिससे कमरा भरा-भरा दिखाई देने लगा। फिर कमरे पर एक दृष्टि डालकर उन्हें इतनी प्रसन्नता हुई जैसा बचपन में किसी नए घर में अपने कमरे को सजा कर होती थी। यह सोच कर आश्चर्य हुआ कि इतने दिनों तक अपने लिए एक अलग कमरे का प्रबंध उन्होंने क्यों नहीं किया। सोचा कि एक नया अध्याय इस कमरे के साथ ही शुरू हो जाएगा। घर के नौकर चाकर इस परिवर्तन पर आश्चर्यचकित थे लेकिन उनसे पूछने का किसी को साहस नहीं हुआ। रात को कचहरी से लौटने पर वकील साहब ने यह परिवर्तन देखा तो उनका माथा ठनका। वे चुप रहे और न ही इस विषय में पत्नी से कुछ पूछा। वे जल्दबाजी में गुत्थियों को सुलझाने की कोशिश नहीं करते थे, समय आने पर रहस्य अपने आप ही खुल जाएगा। लेकिन घर में नौकर, महरी और महराजिन और लड़के क्या सोचेंगे ? इससे थोड़ी चिंता हुई।

''इधर मुझे रात को देर से नींद आती है और आप दिन भर के थके जल्दी सो जाते हैं। मेरा कुछ पढ़ने-लिखने को मन करता है। अब दूसरे कमरे में देर तक बिजली जलाए रख सकती हूँ...'' उन्होंने धीमे स्वर में इस परिवर्तन की सफाई दी।

फिर वकील साहब को चुप देखकर बोलीं, ''इस तरह की स्थिति मैं सहन नहीं कर सकती...'' उनके स्वर में कुछ दृढ़ता आ गई थी, ''मुझे अपने आप से ही बहुत विरक्ति होने लगती है...'' क्षण भर बाद स्वर को नम्र बनाकर कहने लगीं, ''आप ने मुझे दो बेटे दिए, यही मेरे लिए सबसे बड़ा वरदान है। आप मेरी ओर से बिल्कुल निश्चिंत हो जाइए। जहाँ आपकी इच्छा हो जाइए, मैं कुछ नहीं पूछूँगी। बच्चों को बड़ा करना ही मेरी सबसे बड़ी जिम्मेदारी है।''

पति के प्रति अपने सारे कर्तव्य निबाहते हुए पति के साथ शारीरिक संबंध एक ही झटके में तोड़ डाले। उलटे उन्हें प्रसन्नता ही हुई कि उन्हें तोड़ने का एक शक्तिशाली कारण सौभाग्य से मिल गया। वकील साहब ने शांत स्वर में वकीली तर्कों की भाँति उन्हें समझाने की कोशिश की लेकिन पत्नी के जिद्दी स्वभाव का उन्हें अनुभव था जिससे उस सूत्र को फिलहाल वहीं छोड़ देना उचित समझा।

वह उनके जीवन का एक ऐसा अप्रत्याशित मोड़ था जिसमें उनके भीतर सुलगता एक बंजर इलाका और भी फैल गया जिसका महत्त्व आने वाले दिनों में वे अधिक महसूस करने लगीं लेकिन प्रकट रूप में एक छोटा-सा चिह्न तक सामने उभरकर नहीं आया।

लड़के बड़े होते गए जिससे उनके प्रति उनकी जिम्मेदारी भी कम होती गई। वकील साहब का काम भी अधिक नहीं था। अलग कमरे में रहने के कारण उनसे बातचीत भी अधिक नहीं होती थी। वे अकेली-सी रह गईं। लेकिन सबसे दूर जिस बिंदु पर जाकर उनका ध्यान पूर्ण रूप से केंद्रित हो जाता वह था उनका बड़ा लड़का जो अंधकार में उनसे दूर होता दिखाई देता और जब वे घबराकर खोजतीं तो जान पड़ता कि वह उनके पास ही तो खड़ा है। वे उसके कमरे में जातीं तो वह कुर्सी पर बैठा दिखाई देता। दिन भर बैंक के काम से थका हुआ...उन्हें कुछ तो आश्वासन मिलता। कितने ही प्रश्न उनके दिमाग में घूमते रहते थे लेकिन एक का भी उत्तर उन्हें नहीं मिलता था। वकील साहब भी इस विषय पर उनसे कभी-कभी अपने मन की बातें किया करते थे। वे तो सोचते थे कि आगे पढ़ने के लिए वे उसे लंदन या अमरीका भेजेंगे, उसकी तरक्की को देखकर गर्व से उनका सिर ऊपर उठेगा। अब अपने दोस्तों से पूछने पर यह बतलाते हुए शर्म आती थी कि वह बैंक में साधारण-सी एक नौकरी कर रहा है।

फिर एक दिन वकील साहब ने निश्चय किया कि वे उसका विवाह जल्दी ही कर देंगे। उसकी उम्र भी 26 साल के करीब थी। जब उन्होंने यह बात अपनी पत्नी से कही तो कुछ देर तक तो आश्चर्य से वे उनकी ओर देखती रहीं, मुँह से एक भी शब्द

नहीं निकला। जो लड़का इस तरह पराया बनकर उनके साथ रहता है, क्या वह उनके शादी के प्रस्ताव को मान लेगा। क्या इस समय उनका यह सुझाव उचित होगा ? वकील साहब ने पत्नी से कहा कि वे स्वयं ही लड़के से इस विषय में बात करेंगे और यदि वे बीच में दखल न दें तो बेहतर होगा।

वे हैरान थीं कि वकील साहब जो अब तक अपने कचहरी के मामलों में ही इतने उलझे रहते थे, वे अचानक ही उसके प्रति उदासीन होकर लड़के के विवाह की बातों में क्यों बहुत व्यस्त हो गए जैसे वे बहुत जल्दी में हों। उनके एक घनिष्ठ मित्र की लड़की देखने में सुंदर, पढ़ी-लिखी, नम्र स्वभाव की थी जिसे वकील साहब और वे कई वर्षों से जानते थे। उस मित्र ने कुछ समय पूर्व वकील साहब से इस रिश्ते का जिक्र भी किया था लेकिन उन्होंने हँसकर टाल दिया था। तब वे लड़के को आगे पढ़ाने के स्वप्न देख रहे थे जहाँ उसके विवाह का प्रश्न ही नहीं उठता था।

एक दिन लड़के के कमरे में जाकर वकील साहब ने उसकी राय जानने के पूर्व ही दृढ़ स्वर में सूचित किया कि उन्होंने उसका विवाह अपने मित्र की लड़की रमा के साथ करने का फैसला कर लिया है। वह भी रमा से कई बार मिल चुका है, वह घर भी आ चुकी है। वह चौंका नहीं, अपना क्रोध भी प्रकट नहीं किया। धीमे स्वर में केवल इतना ही कहा कि वह तो चार-पाँच वर्ष बाद ही विवाह की बात सोच रहा था। वकील साहब ने कहा कि वे लोग इतने वर्ष तक रुके नहीं रह सकते। विवाह इन जाड़ों में ही हो जाएगा। वकील साहब ने उसे चुप बैठे देखकर उस पर एक दृष्टि डाली लेकिन उन्हें पता कुछ भी नहीं लग सका। वे चुपचाप अपने कमरे में वापस लौट आए।

उनका मन कुछ भावी आशंकाओं से घिर गया। उसके विवाह का विषय उन्हें बहुत अस्वाभाविक-सा जान पड़ा जिसके लिए वे उस समय तैयार नहीं थीं। वे सोचती थीं कि लड़का दृढ़ता के साथ पिता का प्रस्ताव अस्वीकार कर देगा। उन्हें लगा जैसे वे ही गलत दिशा में सोच रही थीं। शायद वकील साहब का अनुमान ही सच्चा हो और विवाह के बाद घर और परिवार के साथ एक नए सिरे से उसके संबंध जुड़ें।

शाम को वे उसके कमरे में गईं। वह चुपचाप मेज पर झुका कापी के खाली पन्ने को देख रहा था। उन्हें ऐसा भी लगा जैसे उसका सूखा हुआ चेहरा, चेहरे पर उसकी एक नीली-सी नस और आँखों में उतरी हुई एक शून्यता...उन्हें यह सोचकर आश्चर्य हुआ कि पहले उसकी यह सूरत उन्हें दिखाई क्यों नहीं दी। लेकिन वे कर भी क्या सकती थीं। उनकी आँखें भर आईं। पहली बार उन्होंने लड़के को अपनी ओर घूरते हुए देखा जिससे वे घबरा उठीं।

"मैं जानता हूँ कि आप मेरे कमरे में क्यों आई हैं।" वह झुके-झुके धीमे स्वर में बोला, "लेकिन इस बार मैं पिताजी का विरोध नहीं कर सकता था। यदि रमा को वे अपनी बहू बनाकर घर लाना चाहते हैं तो मैं इन्कार करके उनका जी नहीं दुखाना चाहता। रमा बहुत अच्छी लड़की है और मेरे लिए कोई फर्क नहीं पड़ता।"

लड़के के शांत और संयमित चेहरे को देखकर उन्हें सांत्वना मिली लेकिन वास्तविकता का पता नहीं चल सका। अपने कमरे में जाकर उन्होंने सोचा कि उनके विवाह से पूर्व पिता के पूछने पर उन्होंने भी यही उत्तर दिया होगा। उन्हें भी कोई फर्क नहीं पड़ता था कि उनका विवाह कहाँ हो रहा है।

कुछ दिन पूर्व ही वकील साहब के डॉक्टर मित्र रोहतगी की भेंट बड़े लड़के से बैंक में हुई थी। उसे अलग ले जाकर डॉक्टर रोहतगी ने उसे बतलाया था कि कुछ दिन पूर्व वकील साहब को हल्का-सा एंजाइना का अटैक हुआ था लेकिन उन्होंने डॉक्टर से कहा था कि वे इस बात को घर में किसी को बतलाना नहीं चाहते। अब भी उन्होंने लड़के से यह कह दिया था कि वह घर में किसी से इस विषय में कुछ कहे नहीं लेकिन वकील साहब पर नजर रखे और थोड़ा-सा भी इधर-उधर होने पर उन्हें तुरंत सूचित करे। ऐसे चिंता की कोई बात नहीं है। लड़के को एक धक्का-सा लगा। अभी तो वकील साहब की उम्र भी पचास से कम ही थी। तभी कुछ दिन बाद जब उन्होंने उसके विवाह का प्रस्ताव उसके सामने रखा तो उसे अपने दायरे से बाहर की वस्तु जानते हुए भी उसने इन्कार नहीं किया।

उनका मन दुश्चिंताओं से घिरा रहा। सब कुछ इतनी जल्दी एक के बाद घटता गया और वे अपनी धीमी रफ्तार के साथ पीछे छूटती गईं। कभी-कभी उन्हें लगता जैसे वह कोई स्वप्न हो जो आँखें खुलने के बाद गायब हो जाएगा। वह बात भी उनसे छिपी नहीं रही कि उन दिनों बड़ा लड़का घर में, वकील साहब में अधिक दिलचस्पी लेने लगा था। कभी-कभी उनके कमरे में जाकर भी बैठ जाता और इधर-उधर की बातें करने लगता। इस सुख की उम्मीद तो वे बहुत पहले ही छोड़ चुकी थीं और जब

मिला तो उसकी सच्चाई पर पूर्ण रूप से विश्वास नहीं कर सकीं। यह सोचकर घबरा उठतीं कि इस हल्की-सी रोशनी के पीछे कहीं घना अंधकार छाया हुआ है जिसे वे देख नहीं सकतीं।

छोटा लड़का भी इस विवाह से बहुत उत्साहित था। वह भी रमा से परिचित था और जब कभी भेंट होती तो दोनों बातें करने में खो जाते थे।

इस विवाह के तीन महीने बाद ही वकील साहब को एक बड़ा हार्ट अटैक हुआ और हस्पताल तक पहुँचने से पहले ही गाड़ी में उनकी मृत्यु हो गई। शायद वे लड़के के विवाह की ही प्रतीक्षा कर रहे थे। उसके बाद आने वाली जिम्मेदारियों का बोझ वे उनके कंधों पर थमा गए थे क्योंकि वे जानते थे कि इसे वे उनकी अपेक्षा अधिक व्यवस्थित ढंग से निभा लेंगी। उन्हें यह भी लगा कि बड़े लड़के का विवाह होने के बाद और वकील साहब के न रहने पर उनकी जिम्मेदारी बहुत कम रह गई है।

अपने कमरे में चारपाई पर लेटे-लेटे कभी यह जानने की उत्सुकता होती कि विवाह के बाद लड़के की जिंदगी में किस तरह का परिवर्तन आया है या सब कुछ पहले जैसा ही है। यह केवल उनकी जिज्ञासा ही नहीं थी बल्कि लड़के के प्रति उनका लगाव था जो हर दृष्टि से उसकी जानकारी पा लेना चाहता हो। छोटे लड़के की बात होती तो उन्हें थोड़ी-सी चिंता भी न होती। उनका मन यह भी कहता कि यदि वकील साहब ने दबाव न डाला होता तो वह अभी विवाह कभी नहीं करता। जो काम वह अपनी गर्जी से करता, उसकी जिम्मेदारी उनकी न होती।

कभी सोचतीं कि जो होना है, वह तो होकर ही रहेगा। फिर वे व्यर्थ की चिंता क्यों करें। सब अपना-अपना भाग्य लेकर इस संसार में आते हैं। क्या वे अपने भाग्य की रेखाओं को बदल सकीं ?

वह बैंक से देर में आने लगा। पहले ठीक साढ़े पाँच बजे घर आ जाता था। अब कभी-कभी साढ़े सात बजे लौटता था। रमा से पता चला कि इन दिनों बैंक में काफी काम बढ़ गया है क्योंकि बैंक ने कुछ नई योजनाएँ बनाई हैं जिनमें सबको देर तक रुकना पड़ता है। वे चुप रहीं। कभी-कभी दिन में छोटे लड़के और रमा की बातचीत उनके कमरे तक पहुँचती थी उन्हें यह सोचकर तसल्ली हुई कि इससे रमा का जी कुछ बहल जाता होगा। वह सारा दिन घर में बैठे-बैठे ऊब भी जाती होगी। फिर कुछ देर बाद पता चला कि रमा गर्भवती है।

यह सोचकर उन्हें अपने ऊपर कुछ ग्लानि भी हुई कि इस खबर से उनके मन में विशेष प्रसन्नता नहीं हुई। यह स्थिति कुछ वैसी ही थी जैसी उनके पहले पुत्र के जन्म से पूर्व थी। कारण अलग थे।

कभी ऐसा लगता कि जिस तरह की जिंदगी जीने को उन्हें बाध्य होना पड़ा, क्या वह उनकी इच्छाओं और रुचियों के अनुकूल थी ? जो अंकुर उनके भीतर फूटना चाहते थे, उन्हें फलने-फूलने का अवसर ही नहीं मिला जिसका विरोध उन्होंने नहीं किया। कई वर्षों बाद वह पुरानी घटना सहसा याद आई जब वे शायद 14 वर्ष की थीं। पूजा-पाठ की आदत बचपन से ही थी। दादा के वक्त के पीतल और काँसे की चमकती हुई 10-12 कृष्ण, लक्ष्मी गणेश, दुर्गा की मूर्तियाँ एक बड़े से सिंहासन पर एक कोने में सजी रहती थीं जिनकी माँ रोज पूजा किया करती थीं लेकिन रसोई की व्यस्तता और दूसरे कामों के कारण उन्हें पूजा में से कई बार उठना पड़ता था। माँ ने उन ठाकुरों को नहलाने, कपड़े बदलने और आरती की जिम्मेदारी उन्हें सौंप दी। धीरे-धीरे पूजा में उनका बहुत मन लगने लगा। काली माँ के प्रति उनके मन में गहरी श्रद्धा उत्पन्न हो गई और वे रोज दुर्गा पाठ करने लगीं, माँ के साथ नौरात्रों में आठ व्रत भी शुरू कर दिए। एक दिन उन्हें पता चला कि पड़ोस के एक बंगाली परिवार में आनंदमयी माँ कुछ दिनों के लिए आई हुई हैं। उस परिवार से उनकी हल्की-सी जान-पहचान भी थी और वहीं उन्होंने आनंदमयी की एक बड़ी-सी फोटो भी दीवार पर लटकी देखी थी। उन दिनों माँ को अधिक लोग नहीं जानते थे इसलिए उनसे भेंट करना अधिक कठिन नहीं था। वे उनके दर्शन करने गईं और उन्हें देखते ही सुधबुध खो बैठीं। तीन दिन तक उनका अधिक समय उस बंगाली परिवार के घर में ही बीता और जब मौका मिलता तो वे आनंदमयी माँ के पास बैठ जाती थीं। और एक दिन शाम को पिता के घर लौटने पर उन्होंने कहा कि वे आनंदमयी माँ के आश्रम में जाना चाहती हैं। कुछ देर तक तो उन्हें कुछ भी समझ में नहीं आया। ''माँ ने अपनी स्वीकृति दे दी है...'' वे बोलीं। पिता ने चिल्लाकर माँ को बुलाया—''सुना, यह आश्रम में जाना चाहती है संन्यासिन बनने के लिए और तुमने हाँ कर दी।'' माँ भौचक्की-सी कभी पति की ओर देखतीं और कभी बेटी की ओर। ''माँ से मेरा मतलब आनंदमयी माँ से था।'' वे धीमे स्वर में बोलीं। पिता ने बहुत क्रोध से कड़े स्वर में डाँटकर इन्कार कर दिया और इसे केवल

उसका पागलपन बतलाया। वे चुपचाप अपने कमरे में चली गईं। तीन दिन तक उन्होंने पूरा उपवास किया। अपनी चारपाई पर चुपचाप लेटी रहीं और सूनी आँखों से छत की ओर ताकती रहीं। माँ के बहुत रोने पर, अपनी सौगंधें दिलाने के बाद उन्होंने अपना व्रत तोड़ा। कई दिनों तक उस घटना के याद आ जाने पर उनकी आँखों में आँसू भर आते। ठाकुरों की मूर्तियों के साथ आनंदमयी माँ की एक छोटी-सी फोटो भी पूजा के स्थान पर सजा दी गई।

इतने वर्षों बाद जब कभी उस घटना की याद आ जाती तो वे सोचने लगतीं कि यदि पिता उस दिन उसके प्रस्ताव का विरोध न करते तो उनकी जीवन धारा बिना किसी उतार-चढ़ाव के एक ही गति से बहुत गहराई के साथ बहती जाती। घर और परिवार के झंझट उन्हें कभी झेलने ही न पड़ते। अपने जीवन के लिए एक नई राह की लालसा उनके मन में बचपन से ही थी। लाखों-करोड़ों लोगों की भाँति वे भी उन्हीं बंधनों का शिकार बनीं जिससे विवाह, बच्चे, पैसा, समाज में आदर-सम्मान, मोह-माया सब थे। वे स्बप्न स्वप्न ही बने रहे, धुँधले और अस्पष्ट—या वे केवल पानी के बुलबुले ही थे जो बहुत जल्दी अपना अस्तित्व तक खो बैठे। घटता कुछ और ही गया जिन्हें वे एक-एक करके स्वीकार करती गईं।

रमा के साथ न जाने किस तरह की और क्यों एक दूरी बनी रही जिसका कारण खोजने की उन्होंने कभी कोशिश भी नहीं की। अब परिवार में आए एक नए सदस्य के साथ संबंध बनाने की प्रक्रिया को उन्हें आरंभ से ही शुरू करना होगा जिसकी जरूरत न होने का अहसास भी उन्हें होने लगा था और इस भार को उठाने की उनकी इच्छा भी नहीं थी। यह काम उनके लड़के का है जिसे उसके साथ अपना पूरा जीवन बिताना है। जिस गहराई में जाकर आदमी की सही पहचान हो सकती है, वह क्षमता शायद उनमें नहीं है। पहले घर में माँ-बाप और भाई, फिर पति और फिर दोनों बेटे सब पराये ही बने रहे। और अब एक नए परिवार, नए संस्कारों में पली हुई 22-23 साल की लड़की को जानना क्या आसान काम है ?

कभी ऐसा भी लगता यदि वकील साहब की इतनी जल्दी अचानक मृत्यु न होती तो परिवार के प्रति अपनी जिम्मेदारी को पूरा करने में उतनी कठिनाई न होती और अधिक आत्मविश्वास और सहजता होती। उन्हें ये आश्वासन बँधा रहता कि जरूरत पड़ने पर वे पति की राय ले सकती हैं। इस विचार से उन्हें बहुत हल्कापन महसूस होता था कि पति ने बड़े लड़के का विवाह करके उनकी एक बहुत कठिन और महत्त्वपूर्ण जिम्मेदारी को पूरा कर दिया। वरना उनके लिए यह काम बहुत कठिन और दुविधा से भरा होता। लेकिन इसके साथ-साथ एक गहरी खाई भी छोड़ गए जिसका सामना उन्हें जिंदगी भर तक करना पड़ेगा, जिससे वे कभी मुक्त नहीं हो सकेंगी।

और एक बार फिर उनके घर में एक लड़के का जन्म हुआ। वे दादी बन गईं। सब कुछ सही ढंग से हो रहा है, कहीं कोई गलती नहीं। क्षण भर के लिए यह सोच कर उन्हें दुख हुआ कि यदि वकील साहब जीवित होते तो इस पोते के जन्म से वे कितना प्रसन्न होते। वंश को आगे बढ़ाने वाला एक और आ गया।

उस दिन उन्होंने अपने बालों को धोया और सुखाने के लिए खुला ही छोड़ दिया। उनके बाल अधिक लंबे तो नहीं थे लेकिन घने इतने थे कि धोने के बाद उनके फैल जाने पर उनका चेहरा बहुत छोटा दिखाई देता था। काले बालों में ढूँढ़ने पर भी सफेद तार बहुत कम ही दिखाई देते थे। उन्हें अपने बालों से ही अधिक मोह था। पति की मृत्यु के बाद चौड़े से चेहरे पर लगी बड़ी-सी सिंदूर की बिंदी तो मिट गई लेकिन बालों का कोई हल नहीं था। उन्होंने सोचा कि बंगालियों की यह अच्छी प्रथा है कि विधवा हो जाने पर उसके सिर पर भी उस्तरा फिरा दिया जाता है। इस उम्र में भी इतने घने और काले बाल किसी दूर की आशंका की ओर संकेत करते जान पड़ते थे।

यह सोच कर भी उन्हें आश्चर्य होता था कि पोते को देख कर भी मन में उसी प्रकार की उदासीनता भरी रही जैसी अपने बड़े बेटे के जन्म के तुरंत बाद हुई थी। इस बार तो स्थिति बिल्कुल अलग थी और उन्हें उत्साहित होना चाहिए, लेकिन कहीं कोई अदृश्य चट्टान थी जो प्रवाह को आगे बढ़ने से रोके रहती थी।

छोटे लड़के की हँसी-मजाक करने की आदत थी। वह प्रायः उनके पास जाकर बैठ जाता था और इधर-उधर की हल्की-फुलकी बातें करके उनका जी बहलाने की कोशिश किया करता था।

जब बड़े लड़के की बस एक्सीडेंट से अचानक मृत्यु हो गई तो उन्हें अधिक आश्चर्य नहीं हुआ। वे इसी तरह की किसी अप्रत्याशित दुर्घटना की प्रतीक्षा कर रही थीं जो उनके भीतर की चट्टान को एक ही प्रहार में टुकड़े-टुकड़े कर देगी। यह खबर सुनकर उन्हें पहली बार लगा जैसे उनके भीतर तो सब कुछ पहले से ही मर चुका है, अब कुछ भी बाकी नहीं बचा था। जो उस

संताप को झेलता। वे तो केवल एक कठपुतली ही बनी हुई थीं। जहाँ सुख-दुख, जीवन-मृत्यु की सीमाएँ भी मिट चुकी थीं। उनके पास कुछ भी शेष नहीं बचा था जिस पर बड़े से बड़ा प्रहार भी अपना कोई चिह्न छोड़ नहीं सकता था। पिछला सब लिखा हुआ मिट गया था और वे केवल एक खाली पन्ना ही रह गई थीं जिस पर अब कुछ भी लिखा नहीं जा सकता था, एक धुँधली-सी रेखा तक नहीं खींची जा सकती थी। वे इस स्थिति में पहुँच गई हैं, इस पर वे सहसा विश्वास नहीं कर सकीं।

कुछ दिनों बाद यह अफवाह उनके कानों तक पहुँची कि जानबूझ कर बस दुर्घटना के माध्यम से उसने आत्महत्या की थी, इसीलिए बस का ड्राइवर थोड़ी पूछताछ के बाद छोड़ दिया गया। जो कुछ सबूत मिले थे वे छोटे लड़के ने पुलिस के लोगों से मिलकर दबा दिए नहीं तो वह पुलिस केस बन जाता। वे चुपचाप सब कुछ सुनती रहीं। लेकिन अधिक जानने की जिज्ञासा बाकी नहीं बची थी। जब लड़का ही नहीं रहा तो दूसरी बातों को जानकर क्या होगा ?

वह एक पहेली बनकर उनके जीवन में आया था और एक पहेली ही बने न जाने किस कारण से चला भी गया। जो वह अपने जीवन काल में नहीं कर सकीं, वह उस लड़के ने इतने कम समय में करके दिखा दिया। उनकी ही एक धुँधली-सी परछाईं था जो सदा दूर रहकर परछाईं ही बना रहा। कभी उन्हें लगता कि वह भाग्यशाली ही था जिसने अपने आपको मकड़ी के जाल से मुक्त कर लिया नहीं तो इस घुटन में वह कभी खुलकर साँस नहीं ले सकता था।

उसका बचपन, उसकी पढ़ाई-लिखाई और फिर साधारण-सी बैंक की नौकरी, फिर विवाह और बच्चा...इन सबका उसके व्यक्तित्व के साथ कोई मेल नहीं था। उनके मन में यह धारणा पक्की होती जा रही थी कि वकील साहब के सामने अपने विवाह की स्वीकृति दे देना ही उसके जीवन का एक ऐसा मोड़ था जिसके पार के धुँधलके को जानते हुए भी मानो वह वहाँ गुम हो जाना चाहता था। फिर थककर यह सब सोचने की व्यर्थता को वे महसूस करतीं। जब वह रहा ही नहीं तो इस चीड़-फाड़ की क्या जरूरत है। लेकिन कुछ देर बाद वही सिलसिला फिर शुरू हो जाता। पुरानी बातें फिर घूमने लगतीं। जिनके बारे में पहले कभी नहीं सोचा था लेकिन अब छोटे से छोटे चिह्न के सहारे वह आगे बढ़ती जाती थीं और फिर वह क्रम टूट जाता था। फिर सोचतीं कि वे उसे जानती ही कितना थीं जो अनुमान लगाएँ जिनका आधार कितना ठोस है, यह भी उन्हें मालूम नहीं था।

अचानक ही उन दिनों बहुत थकान महसूस होने लगी। उन्हें लगा जैसे यह थकान वर्षों से जमा होती हुई कोई काई है जिसका आभास उन्हें पहले नहीं हुआ था। पीछे मुड़कर देखा तो तय किया हुआ रास्ता बहुत लंबा तो दिखाई नहीं देता था लेकिन गहरे खड्ड, नुकीली चट्टानें, दलदल से भरे मैदान, अँधेरी सुरंगें दिखाई दिए और यह सोचकर आश्चर्य हुआ कि कैसे अकेले उन्होंने यह सब पार किया, कहीं ठोकर नहीं लगी, घाव भीतर ही भीतर होते गए जिन्हें कोई देख नहीं सका, वे स्वयं भी नहीं देख सकीं। वह सारी यात्रा व्यर्थ जान पड़ी जिसका कोई परिणाम नहीं निकला।

एक गहरी विरक्ति की छाया उन्हें मँडराती हुई दिखने लगी। पहले भी रही होगी लेकिन बच्चों को पालने-पोसने, वकील साहब और घर-गृहस्थी की गाड़ी चलाने की व्यस्तता में उसका आभास नहीं हुआ होगा। अब बाँधने वाले तार बहुत कमजोर पड़ गए थे, किसी भी काम में मन नहीं लगता था, न पूजा-पाठ, न छोटा लड़का, न पोता, न घर की चारदीवारी इच्छा होती थी कि खाली हाथ दरवाजे से बाहर निकल जाएँ और फिर कभी इस घर में न लौटें। पहले भी कई बार इस तरह का घुन उनके भीतर अपना घर बनाने लगता तब अपने भीतर की शक्ति को बटोर कर जल्दी ही उसे नष्ट कर देने की कोशिश किया करती थीं। यही कारण था कि अपने जीवन की छोटी-मोटी दुर्घटनाओं के प्रहार भी बहुत साहस और संयम के साथ सहती गईं।

वकील साहब की जान-पहचान शहर के बहुत से लोगों से थी। अपने बहुत करीब के तो नहीं लेकिन दूर-दूर के संबंधियों की संख्या भी कम नहीं थी। जब कोई घर आता तो वे उसकी पूरी आवभगत किया करती थीं। वे लोग अपने दुख-सुख की बातें भी उनके सामने प्रकट करते और वे जरूरत पड़ने पर उनकी सहायता भी कर देती थीं। वकील साहब की मृत्यु और लड़के का एक्सीडेंट...तब बहुत से लोग अपनी सहानुभूति प्रकट करने आए थे। लेकिन औपचारिकता के नाते कुछ ही देर तक सुनने के बाद वे विषय बदल देती थीं, उनके समाचार पूछने लगती थीं। दूसरों के मुख से अपनी प्रशंसा या उनकी सहानुभूति के उद्गार वे सहन नहीं कर पाती थीं। यहाँ तक कि जब कभी वकील साहब उनकी व्यवहार कुशलता या उनके स्वभाव और सहनशीलता की प्रशंसा करते तो वे तुरंत उन्हें चुप करा देती थीं। यह भी उनकी

बचपन की ही आदत थी।

एक्सीडेंट के बाद रमा अपने कमरे से कम ही बाहर निकलती थी। उनका छोटा लड़का ही कमरे में जाकर बातचीत करके उसका जी बहलाने की कोशिश किया करता था और बच्चे को गोद में उठाकर खिलाता था, कमरे के बाहर ले आता था। पूरे घर में केवल लड़के और बच्चे की आवाज ही सुनाई देती थी। उन्हें यह भी पता चला था कि रमा ने अपने पिता के साथ मायके जाने से इन्कार कर दिया, यह बात रमा के पिता ने ही उन्हें बताई थी। वे इन सब मामलों में उदासीन ही बनी रहीं। उन्हें महसूस हुआ जैसे वे केवल एक दर्शक की भाँति ही इस घर और परिवार में रह गई हों। वर्षों बाद वे पहली बार अपने आपको जानने की कोशिश कर रही हों लेकिन लगता जैसे कि जितना ही वे जानने की कोशिश करतीं, उतना ही उनके चारों ओर फैला धुँधलका और भी गहरा होता जाता।

उस दिन अचानक ही शाम के समय हवा बहुत तेजी से चलने लगी, आकाश काले बादलों से ढँक गया। यकायक बरसों पुराने भुवाली के वे दिन याद आने लगे जब बीमारी की हालत में उन्हें सेनीटोरियम में रहना पड़ा था। वर्षा के दिन खिड़की से बाहर वे झाँकती थीं लेकिन पहाड़, पेड़ सब बादलों के पीछे छिप जाते थे। साँय-साँय करती हवा में चीड़ के पेड़ जोर-जोर से हिलने लगते थे। घर की याद आती थी, आँखों में आँसू भर आते थे। उस शाम भी आँखें भर आईं और रोने की इच्छा होने लगी। उन दो अलग तरह की स्थितियों में एक लंबे अंतराल के बावजूद कहीं कोई समानता थी जिसका अहसास अचानक ही उन्हें होने लगा। माँ अब नहीं थीं, भुवाली के वे दिन भी बहुत पीछे छूट गए थे। यह एक स्वप्न-सा जान पड़ता था।

बिजली बहुत धमाके के साथ चमकी और उसी के साथ वर्षा की एक बौछार खिड़की में से लहर की तरह भीतर आई जिससे उनकी धोती का एक हिस्सा भीग गया जिसका पता उन्हें नहीं चला।

"अम्माँ..."

उन्होंने पलटकर दरवाजे की ओर देखा लेकिन वहाँ कोई नहीं था। बिल्कुल वही स्वर था। कभी-कभी उनके कमरे की दहलीज पर खड़ा वह ऐसे ही पुकारता था। उन्होंने अपने भय को दूर करने के लिए कमरे की बत्ती जलाई लेकिन अँधेरा ही छाया रहा। बत्ती चली गई थी जिससे घर में अँधेरा और सन्नाटा छाया हुआ था। वह स्वर सुनकर घबराहट में उनका चेहरा पसीने से भीग गया था जिसे उन्होंने धोती के आँचल से पोंछ लिया। अँधेरे में एक कोने में खड़े-खड़े वे सोचती रहीं कि ऐसा तो कभी नहीं हुआ था। उसने उन्हें क्यों पुकारा। उन्होंने सुना था कि आत्महत्या करने वालों की आत्मा भटकती रहती है। क्या वह उनसे कुछ कहना चाहता था ? इस बात का उन्हें विश्वास हो गया कि यह उनका भ्रम नहीं था। वे उसकी आवाज को अच्छी तरह पहचानती हैं जहाँ किसी तरह की गलती होने की संभावना नहीं थी। उन्होंने एक बार अपने चारों ओर ध्यान से देखा—आँगन के कोने, उनके पुराने कमरे का बंद दरवाजा, बाहर खुली हुई खिड़की, पीपल के पेड़ की शाखाएँ...लेकिन किसी की छाया तक दिखाई नहीं दी। उनका शरीर काँप रहा था और अधिक देर तक खड़े रहने से गिरने का भय था। उन्होंने कमरे के भीतर जाकर चारपाई पर बैठने का निश्चय किया। पीछे मुड़ते ही वे किसी से टकरा गईं, जिससे उनकी हल्की-सी चीख निकल गई। पास खड़े मुन्नू को देखकर वे चौंक गईं। इसी समय बिजली आ गई और आँगन में लगे बल्ब की रोशनी में वे कुछ देर तक दो साल के मुन्नू के चेहरे की ओर देखती रहीं। उसका चेहरा मोहरा कितना मिलता है उनके लड़के से। उसके पैदा होते ही सबने कहा था कि बिल्कुल अपने बाप पर गया है, रमा की छाया तक दिखाई नहीं देती। अभी तक वे उससे दूर ही रहने की कोशिश किया करती थीं। जिससे एक नए सिरे से फिर अपनी भावनाओं को किसी के साथ बाँध न लें। बिना पिता का उनका पोता...आगे बड़ा होने पर क्या सोचेगा ?

तभी आकाश में बादलों की बहुत जोर की गड़गड़ाहट हुई और डरकर मुन्नू उनसे लिपट गया। उन्होंने पुचकारकर उसे गोद में उठा लिया। उन्हें क्षण भर को लगा जैसे वर्षों पूर्व बड़े लड़के को इसी प्रकार गोद में उठा लिया करती थीं। उन्होंने मुन्नू को कसकर छाती से चिपका लिया और कमरे के भीतर चली गईं। दादी की गोद की आदत न होने के कारण कुछ ही देर में वह अपनी माँ के पास भाग गया।

कभी-कभी रात के वक्त नींद न आने पर बिस्तरे पर करवटें बदलते हुए भीतर छिपी हुई रिक्तता अपनी सीमाओं को तोड़कर दूर-दूर तक फैल जाती। मुन्नू भी बड़े होकर अपनी स्थिति का जिम्मेदार उन्हीं को ठहराएगा ? इच्छा न होने पर भी, विरोध न करके उन्होंने जो-जो किया, क्या वह पाप के बराबर नहीं था

जिसकी सजा अपने अतिरिक्त दूसरों को भी भुगतनी पड़ी। यह गठरी इतनी भारी हो गई थी और उनका शरीर और मन इतने शिथिल कि वे अपनी पराजय स्वीकार कर लेना चाहती थीं।

बहुत कम समय में छोटा लड़का अपनी जिम्मेदारी को समझने लगा था। वकील साहब के बैंकों में रखे रुपये पैसे का हिसाब-किताब, शेयर, मकानों के किराए और घर की व्यवस्था—सब बड़ी कुशलता से सँभाल लिया था। बड़े भाई के जीवित रहते हुए भी यह भार उसी के ऊपर था। अब रमा और मुन्नू की देखभाल को वह अपना ही कर्तव्य समझने लगा था। कभी-कभी किसी विषय पर उनसे भी सलाह लेने उनके कमरे में आ जाता था। वे अपनी उदासीनता को छिपाने का प्रयास कर प्रायः कह देती थीं—"मुझे इन मामलों की कोई जानकारी नहीं है। जो तुम ठीक समझते हो वही करो या अपने पिता के किसी मित्र से पूछ लो।" उनकी स्थिति को जानते हुए वह अधिक जोर भी नहीं देता था।

मुन्नू को गोद में उठाकर वह प्रायः माँ के कमरे में चला जाता था। एक-आध बार बड़े भाई का जिक्र करके उनके उद्गारों को प्रकट करवाने की कोशिश भी की लेकिन वे उस विषय को आगे नहीं बढ़ने देती थीं। वे चुप रहती थीं, चेहरे पर एक गहरी पर्त्त जम गई थी, न ही आँखों में कुछ उभरकर ऊपर आता था जिसे पढ़कर लड़का उनके भीतर की स्थिति का कोई अनुमान लगा सकता। इस तरह की स्थिति पहली बार लड़के के जीवन में आई थी। वह तो मस्त रहने वाला, यार-दोस्तों के साथ घूमने वाला, अपने भाई से बिल्कुल अलग स्वभाव का लड़का था। बहुत जल्दी ही उसकी काया पलट हो गई।

खाली बैठे-बैठे कुछ करने के बदले केवल एक ही विषय पर मन ही मन भटकते रहना उनके स्वभाव में कभी नहीं रहा। ऐसी स्थिति उनके जीवन में जब-जब आई तब अपने आपको झिंझोड़कर वे उससे बाहर निकलने की चेष्टा करतीं और वे सफल भी हो जातीं। घर और परिवार में रहते हुए—जहाँ एक जवान विधवा बहू, एक अविवाहित जवान लड़का और एक निरीह पोता ...और उलझी हुई समस्याओं को सुलझाने की जिम्मेदारी उठाने वाला न पिता, न बड़ा लड़का...सबसे बड़ी वे अकेली, बीच मँझधार में डोलती नाव को इसी प्रकार छोड़ देना क्या उचित होगा। वे अपने आप में साहस बटोरने की कोशिश करतीं, क्या कदम उठाएँ इसके विषय में सोच-विचार करतीं लेकिन कौन-सा रास्ता सही होगा। इसका निश्चय कर पाना आसान नहीं था।

एक रात को कुछ निश्चय करके वे अपन लड़के के कमरे में गईं। रमा और मुन्नू सो चुके थे, उनके कमरे में अँधेरा छाया हुआ था। लड़का इस समय माँ को अपने कमरे में देखकर आश्चर्य में पड़ गया। "तबीयत तो ठीक है अम्माँ ?" वह चारपाई छोड़कर उठा खड़ा हुआ।

वे चारपाई के पास रखी आराम कुर्सी पर बैठ गईं जिससे उनकी घबराहट कुछ कम हो सके। कुछ देर तक तो उनके मुँह से कोई आवाज तक नहीं निकली यद्यपि उनका इरादा था कि अपनी बात जल्दी से कहकर वे अपने कमरे में वापस लौट आएँ।

"मुझे बुला लेतीं अम्माँ। इतनी रात को..." उनका चेहरा देखकर वह चुप हो गया।

"ऐसे कब तक यह सब चलता रहेगा। कोई न कोई रास्ता तो खोजना ही पड़ेगा।" वे बहुत धीमे स्वर में बोलीं मानो आप से ही कह रही हों। "तुम अब तक रमा को काफी अच्छी तरह से जान गए हो। मुन्नू भी तुमसे बहुत प्यार करने लगा है ठीक अपने पिता की तरह। कुछ दिन पहले जब रमा के पिता यहाँ आए थे तब उन्होंने भी अपनी शंकाओं की ओर इशारा किया था जिससे हम कोई रास्ता खोज निकालें। रमा अपनी पूरी जिंदगी इस घर में इस तरह तो बिता नहीं सकती। यह तो तुम भी जानते हो।" वे कुछ क्षणों के लिए चुप हो गईं जिससे असली बात कहने की हिम्मत बटोर सकें। "उस भाग्यहीन लड़के की एक निशानी तो इस घर में बनी रहे, नहीं तो उसका नामोंनिशान तक मिट जाएगा..." वे रुँधे स्वर में बोलीं। उनके स्वर में इतनी आर्द्रता उभर आई थी कि उनकी आँखों में पानी भर आया जिसे जल्दी ही उन्होंने आँचल से पोंछ लिया। "रमा के साथ तुम्हारे विवाह का सुझाव रमा के पिता ने भी दिया था। मैंने अपनी कोई राय नहीं दी थी क्योंकि मैं पहले तुमसे पूछ लेना चाहती थी। तुम्हारी पूरी जिंदगी तुम्हारे सामने पड़ी है और अपनी इच्छानुसार उसे जीने का तुम्हारा अधिकार है जो मैं तुमसे छीनना नहीं चाहती। किसी भी दबाव में आकर तुम्हें ऐसा कुछ नहीं करना चाहिए जिससे बाद में पछताना पड़े। तुम्हारे भाई का उदाहरण मैं देख चुकी हूँ जो तुमसे भी छिपा हुआ नहीं है।" वे बहुत सोच-सोचकर नपे-तुले शब्दों में अपने विचार प्रकट कर रही थीं—"घर की वर्तमान स्थिति को तुम भी भली-भाँति जानते हो। अच्छी तरह सोच-विचार लो। रमा से भी इस विषय पर बात करके उसकी राय जान लो यद्यपि

उसके पिता ने कहा था कि रमा इस प्रस्ताव को मान लेगी। तुम्हारी और रमा की आत्मीयता की बात भी सभी लोग जानते हैं..." अंतिम बात उन्होंने कुछ झिझकते हुए कही और वे निश्चय नहीं कर पा रही थीं कि उन्हें वह कहना चाहिए या नहीं लेकिन जिस प्रस्ताव को लेकर वे आई थीं उसे अधिक मजबूत बनाने के लिए यह आवश्यक था। उन्हें लग रहा था जैसे उनकी अंतिम जिम्मेदारी और पूरी हो गई हो।

उस रात को चारपाई पर लेटे हुए उन्होंने महसूस किया जैसे मँझधार में डगमगाती उनकी नाव किनारे से लगकर सुरक्षित हो गई हो।

उस रात को एक लंबे अरसे के बाद उन्हें बहुत से स्वप्न भी दिखाई दिए। सबको इस बात पर आश्चर्य होता था कि उन्हें वर्षों से कभी स्वप्न दिखाई नहीं दिया। बचपन में कभी देखे होंगे जिनकी याद भी इन वर्षों के दौरान धुँधली पड़ गई थी। बेसिर-पैर के स्वप्नों का एक लंबा सिलसिला रात में कब शुरू हुआ और कब खत्म हो गया, इसका पता उन्हें नहीं चल सका। कितने ही चेहरे, कितनी छोटी-बड़ी घटनाएँ बिना किसी क्रम के चलचित्रों की भाँति उनकी आँखों के सामने घूमती रहीं लेकिन बार-बार जो दृश्य अपना रूप बदलकर सामने आता रहा वह उनके बड़े लड़के का था—वही गंभीरता, चेहरे पर छाया वही सन्नाटा, वही बर्फीली सी छाई एक छाया, वही परिचित उदासीनता...उन्हें लगा जैसे वह कहना चाह रहा है लेकिन मुँह से आवाज नहीं निकली...

सुबह उठने के बाद भी वही स्वप्न दिखाई देता रहा।

□

संस्मरण

बे-सिलसिलेवार यादें ! कुछ अपनी, कुछ देश की पेबंदी आज़ादी पर

मृदुला गर्ग

मेरी एक नानी थीं। ज़ाहिर है। पर मैंने उन्हें कभी देखा नहीं। मेरी माँ की शादी होने से पहले ही उनकी मृत्यु हो गई थी। शायद नानी से कहानी न सुन पाने के कारण, बाद में हम तीन बहिनों को खुद कहानियाँ कहनी पड़ीं। नानी से कहानी भले न सुनी हो, नानी की कहानी ज़रूर सुनी और बहुत बाद में जाकर, उसका असली मर्म समझ में आया। पहले इतना ही जाना कि मेरी नानी, पारंपरिक, अनपढ़, पर्दानशीं औरत थीं, जिनके पति, शादी के तुरंत बाद, उन्हें छोड़कर, बैरिस्ट्री पढ़ने, विलायत चले गए थे। केम्ब्रिज विश्वविद्यालय से डिग्री लेकर जब वे लौटे और विलायती रीति-रिवाज के संग ज़िंदगी बसर करने लगे तो, नानी के अपने रहन-सहन पर, उसका कोई असर नहीं पड़ा। न उन्होंने अपनी किसी इच्छा-आकांक्षा या पसंद-नापसंद का इज़हार, पति पर कभी किया।

पर जब कम-उम्र में नानी ने खुद को मौत के करीब पाया तो, पंद्रह वर्षीय इकलौती बेटी (मेरी माँ) की शादी की फ़िक्र ने इतना डराया कि, वे एकदम मुँहज़ोर हो उठीं। नाना से उन्होंने कहा कि वे परदे का लिहाज़ छोड़कर, उनके दोस्त, स्वतंत्रता-सेनानी प्यारेलाल शर्मा, से मिलना चाहती हैं। सब दंग-हैरान रह गए। जिस पर्दानशीं औरत ने पराए मर्द से क्या, खुद अपने मर्द से कभी मुँह खोल कर बात नहीं की थी, आखिरी वक्त में अजनबी से क्या कहना चाह सकती है ? पर नाना ने वक्त की कमी और मौके की नज़ाकत की लाज रखी। सवाल-जवाब में वक्त बर्बाद करने के बजाय, फ़ौरन जाकर दोस्त को लिवा लाए और बीवी के हज़ूर में पेश कर दिया।

अब जो नानी ने कहा, वह और भी हैरतंगेज़ था। उन्होंने कहा, "वचन दीजिए कि मेरी लड़की के लिए वर आप तय करेंगे। मेरे पति तो साहब हैं और मैं नहीं चाहती, मेरी बेटी की शादी, साहबों के फरमाबरदार से हो। आप अपनी तरह आज़ादी का सिपाही ढूँढ़ कर, उसकी शादी करवा दीजिएगा।" कौन कह सकता था कि अपनी आज़ादी से पूरी तरह बेखबर, उस औरत के मन में देश की आज़ादी के लिए ऐसा जनून होगा। बाद में मेरी समझ में आया कि, दरअसल, वे निजी जीवन में भी काफ़ी आज़ाद-ख़्याल रही होंगी। ठीक है, उन्होंने नाना की ज़िंदगी में कोई दखल नहीं दिया, न उसमें साझेदारी की। पर अपनी ज़िंदगी को अपने ढंग से जीती ज़रूर रही। पारंपरिक, घरेलू, उबाऊ और खामोश ज़िंदगी जीने में, आज के हिसाब से, क्रांतिकारी चाहे कुछ न रहा हो, दूसरे की तरह जीने के लिए मजबूर न होने में, असली आज़ादी कुछ ज़्यादा ही थी।

खैर, इस तरह मेरी माँ की शादी, ऐसे पढ़े-लिखे, होनहार लड़के से हुई, जिसे आज़ादी के आंदोलन में हिस्सा लेने के अपराध में, आई.सी.एस. के इम्तिहान में बैठने से रोक दिया गया था, और जिसकी जेब में, पुश्तैनी पैसा-धेला एक नहीं था, माँ, बेचारी, अपनी माँ और गांधी जी के सिद्धांतों के चक्कर में, सादा जीवन जीने और ऊँचे खयाल रखने पर मजबूर हुई। हाल उनका यह था कि खादी की साड़ी उन्हें इतनी भारी लगती, कि कमर चनका खा जाती। रात-रात भर जागकर वे उसे पहनने का अभ्यास करतीं, जिससे दिन में शर्मिन्दगी न उठानी पड़े। वे कुछ ऐसी नाज़ुकजान थीं कि उन्हें देखकर, उनकी सास, यानी मेरी

दादी ने कहा था, ''हमारी बहू तो ऐसी है कि धोई, पोंछी और छींके टाँग दी।'' गनीमत यही थी कि किसी ने उन्हें छींके पर से उतारने की पेशकश नहीं की।

क्यों नहीं की, उसकी दो वजहें थीं। पहली यही कि हिंदुस्तान के तमाम बाशिंदों की तरह, उनके ससुरालवाले भी साहबों से खासे अभिभूत थे; और मेरे नाना पक्के साहब माने जाते थे। बस जात से वे हिंदुस्तानी थे, बाकी चेहरे-मोहरे, रंग-ढंग, पढ़ाई-लिखाई, सबमें अंग्रेज़ थे। मज़े की बात यह थी कि हमारे देश में आज़ादी की जंग लड़ने वाले ही, अंग्रेज़ों के सबसे बड़े प्रशंसक थे; गांधी, नेहरू हों या मेरे पिताजी के घरवाले। भले, लड़का, आज़ादी की लड़ाई लड़ते, जेब खाली और शोहरत सिर करता रहे, दबदबा उसके साहबी ससुर का ही था। एक आन-बान-शान वाले साहब ने उनके सिरफिरे लड़के को अपनी नाजुकजान लड़की सौंपी, उससे रोमांचक क्या कोई परिकथा होती। नानी की सनक-भरी आखिरी ख्वाहिश और नाना की रज़ामंदी; वे रोमांचक उपकथाएँ थीं, जो कहानी के तिलिस्म को और गाढ़ा बना चुकी थीं। दूसरी वजह माँ की अपनी शख्सियत थी। उसमें ख़ूबसूरती, नज़ाकत, गैर-दुनियादारी के साथ, ईमानदारी और निष्पक्षता, कुछ इस तरह घुली-मिली थी कि, वे परीज़ात से कम जादुई नहीं मालूम पड़ती थीं। उनसे ठोस काम करवाने की कोई सोच भी नहीं सकता था। हाँ, हर ठोस और हवाई काम के लिए, उनकी ज़ुबानी राय ज़रूर माँगी जाती थी और पत्थर की लकीर की तरह, निभाई भी जाती थी।

मैंने अपनी दादी को कई बार कहते सुना था, ''हम हाथी पे हल ना जुतवाया करते, हम पे बैल हैं।'' बचपन में ही मुझे इस जुमले का भावार्थ समझ में आ गया था; जब देखा था कि हम बच्चों की ममतालू परवरिश के मामले में, माँ के सिवा, घर के सभी प्राणी मुस्तैद रहते थे। दादी और उनकी जिठानियाँ ही नहीं, खुद मर्दज़ात, पिताजी भी।

पर ठोस काम न करने का यह मतलब नहीं था कि, माँ को आज़ादी का जनून कम था। वह भरपूर था और अपने तरीके से, वे, उसे भरपूर निभाती रही थीं। ज़ाहिर है कि, जब जनून आज़ादी का हो तो, उसे निभाना ही आज़ादी से चाहिए। जिस-तिस से पूछ कर, उसके तरीके से नहीं; खुद अपने तरीके से। यहीं तो हमारी आज़ादी के आंदोलन के नेता मात खा गए। पर वह बाद में। पहले अपनी विरासत की कहानी पूरी कर लूँ।

लीक से खिसके अपने पूर्वजों में माँ और नानी ही रही होतीं तो गनीमत रहती। पर अपनी एक पर-दादी भी थीं, जिन्हें क़तार से बाहर चलने का शौक था। उन्होंने व्रत ले रखा था कि, अगर खुदा के फ़ज़ल से, उनके पास कभी दो से ज़्यादा धोतियाँ हो जाएँगी तो, वे तीसरी दान कर देंगी। जैन समाज में अपरिग्रह की सनक, बिरादरी बाहर, हरकत नहीं मानी जाती, इसलिए वहाँ तक तो ठीक था। पर उनका असली जलवा तब देखने को मिला, जब मेरी माँ पहली बार गर्भवती हुईं। मेरी परदादी ने मंदिर में जाकर मन्नत माँगी कि उनकी पतोहू का पहला बच्चा लड़की हो। यह गैर-रवायती मन्नत माँग कर ही उन्हें चैन नहीं पड़ा। उसे भगवान और अपने बीच पोशीदा रखने के बजाय, सरेआम उसका ऐलान कर दिया। लोगों के मुँह खुले-के-खुले रह गए। उनके फ़ितूर की कोई वाजिब वजह ढूँढ़े न मिली। यह भी नहीं कह सकते थे कि खानदान में पुश्तों से कन्या पैदा नहीं हुई थी, इसलिए माँजी बेचारी, कन्यादान के पुण्य के अभाव को पूरा करने के चक्कर में थीं। क्योंकि पिताजी की ही नहीं, दादाजी की भी बहनें मौजूद थीं। हाँ, पहला बच्चा हर बहू का बेटा होता रहा था। खैर, माँजी ने अपनी तरफ़ से कोई सफ़ाई नहीं दी, बल्कि, बदस्तूर, मंदिर जाकर मन्नत दुहराती रहीं। पूरा गाँव नकुड़ जानता था कि माँजी का भगवान के साथ सीधा तार जुड़ा हुआ है। बेतार का तार। इधर वह तार खींचतीं, उधर टन से तथास्तु बजता। मेरी दादी तो पहली मर्तबा में ही तैयार हो गई थीं कि गोद में खेलेगी, तो पोती। पर माँजी की आरज़ू किस क़दर रंग लाएगी, उसका उन्हें भी गुमान न रहा होगा। लड़की की ग़ैर-वाजिब जुस्तजू सुन, भगवान कुछ ऐसी अफ़रा-तफ़री में आ गए कि एक न दो, पूरी पाँच कन्याएँ, एक-के-बाद, धरती पर उतार दीं। भगवान को क्या कहें, माँजी के सामने तो नामी चोर भी अफ़रा-तफ़री में आ जाते थे। माँजी और नामी चोर का किस्सा, होश संभालने के बाद, मैंने कई बार सुना था; चोर के दीदार की खुशनसीबी भी हाथ आई थी।

हुआ यूँ था कि किसी शादी के सिलसिले में नकुड़ की हवेली के तमाम मर्द, बारात में दूसरे गाँव गए हुए थे। औरतें सज-धज कर रतजगा मना रही थीं। नाच-गाने और ढोलक की थाप के शोर में, नामी चोर, कब सेंध लगाकर हवेली में घुसा, किसी को खबर न हुई। पर चोर था बदकिस्मत, जिस कमरे में घुसा, उसमें माँजी सोई हुई थीं। औरतों के शोर से बचने को,

वे अपना कमरा छोड़, दूसरे में जा सोई थीं। चोर बेचारा, तमाम जुगराफ़िया दिमाग में बिठलाकर उतरा था, उसे क्या पता था कि, इतनी बड़ी-बूढ़ी पुरखिन, जगह बदल लेगी। खैर, बुढ़ापे की नींद ठहरी, चोर के दबे पाँवों की आहट से भी खुल गई।

''कौन ?'' माँजी ने इतमीनान से पूछा।

''जी, मैं'', चोर ने युगों से चला आ रहा, पारंपरिक, असंगत जवाब दिया।

''पानी पिला'', माँजी ने कहा।

''जी मैं... ?'' चोर झिझककर रह गया।

तब तक माँजी बिस्तर के बराबर में टटोलकर देख चुकी थीं, लोटा खाली था। ''ऐसा कर'', उन्होंने कहा, ''यह लोटा ले और कुएँ से पानी भर ला। पर देख, कपड़ा कस कर बाँधे रखियो और तरीके से छानियो।''

चोर घबरा गया। अँधेरे में इन्होंने कैसे जाना कि उसके मुँह पर कपड़ा बँधा है। और कमर में भाँग। भगवान से उनका तार जुड़े होने की खबर उसे थी पर बुढ़िया भाँग भी छानती होगी, एकदम यकीन न हुआ। इसी से कुछ हैरान-परेशान हो उठा।

''जल्दी कर भाई'', तभी माँजी ने कहा, ''बड़ी प्यास लगी है।''

''पर मैं तो चोर हूँ'', मारे घबराहट और धर्मसंकट के चोर सच कह गया।

''हुआ करे'', माँजी ने कहा, ''प्यासे को पानी तो पिला। पर देख, मेरा धरम न बिगाड़ियो, लोटे के मुँह से कपड़ा न हटाइयो। हाथ रगड़कर धो लीजो और पानी कपड़े से छानकर भरियो।''

''आप चोर के हाथ का पी लोगी ?''

''कहा न रगड़कर धो लीजो। सब नाच-गाने में लगे हैं। तेरे और भगवान के सिवा कौन धरा है, जो पिलाएगा।''

भगवान वहीं कहीं उसके बराबर में धरे हैं, सुनकर चोर कुछ ऐसा अकबकाया कि लोटा उठाकर चल दिया। पूरी एहतियात के साथ, पानी भरकर लौटा तो, पहरेदार ने धर-दबोचा। कुएँ पर देख लिया गया था।

तब माँजी ने लोटे का आधा पानी खुद पीकर, बाकी चोर को पिला दिया और कहा, ''एक लोटे से पानी पीकर हम माँ-बेटे हुए। अब, बेटा, चाहे तो तू चोरी कर, चाहे खेती।''

बेटा बेचारा किस लायक रह गया होगा। सो रोमांचक धंधा छोड़, खेती से लगा। सालों-साल लगा रहा। जब मैंने उसे देखा तो बड़ा भलामानुस बूढ़ा लगा मुझे, डरा-डरा-हैरान सा।

अब खानदानी विरासत कहिए या जीवाणुओं का प्रकोप, उन दो सनकी बुढ़ियों के बीच मैं अच्छी फँसी। एक तरफ़, माँजी के चलते, अपने लड़की होने पर कोई हीन भावना मन में नहीं उपजी। दूसरी तरफ़, नानी के चलते, देश की आज़ादी को लेकर नाहक रोमानी हो रही।

15 अगस्त, 1947 को, जब देश को आज़ादी मिली, या कहना चाहिए, जब आज़ादी पाने का जश्न मनाया गया तो, दुर्योग से, मैं बीमार थी। उन दिनों, टाइफाइड खासा जानलेवा रोग माना जाता था, इसलिए मेरे तमाम रोने-धोने के बावजूद, डॉक्टर ने मुझे, इंडिया गेट जाकर, जश्न में शिरकत करने की इजाजत नहीं दी। चूँकि डॉक्टर अपने नाना के परम मित्र, उनसे ज़्यादा नाना थे, इसलिए हमारे पिताजी, जो बात-बात पर सत्ताधारियों से लड़ने-भिड़ते फिरते थे, चुप्पी साध गए। मैं बदस्तूर रोती-कलपती रही, क्या कोई बच्चा इकलौती गुड़िया के टूट जाने पर रोया होगा। मेरी उम्र तब नौ बरस की थी, इतनी छोटी नहीं कि गुड़िया से बहलती और इतनी बड़ी नहीं कि डॉक्टरी तर्क समझती। तंग आकर पिताजी मुझे 'ब्रदर्स कारामज़ोव' उपन्यास पकड़ा गए। किताबें पढ़ने का मुझे मिराक था। सो, जब कुछ देर बाद मैंने देखा कि, पिताजी को छोड़कर, घर के बाकी सब प्राणी पलायन कर चुके थे, और पिताजी दूसरे कमरे में बैठे, अपनी किताब पढ़ रहे थे तो रोना-धोना छोड़कर, मैंने भी किताब खोल ली। एक बार शुरू कर लेने पर, उसने मुझे इतनी मोहलत नहीं दी कि दुबारा रोना शुरू करूँ या कोई और काम पकड़ूँ। उस वक्त 'ब्रदर्स कारामज़ोव' मुझे देने में क्या तुक थी, तब मेरी समझ में नहीं आई। किताब कितनी समझ में आई, वह अब तक नहीं जानती, क्योंकि उसके बाद इतनी बार पढ़ी कि सारे पाठ आपस में गड्डमड्ड हो गए। कितना पहली बार में पल्ले पड़ा, कितना बाद में, कहना मुश्किल है। पर इतना विश्वास के साथ कह सकती हूँ कि, उसका एक अध्याय, जो बच्चों पर होने वाले अनाचार- अत्याचार पर था, मुझे पहली बार में ही लगभग कंठस्थ हो गया था। उम्र के हर पड़ाव पर, वह मेरे साथ रहा और मेरे लेखन के एक महत्त्वपूर्ण भाग को प्रभावित करता रहा। जैसे जादू का 'कालीन' मेरा नाटक; 'नहीं' व 'तीन किलो की छोरी' जैसी कहानियाँ; व 'कठगुलाब' उपन्यास के कई अंश।

'ब्रदर्स कारामज़ोव' के भीतर जो था, उससे अलग; पढ़ने के लिए उसे दिया जाना भी, अपने में सीख लिये हुए था। उसे आत्मसात् करने में मुझे वक्त लगा। पर देर-सबेर समझ में आ गया कि अन्य प्रबुद्ध लोगों की तरह, पिताजी का भी, आज़ादी मिलने से पहले ही, उसे पाने के तरीके और मिलावट भरी प्रकृति से, मोहभंग हो चुका था। आज़ादी के दिन, मेरा रोना-झींकना उन्हें टूटी गुड़िया के लिए विलाप-जैसा प्रतीत हुआ होगा। मोहभंग को जीने के लिए, मौत और ज़िंदगी के बीच झुलाती जानलेवा बीमारी से जूझने से ज़्यादा हिम्मत की ज़रूरत होती है; यह समझकर, उसे जुटाने में मदद पाने के लिए, वे मुझे 'ब्रदर्स कारामज़ोव' दे गए थे।

उस मोहभंग का सिलसिला, 1935 में शुरू हो गया था, जब हर तरह का समझौता करके, अंतरिम सरकार बनी थी। फिर, 1942 में, जनता की उत्कट, त्यागमय भागीदारी को नकारकर, आज़ादी की लड़ाई वापस ले ली गई थी। तभी से, व्यवस्था में समूल परिवर्तन लाने वाली क्रांतिकारी स्वतंत्रता का उदात्त लक्ष्य, घटकर सत्ता-हस्तांतरण बनकर रह गया था।

1947 में जब राजनीतिक सत्ता, अँग्रेज शासकों और उनके भारतीय फ़रमाबरदारों के हाथों से निकलकर, वापस उन्हीं भारतीयों और उनके फ़रमाबरदारों के हाथों में चली गई, तो औसत हिंदुस्तानी, हाशिये में ही फिंका रहा। उसके लिए, आज़ादी के पूर्व और उत्तर एक जैसा था। बस, हर संभव आशा और स्वप्न के टूटने ने, उत्तर काल को अधिक नैराश्यपूर्ण बना दिया। हर तरफ़ से कुंठित और हताश होकर, वह अकर्मण्य बन गया। टूटन से निबटने का उसके पास एक ही तरीका था; अपने लिए सोचना, सपने देखना, भविष्य-योजनाएँ बनाना बंद करके, किसी नेता के निर्देश पर कठपुतली की तरह जीना। अधिकार माँगने के साथ ज़िम्मेवारी उठाने से भी इन्कार करना।

व्यक्ति पूजा तो हम आज़ादी के पहले भी करते आए थे। अहिंसा का नारा भी हमने, बिना उसे आत्मसात किए, आँखें मूँदकर, अनुसरण-भर करने को लगाया था। यह ठीक है कि, जिन व्यक्तियों की हम तब पूजा करते थे, उनका व्यक्तित्व, आज के नेताओं के मुकाबले, अधिक उदात्त था। लक्ष्य भी अधिक महान था; पूरे देश की आज़ादी अहिंसात्मक आंदोलन द्वारा प्राप्त करने का लक्ष्य। पर उनके उदात्त होने से हमारी अकर्मण्यता कम नहीं होती। जब हम कहते हैं कि हमें आज़ादी, साबरमती के संत ने दिलवाई या आनंद भवन के राजा ने दिलवाई तो, उससे, उनकी महानता का परिचय ही नहीं होता, हमारी लघुता का भी होता है। धीरे-धीरे आज़ादी के बाद, हमारे नेता कम उदात्त होते गए। लक्ष्य, देश की आज़ादी और विकास से हटकर, निरंकुश सत्ता-प्राप्ति हो गया। तब भी हम उन्हें उसी तरह पूजते रहे। बस पूजा, वास्तविक श्रद्धा पर आधारित न रहकर, कर्मकांड में बदल गई।

व्यक्तिपूजा का एक असर यह हुआ कि, मध्यवर्ग ने अपनी बुद्धि व शिक्षा-दीक्षा का प्रयोग, पैसा बटोरने के लिए करना शुरू कर दिया। पहले चालीस-पचास सालों में, प्रबुद्ध, शिक्षित वर्ग का एक बड़ा हिस्सा, डूबते जहाज को छोड़ भागते चूहों की तरह, देश से पलायन कर गया। पिछले चार-पाँच बरसों में यह पलायन कम हुआ है तो सिर्फ़ इसलिए कि, देश में खुला बाज़ार बनने के बाद, भागने की ज़रूरत नहीं रही। यहाँ रहते हुए भी, समाज से कटकर, आत्मरत उदासीनता में डूबे रहकर, पैसा बटोरा जा सकता है। आज, हमारे देश में, बढ़ोतरी, सफलता, संस्कृति, सबकी एक ही परिभाषा है। अधिकतम मुद्रा-लाभ।

मेरे पिताजी कहा करते थे, आज़ादी मिली तो ठीक; पर नेताओं को जेल में ही रहने दो। या चलो, आश्रम खोल दो उनके लिए। वहाँ रहें, चिंतन-मनन करें, आत्मकथाएँ लिखें-लिखवाएँ, इतिहास और राजनीति में दर्शन का घालमेल करके किताबें लिखें, नैतिक उपदेश दें। बस, देश को बचाना है तो सत्ता से दूर रहें। देश की रोज़मर्रा की विकास यात्रा को संचालित करने की कार्यदक्षता और व्यवहारिक बुद्धि, उनमें नहीं है। सच, ज़रूरी नहीं है कि, जो विद्रोह का संचालन करे या विरोध की राजनीति करे, वह प्रबंधन और संयोजन भी जानता हो और देश का सुघड़ संचालन कर सके।

गांधीजी भी यही कहते थे। कांग्रेस का काम पूरा हुआ। अब उसका विघटन करके, नई राजनीतिक पार्टी शुरू करो, जिसका लक्ष्य रामराज हो, यानी, उत्तम शासन और नैतिक संचालन हो। तमाम व्यक्ति पूजा की परंपरा के बावजूद, उनकी राय नहीं मानी गई, बल्कि उन्हें ही पूजा की वेदी से स्खलित कर दिया गया। तब तक उनके भक्तों के मुँह सत्ता का ख़ून लग चुका था और उस जैसा नशा, दुनिया के किसी अन्य पदार्थ या द्रव्य में नहीं होता। मेरे पिताजी गांधीजी से, इस मामले में, एकमत थे, इसलिए उन्होंने उस नशे को मुँह से लगाने की पेशकश ही

नहीं की।

पिताजी का आचरण देखकर, उनके मुँह से तमाम विश्लेषण-विवेचन सुनकर, आज़ादी की मेरी पुश्तैनी सनक, रफ़्ता-रफ़्ता संतुलित और परिपक्व हुई। फिर 1975 में देश में इमरजेंसी लगी। व्यक्ति-पूजा का ज़हर सिर चढ़कर बोलने लगा। विडंबना यह हुई कि इंदिरा गांधी ने खुद इलैक्शन घोषित करके इमरजेंसी का पत्ता काट दिया। इसलिए नहीं कि लोकतंत्र में उनका विश्वास था बल्कि इसलिए कि वे लोकतंत्र को अपनी मर्ज़ी का स्वरूप देना चाहती थीं। और गुप्तचर सेवा ने उन्हें विश्वास दिलवाया था कि, जनता उन्हें इतना पूजती है कि, इलैक्शन में उन्हें जिता कर रहेगी। वे जनता से इतनी दूर हो चुकी थीं कि उन्होंने इस पर झट यकीन कर लिया। लोकमत से नियुक्त हुई तानाशाह की नायाब मिसाल बनने का मोह वे छोड़ नहीं पाईं। अप्रैल 1976 में, इमरजेंसी के हटने से पहले, दुहरा मोहभंग झेलते हुए, पिताजी की मृत्यु हो गई। उसके बाद जब इमरजेंसी हटी और 1977 में इलैक्शन हुए तो एक बार फिर, मैंने वही रोमांच महसूस किया, जो बचपन में आज़ादी के दिन किया था। एक बार फिर, वह मोह खंडित हुआ, जब ग़ैर-कांग्रेसी पार्टी, लोकतंत्र के तमाम सिद्धांतों को धता बतला कर खुद धराशायी हो गई, और इमरजेंसी की नायिका, दुबारा, राजगद्दी पर आसीन हुई। 1976 से 1980 तक के, उस ज़बरदस्त कशमकश और ऊहापोह के दौर में, बार-बार, मुझे, पिताजी की कही बातें याद आती रहीं और मुझसे उपन्यास 'अनित्य' लिखवा ले गईं। जब इमरजेंसी हटी तो मुझे लगा, काश, पिताजी यह देखने को ज़िंदा रहे होते। जब साल भर के भीतर, सत्ता-लाभ का नग्न-नृत्य फिर से शुरू हुआ और देश को अराजकता के शीर्ष पर पहुँचा गया तो लगा, अच्छा हुआ, एक और मोह-भंग झेलने को वे नहीं बचे। फिर लगा, मोह तो केवल मेरा है। वे तो उससे कब के निजात पा चुके थे। एक बात फिर भी कहनी पड़ेगी लोकतंत्र का कोई एक स्वरूप हमारे यहाँ बचा ज़रूर रहा है; चाहे वह कितना भी विकृत क्यों न हो। तब सवाल उठता है, क्या यही रूप हमारे राष्ट्रीय चरित्र के अनुकूल है ?

यहाँ पर मुझे राजीव सक्सेना की कही बात याद आ रही है। लिखने जा रही थी कि सुना, वे नहीं रहे। आज़ादी के लिए लड़ने वालों में अब बचे ही कितने हैं। बहुत बरस पहले, उन्होंने मुझे बतलाया था, वे कांग्रेस छोड़कर कम्युनिस्ट पार्टी में क्यों गए। जब वे जेल में थे तो उन्होंने देखा कि कांग्रेस और कम्युनिस्ट पार्टी के सदस्यों के आचरण में एक महत्त्वपूर्ण अंतर था। कांग्रेस में भयानक असमानता थी। नेतागण, सब सुविधाएँ, स्वयं हस्तगत कर लेते थे; आम कार्यकर्त्ताओं के हाथ कुछ नहीं आता था। इसके विपरीत, कम्युनिस्ट पार्टी के सदस्य, मिल-बाँटकर चीज़ों का उपयोग करते थे। उन्हें लगा, जेल के भीतर, आज़ादी की लड़ाई लड़ते हुए, यह हाल है तो, बाद में क्या होगा। उस वक्त सुन कर लगा था, उनके पास, यानी हमारे पास कोई विकल्प था। कालांतर में वह विकल्प भी हमने खो दिया। सत्ता मिलने पर कम्युनिस्ट पार्टी भी औरों की तरह हो गई। ऐसा क्यों हुआ ? यह हमारा चारित्रिक दोष था या सत्ता-प्राप्ति की अवश्यंभावी परिणति ?

कभी-कभी लगता है, हमारे देश का राजनीतिक और राष्ट्रीय चरित्र, क्रांति की संपूर्ति को असंभव बनाता है। हमारा पूरा इतिहास इसका गवाह रहा है। अपवादस्वरूप, छिटपुट विरोध होते हैं पर व्यापक व सामूहिक रूप से, हम केवल व्यक्ति-पूजा कर सकते हैं। चूँकि जब भी कोई व्यक्ति, पूजा जाने लगता है, तो वह अपने मान-सम्मान को देश के ऊपर रखने लगता है, इसलिए हम महान हस्तियाँ तो बना सकते हैं, व्यवहारिक रूप से देश को प्रगति की राह पर ले जाने वाले, कार्यदक्ष नीतिज्ञ नहीं। समाजवाद का सपना इसलिए हमारे लिए सपना ही बना रहा। बल्कि, कहना चाहिए कि, सपने से विकृत होकर दुःस्वप्न बन गया। मुझे लगता है, अमरीका की तर्ज पर, बाज़ार से संचालित समाज, हम, फिर भी, शायद बना लें, क्योंकि पैसे का हमारे लिए बहुत महत्त्व है और हमेशा से रहा है। दान देकर परलोक सुधारना और दहेज देकर वर खरीदना, हमारी संस्कृति के अभिन्न अंग हैं। बाज़ारवाद और किसे कहेंगे ? यह सही है कि हमारे यहाँ, उन लोगों की इज्ज़त भी ख़ूब रहती आई है, जो महाप्रतापी पैसे के प्रकोप से अछूते रह कर, अपरिग्रह में आस्था रखते आए हैं। विद्वान, विद्वान माने जाने वाले ब्राह्मण, शिक्षक, कलाकार, साहित्यकार, याचक, ज्ञानी, संन्यासी; सब इसी श्रेणी में आते हैं। ऐसी ही इज्ज़त, मौज-मज़े में विश्वास रखने वाली संस्कृति में, सैक्स से परहेज़ करने वाले, पादरियों या ननों को मिलती आई है। जो रुतबा, एक नन का, पश्चिमी समाज के जनमानस और सत्ता-केंद्रों में रहता आया है, शायद ही कभी अपने यहाँ किसी साधारण भिक्षुणी का हुआ हो। उनके विरोध

की हिम्मत करने वालों की इज्ज़त होती ही इसलिए है, क्योंकि, पैसा या सैक्स, महाप्रतापी माने जाते हैं। उनका नकार अद्भुत रस का संचार करता है, वैसे ही, जैसे कोई अलौकिक चमत्कार करता है। अपनी इच्छा से पैसे के प्रभुत्व को नकारना इसलिए और चमत्कारी और पूजनीय बनता है, क्योंकि समाज का बहुसंख्यक भाग, ज़बरदस्ती, विकल्पहीन अवस्था में, पैसे के बिना रहने पर मजबूर है। जो अभावग्रस्त हैं, वे भगवान भरोसे जीते हैं, भगवान में आस्था रखते हैं, क्योंकि इस आस्था का उनके पास और कोई विकल्प नहीं है। पर जो अभावग्रस्त नहीं है, संपन्न है, उस अल्पसंख्यक भाग के लिए, भगवान, धर्म, संस्कृति सबका एक ही अर्थ है, कर्मकांड। कर्मकांड के सिवा कुछ नहीं। और कर्मकांड का आधार हमेशा से पैसा रहता आया है। पैसा और उसे खर्च करके, प्राप्त की गई, दिखावटी दानवीरता। अमरीका की तरह आगे बढ़ने में जो चीज़ हमारे आड़े आती है, वह है हमारा आलस्य। आलस्य में हमारा सानी, दुनियाभर में, नहीं मिलेगा। पर अभावग्रस्त आदमी आलस्य भी नहीं कर सकता। जिस तरह, ज़बरदस्ती, उसे भगवान-भरोसे रहना पड़ता है, वैसे ही, ज़बरदस्ती, उसे अटूट, अथक, अमानवीय परिश्रम भी करना पड़ता है। यानी, हमारे आलस्य को भय या बाह्य अनुशासन ही तोड़ सकता है। फ़ौज में यह भय-मिश्रित अनुशासन होता है, इसलिए वहाँ काम भी होता है। या फिर विदेशों में रहने वाले भारतीय जम कर काम करते हैं, क्योंकि, वहाँ, हीन भावना और असुरक्षा से जन्मे भय का डंडा सदैव बरसता रहता है।

इस सोच-विचार का एक पहलू और था, जिसने 'अनित्य' उपन्यास में अभिव्यक्ति पाई। वह मुद्दा था, अहिंसा के सतही अनुकरण से पैदा हुई दुविधा-जड़ता, जिसने आज़ादी के पहले और बाद के बरसों में, भारतीय मानस को जकड़ रखा था। अहिंसा ऐसा नुस्खा है, जो हृदय परिवर्तन के माध्यम से कारगर होता है। जब हृदय परिवर्तन ही न हुआ, माध्यम ही खोटा निकल गया, तो उपचार के बदले विकार ही उत्पन्न हो सकता था। हुआ यह कि हर गर्दन पर दो चेहरे उग आए। दिखावटी और असली की टकराहट ने जो समग्र रूप बनाया, वह सामाजिक अकर्मण्यता और निजी स्वार्थलोलुपता का था। गांधीजी इस विकार को पहचान गए थे, इसीलिए कांग्रेस के विखंडन की तजवीज़ रखी थी। पर स्वार्थ के चलते, हमारा यह हाल हुआ कि, आज, जब मन्मथनाथ जैसे क्रांतिकारी का निधन हुआ, जो अनुवादक और लेखक भी थे, तो सांस्कृतिक जगत में मौन छाया रहा। क्रांति को आज कोई याद नहीं करना चाहता। विस्मरण की हमारी आदत का पिछले दो दशकों में काफ़ी विस्तार हुआ है। कोई समाज अपने विवेक को तभी जीवित रख सकता है, जब वह केवल उन हस्तियों को ही याद न रखे, जिन्होंने इतिहास बनाया, बल्कि उन्हें भी याद करता रहे, जिन्हें इतिहास रचते-रचते रोक दिया गया; जो तमाम अत्याचार व उपेक्षा के बावजूद, विरोध में डटे रहे और बार-बार शहादत देते रहे। 1980 में लगता था, भगतसिंह, आज़ाद व मन्मथनाथ गुप्त जैसे क्रांतिकारी, हमारी स्मृति में जीवित हैं। पर आज मैं यह सोचने पर मजबूर हूँ कि, अगर भगतसिंह और चन्द्रशेखर आज़ाद की रोमांचक स्थितियाँ और कम उम्र में मृत्यु न हुई होती और लंबी उम्र पा कर आज होती तो उनका भी कोई नामलेवा न होता। चाहे उनके लंबे जीवन काल में उनका आचरण कितना ही अनुकरणीय क्यों न रहा होता। ऐसा संवेदनहीन विस्मरण हमेशा से, ह्रासोन्मुख संस्कृति का द्योतक रहा है। अन्य क्रांतिकारियों को तो पढ़ा-भर था, उनका लिखा हुआ या उनके बारे में, पर मन्मथनाथ जी को, कुछ हद तक, निजी तौर पर जाना भी था। ऐसा कर्मठ, धुन का पक्का, तेजस्वी आदमी मिलना मुश्किल है। मुझे याद है, एक बार मैंने उन्हें एक पत्र लिखा, जो उन्हें नहीं मिला। मेरे पूछने पर कि क्या पत्र मिला था, उन्होंने तत्काल सवाल किया, खुद डाला था ? मैंने कहा, नहीं लड़के से डलवाया था। अपना काम खुद नहीं करोगी तो कैसे होगा। मिला-न-मिला, क्या फ़र्क पड़ता है उन्होंने कहा था। मुझे रोमांच हो आया था। मेरे लिए वह एक यादगार सीख बन गई थी। क्रांति व देशप्रेम की महत बातों को छोड़ भी दें तो मन्मथनाथ जी की कर्मठ दिनचर्या ही अचरज में डालने को काफ़ी थी। हमारे खिलाड़ी व अन्य युवा, अगर उनकी तरह, अपनी देह को अनुशासित रखें तो बार-बार यह सुनने को न मिले कि, शारीरिक ताकत और सहनशक्ति की कमी के कारण, हम आखिरी मंज़िल पर पहुँच कर हार गए। उन्होंने मुझे बतलाया था, किस तरह स्वास्थ्य और मनोबल को बनाए रखने के लिए, वे कारागार की तंग कोठरी के भीतर, एक दीवार से दूसरी दीवार तक, तेज़-तेज़ चला करते थे। उन्हें एकांत कारावास का दंड भी भुगतना पड़ा था, उसमें भी वे उसी तरह दो-चार क़दमों के फ़ासले में मीलों लंबा सफ़र करके, अपना मानसिक व दैहिक संतुलन बनाए रहे थे। जैसे कोई शेर कठघरे को, जंगल

की मानिन्द, पैरों-तले रौंद रहा हो। मेरे पिताजी भी घर के सँकरे बरामदे में उसी तरह चला करते थे। मेरे मन में वह बिंब, गहरे अर्थ लेकर, बस गया था। हर यातना को सह कर, मन-शरीर को बचाकर रखने की अथक कोशिश के पीछे, एक सुनहरे और मशक्कत भरे भविष्य के लिए खुद को तैयार रखने की चाहत थी। जब उस भविष्य की असली दाग़दार सूरत सामने आई तो वह बुलंदपरवाज़ क़वायद, हताश चहलकदमी बन कर रह गई। दस कदम आगे, दस क़दम पीछे, हर क़दम इस दंश से भरा कि पहले ही दस क़दम और आगे क्यों न बढ़ा लिए थे।

मन्मथनाथ गुप्त, दरअसल, उस आलस्य के विलोम थे, जो उबासी की तरह मुँह बाए, हमारी प्रगति को निगलता रहता है। हमारा उन्हें याद न करना; न साहित्यकार की तरह, न ओजस्वी व्यक्तित्व की तरह, न इतिहास बनाने से रोक दिए गए शहीद की तरह, क्या हमारी उस उपेक्षा को नहीं दर्शाता, जो आज़ादी के लिए हमारे मन में घर कर चुकी है?

पिताजी कहते थे, हमें आधी-पौनी, पेबंद लगी आज़ादी, जैसी भी मिली, उसे दिलवाकर नेताओं का काम पूरा हो गया। उसका परिष्कार करके, उसे संपूर्ण और स्वच्छ बनाने की ज़िम्मेवारी, हमारी, यानी देश की जनता की थी। पर हमने ज़िम्मेवारी उठाना सीखा कब था, जो कुछ कर पाते। अंधाधुंध अनुसरण करते आए थे, वही करते गए और जो पाया था, उसे भी खोते गए। हमारी आज की असलियत का सबसे दुखद पहलू यह है कि, तमाम खामियों के बावजूद, आज़ादी मिलने के फ़ौरन बाद, हालात अब से बेहतर थे। नेताओं और जनता के बीच उतनी चौड़ी खाई नहीं थी, जितनी आज है। इसलिए तब आज़ादी, फिर भी, आज़ादी-सी मालूम पड़ती थी।

सबूत के तौर पर, मैं अपने रोज़मर्रा के जीवन में से कुछ अनुभव बयान करना चाहती हूँ। घटनाएँ मामूली हैं, मामूली लोगों के साधारण कार्यकलापों से संबंधित। पर समाज की असली स्थिति ऐसी मामूली घटनाओं में ही प्रतिबिंबित होती है। यही वह इतिहास है, जो पोथियों में बंद न रहकर, जन-साधारण के लिए जीवन को रूपायित करता है।

26 जनवरी 1950 का दिन। देश को आज़ाद हुए ढाई साल हो गए थे पर अभी तक अंग्रेज गवर्नर जनरल के मातहत चल रहा था। अब लोकतंत्र घोषित हुआ, पहला राष्ट्रपति बना। राष्ट्रपति भवन पर खासी ठसकेदार रोशनी हुई। इस बार मैं भली-चंगी थी। सो पिताजी के साथ झिलमिल तमाशा देखने गई। अब तो सेठों की शादियों में बत्तियों का अश्लील प्रदर्शन देख-देखकर बल्ब की क़तारों से वितृष्णा होने लगी है पर तब मामला एक बार फिर, आज़ादी के जश्न का था। आज़ादी भले आधी-पौनी मिली हो, लोकतंत्र का गठन, दुबारा, मोह को पल्लवित कर गया था। यूँ भी मोहभंग वयस्कों का हुआ था। मेरा बाल-मन पूरी तरह उत्साह से भरा हुआ था। मेरी माँ भी मन से बच्चा बनी रही थी, सो अपने छह बच्चों और एक बीवी को लेकर पिताजी रोशनी दिखाने चले। राष्ट्रपति भवन पहुँचने तक, यातायात संबंधी, अनेक प्रतिबंध सामने आए। अपने स्वभाव के विरुद्ध, पिताजी ने नए युग की शुरुआत का मान रखते हुए, उन्हें बड़े सलीके से शिरोधार्य करके, पार किया। राष्ट्रपति भवन पर कड़ा पहरा था। चारों तरफ़ पुलिस की वर्दियाँ नज़र आ रही थीं। पिताजी का धैर्य चुकने को आया था। जब एक पुलिस अफ़सर ने उन्हें मुख्यद्वार पार करके, गाड़ी भीतर ले जाने से रोका तो आखिर, वह चुक गया। दरअसल, माँ पैर के थ्रोम्बोसिस से पीड़ित थीं, तभी-तभी बिस्तर छोड़कर, सहारे से गाड़ी तक जाने लायक हुई थीं, पर नीचे उतरकर, पैदल चलने के काबिल नहीं थीं। उनकी बीमार देह में कैद उत्साहित मन की लाज रखने के लिए, भीतर गाड़ी ले जाना ज़रूरी था, सो पिताजी ले गए। पुलिस के सिपाही चीखते-चिल्लाते रहे और पिताजी, बीच का गलियारा पार करके, ऐन रिहायशी भवन के सामने दाएँ-बाएँ गाड़ी घुमाते रहे। माँ को, जैसे, हर बल्ब दिखलाने को कृतसंकल्प हों। हम सभी भाई-बहिन, डरे-सहमे बैठे रहे थे। घर लौट कर साँस आई थी तो पूछा था, आप पुलिसवालों की बात क्यों नहीं सुनते। ज़ाहिर है वह पहला मौका नहीं था। क्या करें, उन्होंने कहा था, पुलिस का सिपाही देखते ही ख़ून सिर चढ़ जाता है। इतने बरस इनसे लड़ाई की कि आदत पड़ गई। अब यह भी काफ़िर मुँह को लगी छूटती नहीं। असल बात यह नहीं थी कि पिताजी ने नियम-क़ायदे तोड़े थे, असल बात थी कि ऐसा करने के लिए, उन्हें अपने वी.आई. पी होने का दम नहीं भरना पड़ा था। जो किया, आम नागरिक की तरह। ऐसे अनेक अनुभवों में से सबसे यादगार संस्मरण 1965 का है, जब ज़ाकिर हुसैन साहब उप-राष्ट्रपति हुआ करते थे और डॉ. राधाकृष्णन, राष्ट्रपति।

उन्हीं दिनों, दिल्ली की वनस्थली 'रिज' को काट-छाँट कर, विवादास्पद रवीन्द्र रंगशाला का निर्माण हुआ था। उसके उद्घाटन

के समय, किसी सांस्कृतिक कार्यक्रम का आयोजन था; डॉ. ज़ाकिर हुसैन, मुख्य अतिथि थे। रिज की वन-संपदा को नष्ट किए जाने के पूरी तरह खिलाफ़ होने के बावजूद, या शायद उसी वजह से, पिताजी देखना चाहते थे, कि, आखिर वह क्या बला है, जिसके लिए इतनी अमूल्य संपदा नष्ट की गई है। मेरा उन दिनों गर्भ का नौवाँ महीना चल रहा था। मैं नियम से रोज़ाना दो-तीन मील, सैर करने जाया करती थी। पिताजी ने सोचा, मुझे साथ ले लेंगे तो एक पंथ दो काज हो जाएँगे। घूमने का घूमना और रंगशाला का दुतरफ़ा जायज़ा। खुद पिताजी भी लंबी सैर के क़ायल थे, मधुमेह और हृदयरोग के चलते होना पड़ा था। सो हम लोग गए। उन दिनों भी, आज की तरह, हम हिंदुस्तानियों को विदेशी चीज़ों की नकल करने में गर्व महसूस होता था। अपनी आधुनिक इमारतों की वास्तुकला को, ख्यात, प्राचीन, विदेशी वास्तुशिल्प के नमूनों से प्रेरणा लेकर ढ़ालने का खासा फ़ैशन था। रवीन्द्र रंगशाला को ग्रीक एम्फ़िथियेटर की तर्ज पर बना हुआ बतलाया जा रहा था। हमने भी सुना था। पर चूँकि ऐसी उपमा-सुशोभित बातें सुनाई देती ही रहती थीं इसलिए उस पर गंभीर रूप से विचार नहीं किया था। कर लिया होता तो शायद जाना टाल जाते।

वहाँ पहुँचने पर पाया कि, वाकई, ग्रीक एम्फ़िथियेटर की तर्ज पर, रंगशाला का मंच, पतीली-नुमा, गोलाकार सीढ़ियों के दरम्यान, नीचे गर्भ में बना हुआ है। मंच के पास, उम्दा समझी जाने वाली सीटों पर पहुँचने के लिए, बेशुमार सीढ़ियाँ उतरनी होंगी। हम उतरने लगे। थोड़ी देर में मेरी समझ में आ गया कि, मेरी अवस्था में, दो-तीन मील सपाट ज़मीन पर चलना और सैकड़ों खड़ी सीढ़ियाँ एक-एक करके नीचे उतरना दो अलग कारनामे थे। कुछ देर तो ऐंठ और शर्म में मैं चुप रही पर जब साँस उखड़नी शुरू हुई तो सोचा, पिताजी से कहूँ। पर इससे पहले कि मैं कुछ कह पाती, पिताजी को खुद एंजाइना दर्द का दौरा आ गया। उन्हें सीने को हाथों से दबाए बदहवास देखा तो समझ गई कि, अब, अपनी उखड़ी साँस का ज़िक्र किया तो वे समझेंगे, मैं उन पर दया भाव दिखला रही हूँ। लिहाजा, हम दोनों, बदहवास बेहाल, नीचे उतरते गए। जब आँखों के आगे बिल्कुल अँधेरा छा गया तो पिताजी जहाँ थे, वहीं बैठ गए। मैंने देखा, वे मंच के फ़र्श पर, पैर नीचे लटकाकर बैठे हैं। मैं ज़रा झिझकी, फिर उनकी देखा-देखी, वहीं बराबर में बैठ गई। मंच पर राजसी ठाठ की कुर्सियाँ सजी हुई थीं। ज़ाहिर था कि उप-राष्ट्रपति आदि, को उन्हीं पर आकर विराजना था। पिताजी ने मुँह में दर्द निवारक गोली डाली, और अपनी पूरी इच्छाशक्ति लगाकर बिगड़ैल दिल को सँभालने लगे। मैं, लंबी-लंबी साँसें भरकर, पेट में मच रही उथल-पुथल को थामने लगी। तभी, एक सुरक्षा कर्मचारी दौड़ा हुआ आया और पिताजी से बोला, ''आप यहाँ नहीं बैठ सकते।''

पिताजी हाथ सीने पर बाँधे-बाँधे, निहायत ठंडे और धीमे सुर में बोले ''शटअप''। उस अप्रत्याशित जवाब से बौखलाकर, कर्मचारी पीछे हटा कि ज़ाकिर हुसैन साहब आ पहुँचे। पिताजी को एक बेहद गर्भवती महिला के साथ मंच के फ़र्श पर बैठे देखकर, उन्होंने तनिक भी अचरज ज़ाहिर नहीं किया। चुपचाप, हाथ उठाकर पिताजी को सलाम किया। पिताजी ने भी सीने से एक हाथ हटाकर वापसी सलाम किया। और हम वहीं बैठे रहे। उठे तो तभी जाकर जब, पिताजी ने अपनी हालत पर काबू पा लिया और आयोजन लगभग समाप्ति पर आ गया।

आज के ज़माने में आप इस दृश्य की कल्पना भी नहीं कर सकते। आज तो प्रधानमंत्री के गाड़ियों के काफ़िले के करीब आ जाने पर, गोली तक मार दी जाती है। दरअसल, वी.आई. पी. सुरक्षा का प्रकोप और आम जनता से नेताओं की दूरी की शुरुआत, तब हुई जब लोकतांत्रिक सिद्धांतों को धता बतलाकर 1975 में इमरजेंसी लगाई गई। वरना 1972 में भी, मुझे याद है, पिताजी के नक्शे कदम पर चलते हुए, मैं प्रधानमंत्री इंदिरा गांधी की गाड़ी से लोहा ले चुकी थी। तब मैं कर्नाटक प्रदेश में रहती थी। जब इंदिरा गांधी बेलगाम शहर आई तो, मैं भी, अपने बच्चों के साथ वहाँ गई हुई थी। बच्चे छोटे थे। सड़क पर गहमागहमी देखी तो बच्चे अचानक, मुझे छोड़, दूसरी तरफ़ भाग खड़े हुए। अब मैं मुख्य सड़क के एक तरफ़ थी, मेरे छोटे-छोटे बच्चे, दूसरी तरफ़, और प्रधानमंत्री की गाड़ियों का काफ़िला, सड़क पर, हमारे बीच। बच्चों के पास पहुँचने की जल्दी में, मैं, दौड़कर सड़क पार करने लगी तो सुरक्षा अफ़सर ने मुझे रोका। मैंने बच्चों की तरफ़ इशारा किया और वैसे ही तेज़-तेज़ चलती रही। तब तक इंदिरा गांधी की गाड़ी मुझे छूने लायक दूरी पर आ गई थी। मैंने हाथ से सड़क के एक तरफ़ खड़े बच्चों को दिखला कर, उन्हें गाड़ी रुकवाने का इशारा किया। गाड़ी रुक गई। मैंने पुनः हाथ हिलाकर उनका अभिवादन किया और सड़क

पार कर गई। पाकिस्तान से लड़कर बंगलादेश बनवा लेने का सेहरा सिर बाँधे, इंदिरा गांधी, उन दिनों, अपने पूरे जोम में थीं। पर इमरजेंसी तब तक नहीं लगी थी। टूटा-फूटा, आधा-पौना, जैसा भी था, लोकतंत्र, फिर भी, लोकतंत्र था। कम-से-कम ऊपरी तौर पर, रोजाना के रख-रखाव और जनजीवन के मामले में। आज़ादी कुछ तो आज़ादी-सी मालूम होती थी। इसे दुर्भाग्य कहें या अपनी असफलता कि, जैसे-जैसे समय आगे बढ़ा, हमने बाज़ार की मुक्ति तो गले लगा ली पर राजनीतिक आचरण और व्यवस्था में, लोकतांत्रिक कम, तानाशाह ज़्यादा होते चले गए। खुला बाज़ार, जब राजतंत्र की तानाशाही के साथ आता है तो, वह अपना खुलापन बरकरार नहीं रख पाता। विज्ञापन तंत्र उस पर हावी होता ही है, राजतंत्र का भ्रष्टाचार भी हावी हो जाता है। दोनों के बीच औसत आदमी तो पिंसता ही है, बुद्धिजीवी भी निरस्त होता चला जाता है।

अपने निजी जीवन में कोई व्यक्ति अत्यधिक उदात्त और महान् हो सकता है। हमारे मन में उसके लिए असीम श्रद्धा और आदरभाव हो सकता है। पर ज़रूरी नहीं है कि उसकी नीतियों या सिद्धांतों से भी हम सहमत हों। असहमत होने का मतलब यह नहीं है कि, व्यक्ति कम उदात्त हो गया या हमारा उसके लिए आदर कम हो गया। इस साधारण-सी सच्चाई को अनदेखा करने का नतीजा यह हुआ है कि, हमारी संस्कृति एक मुसाहिबी संस्कृति बन कर रह गई है। सब तरफ़ खुशामद, सिफ़ारिश, गुटबाज़ी और हाँ-में-हाँ मिलाने का माहौल है। ऐसे में ईमानदारी एक बेवकूफ़ाना हरकत बनकर रह गई है।

अपने एक अत्यंत श्रद्धेय गुरु का हवाला देकर, इस बात को स्पष्ट करना चाहती हूँ। मैं जब अर्थशास्त्र में एम.ए. कर रही थी तो डॉ. के.एन. राज, दिल्ली स्कूल में इकोनोमिक्स के डायरेक्टर थे। बाद में वे दिल्ली विश्वविद्यालय के कुलपति भी बने। अगर हाड़-मांस का व्यक्ति, वाकई, हीरो या नायक बनकर मन में स्थापित हो सकता है तो वे मेरे एकमात्र हीरो रहे हैं। उन जैसा प्रखर बुद्धि वाला, निष्ठावान, विद्वान, करुणा-संपन्न और उदात्त व्यक्तित्व का धनी शायद कोई दूसरा मिला हो। छात्रों की प्रगति का संकल्प हो; मुसीबतज़दा को सहारा देना हो; जन्मजात अक्षम बच्चे के लिए कैरियर को दाँव पर लगाना हो; अकल्पनीय निष्ठा और इच्छाशक्ति के बल पर बच्चे को, नैसर्गिक कमज़ोरी पर विजय पाने में सक्षम बनाना हो; उच्च शिक्षा संस्थान का प्रयोगात्मक; संयोजन-संचालन हो; हर क्षेत्र में मैं उनके सामने नतमस्तक रही। फिर भी देश के विकास के लिए प्रतिपादित, उनकी आर्थिक नीति से मैं सहमत नहीं हो पाई। न अब, न पहले। द्वितीय पंच-वर्षीय योजना में, उद्योग को राजतंत्र के अधीन रखने की, आर्थिक नीति का सूत्रपात न हुआ होता तो, जिसके एक सूत्रधार डॉ. राज थे, तो हमारा आर्थिक विकास, पचास साल से पिछड़ता नहीं। अपने में समाजवाद, एक उदात्त, न्यायसंगत और आकर्षक अवधारणा है। युटोपिया की तरह, उससे किसी का कोई मतभेद नहीं हो सकता। पर अपने राष्ट्रीय चरित्र और ऐतिहासिक गवाही को नज़रअंदाज़ करके, जब उसे, नामचारे को, सतही और आंशिक रूप से लागू किया गया तो उसका वही हश्र हुआ जो, समझौतों से भरी स्वतंत्रता-प्राप्ति का हुआ था। वह कुछ लोगों के लिए, पैसा और सत्ता बटोरने का साधन बनकर रह गया। राजनीतिज्ञों और नौकरशाही के हाथों में, असीमित सत्ता और अधिकार आया तो, भ्रष्टाचार भी असीमित रूप से उभरा। जनता के हाथ कुछ न आया। न शिक्षा, न स्वास्थ्य-सुविधा, न रोजगार, और न आर्थिक स्वावलंबन। हम न इधर के रहे, न उधर के। जनता अधर में लटकी रही और नेता जेबें भरते रहे।

इसका यह मतलब नहीं है कि, व्यक्तिगत रूप से डॉ. राज का चरित्र कम उदात्त हो गया था, वे, मेरे लिए, कम श्रद्धा के पात्र हो गए। व्यक्ति को व्यक्ति की तरह पूजा जाए, तभी तक ठीक है। जब उसे नीति, सिद्धांत और कार्यप्रणाली के ऊपर रख दिया जाता है तो कार्यदक्षता का ही क्षय नहीं होता, व्यक्ति की भी इतनी क्षति ज़रूर होती है कि, वह देश के लिए बेकार हो जाता है। हमारे यहाँ बराबर यही होता आया है। यही हमारी त्रासदी है कि आज़ादी के बाद के दिनों को, हमें, इस रूप में याद करना पड़ रहा है।

हमारी त्रासदी का एक पक्ष यह भी है कि हमारे यहाँ, जो हाल, मोटे तौर पर, मध्यवर्ग का हुआ, वही बुद्धिजीवियों का भी हुआ। और उनमें लेखक पूरी तरह शामिल रहे। आस्थावान विद्रोह की अगुवाई करने वाले या पैसे और पदवी को ठुकराकर, अद्‌भुत रस का संचार करने वाले, देवेन्द्र सत्यार्थी जैसे लेखक, इक्का-दुक्का ही मिले। लेखकों के गुट, समुदाय, संस्थान खूब बने पर विरोध और विपक्ष से परिभाषित, एकजुट जमात नहीं बनी। आज तो वह ज़माना आ गया है, जब लेखकों से पूछा जाता है कि वे कौन-सी राजनीतिक पार्टी से हैं। तर्क यह दिया

जाता है कि आज, समाज में रहने वाले किसी इंसान की ज़िंदगी, राजनीति से अछूती नहीं रह गई। यानी, चूँकि कोई अकेले उगा-खाकर संतुष्ट नहीं रहता, इसलिए अर्थ के माध्यम से, सत्ता-तंत्र उसे प्रभावित करता है, और वह उसके प्रति दृष्टि रखने को बाध्य होता है। कम-से-कम, अवधारणा तो यही कहती है। पर मूल सवाल है दृष्टि का, और वहीं हम मात खा जाते हैं। जिस देश में राजनीतिक पार्टियों की खुद कोई राजनीतिक दृष्टि नहीं है, सारा खेल कुर्सी हथियाने का है, वहाँ लेखक का राजनीतिक पार्टी से प्रतिबद्ध होना भी; दृष्टि से नहीं, लाभ-प्राप्ति से प्रतिबद्ध होना है। इसमें किसी को शक-शुबहा नहीं है। फिर भी दिखावा चलता रहता है। मज़े की बात यह है कि, राजनीतिक प्रतिबद्धता की बात, ज़्यादातर, वही लेखक करते हैं, जिन्होंने कभी किसी वास्तविक आंदोलन में हिस्सा नहीं लिया। जिन्होंने हिस्सा लिया है, जीवन को दाँव पर लगाकर, विरोध किया है; वे कलात्मक और साहित्यिक मूल्यों और ईमानदारी की बात करते हैं। पर यह तो हर देश में, हर युग में होता आया है।

आखिर अजनबियत का पाठ पढ़ाने के लिए, हिंदी साहित्य जगत में, व्यक्तिवादियों की तरह कुख्यात, सार्त्र और कामू भी, फ्रांसीसी रेजैज़्टैंस में जम कर लड़े थे।

□

भक्तिकाव्य और हमारा समय*

प्रेमशंकर

किसी रचना की सार्थकता का एक गुण यह भी कि वह अपने समय की उपज होकर भी, उसे पार कर सकने की क्षमता रखती है और इस प्रकार लंबे काल-प्रवाह में अपनी उपस्थिति का बोध कराती है। भक्तिकाव्य का मुख्य वृत्त कई शताब्दियों में फैला है—चौदहवीं शती से सत्रहवीं शती तक, जिसे सामंती समय भी कहा गया। पर आज भक्तिकाव्य से संवाद कई दृष्टियों से, समझदार पाठक की अनिवार्यता है। स्वाभाविक रूप से यह प्रश्न उठता है कि भक्तिकाव्य सामान्यजन और प्रबुद्ध वर्ग दोनों के लिए कुछ बिंदुओं पर अपरिहार्य क्यों है ? कारण अलग-अलग हो सकते हैं, भावात्मक प्रतिक्रियाओं से लेकर बौद्धिक-टकराहट तक, पर परंपरा के जीवंत अंश की पहचान से पीढ़ियाँ समृद्ध होती हैं, इसमें संदेह नहीं। अपने समय में भक्तिकाव्य पर विचार करते हुए, चार शताब्दियों के मुख्य वृत्त से थोड़ा पीछे की ओर जाना होगा। भक्तिकाव्य की पीठिका में प्रशस्त वैचारिक सक्रियता है, जिसे भक्ति आंदोलन कहकर संबोधित किया गया। तमिल आलवार संतों का समय छठी-नवीं शताब्दी स्वीकार किया जाता है, और इसे भारतीय भाषा में भावनामय भक्ति के आरंभिक उन्मेष रूप में देखा जाता है। इस क्रम में शंकराचार्य का प्रखर व्यक्तित्व है, वैष्णवाचार्यों के प्रस्थानत्रयी-भाष्य, भागवत् की टीकाएँ हैं, जिन्हें भक्ति-आंदोलन की वैचारिक पीठिका कहा जाता है। संस्कृत के बौद्धिक प्रयत्नों के दूसरे छोर पर भारतीय भाषाओं की सक्रियता है। सिद्धनाथ-संत-भक्त का एक क्रम स्थापित करने का प्रयत्न हिंदी आचार्यों ने किया है। भक्तिकाव्य का पुष्ट दार्शनिक-वैचारिक आधार उसकी सर्जनशीलता को रचना दृष्टि देता है, भावानुशासन का कार्य करता है। रचना भावावेश नहीं है, वह अधिक संयत और दायित्वपूर्ण प्रयत्न है। भावलोक वैचारिक दृष्टि से संयमित होता है, कठिनाई तब आती है जब वह दर्शन-विचार से नियंत्रित होने की भूल करता है।

भक्तिकाव्य के संदर्भ में आज यह एक नितांत प्रासंगिक प्रश्न है कि कोरा भाववाद रचना में नहीं होता, पर दर्शन-विचार से रचना का संबंध क्या होना चाहिए, किस रूप में ? भक्ति आंदोलन का व्यापक वृत्त है और प्रमुख भारतीय भाषाओं में उसकी उल्लेखनीय रचनाशीलता है, दक्षिण आलवार संतों से लेकर उत्तर के गुरु नानकदेव तक तथा पूर्वांचल में चैतन्य से लेकर मराठी संतों तक। रामानंद जैसे उदार व्यक्ति हैं जो दक्षिण-उत्तर में सांस्कृतिक सेतु का कार्य करते हैं। एक ओर विचारों की विदाई का उत्तर आधुनिकतावादी नारा, दूसरी ओर प्रबल वैचारिक आग्रह हमें भक्तिकाव्य पर नए प्रकार से सोचने-समझने पर बाध्य करते हैं। लोकभाषाओं को प्रमुख रचना-माध्यम स्वीकार कर, भक्तिकाव्य ने किसी सीमा तक स्वयं को पांडित्यपूर्ण तार्किक दार्शनिकता से अलगाने का प्रयत्न किया। तुलसी जैसे कवि भी हैं जो परंपरा के सर्वोत्तम से परिचित हैं, परम प्रतिभावान हैं, चाहते तो पंडिताई, शास्त्र की ओर जा सकते थे, पर इन्होंने अवधी-ब्रज को काव्य-माध्यम रूप अपनाया। संस्कृत के छंद, श्लोक रचना में हैं और भाषा का तत्सम रूप भी पर्याप्त है, वैचारिक प्रसंग भी है। भक्तिकाव्य की वैचारिकता जहाँ भाव-लोक में अनुस्यूत है, वहाँ कविता अपनी

---

* विमला देवी फाउन्डेशन न्यास द्वारा आयोजित द्विजदेव स्मृति व्याख्यानमाला के अन्तर्गत दिया गया व्याख्यान, जुलाई 2000।

सर्वोत्तम मार्मिकता पर पहुँचती है। द्वैत-अद्वैत-विशिष्टता-द्वैत-शुद्धाद्वैत आदि के प्रश्न इस संदर्भ में बहुत प्रासंगिक नहीं प्रतीत होते। नवधाभक्ति की चर्चा है, पर तुलसी में रामानुज, सूर में वल्लभ, कबीर में रामानंद, जायसी में सूफी मत की खोज के आधार पर काव्य-संसार का मूल्यांकन उचित नहीं है। यहाँ भी ध्यान रखना होगा कि यदि विचार एकांगी हैं तो रचना में असंतुलन आता है, और रचनाशीलता का क्षरण होता है। ऐसे अवसर पर रचनाकार से संयमित, संतुलित होने की आशा की जाती है। महान रचनाकारों की पीठिका में विचार-दर्शन की संपदा है, पर यह कहना सही नहीं कि उन्होंने इसी के सहारे रचना में प्रवेश किया है। रचना का मूल आधार तो व्यापक जीवन है, जो संवेदन-जगत को गतिशीलता देता है, उसमें विचार भी संयोजित होते हैं। यह भी विचारणीय कि महान रचनाकारों की अपनी रचना-दृष्टि होती है, जो उन्हें विचारक की कोटि तक पहुँचाती है। महान रचना में विलयन की, समोने की सामर्थ्य होती है तथा उसे कला-क्षमता से प्रस्तुत किया जाता है, काल-प्रवाह में वह दीर्घायु होती है।

भक्तिकाव्य में दर्शन-विचार से कहीं अधिक महत्त्वपूर्ण है, वह 'दृष्टि' जो कवियों ने गहन जीवनानुभव से प्राप्त की है, जिसे हम उनका 'अर्जित सत्य' कह सकते हैं। जीवन-जगत के दृश्य वही होते हैं, पर रचना की दृष्टि उनके अर्थ-अभिप्राय निश्चित करती है। कम रचनाकार होते हैं जो इस जीवन-सत्य की प्राप्ति का दावा कर सकें, और कहें कि यह हमारी रचना-दृष्टि है, जिससे हमने जीवन को देखा-परखा है। तुलसी मानस के आरंभ में ही कविता का गंतव्य निश्चित करते हैं : कीरति, भनिति भूति भलि सोई, सुरसरि सम सब कहहित होई। मध्यकाल में जब मूल्यों का गहरा संकट था, शरीरवाद प्रबल था, मत-मतांतरों ने सत्य को आडंबरों से आच्छादित कर दिया था, तब तुलसी कविता के महत् सांस्कृतिक आशय को स्पष्ट करते हैं, उसे चरितार्थता देते हैं। 'तुलसीदास' में निराला कवि संकल्प व्यक्त करते हैं : करना होगा यह तिमिर पार, देखना सत्य का मिहिर द्वार। काव्य-दृष्टि के निर्माण में विचारों की भी भूमिका होती है, पर एक सीमा तक ही, ऐसा नहीं कि पूर्वग्रह बन जायँ और रचना की उदारता ही खंडित हो जाए। जायसी पर विचारों का आरोपण सर्वाधिक मात्रा में किया जाता है और यह मान लिया गया, जैसे पद्मावत सूफ़ी मत का काव्य-संस्करण है। पर भारतीय लोकप्रचलित कथा इस प्रभाव की सीमाएँ निश्चित कर देती है, और समाज में उस समय व्याप्त यौगिक शब्दावली असमंजस उत्पन्न करती है कि इन दोनों का संयोजन कैसे हो। जायसी का आग्रह प्रेमभाव पर है, जिसके लिए सूफ़ी मत ने एक समग्र दर्शन की परिकल्पना की : प्रेम छाँड़ि नहिं लोन किछु। पर वास्तविकता यह है कि प्रेम संपूर्ण भक्तिकाव्य में अपनी उदारता पर पहुँचकर भक्ति का रूप ग्रहण करता है। राम केवट का स्नेह स्वीकारते हैं : सुनि केवट के बैन प्रेम लपेटे अटपटे, बिहँसे करुनाएन चितै जानकी लखन तन। सूर के कृष्ण ब्रज के प्रति अपना प्रतिदान-भाव व्यक्त करते हैं : ऊधौ मोहिं ब्रज बिसरत नाहीं, ... जबहिं सुरति आवत वा सुख की, जिय उमगत तन नाहीं। कबीर के आक्रोश को प्रायः रेखांकित किया जाता है, यद्यपि उनकी प्रगतिशील दृष्टि को किसी दर्शन-विशेष से संबद्ध कर देखने में कठिनाई होती है। विद्रोह और समर्पण के विरोधी प्रतीत होने वाले भावों में संगति का कार्य संभवतः कबीर के काव्य की सबसे बड़ी चुनौती है, और सचेत कवि ने इसे प्रेम-भाव से पार किया : ढाई आखर प्रेम का पढ़ै सो पंडित होय। रचना में दर्शन-विचारधारा का प्रवेश किस रूप में होता है, होना चाहिए, यह आज भी विचारणीय प्रश्न है। इसमें राजनीति का मुद्दा और जुड़ गया है। राजनीति समग्र जीवन का अंश बनकर रचना में प्रवेश करती है, उसे इस सीमा तक हावी नहीं हो जाना चाहिए कि वह शब्द के संसार को संचालित करने लगे।

जीवन यथार्थ का प्रश्न उन्नीसवीं-बीसवीं शताब्दी में रचना के संदर्भ में तेज़ी से उभरा है। यथार्थ एक व्यापक आशय का शब्द है, जिसकी धारणाओं में परिवर्तन होते रहे हैं। रचना जिस समय-समाज में सक्रिय है, वह उससे पलायन नहीं कर सकती, पर क्या वह केवल विवरण-वृत्तांत देकर अपने कर्तव्य का निर्वाह करती है ? संभवतः नहीं। और इसी बिंदु पर रचना-क्षमता और उसके सांस्कृतिक दायित्व का महत्त्वपूर्ण प्रश्न उठता है। भक्तिकाव्य का मध्यकालीन समाज है, जहाँ दर्शन-विचार के सूत्र किंचित उलझे हुए हैं, बहुत स्पष्ट नहीं है। छद्म, आडंबरवाद समाज में गहरे प्रवेश कर गए हैं, जिसका लाभ कई प्रकार के कर्मकांड उठाना चाहते हैं। प्रज्ञा के दुर्बल होने और गंतव्य के स्पष्ट न होने से इस प्रकार की दुर्घटनाएँ होती हैं। दो प्रमुख जातियों की आरंभिक टकराहट के बाद, जब सांस्कृतिक संवाद का विकास होता है, तो एक नया उदारवाद अग्रसर होता है। मध्यकालीन समाज के कई वर्ग हैं—संपन्न राजवर्ग और उनके संरक्षण में विकसित सामंती समाज। पर यह सत्ता में होकर भी, संख्या की दृष्टि से समाज

का अल्पमत है, जबकि बहुसंख्यक समाज संघर्षरत है। भक्तिकाव्य की चिंता इसी बहुजन समाज को लेकर अधिक है। जीवन यथार्थ का चित्रण करते हुए, वह प्रायः विवरणों में नहीं जाता, मूल कारकों पर उसकी दृष्टि है। सामाजिक विचलन का यह परिवेश इसलिए है क्योंकि 'परमसत्य' के संधान का प्रयत्न नहीं किया गया। सत्य की इस चर्चा में रहस्यवाद शब्द का भी प्रयोग किया जाता है, पर भक्तिकाव्य जीवन से पलायन को स्वीकृति नहीं देता, विराग आदि जो शब्द आते हैं, वे मनोभूमि को उदात्ततम स्तर तक ले जाने के लिए। तुलसी ने कलिकाल के माध्यम से प्रकांतर से मध्यकालीन यथार्थ का संकेत किया है : भोग-विलास, मिथ्याचरण, आडंबर, चतुर्दिक मूल्यहीनता। महाकवि ने इसे 'दुकाल' कहा है : 'कलि बारहि बार दुकाल परै, बिनु अन्न दुखी सब लोग मरै।' और सारी मर्यादाएँ विलीन हो गई हैं। जिन तुलसी पर ब्राह्मणवाद के समर्थन का आरोप लगाया जाता है, उनकी टिप्पणी है कि तथाकथित बुद्धिजीवी वर्ग अपने सांस्कृतिक दायित्व के निर्वाह में चूक गया : तिन्ह की मति रिस राग मोह मद, लोभ लालची लीलि लई है (विनयपत्रिका)। काकभुशुण्डि उत्तरकांड में विस्तार से कलिकाल के माध्यम से अपने समय की दुर्दशा का वर्णन करते हैं : सुनु खगेस कलि कपट हठ दंभ द्वेष पाषंड/मान मोह माराफि मद ब्यापि रहे ब्रह्मांड।

कबीर में समय का यथार्थ आक्रोश के साथ व्यक्त हुआ है, और यहाँ व्यंग्य की धार बहुत तीक्ष्ण है। प्रायः कहा जाता है कि उनकी सर्वाधिक चिंता दो प्रमुख जातियों के सौमनस्य को लेकर है और वे दोनों की अनुदारता की भर्त्सना करते हैं। पर विचारणीय यह कि कबीर मूल कारकों तक जाते हैं कि आखिर यह स्थिति क्यों आई ? उनका क्षोभ आडंबरी कर्मकांड और अहंपरिचालित पुरोहितवाद को लेकर है, जहाँ सत्य बिला जाता है। आग्रह 'मर्म' को जानने पर है : कबिरा लड़ि लड़ि दोऊ मुए, मरम काहू न जाना। कवि का आग्रह अनुभव-ज्ञान पर है जिससे सत्य का मार्ग प्रशस्त होता है। इसे प्राप्त करने के लिए सच्चे ज्ञान मार्ग पर चलना होगा, जिसे तुलसी ने 'विमल विवेक' कहा। ज्ञान के मार्ग से चलकर प्रेम, भक्ति के सत्य तक पहुँचा जाता है। जायसी में जीवन लोक संवेदन के माध्यम से व्यक्त हुआ है, इसलिए वहाँ यथार्थ की सूक्ष्म रेखाएँ ही आ सकी हैं। तुलसी में ग्राम जीवन अपने सुख-दुख में उपस्थित है। सूर में ब्रजमंडल अपनी रागमयता में आया है, कृषि-चरागाही संस्कृति का प्रतिनिधित्व करता। सचाई यह है कि भक्त कवियों ने अपने समय के यथार्थ को संवेदन-स्तर पर पहिचाना, तात्कालिक विवरणों से आगे बढ़कर। इसीलिए उनमें यथार्थ की खोज में कठिनाई होती है। जायसी में आग्रह शरीरवाद को अतिक्रांत करने में है। इसीलिए नागमती साधक रत्नसेन का वरण करती है, अलाउद्दीन, देवपाल जैसे लोभियों को ठुकरा देती है। गोपियाँ कृष्णार्पित हैं। मार्ग अलग-अलग प्रतीत हो सकते हैं, पर भक्तिकवि पात्रों, स्थितियों के माध्यम से समय की वास्तविकता व्यक्त करते हैं। इस प्रक्रिया में वे पुरागाथा को नए संदर्भ देते हैं। यहाँ रावण, कंस आदि जिन आसुरी प्रवृत्तियों का प्रतिनिधित्व करते हैं, उनसे टकराने के लिए राम-कृष्ण को नई दीप्ति दी गई।

वैविध्य का नाम जीवन है और अनेक मिली-जुली स्थितियों से यह वृत्त पूरा होता है। रामचरितमानस में संत-असंत की चर्चा विस्तार से आई है, एक से अधिक बार। इसके मूल में महाकवि के कई प्रयोजन हो सकते हैं। पर इतना निर्विवाद है कि वे जगत की जटिल स्थिति स्वीकार करते हैं : उपजहिं एक संग जग माहीं, जलज जोंक जिमि गुन बिलगाहीं। पाप-पुण्य का विभाजन प्राचीन महाकाव्यों की परंपरा में स्वीकृत है, पर तुलसी संत समाज को भक्ति से संबद्ध करते हैं : मुद मंगलमय संत समाजू, जो जग जंगम तीरथराजू। संतों का वर्णन गुण-समुच्चय के रूप में किया गया है। वाल्मीकि कहते हैं : काम कोह मद मान न मोहा, लोभ न छोभ न राग न द्रोहा/जिन्ह कें कपट दंभ नहिं माया, तिन्ह कें हृदय बसहु रघुराया। यह एक आदर्श स्थिति है, जिसे भक्त कवियों ने अपनी दृष्टि के अनुसार निर्मित किया है। मीरा अलौकिक पति का वरण करती हैं : मेरे तो गिरधर गुपाल दूसरो न कोई। यहाँ वे देहवाद को अतिक्रांत करती हैं, जिसे कबीर ने 'अमर वह देसवा' कहा है। भक्तिकाव्य में संत-असंत आमने-सामने हैं : बिछुरत एक प्रान हरि लेहीं, मिलत एक दुख दारुन देहीं। जीवन-जगत की जो संरचना है, उसमें यह वास्तविकता है, केवल समय का यथार्थ नहीं, पर एक प्रकार से चिरंतन यथार्थ। हाँ, अनुपात का अंतर हो सकता है। सतयुग से कलियुग तक की परिकल्पना की गई, जहाँ मानवमूल्यों का निरंतर ह्रास हुआ है। भक्त कवियों ने अपने समय को देखा-समझा-परखा। कबीर का एक पद है, जहाँ उनका विक्षोभ रूपक के माध्यम से व्यक्त हुआ है : अब न बसूँ इहि गाऊँ गुसाई। कवियों की पीड़ा है कि कैसा विचित्र समय है कि उच्चतर मूल्य बिला गए हैं, जैसे : कबीर

कलि खोटी भई, मुनियर, मिलै न कोय, लालच लोभी मसकरा तिनकूँ आदर होय।

मध्यकाल में भक्तिकाव्य रचनारत है, जब नगर-सभ्यता का विकास हो रहा था, और खतरा था कि कहीं रचना संपूर्ण नागरीकृत न हो जाए। संभवतः यह प्रश्न अपने ढंग से हर समय में उपस्थित होता है। भक्तिकाव्य में वह ग्राम-नगर का द्वंद्व बनकर आया है, जिस ओर हमारा ध्यान जाना चाहिए। कवियों की चेतना में लोकजीवन है, पर उनकी दृष्टि नगर-समाज की स्थितियों पर भी है, जो सामंत-निर्मित है। अयोध्या-चित्रकूट-दंडकवन, गोकुल-वृंदावन-मथुरा, सिंहलद्वीप-चित्तौड़, काशी-मगहर आदि के युग्म दिखाई देते हैं, अपने क्रियाकलापों के साथ। यहाँ तक कि राजकुल से संबद्ध होकर मीरा कहती हैं : मोंहि वृन्दावन नीको लागत। भारत जैसे कृषि-सभ्यता के समाज में रचना गहरी लोक-संपृक्ति से व्यापक स्वीकृति प्राप्त कर सकती है। भक्तकवि इस तथ्य को जानते हैं, उनकी प्रतिक्रियाओं में अंतर हो सकता है। राम का व्यक्तित्व वनवास में नई दीप्ति प्राप्त करता है, जहाँ संघर्ष प्रबल है। रत्नसेन को एक साथ कई स्तरों पर युद्धरत होना है—योगी साधक से लेकर, रणभूमि तक। सूर के कृष्ण के गोकुल-वृंदावन जीवन में व्यापक लोकछवियाँ हैं। पर गोवर्धन पर्वत प्रसंग उनकी छवि को एक नया आयाम देता है, कृष्ण कहते हैं : छाँड़ि देहु सुरपति के पूजा, कान्ह कह्यौ गिरिगोवर्धन तैं, और देव नहीं दूजा। आचार्य शुक्ल ने बारहमासा के अंतर्गत नागमती के विरह-वर्णन का विशेष उल्लेख किया है। वह पद्मावत का मार्मिक प्रसंग है : कुहुकि कुहुकि जस कोयल रोई; जिउ बाउर मा फिरै गंभीरी। आरंभ में ही नागमती टिप्पणी करती है : नागर काहु नारि बस परा। इसी प्रकार का तीक्ष्ण वक्तव्य सहज-सरल गोपियों का है : वा मथुरा काजरि की कोठरि, जे आवहिं तै कारे। सूर में ब्रजमंडल अपने संपूर्ण संस्कारों के साथ उपस्थित है, कृषक-चरवाहा संस्कृति को उजागर करता, जिसका स्मरण कृष्ण मथुरा-द्वारका जाकर भी करते हैं : ऊधौ मोहि ब्रज बिसरत नाहीं, हंस-सुता की सुंदर कारी अरु कुंजन की छाँही। भारतीय रचना में ग्राम-नगर का यह द्वंद्व संभवतः हर समय में उपस्थित होता है, और ज्यों-ज्यों मध्यवर्ग की संख्या में वृद्धि होगी, नागरीकरण की प्रक्रिया तेज़ होगी, यह प्रश्न जटिल होता जाएगा। रचनाकारों को इस प्रश्न का उचित उत्तर खोजना होगा। रीतिकाल की दरबारी रचना का उदाहरण हमारे सामने है कि प्रतिभाएँ तो हैं, पर लोकसंपृक्ति शिथिल। प्रतिभा सही समापन तक पहुँचकर ही सार्थक होती है।

अपने समय में भक्तिकाव्य से संवाद करते हुए कई प्रश्न उठते हैं, जिनमें एक यह कि उसकी विश्वसनीयता का मूलाधार क्या है ? देवत्व का मानवीकरण उसे एक नया अर्थ-विस्तार है। टिप्पणी की जाती है कि भक्तिकाव्य को लोकप्रचलित कथाओं का लाभ मिला, जहाँ अवतारवाद की प्रमुखता रही है, पर यह एक प्रकार से सरलीकृत अधूरा साक्षात्कार है। लोकप्रचलित काव्य-नायक राम-कृष्ण लंबे काल प्रवाह में एक ही रूप में विद्यमान नहीं रहते। समय, समाज के दबाव उन्हें प्रभावित करते हैं और उनका व्यक्तित्व नई भंगिमाएँ प्राप्त करता है। जो कवि पुरागाथा, मिथकीय संसार को जितनी अधिक अर्थ-दीप्ति दे पाता है, उसकी मौलिक सर्जन-क्षमता उतनी ही सराहनीय है। रामकाव्य में वाल्मीकि, कालिदास, भवभूति, तुलसी, निराला, नरेश मेहता, भारतभूषण अग्रवाल में राम का नया रूपांतरण होता है। 'अंधायुग' के समापन अंश में भारती का कथन है : हर क्षण होती है प्रभु की मृत्यु कहीं न कहीं, हर क्षण अँधियारा गहरा होता जाता है। भक्तिकाव्य में काव्य-नायकों का लक्ष्य निर्धारित है : उच्चतम मानवमूल्यों की स्थापना। इसके लिए मनुज रूप में पृथ्वी पर उनका अवतरण होता है और उन्हें संघर्ष से गुज़रना पड़ता है। इससे उनके व्यक्तित्व में नई दीप्ति आती है, उन्हें विश्वसनीयता, प्रामाणिकता मिलती है। कथनी-करनी को अद्वैती स्थिति देते हुए भक्तिकाव्य आचरण पर बल देता है, चरितार्थता पर। कबीर का सर्वाधिक आक्रोश उस पांखड पर है, जहाँ विचार को आचरित करना कोई बाध्यता नहीं है। यह छद्म न जीवन में उचित है, न रचना में।

भक्तिकाव्य के संदर्भ में आज एक महत्त्वपूर्ण प्रश्न कि क्या रचना अपने समय के प्रश्नों से टकराकर अपना दायित्व पूर्ण कर लेती है ? अथवा उसे उत्तरों की तलाश भी करनी चाहिए, अपने ढंग से। यह जटिल प्रश्न है इस दृष्टि से कि रचना के पास राजनीति जैसे तात्कालिक समाधान नहीं होते। वहाँ अधिक गहरे जाकर विचार-विमर्श करना होता है, संवेदन-भूमि पर। मध्यकाल अंतर्विरोधों का समय कहा गया, जहाँ विपरीत दिशाएँ दिखाई देती हैं। सगुण-निर्गुण, भक्ति-ज्ञान, लोक-शास्त्र आदि के जो कई युग्म बनाए जाते हैं, वे विवेचन की सुविधा के लिए हो सकते हैं, पर वास्तविकता यह है भक्तिकाव्य ऐक्य और अद्वैती भाव की तलाश करता है। तुलसी के लिए ज्ञानसमन्वित भक्ति सर्वोपरि है और

उनके लिए : सगुनहिं निगुनहिं नहिं कछु भेदा, उभय हरहिं भव संभव खेदा। पर इस ऐक्य की व्याप्ति बड़ी है और स्वयं कबीरदास इसका उदाहरण प्रस्तुत करते हैं। जातीय सौमनस्य एक पक्ष है, जहाँ विद्रोही कवि का तर्क है कि जब विधाता एक है तो मतभेद कैसा ? एकै पवन एक ही पानी एक जोति संसारा, एक ही खाक गढ़े सब भाँड़े एक ही सिरजनहारा। सभी पंचभौतिक पदार्थों से निर्मित हैं, एक ही स्रष्टा है, फिर पार्थक्य का प्रश्न ही कहाँ उठता है ? यह सामाजिक चेतना उच्चतम मूल्य-संसार का निष्पादन करती है, जिसे कबीर का अध्यात्म-लोक कहा गया : जहाँ खेलति वसंत ऋतुराज, जहाँ अनहद बाजा बजै बाज/चहुँ जोति की बहै धार, बिरला जन कोई उतरै पार। साधना का मार्ग सरल नहीं, असिधावन जैसा है। कबीर के शब्दों में : जो घर फूँकै आपना, चलै हमारे साथ। और इस बलिपंथी भाव के लिए संकल्पित होना पड़ता है। जायसी के अनुसार : प्रेम पंथ दिन, घरी न देखा। भक्तिकाव्य में तप-त्याग की व्यापक स्वीकृति, जो भिन्न रूपों में अभिव्यक्ति पाते हैं। भ्रमरगीत-प्रसंग सगुण की स्वीकृति है और निर्गुण का निषेध मात्र नहीं है, जैसा प्रायः प्रचारित किया जाता है। गोपिकाओं के लिए वह प्रेम की परीक्षा का क्षण भी है : ऊधौ भली करी तुम आए, विधि कुलाल कीन्हें काँचे घट, ते तुम आनि पकाए। कबीर-जायसी की यौगिक शब्दावली को शास्त्रीय सीमाओं से बाहर लाकर, इसी व्यापक संदर्भ में देखना उचित होगा। 'विनयपत्रिका' का पश्चात्ताप-भाव एक प्रकार से भक्तकवि का आत्मालोचन भी है, जिससे होकर, वह उच्चतम भूमि पर पहुँचना चाहता है : रामकृपा भवनिसा सिरानी, जागे फिरित उसैहौं। गोपिकाएँ कहती हैं : ब्रजलोचन बिन लोचन कैसे ?

भक्तकवियों के पास 'कविस्वप्न' है, जिसके आदर्शवादी स्वरूप को लेकर बहस हो सकती है। पर कितने होते हैं जो अपनी दृष्टि के सहारे ऐसी परिकल्पना कर सकते हैं, रामराज्य जैसी। भक्तिकाव्य का मूलाधार प्रेमभाव है, जो ज्ञानसमन्वित भक्ति का सर्वोत्तम धरातल है, जहाँ चेतना विकाररहित होती है अहंमुक्त। इस भूमि पर पहुँचकर जो अद्वैती भूमि निर्मित होती है, वहाँ सब पार्थक्य समाप्त हो जाते हैं। भक्तकवियों को आराध्य की करुणा में विश्वास है और उनका सर्वाधिक आग्रह विवेक पर है, जिसे ज्ञान भी कहा गया। तुलसी में इनका संयोजन मानस के आरंभ में ही देखा जा सकता है : बिनु सतसंग विवेक न होई, राम कृपा बिनु सुलभ न सोई। राम के सर्वाधिक विरुद करुणा से संबद्ध हैं। कविस्वप्न एक प्रकार से स्वयं को अतिक्रांत करना भी है, यह सोचकर कि जिस समय में हम जी रहे हैं, रचना में उसे पार किया जा सकता है, तो कैसे ? इसे कल्पित करना होता है और इसकी रेखाएँ आदर्शवादी भी प्रतीत हो सकती हैं। अपने समय को देखें तो रचना में इस प्रकार के स्वप्न को प्रति-संस्कृति रचने का प्रयत्न कह सकते हैं। जो स्थितियाँ हैं, उनसे टकराते हुए, भक्तिकाव्य अग्रसर होता है। उसमें कबीर जैसा प्रबल आक्रोश व्यंग्य के रूप में अधिक मुखर होकर आया है, इसलिए उसकी प्रतीति सरलता से हो जाती है। पर वास्तविकता यह है कि समय से असंतोष का भाव सभी कवियों में है, और वे सांस्कृतिक विकल्प का संकेत करते हैं। मानस के आरंभ में ही तुलसी कहते हैं कि प्राकृतजन का गुणगान करने से सरस्वती पश्चात्ताप में डूब जाती है। सीता के सौंदर्य का चित्रांकन करते हुए वे उसे ज्योति-रूप कहते हैं : छविगृह दीपसिखा जनु बरई। जायसी की पद्मावती का सौंदर्य उसके प्रसन्नवदना रूप में है : जहँ जहँ सहज सुभावहिं हंसी, तहँ-तहँ छिटकि जोति परगसीं। सूर स्वयं को प्रबोधते हैं : चकई री चलि चरन-सरोवर, जहाँ न प्रेम-बियोग/जहँ भ्रम-निसा होति नहीं कबहूँ, सोइ सायर सुख जोग। कबीर-जायसी दोनों अहंकार से मुक्ति का आग्रह करते हैं। तुलसी के शब्दों में : मैं मोर गए बिनु जिय सुख कबहुँ न पावै।

भक्तिकाव्य का वैकल्पिक संसार कवियों का 'काव्यस्वप्न' है, जिसकी आदर्शवादी रेखाएँ मध्यकाल के अनुरूप विकसित की गईं और बदले समय-संदर्भ में पुनर्विचार की आवश्यकता है। हर युग के अपने प्रश्न होते हैं, और ज्यों-ज्यों समाज अग्रसर हुआ, स्थितियाँ अधिक जटिल होती गईं। आज जब हम भक्तिकाव्य के स्वप्न पर विचार करते हैं तो उसकी रचना-ऊर्जा और कल्पना-क्षमता को सराहना होता है कि कवि एक वैकल्पिक संसार रच रहे थे। आश्चर्यजनक है कि काव्यनायक राम-कृष्ण के लिए कई बार मध्यकाल में प्रचलित विरुदों का प्रयोग है। राजाराम कहकर उन्हें संबोधित किया गया है। पर सब कुछ श्रद्धा परिचालित है, आतंक रहित : एकै दानि सिरोमनि साँचो, ऐसो को उदार जग माँही। तुलसीराम के लिए दीनबंधु, करुणानिधान जैसे शब्दों का प्रयोग करते हैं और अयाचित स्नेह का उल्लेख करते हैं। मध्यकाल में प्रचलित 'गरीबनेवाज' शब्द का उपयोग कई बार आया है। संतों का संसार मानवमूल्यों का उच्च धरातल है, पर तुलसी ने 'रामराज्य' के माध्यम से एक आदर्श लोक कल्पित किया, जिसका वर्णन

विस्तार से आया है। इसके कुछ प्रसंग विवाद का विषय हो सकते हैं, पर कवि ने सांस्कृतिक विकल्प की खोज की, यह सराहनीय है। दृश्य है, राम-रावण युद्ध का और इस अवसर पर तुलसी ने जिस विजय रथ की परिकल्पना की है, वह विचारणीय है। सर्वोत्तम मानवमूल्यों का बखान यहाँ सांगरूपक के माध्यम से हुआ है : सौरज धीरज तेहि रथ चाका, सत्य सील दृढ़ ध्वज पताका/बल बिबेक दम परहित घोरे, छमा कृपा समता रजु जोरे। इन मूल्यों से विजय प्राप्त की जाती है : महा अजय संसार रिपु जीति सकइ सो बीर, जाके अस रथ होइ दृढ़ सुनहु सखा मति धीर। भक्तकवियों ने अपने ढंग से सांस्कृतिक विकल्प की परिकल्पना की, जिसके केंद्र में उच्चतम मानवमूल्य हैं। कबीर का अमर देस, जायसी का कल्पित सिंहल द्वीप, तुलसी का रामराज्य, सूर का ब्रजलोक, मीरा का वृंदावन सबको कवियों के रचना-स्वप्न के रूप में देखा जाना चाहिए—काव्य-संसार। उनमें इतनी क्षमता तो है कि वे परिकल्पित कर सके, अन्यथा कई बार समय कवि-कल्पना को भी कुंठित कर देता है।

अपने समय में जब हम भक्तिकाव्य पर विचार करते हैं तो उसका 'मानुष-लोक', उच्चतम मूल्य-संसार सराहनीय प्रतीत होते हैं। कहीं-कहीं मध्यकाल ने उसकी सीमाएँ निश्चित कर दी हैं, जैसे लोकप्रचलित विश्वास आदि, पर कवियों ने इस सब कुछ को पार कर वृहत्तर लोक के संकेत का प्रयत्न किया, इसकी प्रशंसा करनी होगी। देवत्व का मानुष रूप अवतरण इस काव्य की अन्यतम उपलब्धि है, जहाँ केंद्र में मनुष्य है। मनुष्य अपने सर्वोत्तम गुणों से ईश्वरत्व की संज्ञा तक प्राप्त कर सकता है, क्योंकि वह सर्वोपरि अवधारणा है। कर्महीन देवत्व पर तुलसी ने कठोर टिप्पणियाँ की हैं, 'देव-कुचाली' तक, जो स्वार्थ-परिचालित होते हैं। राम-कृष्ण सर्वोत्तम काव्य नायक हैं, अपने सुकर्मों से स्वयं को चरितार्थ करते : मनुज बास सचराचर रूप राम भगवान। अपने गुण-समुच्चय में वे सर्वोत्तम का प्रतिनिधित्व करते हैं। भक्ति एक अन्योन्याश्रित संबंध है, जहाँ उपास्य और उपासक दोनों एक-दूसरे से संबद्ध हैं। यहाँ जाति-वर्ण का भेद समाप्त हो जाता है, जिसे भक्तिचिंतन का महत्त्वपूर्ण पक्ष कहना होगा। भक्ति-दर्शन एक वैचारिक विकल्प है, सारे द्वैत तोड़ता हुआ : जात-पाँत पूछै नहिं कोई। भक्त की कोई जाति नहीं होती, और सब इसके अधिकारी हैं। वैराग्य-संन्यास यहाँ कोई बाध्यता नहीं, उच्चतम कर्मों से इसे प्राप्त किया जा सकता है। यह प्रवृत्ति मार्ग का उदात्ततम रूप है जिसे जाग्रत विवेक से पाया जा सकता है। भक्तिकाव्य ने एक जातिविहीन व्यवस्था की परिकल्पना की और सीधे संवाद का आग्रह किया। यहाँ किसी मध्यस्थ की अपेक्षा नहीं है।

भक्तिकाव्य को लेकर वर्गीकरण के जो प्रयत्न किए गए हैं, वे अब बहुत प्रासंगिक नहीं प्रतीत होते क्योंकि कवियों ने स्वयं उनमें संयोजन का प्रयत्न किया है, कई स्तरों पर। कवियों का अपना गहरा आत्मविश्वास है : हम न मरें मरि है संसारा अथवा जो यह पढ़ै कहानी, हम्ह सँवरै दुइ बोल। उन्होंने लोकभाषा में संबोधित करते हुए, कविता का पूरा विन्यास कथ्य से लेकर उसके मुहावरे तक जीवन से प्राप्त किया। यह प्रमाणित करता है कि लोकभाषा को, सर्जनात्मक क्षमता से संवेदन के सर्वोत्कृष्ट धरातल पर पहुँचाया जा सकता है। ज्यों-ज्यों समाज में यांत्रिकताओं में वृद्धि होगी, रचना, विशेषतया काव्य के समक्ष और भी संकट आएँगे। अमानुषीकृत समय में संवेदन का क्षरण होगा और कविता की प्रासंगिकता संदेह के घेरे में आएगी। भक्तिकाव्य की लंबी आयु का एक रहस्य यह भी कि वह लयाश्रित है और वाचिक परंपरा से संबद्ध है। इसलिए वह लोककंठ में वास करता है तथा लोककला, संगीत, स्थापत्य, मूर्ति आदि से भी उसका गहरा संवाद हुआ। कलाओं का अंतरावलंबन भक्तिकाव्य का दुर्लभ गुण है, जो उसकी व्यापक जनस्वीकृति में सहायक हुआ। भक्तकवियों ने जो मूल्यसंसार परिकल्पित किया, उसमें प्रचलित परिभाषाओं को नया रूप मिला, जैसे पर हित सरिस धर्म नहिं भाई, पर पीड़ा सम नहिं अधमाई। मध्यकाल एक जटिल समय था पर सचेत कवियों ने प्रमाणित किया कि रचना-स्तर पर कई संकट पार किए जा सकते हैं, संकल्प और आत्मविश्वास के सहारे। भक्तिकाव्य का उदात्त मानवीय पक्ष निरंतर नए संवाद का निमंत्रण होता है। □

‘अभिज्ञानशाकुंतल’ की नाट्यशास्त्रीय प्रस्तुति परंपरा और प्रयोग

देवेन्द्र राज अंकुर

चौथी शताब्दी ई.पू. से सोलहवीं सदी तक फैले दो हज़ार वर्षों के लंबे अंतराल में यदि संस्कृत नाटकों के लेखन की विशद परंपरा दिखाई देती है तो उसी के समांतर उनके मंचन के प्रयोगों का भी संकेत मिलता है। नाटककारों में एक छोर पर अश्वघोष से आरंभ होकर भास, कालिदास, शूद्रक, विशाखदत्त, श्रीहर्ष, भवभूति, बोधायन, महेन्द्र विक्रम और वत्सराज जैसे जाने पहचाने नाम हैं तो आगे भी भारतेन्दु हरिश्चन्द्र द्वारा उल्लिखित अनगिनत संस्कृत नाटककारों के और उनकी रचनाओं के नाम मिलते हैं। प्रायः ऐसा माना जाता रहा है कि लगभग आठ-सौ, एक हज़ार ई. के आसपास संस्कृत नाटकों के मंचन और प्रस्तुति की परंपरा समाप्त होने लगी और उसका स्थान लोक रंगमंच ने ले लिया। लेकिन यह धारणा एक अर्धसत्य के रूप में ही स्वीकार की जा सकती है। यदि दक्षिण भारत के केरल प्रदेश में आज तक लगभग भरत द्वारा निर्दिष्ट मंच से मिलते-जुलते बंद प्रेक्षागृह में कूडियाट्टम् शैली में अनवरत रूप से संस्कृत नाटकों का मंचन होता आ रहा है तो कोई कारण नहीं कि देश के दूसरे भागों में भी यह परंपरा अजस्र रूप में विद्यमान रही हो। आवश्यकता इस बात की है हम शोध एवं अनुसंधान के माध्यम से उन लुप्त हो गई कड़ियों को आपस में जोड़ने का प्रयत्न करें। दरअसल यह सारी मुश्किल भी स्वयं अपने इतिहास को पश्चिम की दृष्टि से देखने के कारण हुई है। यदि पश्चिम में पाँचवीं सदी के उत्तरार्द्ध में रोम साम्राज्य के पतन के बाद रंगमंच के, आगामी पाँच सौ वर्षों तक, कोई चिह्न दिखाई नहीं पड़ते तो औपनिवेशिक दासता के चलते यह कैसे संभव था कि यहाँ उस रंगधारा का निरंतर प्रवाह सिद्ध किया जा सकता।

यही कारण है कि बेशक संस्कृत नाटकों के मंचन लगातार होते रहे, लेकिन वास्तव में वे होते कैसे थे, इसके कोई दस्तावेज़ नहीं मिलते। यों हमारे यहाँ नाटकों के व्यावहारिक और सैद्धांतिक—दोनों पक्षों के आधार ग्रंथ के रूप में भरत का नाट्यशास्त्र अवश्य विद्यमान है, लेकिन वह भी इस दिशा में बहुत दूर तक हमारी मदद नहीं करता क्योंकि एक तो नाट्यशास्त्र को ही कालांतर में नाटक से ज़्यादा काव्यशास्त्र का ग्रंथ मान लिया गया। दूसरे नाटक और रंगमंच से जुड़ी जो भी सामग्री नाट्यशास्त्र में मिलती है, वह इतनी बिखरी हुई और टुकड़ों-टुकड़ों में मिलती है कि उसके आधार पर उस युग में सचमुच उन नाटकों का मंचन कैसे होता होगा, इसका अनुमान लगाना मुश्किल ही है। इसीलिए संस्कृत नाटकों के मंचन के लिए कभी हम लोक नाट्य शैलियों की तरफ़ लौटते हैं, कभी पाश्चात्य रंगमंच से सूत्र ग्रहण करते हैं और कभी प्रयोग के नाम पर कुछ भी ऊल-जुलूल प्रस्तुत कर देते हैं। हम यह भूल जाते हैं कि स्वयं नाटकों में ही उनके तत्कालीन मंचन को लेकर इतने संकेत प्राप्त होते हैं कि हमें अलग से किसी बाहरी शैली की सहायता लेना ज़रूरी नहीं जान पड़ता। इस तथ्य को दोहराने की ज़रूरत नहीं कि अंततः नाटकों में उपलब्ध युक्तियाँ, रूढ़ियाँ और शैलियाँ नाट्यशास्त्र पर ही आधारित हैं। अतः प्रकारांतर से हम नाट्यशास्त्र में बिखरी सामग्री को एक नाटक के आलेख के रूप में एक ही स्थान पर एकत्रित पाते हैं। यह अद्भुत संयोग है कि लगभग दो हज़ार वर्षों में जितने भी नाटक लिखे गए, वे समय के अंतराल में बेशक एक-दूसरे से न जाने कितनी शताब्दियाँ आगे-पीछे हों, लेकिन मंच-रूढ़ियों के

रूप में उनमें समानता दिखाई पड़ती है। क्या यह समानता इस तथ्य की सूचक नहीं कि इन नाटकों का लेखन और मंचन सदैव एक-दूसरे से जुड़ा रहा है और साथ-साथ होता रहा है। इसमें कोई संदेह नहीं कि यह समानता उनके शास्त्र पर आधारित होने के कारण भी दिखाई पड़ती है अथवा यह भी नितांत संभव है कि इन्हीं में से कुछ को आधार बनाकर भरत ने अपने नाट्यशास्त्र की रचना की हो। भास के विषय में तो प्रायः यह कहा ही जाता है कि उन्हीं के नाटकों में उपलब्ध सामग्री के आधार पर 'नाट्यशास्त्र' की रचना हुई। पश्चिम में तो यह तथ्य इतिहास सम्मत है कि जब अरस्तू ने अपने 'काव्यशास्त्र' की रचना की, तब तक यूनान के सभी बड़े-बड़े नाटककारों की रचनाओं का लेखन और मंचन हो चुका था। दरअसल शास्त्र और प्रयोग का यह संबंध हमेशा से इतिहास में मौजूद रहता है और नाटकों की लंबी परंपरा व प्रयोग के बाद ही शास्त्र की रचना हुआ करती है। अतः यदि किसी संस्कृत नाटक की नाट्यशास्त्रीय प्रस्तुति की भी आज पुनर्रचना करनी हो तो नाट्यशास्त्र से भी ज़्यादा स्वयं नाटक के आलेख को ही आधार बनाना होगा। यह अलग बात है कि भास, शूद्रक और विशाखदत्त ऐसे नाटककार हैं जो नाट्यशास्त्र की सीमाओं को भी लाँघ जाते हैं और अपनी निजी पहचान प्रस्तुत करते हैं।

आइए, कालिदास के 'अभिज्ञानशाकुंतल' के माध्यम से उसकी नाट्यशास्त्रीय प्रस्तुति की परंपरा और प्रयोग की संभावना और परिकल्पना पर विचार-विमर्श किया जाए। लेकिन प्रस्तुति परिकल्पना की ओर बढ़ने से पहले थोड़ा सोच-विचार इस दिशा में भी कर लिया जाए कि आखिर इस नाटक में ऐसा क्या है, जो आज भी हमें अपनी ओर आकर्षित करता रहता है। यदि कालिदास का रचनाकाल ईसा की चौथी शताब्दी में चन्द्रगुप्त विक्रमादित्य के समांतर माना जाता है तो यह नाटक संस्कृत नाटकों की लंबी परंपरा में लगभग मध्य में पड़ता है। इससे पहले अश्वघोष, भास, सौमिल्ल, कविपुत्र और बाद में शूद्रक, विशाखदत्त, श्री हर्ष और भवभूति जैसे नाटककार आते हैं। कुछ विद्वान तो शूद्रक को भी कालिदास से पहले का नाटककार मानते हैं लेकिन यह इतिहास सम्मत नहीं है।

कालिदास अपने इस नाटक के कथ्य, शीर्षक और शिल्प व संरचना के लिए काफ़ी दूर तक भास के 'स्वप्नवासवदत्ता' के ऋणी हैं। दोनों नाटकों के शीर्षकों की समानता अनायास ही ध्यान आकृष्ट कर लेती है। संस्कृत नाट्य साहित्य में कुछ नाटक और भी हैं। जिनके शीर्षक उतने ही सांकेतिक, प्रतीकात्मक और व्यंजनापरक हैं, जितने इन दोनों के। उदाहरणार्थ शूद्रक का 'मृच्छकटिक' विशाखदत्त का 'मुद्राराक्षस' और बोधायन का 'भगवद्अज्जुकम्'। लेकिन जितनी सांकेतिकता भास के 'स्वप्नवासवदत्ता' और कालिदास के 'अभिज्ञानशाकुंतल' में मिलती है, वह अन्यत्र दुर्लभ है। शकुंतला की स्मृति हो आना अथवा शकुंतला को ही स्मृति हो आना। शकुंतला के बहाने से दुष्यंत को अभिज्ञान होना अथवा दुष्यंत के अभिज्ञान के साथ-साथ शकुंतला को भी अहसास होना। अभिज्ञान ही अपने आप में शकुंतला का पर्याय है या फिर शकुंतला अभिज्ञान की—इस प्रकार मात्र शीर्षक की ही विविध व्याख्याएँ की जा सकती हैं। ठीक इसी परिप्रेक्ष्य में हम 'स्वप्नवासवदत्ता' को भी व्याख्यायित कर सकते हैं।

लेकिन शीर्षक से भी ज़्यादा यह नाटक अपने कथ्य में गहराई से भरा-पूरा है। सतही तौर पर देखने से यह नाटक भी संस्कृत के दूसरे नाटकों की तरह एक सामान्य-सी प्रेम कहानी जान पड़ेगा, जिसमें नायक की पहले से कई पत्नियाँ होते हुए भी वह एक नई नायिका के साथ प्रेम का श्रीगणेश करता है और वह प्रेम एक लंबे अंतराल के बाद अपनी पूर्णता को पहुँचता है। लेकिन जितनी सतही यह प्रेम कहानी जान पड़ती है, उतनी है नहीं। शायद किसी विद्वान् अध्येता ने इस तथ्य की ओर ध्यान नहीं दिया कि पूरे संस्कृत साहित्य में, कम से कम कालिदास के तीनों नाटकों में, यही एक अकेला ऐसा नाटक है जिसमें नायक की पहली पत्नियाँ कभी मंच पर नहीं आतीं अर्थात् नाटककार ने अपनी ओर से उस स्थूल तनाव और संघर्ष की संभावना को पहले ही नकार दिया है, जो प्रायः ऐसी प्रेम कहानियों में स्वाभाविक रूप से आ जाता है। न ही यहाँ शकार जैसा प्रतिनायक है, जो प्रत्यक्ष रूप से प्रेम कहानी में व्यवधान उपस्थित कर सके। इसमें कोई संदेह नहीं कि यहाँ दुर्वासा का शाप और अँगूठी का खोना—दो ऐसी नाटकीय युक्तियाँ हैं, जो इस प्रेमकहानी में अवरोध उत्पन्न करती हैं लेकिन यदि तनिक भी गहराई से विचार किया जाए तो पता चलेगा कि दोनों युक्तियों को नेपथ्य में घटित होते हुए दिखाकर नाटककार ने उनकी उस क्षण की नाटकीयता को कम से कम करने की कोशिश की है, जब उनसे संबद्ध घटनाएँ घटित होती हैं। ज़रा कल्पना कीजिए, यदि कालिदास दुर्वासा वाले दृश्य

को मंच पर ले आते तो वह अपने प्रभाव से आगे आने वाले दृश्यों का न केवल पूरा आभास दे देता वरन् नाटक के चरमोत्कर्ष को भी निहायत कमजोर बना देता। यही बात अँगूठी के विषय में भी कही जा सकती है—जब ये दोनों प्रसंग नाटक के चौथे अंक में प्रियंवदा-अनसूया के परस्पर संवादों में यूँ ही उल्लेखित होकर रह जाते हैं, तब हम उस जटिल नाटकीय स्थितियों के लिए कभी भी तैयार नहीं होते, जो भवितव्य हैं।

नाटक का कथ्य प्रेम है लेकिन उसका कैसा सहज स्वीकार और ज़रूरत पड़ने पर अस्वीकार भी—शकुंतला और दुष्यंत की आपस में स्वीकृति और गांधर्व विवाह के रूप में परिणति। प्रियंवदा-अनसूया द्वारा समर्थित और सबसे बड़ी बात यह कि कण्व जैसे ऋषि-मुनि द्वारा भी समाचार पाते ही उसका हर तरह से अनुमोदन। यही कारण है कि आज से पंद्रह-सोलह सौ वर्ष पूर्व की रचना में प्रेम की ऐसी स्वीकृति कितनी आधुनिक और समकालीन जान पड़ती है। भारतीय साहित्य में तो ऐसा सहज स्वीकार दुर्लभ है ही, अपने-आप को विकसित और आधुनिक मानने वाले पश्चिम के साहित्य में भी यह कहीं दिखाई नहीं पड़ता। कहने का तात्पर्य यह है कि नाटककार ने जानबूझकर किसी ऐसे बाहरी तत्त्व, स्थिति या घटना को छोड़ दिया लगता है, जो तात्कालिक नाटकीयता पैदा कर दे। इसके विपरीत उसने प्रेम को निहायत ही सूक्ष्म एवं आंतरिक स्तर पर परखने का प्रयत्न किया है।

वस्तुतः यह प्रेम प्रसंग एक अनवरत यात्रा के समान है। एक स्तर पर यह यात्रा राजभवन से आश्रम, आश्रम से राजभवन, राजभवन से आकाशमार्ग और पुनः आश्रम तक पहुँचती है तो दूसरी ओर आश्रम से राजभवन और पुनः आश्रम तक पूरी होती है। एक स्तर पर इस यात्रा में दुष्यंत के साथ सदा एक रथ होता है तो शकुंतला यह यात्रा अपने पैरों यानी अपने बलबूते पर करती है। इस यात्रा में कई दूसरे तत्त्व स्वयं ही सम्मिलित हो जाते हैं—दुष्यंत के आगे-आगे दौड़ता मृग, शकुंतला के साथ-साथ पला मृग, उसे विदाई देता मृग और अंत में सिंह शावक। दुष्यंत के हाथ से अँगूठी का प्रियंवदा-अनसूया के पास पहुँचना, वहाँ से शकुंतला की उँगली में आना, शक्रावतार तीर्थ में उँगली से फिसल जाना, रोहित मछली के पेट में जाना, मछुआरे के पास पहुँचना, वहाँ से राजपुरुषों के पास से होते हुए पुनः राजा के पास पहुँच जाना। राक्षसों के उत्पात यदि पहली बार दुष्यंत और शकुंतला के समागम का कारण बनते हैं तो एक लंबे वियोग के पश्चात पुनः उन दोनों के अंतिम मिलन का अवसर प्रदान करते हैं। प्रेम का पहला स्वीकार और अस्वीकार यदि आश्रम एवं राजभवन में घटित होता है जो इसी भूमि पर अवस्थित है, तो प्रेम का अंतिम स्वीकार आकाशमार्ग में स्थित आश्रम में संपन्न होता है अर्थात् दोनों ही पक्ष अपनी-अपनी ज़मीन छोड़कर एक तटस्थ भूमि पर मिलते हैं। जहाँ किसी भी प्रकार की असहमति, असहयोग की संभावना ही नहीं है। दूसरे रूप में देखें तो दुष्यंत को भी अपने चारित्रिक स्वभाव का बहुत-सा ऐसा अंश छोड़ना पड़ता है जो मनचाहा है और शकुंतला को भी। प्रेम की विरहाग्नि में दोनों को तपना पड़ता है, तभी दोनों उसमें से खरे सोने की तरह बाहर आते हैं। यह है प्रेम जैसे सामान्य और शाश्वत कथ्य की पराकाष्ठा और गहराई।

मात्र कथ्य के स्तर पर ही नहीं, अपने शिल्प और संरचना के स्तर पर भी 'अभिज्ञानशाकुंतल' बिल्कुल आज का नाटक लगता है। कहा जाता है कि समय, स्थान और कार्य-व्यापार की अन्विति नाट्य साहित्य को अरस्तू की देन है। लेकिन कालिदास के इस नाटक में भी वह अद्भुत रूप में उपस्थित है। नाटक के पहले चार अंक महर्षि कण्व के आश्रम के बाहर और भीतर स्थित हैं तो अगले दो अंक राजभवन के बाहर और भीतर। अंतिम अंक पुनः एक आश्रम में ही स्थापित किया गया है। स्थान की अन्विति को थोड़ी देर के लिए छोड़ भी दिया जाए, कार्य-व्यापार की अन्विति तो देखते ही बनती है। सात अंकों के नाटक में मात्र एक कहानी है, जिसके इर्द-गिर्द सारा कार्य-व्यापार केंद्रित है। यूनानी नाटकों के संदर्भ में कार्य व्यापार की अन्विति समझ में आती है क्योंकि पूरे नाटक में मात्र एक अंक ही हुआ करता था। लेकिन सात अंकों तक एक ही कथा को विकसित कर ले जाना कालिदास के रचना-कौशल का अप्रतिम उदाहरण है। समय की अन्विति पूरे नाटक में तो नहीं, हाँ प्रत्येक अंक में अवश्य मिलती है जहाँ, हर बार अंक की शुरूआत सुबह-सुबह होती है और संध्या के आगमन के साथ अंक का अवसान होता है। क्या इस संभावना की खोजबीन करना एक रोचक जानकारी और अध्ययन का विषय नहीं होगा कि यदि एक ओर नाटककार ने भरत के नाट्यशास्त्र का गहराई से मंथन किया है तो दूसरी ओर वह अरस्तू के काव्यशास्त्र से भी अपरिचित नहीं था। कम से कम यह तथ्य तो स्वीकृत है कि कालिदास के अपने समय में भी अरस्तू के

काव्यशास्त्र और यूनानी नाटकों की प्रतियाँ हमारे देश में उपलब्ध थीं।

एक और दृष्टि से भी शाकुंतल के महत्त्व को रेखांकित किया जा सकता है। आज रंगमंच में जिस प्रकार के 'फ्यूज़न', 'सिंथेसिस' और मिश्रण की चर्चा हो रही है, यह नाटक उसकी भी एक बानगी प्रस्तुत करता है। देसी और मार्गी, लोकधर्मी और शास्त्रीय, ग्रामीण और नागर, पूर्व और पश्चिम—किसी भी दृष्टिकोण से विचार करें, यह नाटक उसकी एक निश्चित आधार भूमि प्रस्तुत करता है। यों तो यह श्रेय आज तक शूद्रक के मृच्छकटिक को दिया जाता रहा है कि राज्य, समाज और परिवार के जितने भी विविध रूप, रंग और रेखाएँ हो सकती हैं, वे सभी शूद्रक के इस नाटक में पहली बार दिखाई पड़ते हैं। लेकिन यदि ध्यान से इस बात पर गौर किया जाए तो पता चलेगा कि 'मृच्छकटिक' के ये सभी विविध चित्र केवल नगरीय परिवेश से संबद्ध हैं जबकि शाकुंतल का परिवेश जितना ग्रामीण है, उतना ही शहरी भी, जितना सहज एवं अनौपचारिक है उतना ही औपचारिक भी। शाकुंतल का नागरक श्याल और उसके दो सहयोगी क्या अनायास ही मृच्छकटिक के शकार और वहिक-चंदनक की याद नहीं दिला देते। श्याल और शकार के नाम की समानता तो अपनी जगह है ही, श्याल का बहनोई के रूप में संबोधित किया जाना क्या उस शाश्वत तथ्य की ओर संकेत नहीं करता कि व्यवस्था चाहे कोई भी हो, उससे जुड़े सगे-संबंधी हमेशा ही इस ताक में लगे रहते हैं कि घूस, रिश्वत और दूसरे अनैतिक कृत्यों से जितना धन बटोरा जा सके, बटोर लिया जाए।

मैं नहीं समझता कि अब अलग से शाकुंतल के आलेख की नाट्यशास्त्र के लक्षणों के आधार पर किसी विवेचन की आवश्यकता शेष रह जाती है। यदि हम अपने समय के अनुकूल उसकी सार्थकता एवं समकालीनता पर विचार कर सकते हैं तो यह तो सहज स्वीकार्य है कि दशरूपक के आधार पर शाकुंतल एक नाटक है, उसका मुख्य रस शृंगार है, वह पाँच अर्थ प्रकृतियों, पाँच कार्यवस्थाओं और पाँच संधियों से युक्त है, सभी वृत्तियों और प्रवृत्तियों से समन्वित है और अंततः लोकधर्मी-नाट्यधर्मी शैलियों को समेटे हुए है। क्या इसीलिए अपने समय में यदि यह नाटक बार-बार मंच पर प्रस्तुत किया जाता रहा तो आधुनिक युग में भी पिछले डेढ़ सौ वर्षों में न जाने कितनी प्रस्तुतियाँ हो चुकी हैं इस नाटक की—पारसी नाटक मंडलियों ने इसे प्रस्तुत किया, लोक रंगमंच पर इसका प्रयोग किया गया, पृथ्वीराज कपूर ने इसे नाटक के रूप में खेला तो शांताराम ने इस पर फिल्म बनाई। संस्कृत, हिंदी, उर्दू समेत सभी भारतीय भाषाओं में मंचन हुआ तो चीन, फ्रांस, जर्मनी, अमेरिका, डेनमार्क जैसे देशों में भी बार-बार इसे प्रस्तुत किया गया। ये सारी सूचनाएँ इस तथ्य को और भी पुष्ट करती हैं कि यह नाटक पूर्व और पश्चिम के रंगनिर्देशकों को समान रूप से मंच-प्रस्तुति के लिए प्रेरित करता रहा है। अतः उपर्युक्त संपूर्ण पृष्ठभूमि के बाद अब अभिज्ञान शाकुंतल की परंपरा और प्रयोग को समेटते हुए एक नाट्यशास्त्रीय प्रस्तुति पर विशद विचार और विश्लेषण किया जा सकता है।

आरंभ में ही यह बता देना आवश्यक है कि उपर्युक्त मंच प्रस्तुति की परिकल्पना भरत द्वारा अभिकल्पित विकृष्ट मध्यम नाट्यमंडप पर की जा रही है। दर्शक दीर्घा के ठीक सामने पहला धरातल, रंगपीठ, रंगपीठ पर लगभग नौ इंच ऊँचा रंगशीर्ष और रंगशीर्ष के बीचों-बीच पुनः उतनी ही ऊँचाई पर बनी एक वेदिका, जिसका शास्त्रीय नाम कुतप है। प्रदर्शन के दौरान इस पर आरंभ से अंत तक गायक, संगीतकार एवं अन्य वादक बैठते थे। वेदिका के दोनों कोनों पर रंगशीर्ष पर पिछली दीवार में नेपथ्य से मंच पर प्रवेश-प्रस्थान के लिए दो द्वार, जिन पर यवनिका पड़ी रहती थी। रंगपीठ के दोनों सिरों पर चार-चार स्तंभों से घिरे दो विशेष क्षेत्र, जिन्हें मत्तवारिणी के नाम से जाना जाता है। दर्शक और अभिनेता का आपस में सीधा, प्रत्यक्ष और एकतरफा संबंध जैसा कि आजकल रंगद्वारी प्रेक्षागृह में दिखाई पड़ता है। इस मूल अभिकल्पन के अतिरिक्त मंच किसी भी प्रकार की मंच सज्जा अथवा दृश्यबंध से रहित। हाँ, आवश्यकता पड़ने पर कभी-कभार कोई मंच उपकरण लाया, ले जाया सकता है अन्यथा मंच पर जो भी अभिनय क्षेत्र उपलब्ध है, वह पूरी तरह से अभिनेता के लिए सुरक्षित है।

पहले अंक की शुरुआत का परिवेश तपोवन के पास की भूमि तथा ऋषि कण्व का आश्रम है। स्पष्ट है कि पूरे अंक के बीच कम से कम दो क्षेत्रों की कल्पना की गई है—एक बाहरी और दूसरा भीतरी। सबसे पहले नान्दी-स्वर उभरता है। यह नान्दी नाटककार अपने आराध्य देवी-देवता की अभ्यर्थना में नाटक के प्रारंभ में रखता है—एक प्रकार की मंगल कामना है यह नाटक के पात्रों के लिए भी और दर्शकों के लिए भी। कालिदास के पहले के नाटककारों ने नान्दी को नहीं दिया है, विशेष रूप से

भास ने। इससे यह अनुमान लगाया जा सकता है कि उस समय नान्दी मंडली के सदस्यों के बीच नेपथ्य में ही संपन्न हो जाया करती होगी। कालिदास ने उसे मंच पर स्थान दिया है। यद्यपि तब भी यह स्पष्ट नहीं है कि उसे कौन लोग गा रहे हैं ? क्या नाटक के सभी पात्र ? क्या मात्र वेदिका पर बैठे गायक, वादक और संगीतकार ? नान्दी से पहले पूर्वरंग के अंतर्गत दी हुई गतिविधियों के अनुसार उस समय मंच पर कम से कम तीन पात्र उपस्थित हैं—स्वयं सूत्रधार, नटी और विदूषक अथवा परिपार्श्वक, जो मंच की पूजा से जुड़े कई अनुष्ठानों को पूरा करते थे। संभव है कि इसके बाद नटी और उसका सहयोगी प्रस्थान कर जाते थे, नान्दी अभी भी नेपथ्य में ही होती रही होगी और उसके तुरंत बाद सूत्रधार नटी को पुनः मंच पर बुलाता है। इस प्रकार आज हमारे सामने दो विकल्प सहज ही उपलब्ध हैं—नाटक के आरंभ में सभी पात्र मंच पर प्रवेश करके नान्दी पाठ करें और फिर लौट जाएँ अथवा मात्र मंच पर पहले से बैठी संगीत मंडली उसका गायन करे। आज तक जितनी भी प्रस्तुतियाँ देखने का अवसर मिला है, उनमें पहले विकल्प का ही प्रयोग किया गया है क्योंकि इतने सारे पात्रों की उपस्थिति से मंच आरंभ में ही भरा-पूरा लगने लगता है और दर्शकों के साथ एक अंतरंग रिश्ता स्थापित हो जाता है।

नान्दी के बाद प्रस्तावना संस्कृत नाटकों की मंच प्रस्तुति का एक महत्त्वपूर्ण अंग हुआ करता था। नान्दी को बेशक नाटककारों ने अपने नाटकों में स्थान न दिया हो, लेकिन प्रस्तावना या स्थापना हरेक नाटककार ने रखा है और कई बार तो उसका बहुत ही नाटकीय प्रयोग किया है। उदाहरण के लिए भास प्रायः अपने हर नाटक के आरंभ को अधिक से अधिक रोचक बनाने के लिए प्रस्तावना को बीच में ही अधूरा छोड़कर नेपथ्य में हुई किसी घटना को मंच पर ले आते हैं। इसके विपरीत कालिदास प्रस्तावना में सारी सूचनाएँ देते हैं। ज़रूर, जैसे कि नाटक कहाँ खेला जा रहा है, नाटककार का नाम क्या है, नाटक का नाम क्या है और उसकी कथा क्या है लेकिन प्रस्तावना के अंत तक आते-आते वह भी उसे नाटक के मुख्य कार्य व्यापार से जोड़ देते हैं। बहरहाल, उस युग में तो प्रस्तावना की उपस्थिति समझ में आती है, जब यह संभव नहीं था कि नाटक से जुड़ी सारी सूचनाएँ हस्तलिखित प्रतियों के माध्यम से सभी दर्शकों को वितरित की जा सकें। आज तो पहले से प्रकाशित और दर्शकों में वितरित नाटक की स्मारिका यह काम बखूबी कर सकती है, फिर भी हरेक निर्देशक इस प्रस्तावना को अपने प्रदर्शन का हिस्सा अवश्य ही बनाता है। आख़िर क्यों ? इसका भी एक गहरा कारण है। दर्शक द्वारा सारी सूचनाओं को जान लेने के बाद वह नाटक की कहानी से ज़्यादा अभिनेता विशेष की अभिनय कला पर ध्यान केंद्रित करेगा। यह मात्र संयोग या अकारण नहीं है कि जिस 'अलगाव' के सिद्धांत की स्थापना ब्रेंट बीसवीं शताब्दी में आकर करते हैं, वह हमारी अपनी नाट्य परंपरा में कथागायन और प्रस्तावना जैसी युक्तियों में पिछले दो हज़ार साल से प्रयोग में आता रहा है। इसीलिए वह आज के निर्देशक को भी संस्कृत नाटक के अनिवार्य अंग के रूप में जान पड़ता है।

वास्तव में नान्दी और प्रस्तावना तो पूर्वरंग के ही अंतिम दो अंग होते हैं। भरत के अनुसार नाटक की प्रस्तुति दो भागों में बँटी रहती थी—पूर्वरंग और प्रयोग। पूर्वरंग नाट्यमंडली के अपने व्यवहार का हिस्सा था, इसलिए नाटककारों ने अपनी रचनाओं में उसे छोड़ दिया है। पूर्वरंग के अंतर्गत वे सब कार्य कलाप आते हैं, जो नाटक की मंच-प्रस्तुति से जुड़े हो सकते हैं। मंच उपकरणों एवं वाद्य-यंत्रों का मंच पर लाकर रखा जाना, गायकों, वादकों और संगीतकारों का मंच पर आकर स्थान ग्रहण करना, गायकों द्वारा स्वर संधान, वादकों द्वारा अपने यंत्रों को साधना, हाथ से बजाए जाने वाले वाद्य, वायु से बजने वाले यंत्र—सबका आपस में मिलकर नाटक के संगीत का अभ्यास करना, सूत्रधार, नटी आदि का मंच पर प्रवेश, मंच के चारों कोनों की पूजा, मंच के मध्य में जर्जर ध्वज की स्थापना, मंच पर उपस्थित तीनों पात्रों का त्रिगत के नाम से आशु संवाद, सूत्रधार द्वारा चारी और महाचारी पदगतियों द्वारा लास्य व तांडव गतियों का प्रदर्शन—इनमें से शुरू की गतिविधियाँ, जिनमें दृश्य के नाम पर कुछ नहीं है रंगपटी के पीछे और बाकी सारे कलाप दर्शकों के सामने। ये सब कुछ इसलिए कि पहले से आए दर्शकों के मनोरंजन के लिए कुछ होता रहे, धीरे-धीरे दर्शकों को उस भाव-भूमि एवं 'मूड' में लाया जाए और मुख्य नाटक के प्रयोग के लिए एक उचित और अनुकूल वातावरण तैयार किया जाए। इसीलिए पूर्वरंग का प्रावधान रखते हुए भी भरत इसके लिए सचेत हैं कि यह न तो बहुत छोटा हो और न बहुत लंबा। क्या आज भी हम परोक्ष-अपरोक्ष रूप में उपर्युक्त पूर्वरंग की प्रक्रिया से नहीं गुजरते, चाहे उसका स्वरूप कितना ही क्यों न बदल गया हो ?

उस समय तो पूर्वरंग की एक और पक्ष से भी अनिवार्यता थी। नाटक पूरी तरह से शास्त्र पर आधारित है और हरेक नाटक में काम करने वाले अभिनेता शास्त्र के जानकार हैं, अतः अलग से किसी पूर्वाभ्यास की आवश्यकता नहीं हुआ करती थी। पूर्वरंग के माध्यम से वे सभी प्रदर्शन के दिन एकत्रित होकर नाटक के संवाद, गीत, संगीत एवं गतियों को दोहरा लिया करते थे।

इसीलिए मुख्य नाटक का प्रयोग उस पहले दृश्य से आरंभ होता है जो ठीक प्रस्तावना के बाद आता है और जिसमें नाटक की कहानी से जुड़े पात्र प्रवेश करते हैं। यों तो मुख्य पात्रों के मंच पर प्रवेश-प्रस्थान के लिए भी भरत ने अलग से ध्रुवा गीतों का प्रावधान किया है। लेकिन नाटककारों ने उन्हें भी अपनी रचना का हिस्सा नहीं बनाया। ये गीत भी वस्तुतः नाट्य मंडलियों की अपनी उपज हुआ करते थे और उनका एकमात्र उद्देश्य था कि मुख्य पात्र के प्रवेश के लिए दर्शकों को अतिरिक्त रूप से सजग कर दिया जाए।

शाकुंतल का पहला दृश्य ही इतना महत्त्वपूर्ण है कि वह नाटक की संभावित प्रस्तुति शैली को एकदम से स्थापित कर देता है और वह है 'धनुष चढ़ाए और सारथि के साथ रथ में हरिण का पीछा करते राजा दुष्यंत का प्रवेश'। इस दृश्य को हम किसी भी यथार्थवादी पद्धति से करना चाहें, वह कभी संभव नहीं है। इसीलिए भरत ने तत्कालीन नाटकों की परंपरा में से ही नाट्यधर्मी पद्धति को खोज निकाला अर्थात् मंच पर न कोई सचमुच का रथ है, न कोई वास्तविक हरिण है, फिर भी पात्रों की गतियों, मुद्राओं एवं चर्याओं से मृगया का संपूर्ण चित्र प्रस्तुत कर दिया जाए। कल्पना की जा सकती है कि एक खाली मंच पर मात्र पात्रों की वेशभूषा, रूप-सज्जा, पद संचालन, हस्त-मुद्राओं के साथ-साथ संवादों की अदायगी से कितना अभिराम दृश्यजगत उपस्थित हो जाता होगा। पात्रों की गतियाँ और मुद्राएँ भले ही नृत्यवत् हैं लेकिन वे नृत्य नहीं हैं। यहाँ आंगिक और आहार्य के साथ-साथ वाचिक का निर्वाह भी अभिनेता को ही करना है। यही वाचिक और शब्द तब भी काम में आते हैं जब उसी खाली मंच पर मात्र एक संवाद से कि 'यह रहा आश्रम। अब मैं अंदर प्रवेश करता हूँ।' पूरे का पूरा मंच एक आश्रम में परिवर्तित हो जाता है। एक मंच निर्देश बार-बार संस्कृत नाटकों में आता है और वह है—'घूमकर और देखकर' अर्थात् जब भी कोई नया क्षेत्र स्थापित करना है तो पात्र मंच पर घूमेगा और अपने अगले संवाद से उस क्षेत्र का परिचय दे देगा। दर्शक इस रुढ़ि के इतने अभ्यस्त थे कि उन्हें एक खाली 'स्पेस' में भी पूरा दृश्य और उससे जुड़ी साज-सज्जा दिखाई पड़ने लगती थी। क्या यही पद्धति यूनानी और यहाँ तक कि शेक्सपीयर के नाटकों में भी नहीं अपनाई जाती थी ?

यही नाट्यधर्मी प्रस्तुति शैली शकुंतला और उसकी सखियों द्वारा वृक्ष सींचने के अभिनय में भी प्रयोग में आती है। और इसी का सहारा तब भी लिया जाता है, जब एक भौंरा शकुंतला के ऊपर मँडराने लगता है और वह उसे हटाने का अभिनय करती है अर्थात् मंच हर बार किसी भी तरह की बाह्य साज-सज्जा से मुक्त है और उसे पात्रों के वाचिक व आंगिक अभिनय के भीतर से साकार होना है।

उपर्युक्त दृश्यों में ही कालिदास कितनी कुशलता से और बिना बताए नाट्यशास्त्र की एक और पद्धति का परिचय भी दे जाते हैं और वह है कक्षा विभाग यानी एक ही समय में मंच के अलग-अलग हिस्सों में समांतर एवं स्वतंत्र कार्य व्यापार—यहाँ एक क्षेत्र दुष्यंत का है, एक क्षेत्र शकुंतला और उसकी सखियों का है। जब दुष्यंत के संवाद हैं तो संभव है कि दूसरा क्षेत्र स्थिर हो या जब शकुंतला और उसकी सखियों के संवाद है तो दुष्यंत स्थिर हो। इसी का एक दूसरा रूप यह भी हो सकता है कि एक क्षेत्र में संवाद हों और दूसरे में मात्र मौन गतिविधान हो। यही दोनों अलग कार्यक्षेत्र कितनी सहजता से पुनः एक सामान्य कार्यक्षेत्र में लौट आते हैं, जब भौंरे को हटाने के क्रम में दुष्यंत ठीक शकुंतला के सामने पहुँच जाते हैं। अंक के अंत में जब शकुंतला के पैर में नई कुशा का एक काँटा गड़ जाता है और उसका वल्कल शाखा में उलझ जाता है—क्या तब भी उसी सांकेतिकता की अपेक्षा नहीं, जिसके विषय में हम अब तक बात करते आए हैं ?

संस्कृत नाटकों की एक और युक्ति ऐसी है जो बार-बार प्रयोग में आती है और शाकुंतल भी इसका अपवाद नहीं है। वह है किसी भी नए पात्र को बाहर लेने जाना और तुरंत उसके साथ मंच पर प्रवेश करना—हमारा आज का बौद्धिक रवैया सवाल कर बैठता है कि यह कैसे संभव है ? लेकिन यदि हम अपनी परंपरा में कथावाचन एवं गायन की शैलियों के भीतर झाँक कर देखें तो ऐसे प्रश्न और उनके पीछे के 'लॉजिक' आप ही आप पीछे छूट जाते हैं। क्या वामन के अवतार रूप में विष्णु ने केवल तीन

कदमों में ही पूरी सृष्टि को नहीं नाप लिया था ? गणेश ने मात्र अपने माता-पिता की परिक्रमा को पूरे संसार की परिक्रमा से नहीं जोड़ दिया था ? यदि हम मिथक में, लोककथा में ऐसे अंशों को स्वीकार कर सकते हैं तो उन नाटकों में आए ऐसे अंशों को सहज रूप में लेने में इतनी आपत्ति क्यों, जो स्वयं उन्हीं मिथकों पर आधारित हैं ?

कभी-कभी ऐसे मंच निर्देशों को सामने पाकर सचमुच दुविधा खड़ी हो जाती है। शाकुंतल के तीसरे अंक में दुष्यंत का एक संवाद है—"ओह ! आँखें जैसे सार्थक हो उठीं ! यह रही वह सामने फलों से ढँके शिलाखंड पर। सखियाँ इसकी परिचर्या कर रही हैं। तो यहीं लताओं के पीछे छिपा इनकी अंतरंग बातें सुनता हूँ।"

इसके साथ का मंच निर्देश है—देखता हुआ खड़ा रहता है। निर्दिष्ट रूप में सखियों के साथ शकुंतला का प्रवेश।

जिज्ञासा यह होती है कि शकुंतला का मंच पर यह प्रवेश कैसे कराया गया होगा ? क्या दुष्यंत के संवाद के बाद शकुंतला और उसकी सखियाँ मंच पर प्रवेश करके शिलाखंड पर आकर बैठ गई होंगी ? इसमें कोई संदेह नहीं कि संस्कृत नाट्य परंपरा की नाट्यधर्मिता के अनुकूल इस प्रवेश में यथार्थ का कोई भ्रम उत्पन्न करने पर आग्रह नहीं है लेकिन सौंदर्य की दृष्टि से यह प्रवेश बिलकुल सपाट जान पड़ेगा।

इसीलिए मंच के प्रवेश द्वारों पर पड़ी दो यवनिकाओं—पटी व अपटी के अतिरिक्त भरत ने एक तीसरी चलायमान पटी का भी संकेत किया है, जिसे आज हम अपनी लोक परंपराओं में रंगपटी के नाम से भी जानते हैं। यह रंगपटी संस्कृत नाटकों की मंच प्रस्तुति में कई रूपों में काम में लाई जाती थी। सबसे पहले तो पूर्वरंग के उन आरंभिक कार्यकलापों को छिपाने के लिए, जो श्रव्य मात्र होते थे। फिर किसी दृश्य की पृष्ठभूमि के रूप में कोई चित्र उपस्थित करना हो तो दो पारिपार्श्वक बड़ी सहजता से इसे लेकर खड़े हो सकते थे। अंततः सबसे ज़्यादा नाटकीय उपयोग उपर्युक्त प्रकार के प्रवेश के लिए किया जाता था। इसकी भी दो परिकल्पनाएँ की जा सकती हैं—पहली यह कि जब तक दुष्यंत का संवाद चल रहा है, शकुंतला और उसकी सखियाँ रंगपटी के पीछे-पीछे प्रवेश कर शिलाखंड पर अपना स्थान ग्रहण कर ले और दुष्यंत के संवाद समाप्त होने तक रंगपटी लौट जाए और वे सभी निर्दिष्ट स्थिति में बैठी दिखाई पड़ें।

दूसरा और इससे भी ज़्यादा रोचक, आकर्षक और उत्सुकता से भरा विकल्प यह हो सकता था कि अंक के आरंभ से ही शकुंतला और उसकी सखियाँ शिलाखंड पर आसीन हैं और रंगपटी से ढकी हुई हैं। ज्योंही दुष्यंत का संवाद शुरू होता है, रंगपटी उसके अनुसार धीरे-धीरे हटती जाती है।

नाटक का चौथा अंक एक बार फिर ज़्यादा से ज़्यादा अभिनय की उसी सांकेतिक, प्रतीकात्मक, शास्त्रीय और चित्र पद्धति की ओर मुड़ता है, जहाँ शकुंतला की आश्रम से विदाई होती है। प्रकृति के मानवीकरण के माध्यम से अभिनेताओं की गतियों, मुद्राओं एवं हाव-भाव से ही पेड़-पौधों, जीव-जंतुओं को मंच पर जीवंत रूप में प्रस्तुत कर दिया गया है।

हाँ, नाटक के आरंभ में अनसूया और प्रियंवदा के विष्कंभक के बाद सोकर उठे कण्व-शिष्य का प्रवेश है और उसके तुरंत बाद एक मंच निर्देश है—बिना पट-परिवर्तन के प्रवेश करके अनसूया का संवाद। पूरे नाटक में अकेला यही मंच निर्देश ऐसा है जो थोड़ा उलझन में डालने वाला है। विष्कंभक के बाद दोनों सखियों के जाने का कहीं कोई संकेत नहीं है। ऐसी स्थिति में वे दोनों एक स्थान पर स्थिर हो सकती हैं और शिष्य के संवाद के बाद अनसूया गतिमान हो सकती है। यदि वे विष्कंभक के बाद प्रस्थान कर चुकी हैं तो कालिदास अनसूया के पुनः प्रवेश के लिए किस प्रकार के पट-परिवर्तन का संकेत कर रहे हैं, जबकि और कहीं भी किसी पात्र के प्रवेश के लिए इस प्रकार के पट-परिवर्तन का प्रावधान नहीं किया गया है। संभवतः इसी तरह के मंच-निर्देशों के कारण कुछ विद्वान संस्कृत मंच पर रंगपीठ और रंगशीर्ष के बीच भी कम से कम तीन भागों में विभाजित यवनिका की कल्पना करते हैं किंतु इससे सहमत नहीं हुआ जा सकता। यहाँ शायद कालिदास का मंतव्य मात्र इतना रहा होगा कि किसी नए कार्यक्षेत्र की संवाद के माध्यम से सूचना देने के बजाय सीधे अनसूया का प्रवेश करा दिया गया है। ऐसा ही प्रवेश छठे अंक में कंचुकी का भी दिखाया गया है।

नाटक के चौथे अंक की समाप्ति यदि नाटक के पूर्वार्द्ध के अंत की सूचना है तो नाटक की कथा और उसके परिवेश परिवर्तन की सूचना भी प्रस्तुत करता है। नाटक पहली बार राजभवन और राजमार्ग पर पहुँचता है और नाटक की सभी अप्रत्याशित घटनाएँ अगले तीन अंकों में ही घटित होती हैं। नाटक पहले चार अंकों में जहाँ बहुत मंथरगति से शकुंतला की विदाई के दृश्य तक पहुँचता है, वहाँ अंतिम तीन अंकों में उतनी ही

तीव्र गति से आगे बढ़ता है। एक प्रकार से नैसर्गिक एवं प्राकृतिक और राजसी जीवन पद्धति का 'कंट्रास्ट' तो प्रस्तुत करता ही है, उससे भी ज़्यादा नाटक के शिल्प और संरचना पर नाटककार की अचूक पकड़ का भी परिचायक है यह भाग। इस भाग में अभिनय की जटिलता, सूक्ष्मता और विशिष्टता के प्रसंग में दो अंगों का अवश्य उल्लेख किया जाना चाहिए—पहला राजभवन में दूर कहीं से गाए जाते किसी गीत को सुनकर दुष्यंत के ऊपर स्मृतिहीनता का उन्मन भाव छा जाना और दूसरा मिश्रकेशी द्वारा तिरस्करिणी विद्या से अपने को अदृश्य करना। इसमें कोई दो राय नहीं हो सकतीं कि उपर्युक्त दोनों प्रसंगों के लिए अभिनेता निश्चित रूप से किसी ऐसी मुद्रा को प्रयोग में लाते होंगे जो नाटक के दूसरे अंशों से बिल्कुल अलग दिखाई पड़े।

इस प्रकार हम देखते हैं कि वाचिक, आंगिक, आहार्य और अंततः सात्त्विक अभिनय के भीतर से गुजरते हुए 'शाकुंतल' की एक नाट्य शास्त्रीय प्रस्तुति की परिकल्पना की जा सकती है जो उसकी तत्कालीन मंच परंपरा व प्रयोग से तो संबद्ध है ही, आज के रंगमंच से भी उतना ही सामीप्य रखती है। इसमें कोई संदेह नहीं कि प्रस्तुति शैली की दृष्टि से यह पूरी तरह से नाट्यधर्मी है लेकिन इसका अर्थ यह नहीं कि यहाँ लोकधर्मी पद्धति के लिए कोई स्थान नहीं। नाटक में स्थान-स्थान पर सुबह, रात्रि, संध्या इत्यादि समय सूचक निर्देश नाटककार के व्यावहारिक एवं दैनंदिन गतिविधियों के साथ गूढ़ संबंध का परिचय देते हैं तो उनके अनुकूल पात्रों की वेशभूषा का भी संकेत देते हैं। मैंने जानबूझकर पूरे आलेख में इसका कहीं कोई संकेत नहीं किया है कि अंततः नाटक का कौन-सा दृश्य कहाँ खेला गया होगा ? रंगशीर्ष, रंगपीठ एवं मत्तवारिणी की अपनी निस्संगता एवं उन्मुक्तता हमें पर्याप्त अवकाश एवं संभावनाएँ प्रस्तुत करती है कि हम अलग-अलग दृश्यों को कभी एक साथ, कभी समानांतर, कभी अकेले संपूर्ण अभिनय क्षेत्र में संयोजित कर सकें। यहाँ तक कि नेपथ्य से मंच पर आने वाले मात्र दो द्वारों को ही कितनी तरह से बहुआयामी रूप में प्रयोग किया जा सकता था—एक द्वार सदैव प्रवेश के लिए, दूसरा सदैव प्रस्थान के लिए। या जिस द्वार को प्रवेश के लिए चुनें, उसी से प्रस्थान करें। यह भी नहीं तो एक द्वार पूरी तरह से उच्च वर्ग के पात्रों के प्रवेश के लिए और दूसरा नाटक के शेष पात्रों के लिए। क्या संस्कृत नाट्य परंपरा के ही समानांतर यूनानी परंपरा में ऐसे ही प्रवेश-प्रस्थान का प्रावधान नहीं हुआ करता था ? भरत के मंच पर प्रवेश द्वारों पर पड़ी यवनिकाएँ भी पात्र के अभिनय का ही हिस्सा बन जाया करती थीं, जब पात्र अपनी मनःस्थिति के अनुसार उन्हें एक ओर हटाते या झटकते थे। इस सूचना को अलग से देने की ज़रूरत नहीं कि प्रत्येक अंक की समाप्ति पर मंच पर उपस्थित सभी पात्र मंच से प्रस्थान कर लेते थे, नाटक का आरंभ यदि नान्दी पाठ या ऐसे ही किसी दूसरे गीत से होता था तो उसका अंत भरत वाक्य से होता था। नाटकों में एक साथ गद्य-पद्य का प्रयोग, सूच्य दृश्यों के रूप में अर्थोपक्षेपकों की उपस्थिति और स्वगत, जनांतिक, अपवारित और आकाशभाषित जैसी नाटकीय युक्तियाँ भी नाटक की प्रस्तुति शैली में स्वयमेव समाहित हो जाती हैं।

लेकिन उपर्युक्त संपूर्ण विवरण, विवेचन एवं विश्लेषण से यह निष्कर्ष निकाल लेना नितांत भ्रामक होगा कि संस्कृत नाटकों की प्रस्तुति मात्र कुछ युक्तियों, रूढ़ियों, रीतियों में उलझकर रह जाने वाली तकनीकी, शास्त्रीय पद्धति का पुंज मात्र होकर रह जाती है। ये सब कुछ होते हुए भी अंततः ये नाटक अभिनेता से पात्रों के अनुकूल उसी भावप्रवणता एवं संवेदना की माँग करते हैं, जो भरत के रस-सिद्धांत की धुरी है और जिससे दर्शकों के साथ उसका तादात्म्य स्थापित होता है। यदि वहाँ दर्शक से सहृदय होने की अपेक्षा है तो अभिनेता से भी उसी धरातल पर और उसी अनुपात में अन्यथा साधारणीकरण की अवस्था तक कैसे पहुँचा जा सकेगा। संक्षेप में शाकुंतल की नाट्यशास्त्रीय प्रस्तुति भी एक संपूर्ण जीवन दृष्टि एवं अनुभव को आत्मसात करके ही अभिनेता द्वारा एक विशेष 'फार्म' अथवा शैली में प्रस्तुत की जाती थी और इस तरह वह हमें अपने आज के रंगानुभव एवं प्रक्रिया से कहीं भी अलग नहीं जान पड़ती। □

विलाप

कहानी

जयशंकर

पता नहीं रात की किस मनहूस घड़ी में उसने अपनी आख़िरी साँस ली होगी ? मृत्यु जब उसके घर की अपनी जगह से चलकर उसके बिस्तर के करीब आई होगी, तब उसने उसके पड़ोस की बेत की कुर्सी पर भूरी और झबरैली कुतिया को सोते हुए देखा होगा। उसी कुतिया के साथ, सुबह के इसी वक्त में सोफिया अपनी सुबह की सैर से लौटा करती थी। उसके हाथ में बेत होती और दूध का पैकेट। इन दिनों में वह लँगड़ाते हुए चलने लगी थी।

मैं उसके पहली मंज़िल के कमरे से उतरती लकड़ी की सीढ़ियों से लौटते हुए, उसके बारे में सोचने लगा हूँ। शुरुआत की सीढ़ी से ही आल्टर नज़र आता है और जीसस की बरसों पुरानी तस्वीर। सीढ़ियों तक धूप आ रही है। सामने छोटा-सा बरामदा है और उसके बाद सँकरी-सी सड़क। बरामदे की दीवारों पर सोफिया की माँ और उन दोनों भाइयों की तस्वीरें टँगी हैं जो अब इस दुनिया में जीवित नहीं हैं। एकदम पहले जस्टीन मरा, फिर उसकी माँ, बाद में स्टैनली नहीं रहा और अब सोफिया। अब इस पुराने मकान में ऐसा एक भी व्यक्ति नहीं रहेगा जो यहाँ रहता आया था। इस मकान के यही दरवाज़े रहेंगे ऐसी ही खिड़कियाँ और सीढ़ियाँ लेकिन उनसे झाँकती निगाहें दूसरी होंगी, उसकी सीढ़ियों से उतरते पैर दूसरे होंगे।

मैं इस मकान को बचपन से देखता आया हूँ। इस मकान और हमारे मकान के बीच सिर्फ़ एक सँकरी सड़क है जो स्टेशन तक जाती है। यहाँ के मकान भले ही चुपचाप रहें, यहाँ की सड़क बोलती ही रहती है। अब इस इलाके से सोफिया की आवाज़ हमेशा के लिए चली गई है। जिस आवाज़ को मैं चालीस बरसों से सुनता आया था, अब मैं उस आवाज़ को कभी नहीं सुन सकूँगा। इन दिनों वह अक्सर अपने तोते के लिए दाल-भात लेने हमारी खिड़की तक आती और कटोरी देने के बाद कुछ देर तक माँ से बतियाती। इधर वह बीमार रहने लगी थी। मेरे बचपन के बरसों में सोफिया चौबीस-पच्चीस बरस की स्वस्थ लड़की थी। साँवले रंग और घुँघराले बालों के साथ चहकती हुई चंचल लड़की। प्राइमरी स्कूल की अध्यापिका जो साइकिल से अपने दूर खड़े हुए स्कूल में जाती थी। इन बरसों में वही साँवली, स्वस्थ और सनकी लड़की, एक बीमार और अधेड़ औरत का नीरस-सा, निष्प्राण-सा जीवन बिता रही थी। पता नहीं अपनी अंतिम घड़ियों में उसके साथ कितना अवसाद, कितना अकेलापन रहा होगा ?

सोफिया ने विवाह नहीं किया था। एक आदमी था, जो दूसरे इलाके से सोफिया के घर में आता रहा था। बहुत पहले वह आदमी शाम के वक्त अपनी स्कूटर से सोफिया के यहाँ आता रहा था और सुबह के वक्त लौटता रहा था। मैंने बहुत बाद में जाना कि वह एक शादीशुदा साउथ इंडियन था और सोफिया उसकी रखैल। उन्हीं दिनों में माँ ने मुझे सोफिया के घर में मिली किसी युवक की लाश के बारे में भी बताया था। माँ नहीं चाहती थी कि मेरा उस घर में आना-जाना रहे और वह मुझे सोफिया के चाल-चलन को लेकर कुछ न कुछ बताती ही रहती थी। पर मुझे बहुत पहले से सोफिया से नहीं, सोफिया के लिए डर लगता आया था। कुछ लोग होते हैं जिनके लिए हमारे भीतर एक तरह का डर बराबर बना रहता है। सोफिया उन लोगों में से थी।

साल पर साल बीतते गए। सोफिया उस साउथ इंडियन मैकेनिक की रखैल का जीवन बिताती रही। कभी-कभी सोफिया की माँ हमारे घर में आती और सोफिया की परेशानियों का जिक्र करती। उस साउथ इंडियन की शिकायतें करती। माँ-बाबा उनकी बातें सुनते रहते और मन ही मन में किसी विपदा में फँस जाने का डर पालते रहते।

सोफिया के इस तरह चले जाने से उसके पास मौत के इस तरह आने से मुझमें यह पछतावा उतर आया है कि यह हो सकता था कि मैं सोफिया के साथ थोड़ा समय गुजारता। उसके सुख-दुख के बारे में सुनता। उसके बरसों के अकेलेपन को समझने का थोड़ा-बहुत प्रयत्न करता। मैं उससे कभी-कभार रास्ते में ही मिलता रहा और हड़बड़ी में उसकी नौकरी या बीमारी के बारे में सरसरी तौर पर बातचीत करता रहा। शायद यह हो पाता कि कभी मैं इत्मीनान के साथ उससे बातचीत करता और वह मुझे कोई ज़रूरी, गहरी और गंभीर बात बताती। मैं उसके अपने जीवन के किसी सच को देख पाता। एक ऐसा सच जिसे सिर्फ़ जीते हुए ही जाना जाता है। मैं उसके ऐसे कुछ तनावों को साझा कर पाता जो हमारे भीतर बरसों से बसे रहते हैं और जिन्हें हम किसी न किसी के भीतर बसाने की अधूरी आकांक्षा के साथ जीते रहते हैं। आदमी होने के, ऐसे तनाव जिन्हें किसी से बाँटकर हम कुछ हल्के हो जाते हैं। कुछ ज़्यादा हो पाते हैं।

सोफिया जिस पुराने दीवान पर मरी, उसके सिरहाने के पीछे की पीली दीवार पर संत थेरेसा की शायद उतनी ही पुरानी तस्वीर टँगी है। सोफिया की शांत देह के पड़ोस में तार और अलगनी पर टँगे कपड़े हैं। मेज़ पर दवाइयाँ, किताबों और ताश के पत्तों के अलावा तरह-तरह की शीशियाँ हैं जिन्हें शायद वह जमा करती रही थी।

आदमी कितनी सारी चीज़ों के बीच जीता है। मौत उसे कितनी सारी चीज़ों और लालसाओं से अलग कर जाती है। चीज़ें न होतीं तो सोफिया की तरह अकेले रहने वाले लोग और कितने ज़्यादा अकेले मरते। अकेले मरने से बचने की खातिर ही तो आदमी क्या-क्या नहीं करता है ? क्या-क्या नहीं सहता है ?

अगर सोफिया अपने आख़िरी अनुभव को, अपनी देह को छोड़ने के अनुभव को व्यक्त कर पाती तो वह कितना निराला और निराशाजनक अनुभव होता। उस अनुभव में सर्दियों की रात का सन्नाटा होता। नींद में गई हुई बस्ती होती। भय, पीड़ा, तसल्ली और तकरीर का जिक्र होता। पानी के लिए मेज़ तक जाने की यातनामयी यात्रा की याद होती।

यह औरत जो इस वक्त इतनी ज़्यादा मरी-मरी-सी थकी-थकी-सी और बुझी हुई नज़र आ रही है। कभी कितनी ज़्यादा जीवंत और जीवित हुआ करती थी। मुझे याद है वह सोफिया जो अपने बरामदे में ग्रामोफोन पर चढ़े हुए किसी रिकार्ड पर देर-देर तक अकेले ही नाचा करती थी। मैं अपने घर की खिड़की से उसके थिरकते-थकते साँवले रंग के पैरों को देखता रहता। मेरी माँ उसे सोफिया का डांस कहा करती थी। माँ के लिए न उन अंग्रेज़ी गानों की धुनों को सह पाना संभव था और न ही उनके अर्थों को पकड़ पाना। माँ के लिए हॉकी के खेल के बाद टी शर्ट पर घर लौटी हुई और देर-देर तक नाचती हुई सोफिया, अच्छी सोफिया नहीं हुआ करती थी।

बीस-बाईस बरसों के बाद, मैं सोफिया के उन स्वस्थ, साँवले और थिरकते हुए पैरों को, उन पॉपुलर अमेरिकी गानों को जितना याद कर पाता हूँ, उनसे मुझे उन गानों के भीतर की पीड़ा, प्रेम और पागलपन की याद आती है। उस प्रेम की छायाएँ सोफिया के चेहरे पर चढ़ती-उतरती रहती थीं। वे दिन सोफिया के सुख के दिन रहे होंगे। सोफिया के सुफीयाना दिन। अपने फैशनेबल फ्रॉकों, घुँघराले बालों, जूतों, बाइसिकल, गिटार और गानों के साथ बीतते हुए, एक चौबीस-पच्चीस बरस की लड़की के प्रेम के दिन।

किसी का न रहना, कभी उसके होने की कितनी याद दिलाता है। एक मरा हुआ आदमी हमें कितना ज़्यादा और किस-किस तरह से जीने की तरफ ले जा सकता है। मैं सोचता हूँ कि हर मृतक हमें अपने जीने और मरने के बीच फैले अँधेरे और उजले गलियारों के बीच भी ले जाता है ताकि हम अपने जीने पर लौट सकें, अपने जीने की तरफ़ देख सकें।

सोफिया की उस उम्र में जब वह गिटार और गानों के बीच, खेल और खुशियों के साथ प्रेम के दिनों के पागलपन और पैशन में डूबी रहती थी कितना कुछ था जो आहिस्ता-आहिस्ता उससे छूटता गया, दूर होता गया। उसके परिवार में मृत्यु का सिलसिला शुरू हो गया। उस साउथ इंडियन आदमी ने उसके यहाँ आना छोड़ दिया। पहले-पहले सोफिया का मन ही बीमार रहा होगा और बाद में उसकी देह भी बीमार रहने लगी। हर दुखी आदमी की तरह उसका दुनिया और दोस्तों पर से भरोसा उठा होगा और शायद इसीलिए वह अक्सर गिरजे और ग्राटो की तरफ़ जाती हुई

या वहाँ से लौटते हुए नज़र आया करती थी। एक बार मैंने उसके दुख को दरगाह के आँगन में भी उसके साथ खड़े हुए देखा था। उम्र के साथ-साथ आदमी कितनी चीज़ों को छोड़ता चला जाता है। उससे कितने लोग छूटते हैं, कितनी जगहें, कितने सपने और कितनी आकांक्षाएँ। फिर एक दिन आता है जब आदमी खुद को ही छोड़ देता है। मृत्यु का दिन। वह दिन जो सोफिया के जीवन में आया है। मेरे जीवन में आएगा। उस दिन के आने के बाद मैं भी सोफिया की तरह शांत हो जाऊँगा। संसार के शोक और शोर से दूर। दुनिया के दुख और दर्द से अलग-थलग। एक दूसरी दुनिया की छाया में, जहाँ देवदूत होते हैं और देवता।

मैं अपने मकान की खिड़की से उस पीली दीवार के एक अंश को देख रहा हूँ जिसके करीब ही सोफिया चुपचाप, शांत और निर्भय बनी हुई लेटी है। जीते चले जाने के संकट, संताप और संघर्ष से मुक्त। जीने की लालसा, लालच और लगाव से अलग-थलग। उतनी ही मृत, जितनी उसके करीब टँगी हुई संत थेरेसा की धुँधली तस्वीर। बहुत पहले कभी सोफिया ने ही मुझे तस्वीर में खड़ी उस पवित्र आत्मा के बारे में बताया था। तस्वीर है पर सोफिया नहीं है। मैं हूँ लेकिन वह नहीं जिसने कभी सोफिया से उस संत के बारे में जाना था। आहिस्ता-आहिस्ता सब बदलता जाता है। हर आदमी धीरे-धीरे मरता रहता है।

क्या सोफिया की कुतिया के मन में यह व्याकुलता जाग रही होगी कि आज उसकी मालकिन अब तक क्यों नहीं जागी है ? क्यों वे दोनों अपनी सुबह की सैर पर नहीं निकले हैं ? क्यों आज उस घर में इतने लोग आ रहे हैं जिसमें कभी-कभार ही कोई जाया करता था ? मैं खुद ही उस घर में बरसों बाद गया हूँ। कितना अजीब है कि मैं दुनिया-जहान में भटकता रहा हूँ लेकिन अपने पड़ोसी के घर में बीस बरसों से नहीं गया। वह भी उस पड़ोसी के यहाँ जो बीमार रह रहा था। बूढ़ा हो रहा था। अकेला रह रहा था। हमारे भीतर कहाँ से आती है यह उदासीनता कि हम अपने परिवार से, अपने पड़ोसियों से इतना ज़्यादा कट जाते हैं, दूर चले जाते हैं ?

सोफिया के शव के पड़ोस की मेज़ पर ताश के पत्ते ऐसे रखे थे कि कोई खेलते-खेलते बीच में उठ गया हो। वह शायद पेशंस खेलती रही होगी। पत्तों के करीब ही एक अधखुली किताब थी और उसे भी कोई पढ़ते-पढ़ते अधूरा छोड़ गया था। मरते-मरते तक आदमी जीता चला जाता है। जीने की आदत आख़िरी तक नहीं छूटती होगी। शायद इसीलिए मरे हुए आदमी के पड़ोस में, पानी का गिलास होता है, दवाइयों की शीशियाँ, आधी खुली हुई पुस्तक, बिखरे हुए ताश के पत्ते, जीवित रह गए लोग-बाग, रोशनी का कोई टुकड़ा, हवा से हिलता हुआ परदा, दरवाज़े से आता हुआ शोर।

कुछ देर के बाद सोफिया की शवयात्रा की तैयारियाँ शुरू हो जाएँगी। कोई ताबूत तैयार करवाने के लिए जाएगा कोई पादरी के घर। किसी को मौत की ख़बर पहुँचाने के लिए जाना होगा और कोई शव के करीब मोमबत्तियाँ जलाएगा, मृतक की उँगलियों के बीच रोजरी रखेगा। दुपहर ढलने-ढलने तक सोफिया कब्र के अँधेरे में चली जाएगी। सुबह के उजाले में चमकता सोफिया का उजला चेहरा, शाम के आते-आते एक अज्ञात अँधेरे में डूब जाएगा। जीवन के अंत का अँधेरा। मृत्यु की शुरुआत का अँधेरा।

शायद सोफिया की कब्र के आस-पास उन लोगों की कब्रें भी होंगी जिनके साथ और बीच में उसने अपने जीवन के कई बरस बिताए थे और जिनके बिना भी कई साल। सोफिया उनके लिए इस दुनिया की ख़बरें ले जाएगी और वे सब उसे उस संसार के समाचार सुनाएँगे। यह भी हो सकता है कि सोफिया को वहाँ अकेले ही ताश नहीं खेलना पड़ेगा। कल सुबह जब सोफिया दूसरी जगह पर, दूसरे जन्म में, दूसरी दुनिया में अपनी आँखें खोलेगी तब अपनी कुतिया को न देखकर उसे निराशा मिलेगी। यहाँ कुतिया उदास होगी और वहाँ सोफिया। क्या मृत्यु के बाद भी मोह बना ही रहता है, माया बची ही रहती है ? कल मृतकों की दुनिया के किसी बूढ़े के साथ सैर करते हुए सोफिया अपनी कुतिया का जिक्र करेगी और वह बूढ़ा किसी पुराने पेड़ की तरफ़ देखते हुए हँसता रहेगा।

कितना मोह, कितनी माया और कैसी ममता हमारे जीवन की पोटली में जमा होती जाती है। हमारा सारा जीवन तरह-तरह की मोहमाया से बँधा चला जाता है, खिंचा चला आता है और फिर एक दिन आता है। आता ही है जब हमारे मोह, हमारी माया एक तरह के मार्मिक और शाश्वत मौन में डूब जाती है। इसी मौन को हम लोग मृत्यु कहकर भी पुकारते हैं। मैं सुबह से ही मृत्यु को लेकर, क्या-क्या और कितना ज़्यादा सोच रहा हूँ।

मुझे लगता है कि मृत्यु के बारे में बीच-बीच में सोचना, अपनी मौत पर कभी-कभार लौटना, मौत से हमारी पहचान करवाता होगा और इस तरह जब कभी वह हमारे पास आती

होगी तब वह हमारे लिए बिल्कुल ही अजनबी नहीं होती होगी। शायद इसीलिए भी संन्यासी मोक्ष और मृत्यु पर इतना अधिक सोचते होंगे। इससे उन्हें अपने जीने में भी मदद मिलती होगी और मरने में भी। पर क्या संन्यासी मौत के पास उसके पड़ोसी की तरह जाता होगा, क्या उसके लिए मरना तकलीफदेह अनुभव नहीं होता होगा ?

माँ ने सोफिया की कुतिया और तोते के लिए खाना भिजवाया है। वह कुतिया और तोते के भविष्य के बारे में चिंता कर रही है। मेरे पास आकर माँ कह रही हैं—

"मैं अपनी शादी के बाद यहाँ आई तो यह छोटी-सी बच्ची थी...तुम्हारे बाबा इसे पढ़ाते थे...बहुत दुख उठाया इसने..."

माँ उसके छोटे-छोटे पैरों के जूतों के लिथड़ते हुए फीतो को याद कर रही है और मैं उन पैरों को जो अमेरिकी गानों की धुनों पर देर-देर तक थिरकते रहते थे। अब सोफिया के भीतर वह चीज़ नहीं रही जिससे नृत्य पैदा होता है। अब उसके भीतर मृत्यु का नृत्य हो रहा है। मृत्यु का नृत्य। इन शब्दों से मुझे इंगमार बर्गमैन की बरसों पुरानी फिल्म का वह दृश्य याद आता है जिसमें मृत्यु एक जीवित आदमी के साथ शतरंज खेलती रहती है। मृत्यु अभी सोफिया के घर में अपना खेल खेल रही है। सोफिया चुप है। उसका आसपास भी। दुपहर ढलते-ढलते तक न वह खुद रहेगी और न मृत्यु के बाद का आसपास।

मेरी कल की सुबह सोफिया के बिना शुरू होगी। कल की सुबह मेरे बिना भी शुरू हो सकती है। दूसरों की बात अलग रही, जीने के मामले में हम अपनी ही कोई गारंटी नहीं दे सकते हैं। आज सोफिया नहीं रही कल इस इलाके का और कोई नहीं रहेगा। धीरे-धीरे वे लोग भी इस दुनिया को छोड़ चुके होंगे जिनके साथ कभी मैंने अपने जीने की शुरुआत की थी।

कुछ ही बरसों के बाद ये दुनिया दूसरे लोगों की होगी। दूसरे ढंग की होगी। मेरे बिना भी यह संसार अपनी पुरानी और सहज गति से चलता रहेगा। कितना अजीब है कि जिस ज़िंदगी को पाने, पकड़ने और बाँधने के लिए हम इतना कुछ करते हैं, कितना-कुछ सहते हैं, इतना-इतना और कैसा-कैसा दुख उठाते हैं, वही ज़िंदगी एक दिन हमारे न चाहते हुए भी, हमें छोड़कर हमेशा के लिए चली जाती है। हम जो कुछ भी छोड़ने के लिए ज़रा-सा भी तैयार नहीं होते हैं, सारी ज़िंदगी पकड़ने, पाने और समेटने की चिंताओं और कोशिशों के साथ गुजारते चले जाते हैं, एक दिन कुछ भी पकड़ नहीं पाते। स्वयं किसी के हाथों बुरी तरह पकड़ा जाते हैं। वह हमारा हमेशा के लिए, आखिरी बार पकड़ा जाना होता है।

सोफिया के मरने के साथ-साथ मेरे मरने की भी शुरुआत हो रही है। पर कहीं यह जीने की शुरुआत तो नहीं है, कहीं यह मेरे सचमुच में देखने-समझने की पहली सुबह तो नहीं है ? मैं देखना शुरू कर रहा हूँ। मैं जीना शुरू कर रहा हूँ। यह सोफिया की मृत्यु का दिन होगा पर शायद मेरी मुक्ति का दिन। यह मुझे क्या होता जा रहा है, मैं क्यों इतना ज़्यादा भटक और बहक रहा हूँ ? □

छाया का रंग

कहानी

शम्पा शाह

बहुत छोटी गोल कटोरी-सी हैं पाकड़ के फूल की पंखुड़ियाँ। वे इतनी छोटी हैं कि उन्हें केवल हाथ की छोटी उँगली पर टोपी की तरह पहना जा सकता है। तालाब के साथ-साथ चलती इस सड़क के दोनों किनारों पर इन पीली कटोरियों का बाज़ार लगा है। लगातार सरकती कत्थई गाय के रंग की ज़मीन पर छूटता जाता पीला भुरभुरा रंग—कि इस कत्थई और इस भुरभुरे पीले रंग को बार-बार बदलती, उसे हल्का गहरा, चटक-मटमैला करती, सरकती लगातार पेड़ों की छाया। इस छाया का रंग क्या है ?

मैं 'नहीं' में सिर हिलाती हूँ—''कैसी छाया ? यहाँ तो कोई भी ऐसी चीज़ नहीं जिसकी छाया पड़े।''

''अभी कुछ देर पहले तुम्हारे चेहरे पर एक छाया सी उतर आई थी, एक क्षण को तो मैं जैसे तुम्हें पहचान ही न सका।''

मुझे हँसी आ गई थी—''पहचान नहीं सके ? छाया पड़ने से क्या कोई पहचान के परे चला जाता है ?''

पर वह नहीं हँसा। काफ़ी पहले से होठों के बीच दबी सिगरेट के लिए वह माचिस ढूँढ़ रहा था जो उसे अन्ततः नहीं मिली। झुँझलाहट में उसने सिगरेट फेंक दी थी।

मैंने कहा—''शायद इन उड़ते हुए बगुलों की छाया रही हो, देखो कैसे कतारबद्ध जा रहे हैं।''

वह उठा, उसने सिगरेट उठाई, बड़े जतन से उसे झाड़-फूँक कर साफ किया और फिर से जेब में रख ली।

दरअसल बात यह नहीं है। बात यह है कि उसे लगता है कि मैं उसे अपने बारे में कुछ नहीं बताती। वो मानता है कि कुछ है, कोई बेहद महत्त्वपूर्ण बात जिसे मैं अपने भीतर छिपाये हूँ, किसी गड़े हुए धन की तरह और उस पर चौकसी करती हुई-सी बैठी हूँ। मेरा इस कदर अपारदर्शी होना उसे सालता है।

आँखों की सिकोड़कर मैं और गौर से देखना शुरू करती हूँ। पर इस बार छाया की जगह वो धूप के गोल-गोल चकत्ते थे जो उलट दिशा में भाग रहे थे। नहीं, वह पेड़ की छाया ही तो थी जिसकी वजह से धूप के चकत्ते बन रहे थे। एक-दूसरे को ठेलते, एक-दूसरे से आँख-मिचौली खेलते, पीछे को सरकते जाते धब्बे-धूप, छाया, धूप, पीला, कत्थई, पीला। छाया हिल रही है, धूप की फुलकियाँ भी ज्यूँ इधर-उधर लुढ़क रही हैं। ऊपर कहीं पेड़ भी हिल रहा होगा पर अभी इस वक्त मैं उसे नहीं देखना चाहती। मैं एक बारगी सड़क के दोनों ओर फैले रंगों में छाया के रंग को पहचान लेना चाहती हूँ। धूप और छाया में पड़ी पंखुड़ियों के पीले में कितना फर्क है लेकिन यह जो पीले में फर्क ला रहा है, वह दूसरा रंग क्या है ?

मैं ध्यान लगाने की कोशिश करती हूँ। क्या कत्थई रंग के साथ भी कुछ वैसा ही है ?

हाँ, लगभग वैसा ही। जहाँ धूप के चकत्ते पड़ रहे हैं वह ज़मीन अभी-अभी नहलाई गई भूरी गाय की पीठ-सी चमकती है, जब कि छाया तले की ज़मीन...। है तो वह भी कत्थई रंग की ही और रात हुई बूँदा-बाँदी से वह गीली है, यह अनुमान भी लग रहा है पर वो यूँ अभी-अभी नहाई हुई सी नहीं लगती। यूँ कह लो कि छाया के कत्थई में यदि थोड़ा-सा नहायापन मिला दो तो वह लगभग धूप का कत्थई बन जाएगा। तो क्या छाया का रंग कुछ-कुछ बिन नहाया होने-सा है ?

दो बच्चे ज़ोर-ज़ोर से गा रहे हैं, उनकी आवाज़ फटने की कगार तक खिंचती है पर फटती नहीं, सकुशल लौट आती है। बाकी तीन बच्चे कॉलेज की बाउण्ड्री-वॉल से वन-टू-थ्री कहकर छलाँग लगाते हैं। बाउण्ड्री-वॉल से लगा जलकुम्भी का ढेर है जिसे म्युनिसिपाल्टी वालों ने बाकायदा एक चौकोर चबूतरे का आकार दिया है जो बच्चों के वन-टू-थ्री कहते ही एक मोटे स्पंजी गद्दे में बदल जाता है। तालाब से निकाली गई जलकुम्भी का ढेर कल ही लगाया गया होगा फिर भी उसके सड़ने की गीली गंध भाप सी उठ रही है। लेकिन बदबू से कई गुना ज़्यादा होगा उसके मुलायम, स्पंजी स्पर्श का सुख। यह ढेर यदि उसके बचपन में, उसके मुहल्ले या स्कूल जाने के रास्ते में किसी मुँडेर के या पेड़ के पास होता तो यकीनन वह भी उस पर होती, बदबू के बावजूद।

बैलगाड़ी के लकड़ी के पहियों पर चढ़ी हुई लोहे की पट्टी कोलतार की सड़क पर दूर बादलों के गड़गड़ाने की सी ध्वनि पैदा करती। अब मैं इस ध्वनि को पहचानने लगी हूँ। हर सुबह तालाब के किनारे की इस सड़क पर घूमने जाते या लौटते वक़्त यह बैलगाड़ी मिलती है, बैलगाड़ी से पहले उसकी गड़गड़ाहट। बैलगाड़ी पर प्रायः एक अकेला लड़का ऊँघता बैठा होता है। उसके पैर नीचे को लटके हिल रहे होते हैं फिर भी वह यूँ स्थितप्रज्ञ-सा बैठा होता है कि एक क्षण को मुझे भ्रम हो जाता कि वह ही नहीं, उसकी बैलगाड़ी भी स्थिर है और वो तो धरती ही है जो पीछे छूटती जा रही है। आज यह बैलगाड़ी मण्डी की ओर से कैसे आ रही है ? पिछले एक महीने से यानी जब से यह गाड़ी और उसका गाड़ीवान मुझे दीखना शुरू हुए हैं तब से तो वे रोज मुझे मण्डी की ओर जाते हुए ही नज़र आए हैं। बल्कि कितनी बार मेरे मन में यह ख़्याल भी आया कि ये आते कहाँ से हैं ? हर दिन वे मुझे सड़क पर क्रमशः पास आते वैसे ही दिखाई पड़ते जिस तरह पेड़ों के पीछे से क्रमशः उठता सूरज। सूरज के हर शाम निढाल हो समुद्र में लेटते ही बेसुध हो सो जाने का विचार मुझे इतना प्रिय है कि उसके लगातार भभकते रहने, एक ही स्थान पर स्थिर रहने के तथ्य से भरे तमाम काग़ज़ों की मैं नाव बना कर तालाब में छोड़ देती हूँ।

गाड़ी पास आती जा रही है और मैं रोज़ से ज़्यादा कुतूहल से गाड़ीवान के चेहरे को पढ़ने की कोशिश करती हूँ। उसके रोज़ के चेहरे और आज के चेहरे में जो संभावित फ़र्क है उसे मैं स्कैन करने की कोशिश में हूँ पर, उल्टी दिशाओं में बढ़ते हम खुद की गति से दुगुनी गति से एक दूसरे से अलग हो रहे हैं। पिछली रात का कोई सुराग नहीं मिला उसके चेहरे से। हो सकता उसने अब इस ओर घर बना लिया हो और अब रोज़ इसी दिशा से आता दीखे। यह भी हो सकता है कि उसके सारे काम ख़त्म हो चुके हों और अब वह कभी न दीखे।

मैं पुनः सड़क और उसके किनारे की ज़मीन की ओर लौटती हूँ। पर ये वह जमीन नहीं जिसे मैं देख रही थी, वह तो कहीं बहुत पीछे छूट गई है। यहाँ पेड़ नहीं हैं, जो इक्का-दुक्का हैं भी तो उन पर अभी फूल नहीं खिले। हरी पोलीथीन हवा के साथ सड़क को बार-बार छूती उड़ रही है। अब वह सड़क के आर-पार बहते गंदे पानी के कीचड़ में फँस गई है। आनेवाले कई दिनों तक अब शायद यह रोज़ मुझे दिखेगी।

नहीं बात यह नहीं है

तो फिर बात क्या है ?

बात यह है कि मैं उसे सब कुछ बता देना चाहती हूँ।

नहीं, बात यह भी नहीं।

बात यह है कि मैं उसे सब कुछ बताती हूँ।

बात यह है कि मैं उसे सब कुछ बता चुकी हूँ।

बात यह है कि मेरे पास कुछ भी नहीं है उसे बताने को।

नहीं, बात यह नहीं है।

बात यह है कि वो कौन-सी बात हो सकती है जिसे सुनकर उसे लगे कि यह सचमुच कोई बात है।

बात यह नहीं है।

बात यह है कि वह कौन सी बात हो सकती है जिसे बताकर मुझे लगे कि मैंने उसे सब कुछ बता दिया है।

सच, मैं उसे सब कुछ बताना चाहती हूँ।

मैं उसे अपने जन्म के बारे में बताना चाहती हूँ।

मैं उसे अपनी मृत्यु के बारे में बताना चाहती हूँ।

बताना चाहती हूँ कि कई बार मुझे ऐसे लोगों का ख़्याल आता है, ऐसे चेहरे नज़र आते हैं जो मैंने कभी देखे ही नहीं। अचानक ही, चाय बनाते हुए या कपड़े सुखाते हुए कुछ और करते हुए मैं खुद को किसी सँकरी गली में पाती हूँ जो पत्थर के बने ऊँचे मकानों के बीच से जा रही होती है। ऐसी गली, ऐसे मकान जो मैंने कभी देखे नहीं। कभी मैं खुद को ऐसे लोगों के साथ काम करते, हँसते-बतियाते देखती हूँ जिन्हें मैंने अपनी असल ज़िन्दगी में कभी नहीं देखा।

पर क्या यह सब बताना संभव है।

उसे लगेगा कि मैं मज़ाक़ कर रही हूँ और यदि कहीं उसका मन ठीक न हुआ तब तो वह यह भी सोच सकता है कि मैं उसका मज़ाक़ बना रही हूँ।

नहीं कुछ भी बताना संभव नहीं।

हो सकता है कि मुझे बात को कहना नहीं आता। हो सकता है हमारी भाषा ही भिन्न-भिन्न हो।

हो सकता है कि हमारी भाषा में शब्द तो एक से हों पर उनके अर्थ अलग-अलग। कहीं यही सच तो नहीं ?

बच्चों से लदे-फँदे बल्कि स्कूल बैग से लदे-फँदे, आटो-स्कूल बसों की आवाजाही है। आगे जा रहे स्कूटर पर बच्चा उल्टा घूम कर बैठा है—पिता स्कूटर को स्कूल की तरफ़ लिये जा रहे हैं और बच्चा स्टेपनी को स्टीयरिंग व्हील की तरह घुमाता, मानो स्कूटर को स्कूल से उल्टा दिशा में ले जा रहा हो।

कहीं हम दोनों भी आपस में ऐसे ही बैठ कर बात तो नहीं कर रहे—वह एक दिशा में, मैं दूसरी ?

बैलगाड़ी के लकड़ी के पहिये पर चढ़ी हुई लोहे की पट्टी के कोलतार की सड़क पर गड़गड़ाती आवाज़ अब नहीं आ रही। अब तो केवल स्कूटर, कार से निकलता शोर है और काला धुआँ।

आज शाम यदि मैं उसे बैलगाड़ी के विपरीत दिशा से आने, या जलकुम्भी के गद्दे पर कूदते बच्चे या तमाम अलग-अलग पीले रंगों के बारे में बताऊँगी तो क्या यह उसे लगेगा कि मैंने उसे सब कुछ बता दिया ? हो सकता है, आज वह पत्थर के मकानों वाली उस गली की बात करे जो मैंने कभी नहीं देखी पर जिस पर उस दिन मैंने खुद को पाया था। हो सकता है वह छाया के रंग के बारे में कुछ जानता हो। □

प्रयाग शुक्ल : तीन कविताएँ

एक शाम जब मन हुआ घास पर कविता लिखने का

अः कितनी नरम, कितनी भली,
कितनी हरी है यह घास,
उतनी ही पास,
जितना दूर है आकाश–

(क्यों-क्यों-क्यों यह
तुकों का मोह, अब होगी अगली
यही न, 'वातास' ?)

पर, तुम्हीं कहो, भला कोई भी
बेतुकी बात की जा सकती है, घास को लेकर,
और यह तो मैं नहीं ही लिखने
जा रहा कि इस शहर में
घास है बहुत उदास !

अच्छा, छोड़ो यह सब,
देखो, कैसे बार-बार गिरी
जा रही है, एक बच्चा-साइकिल
तिपहिया, घास पर,
और कैसे उसे सहलाते हुए-से
पसरे हैं हाथ, एक वृद्ध के,
पार्क में,

और कैसे जा रही हैं शाम
की अंतिम किरणें, उसे छूकर,
छोड़कर एक उजास !
और कैसे उड़ी जा रही हैं,
ठीक उसके ऊपर से चिड़ियाँ,
उसे वहीं छोड़ती हुईं
(अः घास सचमुच कभी
नहीं छोड़ती अपनी जगह !)
और अब हिल रही हैं पेड़ों
की पत्तियाँ, हवा में,
थोड़ा-सा उसे भी सिहराती हुईं–
वह बुनावट है एक गझिन,
उसके लिए बराबर हैं सब–
चाहे रात हो या दिन !

चींटियों ने कर लिया है
उसमें वास,
(और उनसे भी शिकायत नहीं
है उसे)

गेंदें और पतंगे उसे
अक्सर सजाती हैं,
स्त्रियाँ कितने हौले-से
उस पर चलती हुईं
आती हैं।
और कैसे उठती है उससे
माटी के रस की महक !
कैसे वह जगा देती है,
नन्हे पैरों वाली चिड़ियों की
चहक !

अः कितनी नरम, कितनी
भली, कितनी हरी, कितनी
कोमल, कितनी सजल है
यह घास–

नहीं, नहीं, रहने दो, विशेषण,
तुकें, अनुप्रास, रहने दो !

वह उगती है, फैलती है,
बराबर अपनी ही तरह से–

उसे उगने दो
अपने भीतर !
फैलने, पसरने दो,
अनायास !...

सुबह-सुबह पार्क में समय की परिभाषा

'आख़ीरकार, क्या है समय !'
सुबह-सुबह पार्क में पूछा
मैंने चिड़िया से,
वह उड़ गई फुर्र से !
घास को लगा यह प्रश्न परिहास-सा
पेड़ों को नहीं था उसके
बारे में कुछ पता।
आकाश था निर्विकार,
जैसे उसने सुना ही न हो प्रश्न !
दुहराया सवाल यह, सामने से
आ रहे, टहलते हुए,
सज्जन से,
औचक रुक बोले वह,
आज आया ही नहीं पहन कर
घड़ी,
फिर सँभाल ली, उन्होंने
अपनी फिसलती हुई-सी
छड़ी !
पर, तभी दिखा एक दुधमुँहा शिशु
और चमक उठा समय उसके दाँतों में–
बना-अधबना,
टूटा और उगता हुआ !

नीरव पथ, सूर्य रथ

एक नीरव पथ !

सोचती हैं ठिठककर
इस पर दिशाएँ,
अब यहाँ से कहाँ जाएँ,
या यहीं पर ठहर जाएँ—
फूल-पत्तों की महक से
हो रही हैं श्लथ !

एक नीरव पथ।

उड़ रही हैं चार चिड़ियाँ
और बादल घने,
वृक्ष छाया-भार से ज्यों
झुक रहे अपने।

झर रहे हैं डाल से
कुछ पर्ण, मंथर, मौन—
हवा कहती कुछ उझककर,
आ रहा यह कौन ?

और बढ़ता आ रहा है
सूर्य का वह रथ,
गंध-स्वर-ध्वनि से
रहा है, पुनः सब कुछ मथ !

एक नीरव पथ !

□

नवीन सागर : पाँच कविताएँ

टिक् टिक्

एक तरफ़ का मतलब नहीं
हर तरफ़ जाते नहीं बना
अपने पास खड़े रह जाने में
समय गया।

जब कहीं मुझे होना था तब
हर तरफ़ चलना था एक साथ
मैं घड़ी में काँटे की जगह चला।

घर पुराना वीरान
उसी में पीली दीवार पर
अविराम
टिक् टिक्। टिक् टिक्।

निःशब्द भाषा में

कुछ न कुछ चाहता है बच्चा
बनाना
एक शब्द बनाना चाहता है बच्चा

सौजन्य : श्रीमती छाया सागर

नया
शब्द वह बना रहा होता है कि
उसके शब्द को हिला देती है भाषा
बच्चा   निःशब्द

भाषा में चला जाता है

क्या उसे याद आएगा शब्द
स्मृति में हिला
जब वह रंगमंच पर जाएगा
                    बरसों बाद
भाषा में ढूँढ़ता अपना सच

कौंधेगा वह क्या एक बार।

बनाएगा कुछ या
चला जाएगा बना बनाया
दीर्घ नेपथ्य में
            बच्चा
कि जो चाहता है
बनाना
अभी   कुछ न कुछ।

तस्वीर

शीशे के पीछे धुँधली उसकी तस्वीर
एक शख़्सियत है
उससे अलग जिसका चलना-फिरना
जिसका चेहरा और जिसकी आवाज़
सब अवास्तविक अपने बचपन
की तरह लगता है।

तस्वीर एक शख़्सियत है
अगर हम अकेले बैठे हैं कमरे में
कई तस्वीरों वाला कमरा

अलग-अलग कोणों से
घेरा है।

माँ की तस्वीर
ठिठकी-सी लगती है
वह जैसे
किसी प्रकाश में धुँधली होती जाए।
एक दिन हमारे अलबम से
पता नहीं चलता कि माँ
कहाँ चली जाती है
उसकी चिट्ठियाँ और उसका नाम
भाषा में नहीं मिलता।

जहाँ गिरेंगे हम
वहाँ वह नहीं होती जब
हम उसे भूल जाते हैं और याद करते हैं

एक दिन
दीवार से उसकी तस्वीर गिर जाती है
दीवारें गिरती हैं और नगर बसते हैं
हम दूर
किसी बस्ती में कोने में
धब्बे की तरह नज़र आते हैं
जब
टूटी तस्वीर हमें देखती है
और उठती नहीं है।

बातें

बातें करते हुए
बातों के परे हम एक-एक घर के
होते जाते हैं
सोते जाते हैं जैसे सफर में बैठे-बैठे।

बातों में होते हैं हम जितना

उतने से कई गुना कहीं और
होते हैं
आख़िर को दिखते हैं ना होकर
होते हैं जहाँ वहाँ
दिखते ही नहीं हैं।

बहुत काम

पूरा समुद्र समेटना है
एक़ बूँद में
एक पल में
हर रिफ से लौटाना है अपना समय
बहुत काम करना है
शहर के भीतर
अँधेरे से लथपथ आसमान को
पहाड़ों पर बिछाकर उस पर धूप बिछाना है
पेड़ के साथ जाना है भीतर जड़ों तक
फैली उजास लाना है
देहरी पर रखना है दिये की तरह
अन्धकार के गट्ठर बाँधना है
उन्हें ढो-ढो कर ले जाना है कगार तक
अतल में फेंकने।

बहुत काम करना है
शब्द के भीतर
अलाव जगाना है
पुकारना है
दूर-दूर से आना है
एक बच्चे की उँगली पकड़े
उसके डगर-मगर चलने के संसार में
जाना है।
□

अनिरुद्ध उमट : छः कविताएँ

कातो

कातो भई कातो
बारीक
अति बारीक

साधो भई हाथ साधो

सूत ख़त्म नहीं होता

पृथ्वी कातो
हरापन कातो
प्रेम कातो
चन्द सिसकियाँ भी
भूलने नहीं ठहाके भी

समय इतना कि
वही कभी-कभी
नहीं होता

सबसे पहले
उसे ही कातो

चादर

आसमान से
दीखी पृथ्वी

कई रंगों में गुत्थमगुत्था

मालूम हुआ
ख़ूबसूरत चादर
किसी ने बड़े जतन से रंगी

फिर तनिक
सूखने
फैला दी

शब्द है मछली

मछली में
छटपटाता समन्दर
खाने की मेजों पर
आ गया

शब्द है मछली
समन्दर का एक
हमने कभी जिसे
सुना नहीं

सुना जिसने

डूबा समन्दर में
या
शब्द में

दूसरे के भीतर

रेत में उड़ रही रेत
अग्नि में जल रही अग्नि
जल में बह रहा जल
वायु में बह रही वायु

कोई दूसरा
करता अगर
प्रतीक्षा

भीतर जाने की
बस जाने की
रम जाने की

तो करता रहता
प्रतीक्षा

दूसरे के भीतर
मर चुका था
दूसरा

चीज़ें जानती हैं

चीज़ें जानती हैं

कुछ नहीं है होना

उन्हें रहना है

ताकि लोग
न रह जाएँ अकेले

कविता जैसा गद्य : चिट्ठियाँ

चिट्ठी उसे ही लिखी जाती है जिसे मिलने की संभावना न्यून हो, संदिग्ध हो।
मैंने तुम्हें नहीं देखा सिर्फ़ साथ रहा हूँ।
तुम्हारी गर्म छाती पर मेरा सिर ऊपर नीचे उठता बैठता रहा जिस पर तुम्हारा हाथ मुझे अनाथ होने से बचाए रखने की कोशिश करता रहता।
मैंने ढेरों चिट्ठियाँ लिखीं, पढ़ी एक भी नहीं गई।
मेरा डाकिया सुबह तैयार हो डाकघर पहुँचता और शाम को थका हारा घर जैसे ढेरों चिट्ठियाँ बाँटी हों और घर पर शिकायत करनी हो कि, "आजकल लोग याद बहुत करते हैं, चिट्ठियाँ बहुत लिखते हैं।"
एक दिन मैं डर गया, मेरे हाथ में सचमुच चिट्ठी थी।
वह तुमने लिखी थी।
तुम जिसे कभी यकीन न था कि तुम कभी चिट्ठी भी लिख सकोगे।
अब तुम्हारी लिखी चिट्ठी मेरे हाथ में थी।
बाहर बारिश हो रही थी और मैं कमरे में भीग रहा था।
कहीं चिट्ठी में तो बारिश नहीं ? यह सोच मैं उसे मेज पर रखने लगा।
फिर डर गया कि कहीं मेज पर पानी फैल गया तो ?
वहीं तो मैं चिट्ठियाँ लिखा करता था।
मैं कैसी चिट्ठी लिखना चाहता था !
तुम्हारी छाती जैसी गर्म। लगातार उठती बैठती। दौड़ती हाँफती।

मेरी चिता पर लकड़ियाँ नहीं, तुम अपनी सारी चिट्ठियाँ सजा देना।

तब आग की जगह शब्द उठेंगे, हाहाकार करेंगे, अट्टहास करेंगे, विलाप करेंगे।
मैंने ऐसा नहीं किया।
मैंने उन लिखी चिट्ठियों को, और उन अनलिखी चिट्ठियों को भी जो या तो लिखी जानी थीं या जो कभी लिखी नहीं गईं, उनको घर के आँगन में लकड़ियों की चिता बना कर जला दिया।
तब तुमने कहा था मैं तुमसे पहले कैसे मर सकता हूँ।
बाहर दरवाज़े पर निरंतर दस्तक हो रही थी।
मैंने दरवाज़ा खोल बाहर झाँका। भीड़ किसी की अर्थी लिये जा रही थी।
मैंने पूछा यह कौन है ?

यह अपना डाकिया है...कल इसने किसी की चिट्ठी खोल कर पढ़ ली...बरसों पहले इसने वह चिट्ठी अपने पिता को लिखी थी...वह घूम-फिर कर कल इसके नाम आ गई...इसने पढ़ा...और...मर गया...

□

विमल कुमार : पाँच कविताएँ

सिलसिला

मलबे के भीतर से
आ रही हैं आवाज़ें
"मुझे बचाओ !"
मैं उन्हें बचाता हूँ
और खुद मलबे में फँस जाता हूँ
अब मैं चिल्लाता हूँ
"मुझे बचाओ !"
वे मुझे बचाते हैं
और खुद मलबे में फँस जाते हैं।

सर्वानुमति

सर्वानुमति से
सरकार चलानेवाले लोगों ने कहा
अब सर्वानुमति से ही
की जाएगी किसी की हत्या !
सर्वानुमति से ही होगा
अब किसी का बलात्कार !

चेहरा

यह किस आदमी का चेहरा है
जो दूसरे आदमी से मिलता है
दूसरे आदमी का चेहरा
तीसरे आदमी से मिलता-जुलता है
चौथा आदमी कुछ देर पहले कह रहा था
वह सबसे अलग है
पर उसका चेहरा भी पाँचवें आदमी से मिलने लगा है
अब सिर्फ़ एक आदमी बचा है इस शहर में
वह बहुत बूढ़ा हो चला है
पागल-सा नज़र आने लगा है
उसका चेहरा सबसे अलग है
पर अब उसके चेहरे को कोई चेहरा नहीं मानता है।

तारे और मनुष्य

तारे भी टूटते हैं
और मरते हैं
तब दुख आकाश गंगा को भी होता होगा
तब ब्रह्माण्ड भी
मायूस होता होगा
थोड़ी देर के लिए

तारों का भी अपना जीवन है
उनका इतिहास है
तब तो उनका भी संघर्ष होगा
अस्मिता का संघर्ष
भूख का संघर्ष
प्रेम का संघर्ष

तारे किससे प्रेम करते हैं
नक्षत्रों से
या किसी पड़ोसी तारे से
तारे किससे झगड़ते हैं

ग्रहों से
या सुदूर तारों से

तारे अपनी भूख कैसे मिटाते हैं
अंधकार पीकर
या शून्य को निगलकर

तारे अपनी अस्मिता कैसे बनाते हैं
ख़ूब कुछ तेज़ चमककर
या कुछ बोलकर जो हमें सुनाई नहीं देता
तारे मनुष्य की तरह ही हैं
उनके सुख और दुख
हम देख नहीं पाते
हम अपनी लोककथाओं में
बस इतना जानते हैं कि मनुष्य मरने के बाद कोई तारा बन जाता है
और तारे मरने के बाद
धरती पर मनुष्य के रूप में जन्म लेते हैं

यह दुनिया कितनी भी बदल गयी हो
आज भी तारे और मनुष्य
एक दूसरे के बारे में सोचते रहते हैं

धूप भी डरावनी हो सकती है

बारिश भी डरावनी हो सकती है
यह मैंने नहीं सोचा था
पर एक दिन हुआ यह सच
जब रात बहुत काली और गहरी थी
जब छत पर किसी के पैरों की आहट सुनाई पड़ रही थी
जब दूर से किसी के चीख़ने की आवाज़ आ रही थी

बारिश भी डरावनी हो सकती है
किसी भूतहा किले के खँडहर की तरह
यह मैंने उस दिन जाना
जब पानी की बूँदों में खून टपक रहा था

कटी हुई उँगलियाँ और चारों तरफ़ हड्डियाँ
सुनसान रास्ता और दूर तक सन्नाटा था पसरा

बारिश भी डरावनी हो सकती है
किसी नारी और काली चुड़ैल की तरह
बाल खोले जिसमें अंधकार ही अंधकार भरा हुआ हो
दाँत निकाले जो एक तेज़ हथियार की तरह हो
जब लालच इतनी तेजी से बढ़ रहा हो
जब झूठ धुएँ की तरह फैल रहा हो
बारिश भी डरावनी हो सकती है
आदिवासी नृत्य के खौफनाक मुखौटों की तरह
नगाड़ों की तेज़ थाप और संगीत के चीत्कारों की तरह

मैं नहीं जानता था
कि एक दिन बादलों से भी उम्मीद करना बेकार होगा
बेकार होगा आसमान से उम्मीद करना
लेकिन मुझे जो सबसे बड़ा
ख़तरा नज़र आ रहा है
कि अब तक सबसे ज़्यादा भरोसा रहा
मनुष्य का सूर्य पर
पर सब कुछ इसी तरह चलता रहा
तो धूप भी डरावनी हो सकती है।
□

गिरिराज किराडू : तीन कविताएँ

पदयात्रा के पद

आर के लिए

(एक)

उनके साथ यात्रा करने की सोचते हुए आप अनुमान करते हैं कि वे किसी अनोखी आस्था से नहीं, किसी प्राचीन धार्मिक भाव से नहीं, चमत्कार के आश्वासन से नहीं, किसी अप्रकाशित दुःख से संचालित हैं।

लेकिन उनके साथ थोड़ी यात्रा करते ही उनको सुनने पर आपको लगेगा कि वे अपने जीवन में सिर्फ यह उत्सवी यात्रा करते हुए ही जैसे उत्साह के परिचित होते हैं। कि उनका जीवन लगातार किसी इस या उस ईश्वर के हाथों प्रताड़ित है और यह या वह ईश्वर ही इसका उपचार कर सकता है। कि कोई न कोई मुश्किल आस्माँ बन कर उन पर तनी रही और ऐसी किसी जगह वे भाग नहीं पाए जहाँ आस्मां सर के ऊपर तना न रहता हो। कि इस या उस और खासकर इसी ईश्वर ने उनकी नहीं सुनी जिसकी तरफ उनके ये कदम बढ़ रहे हैं।

कि इस तरह वे अपनी मुश्किलों का, लाचारी का, दुःख का बयान इतना करते हैं कि वह एक प्रकाशित दुःख हो जाता है और आपको उन पर एक अटपटी सी दया आती है और आपके चेहरे पर दया को देखते ही वे आपको अपने साथ से बेदखल कर देते हैं। आप उन्हें नहीं समझा पाते कि दुःख के बयान सुनकर दया ही आती है और आपको इस बात से राहत महसूस होती रही है कि आपको अब तक दुःख का कोई बयान सुनकर दया आती है।

सच बताऊँ तो मुझे भी इन पदयात्रियों पर दया ही आती है। पर चूँकि दया करने जितना समर्थ मैं कभी नहीं रहा यह एक अप्रकाशित दया ही रह जाती है।

क्या एक प्रकाशित दुःख और अप्रकाशित ईश्वर के बीच वही रिश्ता होता है जो एक अप्रकाशित दया और प्रकाशित दुःख के बीच होता है।

यदि आपको अब तक उन्होंने अपने साथ से बेदखल नहीं कर दिया है तो आप आखिरी

कोशिश कर सकते हैं। यह साठ या अस्सी या सौ कोस लम्बी यात्रा इनके साथ कर लीजिए। शायद आप इनके उस अप्रकाशित दुःख को देख, छू या जगा पाएँ जिसका अनुमान आपने किया था।

क्योंकि मुझे विश्वास है कि अपना दुःख लगातार इतना कहने, इतना प्रकाशित करने के बावजूद उनके भीतर ऐसा कोई दुःख है ज़रूर।

हाँ, एक तरीका है उतना ही मुश्किल जितना आसान।

आप उनके सामने सपने में या सचमुच इस या उस ईश्वर के भेस में चले जाएँ।

यकीन मानिए वे अपने इस या उस ईश्वर को भी एक खास भेस में पहचानते हैं।

जरा जल्दी करिए।

कल शाम तक तो वे इतनी दूर निकल चुके होंगे कि आप उन्हें कभी पकड़ नहीं पाएँगे।

(दो)

वह अपने पैरों को नहीं सुनती।

हम में से अधिकांश अपने पैरों को नहीं सुनते जब तक कि वे दुखने न लग जाएँ।

पैर हमें बताना चाहते हैं उन यात्राओं के बारे में भी जिन्हें हमें न चाहते हुए भी करना पड़ा था, उनके बारे में भी जिन्हें हम या तो भूल चुकते हैं या भूलना चाहते हैं। उन जगहों के बारे में भी जहाँ जाने की हमारी इच्छा अब तक पूरी नहीं हुई। यात्रा की ही नहीं, हमारी सारी इच्छाएँ जैसे पैरों को पता होती हैं। इच्छाओं का निवास भले ही मन जैसी कोई जगह है लेकिन उनकी श्वास पैरों में रहती है।

'तुम पैरों में कुछ पहना करो कि तुम्हारी मौजूदगी की आवाज दोगुनी सुनाई दे। तुम पैरों में कुछ इसलिए भी पहना करो कि बाद में कभी तुम्हारी गैर-मौजूदगी की आवाज भी दोगुनी सुनाई पड़े।'

अब मैं उसकी गैर-मौजूदगी की दोगुनी आवाज़ सुनता हूँ।

वह भी अगर अपने पैरों को सुनती तो यूँ मुझे अपने साथ से बेदखल न करती।

(तीन)

पदयात्रियों से अधिक अपने पैरों को कोई नहीं सुनता।

हममें से कोई जब उन्हें गिनकर बताता, खासकर किसी वृद्ध पदयात्री को, कि वह अपने जीवन में इतने हजार कोस चल चुका है तो वह कहता कि मेरे कदमों को गिनकर बताओ तो सचमुच थकान का कोई अंदाजा हो। वह कहता यह गिनना इतना सरल नहीं इसमें थकान और इच्छा, उम्मीद और नाउम्मीद, नींद और बेहोशी को जोड़ दो।

आप भी अगर उनके पैरों को सुनें तो वे शायद कभी भी आपको अपने साथ से बेदखल न कर पाएँ।

(चार)

पदयात्रियों के किस्से भी उनके पैर सुनाते हैं। वे जब बोलते हैं तो लगता है उनके पैर बोल रहे हैं। उनके किस्सों में न चाहते हुए भी चमत्कार के कई प्रसंग प्रकट होते हैं जैसे वे पूरे यकीन

से आपको बताएँगे कि जन्मजात कोई अपाहित पचास फीट की ऊँचाई से बावड़ी में कूदा और निकलकर अपने पैरों पर चलता हुआ सीढ़ियाँ चढ़ गया।

उनके लिए इससे बड़ा चमत्कार कोई नहीं कि पैर सलामत रहें।

(पाँच)

उनके हाथों में फहराती ध्वजाएँ कभी उनके हाथों का तो कभी उनके पैरों का विस्तार हो जाती हैं।

'हाथों और पैरों में कोई रिश्ता नहीं। हाथ किसी भी यात्रा में नहीं थकते। और सबसे बड़ी नेमत ये है कि हाथ छू सकते हैं। पैर कुछ भी छू नहीं सकते। वे सिर्फ छुए जा सकते हैं।'

वे छूने के प्रति इतने शंकित हो उठते हैं कि कभी-कभी अपने हाथों से भी कुछ नहीं छूते सिवाय उस इच्छा के जिसकी श्वास उनके पैरों में रहती है।

आप ध्वजाओं को छुएँ, उनके साजो सामान को छुएँ तो अपने हाथ काम में ले सकते हैं। लेकिन यदि आप अभी भी उस अप्रकाशित दुःख को छूना चाहते हैं तो पैरों से छूकर दिखाइए। इससे बड़ा चमत्कार आप अपने इस जीवन में कभी नहीं कर पाएँगे।

पर यदि उन्होंने चमत्कार करने की यह कोशिश देख ली तो भी वे आपको अपने साथ से बेदखल कर सकते हैं।

और आखिरी बात।

उनके पैर मत छुएँ। इससे ज़्यादा उन्हें कुछ भी दुःखी नहीं करता।

(छह)

उनके इस या उस किसी भी ईश्वर का कोई भी भेस मैंने तो कभी देखा या बनाया नहीं। उनके किसी स्थान या दरगाह तक मैं तो कभी गया नहीं। पर हाँ, अक्सर पीर, फकीर, ईश्वर, देवता जैसे शब्द उनके मन में एक ही जगह पर रहते हैं।

लेकिन वे रात को अपनी मरहम-पट्टी करते बताते हैं कि उनका ईश्वर उनके पैर हैं।

(सात)

मैं और वह एक सपने में उसके पैरों की आवाज सुन रहे हैं। हम उसी बावड़ी में कूदने ही वाले हैं जिसमें कूदकर उस अपाहिज को अपने पैर मिल गए थे। शायद हमारे रिश्ते के भी पैर नहीं थे। हम सपने में चमत्कार के उनके किस्से पर शायद उनसे भी ज़्यादा यकीन करते हुए उस प्राचीन पानी को कूदने से पहले आखिरी बार देख रहे हैं।

माफ करें। इस सपने में मैं आपकी यात्रा के बारे में भूल चुका हूँ।

क्या हमारे कूदते ही आप भी उनके उस अप्रकाशित दुख को पैर से छू लेंगे जिसका अनुमान आपने आरम्भ में किया था ?

× × ×

आस्तीन में साँप रहने के भय का हमें विश्वास था इसलिए हम कमीज नहीं पहनते थे। आस्तीन में साँप रहते हैं यह आसान किस्सा था सच का जिसमें अपमान था, पराजय थी और एक विरल प्रसंग में प्रेम भी।

एक आसान क़िस्सा था झूठ का जिसमें आस्तीन में साँप न रहने की राहत का हमें भ्रम था। इसलिए हम कमीज पहनते थे जिसकी आस्तीन में पराजय थी, अपमान था और एक विरल प्रसंग में प्रेम भी।

एक मुश्किल क़िस्सा था जिसमें हम अँधेरे में अपने अन्तिम अस्तर उतारते हुए साँप को रस्सी समझते हुए उससे लटककर ऊपर आने की उम्मीद करते थे और इस उम्मीद में एक वाक्य या तो साँप या रस्सी की तरह लटका होता।

बिस्तर में उसके लिए कपड़े नहीं, मुखौटे उतार देना ज़रूरी था।

मुखौटे चेहरे नहीं थे इस आसान क़िस्से में हम सहवास करते थे।

मुखौटे चेहरे थे इस आसान क़िस्से में भी हम सहवास करते थे।

एक मुश्किल क़िस्सा था जिसमें हम सहवास को आवास समझते थे।

वह कपड़े नहीं मुखौटे उतार रही है।

जैसे त्वचा उतार रही हो स्वयं को देह पर से।

आसान क़िस्सा उतार रहा हो मुश्किल किस्से को अपने पर से।

× × ×

मुझे एक वाक्य को एक दूसरे जीवन से, एक दूसरे प्रेम के जीवन से इस जीवन में, इस प्रेम के जीवन में रखना है।

मैं इतने दिनों से तुम्हारे फोन का इंतज़ार नींद आने के इंतज़ार की तरह कर रहा हूँ।

यह वाक्य मैंने जिस दिन लिखा था उस दिन कोई भी तारीख हो सकती थी जैसे कि उन्नीस सौ पचास के सावन की कोई तारीख जिसे मैं अपने पिता के जन्म लेने से जानता हूँ।

इस वाक्य को आज फिर से लिखते हुए यह कोई भी तारीख हो सकती है जैसे कि उन्नीस सौ चौहत्तर के पतझर की कोई तारीख जिसे मैं तुम्हारे जन्म लेने से जानता हूँ।

मैं इस वाक्य को दो बार लिखता हूँ और मेरे दो जीवन जन्म लेते हैं।

इसे तीसरी बार लिखते हुए मेरा कोई तीसरा जीवन जन्म लेगा और उस दिन वह कोई भी तारीख हो सकती है जैसे कि दो हजार कुछ के वसन्त की कोई तारीख जिसे मैं अवंतिका के जन्म लेने से जानने लगूँगा।

क्या उस दिन भी तुम्हारा फोन नहीं आएगा। इस भय से इस वाक्य के शब्द काँपते रहेंगे ? □

श्रीलाल शुक्ल की कहानियाँ

आलोचनात्मक परीक्षण की रचनात्मक निष्पत्ति

सुशील सिद्धार्थ

"इस मध्यवर्ग में जीवित रहते मेरे बाल सफेद होने जा रहे हैं और मैं उसकी जन-घृणा को पहचानता हूँ, खूब अच्छी तरह से। जिंदगी में एक जगह नहीं, हजारों जगह मुझे ऐसे तजुर्बे मिले हैं चाहे वह एम.बी.बी.एस. डॉक्टर हो, कालेज का प्रोफेसर हो या हेडमास्टर हो। चाहे व्यापारी हो।...और ये तर्क, ये युक्तियाँ, यह लॉजिक फिलासफी-साफ दिखनेवाले तथ्यों को, जिंदगी को, जान बूझ कर तोड़ मरोड़कर पेश करने के तरीके हैं।"

(मुक्तिबोध की 'विपात्र' कहानी से)

एक अर्थ में श्रीलाल शुक्ल नितांत निष्करुण कहानीकार हैं। यथार्थ का भाष्य करते हुए या उसकी पुनर्रचना करते हुए वे भावुकता की उस बीहड़ बेला से नहीं गुज़रते जो प्रायः उनके समकालीन कहानीकारों में किसी उपलब्धि की तरह उपस्थित मिलती है। **नामवर सिंह** इसकी ओर संकेत कर चुके हैं कि, **'कहानी के अंदर अवशिष्ट अनेक कमज़ोरियों में से एक बड़ी कमजोरी पर मैंने उँगली रखी थी और वो कि ज़िंदगी के प्रति एक रोमांटिक भावुकतावादी दृष्टिकोण, जिससे मुक्त होने की जरूरत थी, उससे मुक्त हुए बिना कहानी नए यथार्थवाद की ओर अग्रसर हो नहीं सकती थी।" (पहल पुस्तिका-7/पृ.7)**। यदि आज हिंदी कथा साहित्य में नए यथार्थ की धारा सहस्रवती दिखाई दे रही है तो इसका थोड़ा बहुत श्रेय श्रीलाल शुक्ल को देना ही होगा।

कहानी लेखन में श्रीलाल शुक्ल का प्रवेश 1946-47 से होता है। 'सर का दर्द' और 'अपनी पहचान' उनकी प्रारंभिक कहानियाँ हैं, जिन्हें वे 'प्रागैतिहासिक काल' की रचनाएँ कहते हैं। तबसे 'चारों ओर अंधेरा घना जंगल था' (कथाक्रम/जुलाई-सितंबर 2000) तक उनकी कई महत्वपूर्ण कहानियाँ हिंदी कहानी की दुनिया में दाखिल और प्रतिष्ठित हो चुकी हैं। श्रीलाल शुक्ल की कहानियों की संख्या अपेक्षाकृत कम है तो इसका मुख्य कारण यह कि, 'हिन्दी में पाँचवे या छठे दशक में कहानियों के बहुत से आंदोलन चले, उनको लेकर जो घालमेल था उससे मुझे लगता था कि इस समय कहानियाँ लिखना केवल कहानियाँ लिखना नहीं है। उसे लिखने का अर्थ है किसी आंदोलन में शामिल होना जो स्वभाववश मेरे लिए बहुत पसंदीदा स्थिति नहीं थी' (श्रीलाल शुक्ल की दुनिया/144)। एक कारण यह भी है कि श्रीलाल शुक्ल को उपन्यास लेखन के कारण 'लघु रचनाएँ चाहे वह कहानी हो या व्यंग्य निबंध' लिखने का मौका कम मिल पाता है। इसी के चलते 1964-65 के बारह वर्ष बाद उन्होंने कोई कहानी लिखी। चरित्रों को यादगार बनाने में वह निपुण हैं। कहानी में उन्हें थोड़ी सी दिक्कत महसूस होती है और स्वीकार करते हैं कि 'इसका संबंध कहानी की मूल प्रकृति से है...एक छोटी कहानी में आप किसी चरित्र का सांगोपांग विस्तार नहीं कर सकते, उसे संकेतों में ही व्यक्त कर सकते हैं।' कम कहानियाँ लिखने के पीछे एक कारण संभवतः यह भी है कि आलोचकों ने उनके उपन्यासकार रूप को सर्वोपरि रख कर शेष की उतनी परवाह नहीं की। कहा तो यह भी जा सकता है कि उपन्यासों में भी 'रागदरबारी'। इस महान रचना का प्रभाव या आतंक कुछ ऐसा कि पहला पड़ाव और मकान आदि उपन्यासों पर अपेक्षित चर्चा ही नहीं हुई।

अखिलेश ने एक जगह बिलकुल ठीक लिखा है कि, 'अपने दौर के हिंदी आलोचक को जितना असहाय और हास्यास्पद श्रीलाल शुक्ल ने बनाया उतना अन्य किसी रचनाकार ने नहीं। हर बड़ा रचनाकार आलोचना को इसी तरह हतप्रभ करता है। मुक्तिबोध की

कहानियों और हरिशंकर परसाई के कथात्मक व्यंग्यों के मूल्याँकन में भी कुछ ऐसा ही असमंजस सामने आता रहा है। तब रेखा अवस्थी के इस वाक्य का मर्म खुलता है कि कहानीकार के रूप में श्रीलाल शुक्ल हिंदी आलोचना के आगे एक गंभीर समस्या पेश करते हैं। यह समस्या वस्तुतः एक चुनौती है।

लद्दड़ किस्म की भावुकता से श्रीलाल शुक्ल को खासी चिढ़ है। ...और यह बात उनकी शुरुआती रचनाओं में ही दिख जाती है। 'अपनी पहचान' जो संभवतः उनके छात्र जीवन की रचना है उसमें मनोहर के 'वर्ग बोध' या मिडिल क्लास सोच को व्यंग्य का निशाना बनाया गया है। छोटी सी क्लर्की पा जाने वाले मनोहर की कृत्रिम दुनिया का गुब्बारा आटा पीसने वाली चक्की पर जाकर फूटता है। एक नकली नकचढ़ेपन की खिल्ली उड़ाते हुए श्रीलाल जी लिखते हैं, ''अपनी थोड़ी सी तनख्वाह में किसी प्रकार मनोहर अपनी बीबी और दुधमुंहे बच्चे के साथ-साथ अपनी बाबूगीरी को भी पाल रहा था।'' आटा पीसने वाला मनोहर से जिरह के दौरान जो कहता है उस ज़मीन पर श्रीलाल शुक्ल की कई रचनाएँ खड़ी दिखाई देती हैं...जेब खाली होने पर भी रेल में ऊँचे दर्जे का सफर करते हो ताकि कहीं हमारे जिस्म की हवा, हमारी तंबाकू की गंध तुम्हें छू न जाए। तभी तुम इन जगहों में पहुँचने की कोशिश करते हो जहाँ तुम्हारा कोई नहीं है। ज़ाहिर है ये बातें प्रेमचंद्र की परंपरा में आगे बढ़ती हैं और उनकी कुछ प्रसिद्ध कहानियों जैसे **'नशा'** की याद दिलाती है। आगे चलकर **नागार्जुन** की **ट्राम वाली कविता** में यही संवेदना नए सिरे से स्वर बद्ध होती है। श्रीलाल शुक्ल की व्यंग्य धर्मिता के पहले पहले प्रमाण भी इस कहानी में मिलते हैं, जिसके चलते उनकी कई कहानियों को 'व्यंग्य लेख' के खाते में डाल दिया जाता है।

'सर का दर्द' का नायक संतोष, ''...प्रेम, काव्य, अध्ययन और गरीबी से भरा पूरा बीसवाँ साल बिताकर और प्रेम, काव्य तथा अध्ययन के तीन क्षेत्रों में गरीबी नाम के अस्त्र से हारकर अब वह क्लर्की कर रहा था।'' योग्यता और सामाजिक व्यवस्था में भीषण संघर्ष के विसंगतिपूर्ण चित्र श्रीलाल शुक्ल की रचनाओं में खूब मिलते हैं...इस प्रवृत्ति का बीज 'सिर का दर्द' कहानी में है। यथार्थ की धरती पर सपनों या उम्मीदों का लड़खड़ाता रूप यहाँ उभरा है। इस कहानी में एक पैराग्राफ ऐसा है जिसे 'इम्प्रोवाइज़' करके **'रागदरबारी'** का पलायन संगीत लिखा गया है। संतोष की स्वयं से बातचीत है कि 'जाओ संतोष, तुम इस कोलाहल मय देश में रहने के लिए नहीं हो। इससे दूर चले जाओ। ...तुम कवि हो, भावुक हो। तुम जाओ और कल्पना के उद्यान में आनंद के फूलों का उपभोग करो।'' इसमें संदेह नहीं, लेखक अपने प्रारंभ को कई तरह से आगामी लेखन में सजाता संवारता है।

श्रीलाल शुक्ल की कहानियाँ दो संग्रहों **'यह घर मेरा नहीं'** और **'सुरक्षा तथा अन्य कहानियाँ'** में उपलब्ध हैं। इधर कुछ और कहानियाँ **'इस उम्र में'**, **'इतिहास का अंत'** तथा **'चारों ओर अंधेरा घना जंगल था'** क्रमशः **वागर्थ, सहित** एवं **कथाक्रम** में प्रकाशित हुई हैं। सारी कहानियाँ अद्भुत रूप से किसी भी प्रकार के कथांदोलन की उपज होने से इंकार करती हैं। इसे दो प्रकार से समझा जा सकता है, कि कोई भी रचनाकार समय समय पर उभरने वाले साहित्यांदोलनों में न उलझ कर अपने आत्मविश्वास को प्रमाणित करता है।...और यह कि हिंदी के तमाम बड़े कहानीकारों ने 'आंदोलनों' से ऊर्जा पाई है तब श्रीलाल शुक्ल की निस्संगता क्या भीड़ में न खो जाने की युक्ति है। जो भी हो, हुआ केवल यह कि उनके मूल्याँकन में तरह-तरह के प्रमाद हुए...एक यह भी कि उन्हें किस आंदोलन या धारा से जोड़कर देखा जाए। नई कहानी या साठोत्तरी कहानी की सीमाओं में श्रीलाल शुक्ल की कहानियाँ नहीं अंटती। ये कहानियाँ पाखंड का विनाश करते हुए सत्य के पक्ष में खड़ी दिखती हैं। स्वातंत्र्योत्तर भारतीय समाज को बूझने में उनकी साहित्यशास्त्रीय दृष्टि अचूक है। उन्होंने पाठक का आस्वाद तो बदला ही है...आलोचक की अंतर्दृष्टि को भी नए सिरे से सचेत किया है। श्रीलाल शुक्ल की कहानियाँ छल और ओछेपन का उजागर करती हैं। सामाजिक मूढ़ता नीचाशयी निजता और विद्रूप होती व्यवस्था पर लेखक ने निरंतर प्रहार किए हैं। वंचित-प्रवंचित मनुष्यों की विवशताएँ भी यहाँ दर्ज है। **'सुरक्षा तथा अन्य कहानियाँ'** की रचनाएँ अभिजात वर्ग की 'मखमली हरामजदगी' से लेकर 'सूअरों के पीछे गाँव के खेतों में नंगे पाँव भटकने वाले लोगों' तक फैली है। **सुरक्षा, गिरफ्तारी, संपोला, दुराचरण, दंगा और परीहीन की प्रेमकथा** भारतीय लोकतंत्र में चल रहे विकास के तमाम कार्यक्रमों का मुखौटा उतार देती हैं। क्षत-विक्षत संवेदना तथा ध्वस्त होते मूल्यों का सघन दुख एक नया अर्थ विकसित करता है। यहाँ उन लोगों के निरंकुश आचरण प्रश्नों के घेरे में हैं जो 'खाने की मैथुनी उतावली' से भरे हैं और 'योगावासीष्ठा' जिनकी कामिक्स है। 'दंगा' में प्रशासन की ठंडी क्रूरता हिला देती है। वैसे 'व्यंग्य' कहकर विज्ञापित पुस्तक **'अगली शताब्दी का शहर'** भी

कहानियों के आस पास घूमता है। कम से कम 'एक निर्लिप्त भावुक की कथा' और **'अगली शताब्दी का शहर'** तो अत्यंत प्रभावपूर्ण कहानियाँ ही हैं।

श्रीलाल शुक्ल की कहानियों में प्रायः वे समस्याएँ हैं जिन पर कई बार आधुनिक या उत्तर आधुनिक दौर में लिखने से लेखक एतराज़ करते रहे हैं। आयातित अनुभवों और महज प्रयोग करने के शौक में कितने ही कहानीकारों ने पाठकों को खुद से दूर किया है...जाहिर है कहानी से भी। श्रीलाल जी को भलीभाँति पता है कि भारतीय संदर्भ में एक लेखक के फ़राएज क्या हैं। आजादी के बाद का यथार्थ इसीलिए उनके यहाँ प्रामाणिक रूप में मौजूद है क्योंकि उन्हें कभी कथ्य को लेकर मुगालता नहीं रहा। अर्थात्—'भारतीय समाज भुखमरी, बेरोजगारी, अशिक्षा, रोग, जनसंख्या विस्फोट, मूढ़ता, साम्प्रदायिकता आदि के पंक में आज भी घिसट रहा है और पश्चिम में साहित्य की उद्देश्य परक मान्यताओं में जो भी बहस हो रही हो, यहाँ का साहित्यकार यहाँ की स्थिति को अनदेखा नहीं कर सकता।...उसकी नियति इस दैन्यपूर्ण समाज के सामूहिक संघर्ष से जुड़े रहने की है।'' इस आत्मस्वीकार की रोशनी में सहज रूप से दिखता है कि बिना किसी कथांदोलन के संविधान का अनुपालन करते हुए श्रीलाल शुक्ल का रचनात्मक स्रोत समाज व मनुष्य ही रहा।

'छुट्टियाँ' कहानी में मिस्टर जून और ग्यारह बारह साल के लड़के (जो फालसा बेचता है) का प्रसंग मनुष्य को समझने की एक विलक्षण शैली है। इसका सार्थता विस्तार उनकी इधर छपी कहानियों में मिलता है। **'इतिहास का अंत'** में 1857 के अमर सेनानी बख़्तावर सिंह की प्रतिमा शहर के एक चौराहे पर खड़ी की गई है। उद्घाटन करना है स्वतंत्रता संग्राम सेनानी कल्याण विभाग के मंत्री स्वयंवर सिंह। स्वयंवर सिंह राजा उदयभान सिंह के पड़पोते हैं। उदयभान के प्रयत्नों से बख़्तावर सिंह की हत्या हुई थी और इनाम में उदयभान को राजा का खिताब मिला था। समारोह को सार्थक करने के लिए बख़्तावर सिंह के बहत्तर वर्षीय पड़पोते दिलीप सिंह को ढूँढ निकाला गया जो बड़े डाकघर के पास टाइप करके जीवन यापन करता है। समारोह के बाद पत्रकारों के सवालों का उत्तर देते हुए मिनिस्टर स्वयंवर सिंह कहते हैं, 'हमारी रियासत का इतिहास कुछ जटिल है। हमारे परदादा 1857 में विद्रोही सिपाहियों के साथ थे। इसके बावजूद जब कुछ अंग्रेज परिवार उनकी शरण में आए तो इंसानियत के नाते उन्होंने उनकी रक्षा की, उन्हें मौत के मुँह में नहीं झोंका। आप इसे जो भी कहें आज कोई भी मानवाधिकार आयोग इसे गद्दारी नहीं कहेगा। वह इसे मानवीयता का सर्वोच्च उदाहरण मानेगा। दिलीप सिंह अपने बड़बाबा की प्रतिमा की पीठिका पर टाइपराइटर रखकर जीवन बिता रहा है। श्रीलाल शुक्ल इतिहास की ऐसी समझ को तार-तार कर देते हैं, साथ ही वह उस नवीन सामाजिक संरचना का ब्योरा भी देते हैं जिसमें आम आदमी के संघर्षों का रूप दिलीप सिंह में घनीभूत होता है। लक्ष्यार्थ यह भी है कि अभी उस व्यक्ति का इतिहास लिखना बाकी है जो इतिहास के तमाम मोर्चों पर जूझता रहा है। अपनी अभिव्यक्ति में यह कहानी समकालीन सत्ता और प्रशासन की समझ को तो उजागर करती ही है। व्यंग्य तो सहज रूप से गुंथा है—''...भले ही यह क्षुद्र विभाग सिंचाई विभाग की लूट का कीर्तिमान नहीं तोड़ पाया हो अब कोई यह नहीं कह सकता था कि देखो, इस विभाग में बेचारा भ्रष्टाचार अभी तक उपेक्षित पड़ा है।'' **'इस उम्र में' वागर्थ** के 'वृद्ध कथा विशेषांक' में छप जाने के कारण शायद अनिवार्य रूप से वृद्धावस्था पर केंद्रित कहानी मान ली गई। यह रचना जीवन के प्रति एक अभिजात दृष्टिकोण और आयु के दलदल में धँसते किसी भी व्यक्ति का सच बयान करती है। भारतीय समाज में 'बुजुर्गों' को 'बूढ़ों' में तब्दील करने की एक बाज़ारू प्रवृत्ति तेजी से पनपी है। श्रीलाल शुक्ल टैम्पो से दुर्घटना ग्रस्त एक वृद्ध के बहाने अनेक सामाजिक संकेतों को प्रखर करते है। मनुष्य का दर्द पहचानने की क्षमता लगातार सक्रिय है। वृद्ध को अस्पताल ले जाने के लिए सिपाही रिक्शे वालों को डपटते हैं, तब जैसे वे अपने गाँव का घर, बटाई पर लिया खेत, खलिहान, नीम का पेड़ छोड़कर शहर यही सुनने, यही करने आए थे उन्होंने यह सुना, यही किया। कहानी 'अपनी शवयात्रा में भीड़ जुटाने के नुस्खे' लिखने की हास्यपूर्ण योजना को भी साथ लेकर चलती है जो एक विडम्बना को मूर्त करती है। उसमें श्रीलाल जी ने 'आत्म' को भी व्यंग्य से बींधा है। जैसे, 'भागदौड़ का तरीका मुझे धीरोदात्त आचरण के विपरीत जान पड़ता है।' या 'पता नहीं क्यों, वे मुझसे पुलिस की तरह नहीं, सभ्य पुरुषों की तरह बात कर रहे थे। इसका कारण मैं बाद में सोच पाया' शायद इसलिए कि मैं खूब साफ सुथरा खादी कुर्ता और पायजामा पहने था। उनकी निगाह में मेरा अपरिचय इज्जत का हकदार था—क्या पता कोई अज्ञात नायक हो ? या कोई प्रभामंडित महान खलनायक ? या 'ऐसा लिख चुकने पर एक बड़े लेखक के साथ जैसा कि होना चाहिए, मैं अपने से कुछ असंतुष्ट और साथ ही कुछ हद तक आत्ममुग्ध होकर छत पर टहलता रहा।' हम चाहें तो साहित्य की दुनिया में कई 'असंतुष्ट-आत्ममुग्ध' देख

सकते हैं,। जीवन का मूल्याँकन करती यह कहानी उच्चमध्यवर्ग के सोच पर तीखी टिप्पणी है।

'चारों ओर अंधेरा घना जंगल था' एक अपेक्षाकृत कमज़ोर कहानी है। जाहिराना तौर पर यह 'स्त्री विमर्श' का उदाहरण है, मगर कुल मिलकार आई.सी.कौशल और लेखक की रोचक बातचीत ही इसकी उपलब्धि है। कभी लगता है कि शायद अपने साहित्य में आए स्त्री चरित्रों को लेकर उठने वाले तमाम सवालों के लिए श्रीलाल शुक्ल कोई पक्ष तैयार कर रहे थे। या शायद स्त्रियों के विषय में उच्चवर्गीय पुरुष अवधारणा को रेखाँकित कर रहे थे। पर कहानी में उस घनत्व का अभाव है जो श्रीलाल शुक्ल की पहचान है। वैसे भी उनके साहित्य में स्त्री की उपस्थिति पर ढेर सारे प्रश्न एकत्र हो चुके हैं। विशेषकर उपन्यासों में स्त्री चरित्रों को लेकर। प्रश्नों का केंद्रित चरित्र वीरेंद्र यादव के इन वाक्यों में है कि, ''. ..श्रीलाल शुक्ल की खिलंदड़ी दृष्टि उन प्रभुत्ववादी मूल्यों से निःसृत है जो श्रमिक समुदाय हाशिये के लोगों व दलित जन के प्रति सहानुभूति के स्थान पर मनोविनोद का भाव रखती है। यह मनोविनोद जब स्त्री केंद्रित हो तो पुरुषवादी रति दृष्टि स्वाभाविक ही है।'' (श्रीलाल शुक्ल की दुनिया/50)। ऐसी ही कुछ बात मैत्रेयी पुष्पा ने कथाक्रम (अप्रेल-जून 2001) में छपे एक पत्र में उठाई है कि, 'साहित्य में स्त्री, विमर्श कहाँ से कहाँ पहुँच गया...मगर लेखक ने जिस तरह रागदरबारी की बेला को जवानी में देखा था, इस 'विश्रामपुर का संत' में जयश्री और सुंदरी उसके बुढ़ापे की काम कुंडलियाँ बन गईं। दिमाग शून्य, देह से भरी पूरी। बदलाव क्यों नदारद है ? संयोग है कि 'दैन्यपूर्ण समाज' में सर्वाधिक संत्रस्त-स्त्री के प्रति श्रीलाल शुक्ल की अपेक्षित प्रतिबद्धता उनकी कहानियों में नहीं मिलती। शायद कुछ लोग इसे 'संयोग' मानने पर आपत्ति करें।

'यह घर मेरा नहीं' अनिर्णय में उलझे युवक का विवरण है। युवक से अधिक उसके काइयाँ बाप का चरित्र कहानी को दिलचस्प बनाता है। **'एक लुढ़कता हुआ पत्थर'**, **'एक चोर की कहानी'**, **'शिकारियों के बीच'**, **'मेरी भाभी'** और **'दिन ढलते'** कहानियों में उस रचनाकार का प्रारंभ दिखता है जिसने आगे चलकर कई अविस्मरणीय रचनाएँ दीं। **'सुरक्षा'**, **'उमराव नगर में कुछ दिन'**, **'गिरफ्तारी'** आदि इस दृष्टि से पढ़ी-परखी जा सकती हैं।

श्रीलाल शुक्ल की कहानियों में दूसरी गद्य विधाओं (व्यंग्य-निबंध, रेखाचित्र आदि) की मुक्त आवाजाही है। इससे पठनीयता में विलक्षण वृद्धि हुई है। चरित्र की एक-एक ग्रंथि खोलते हुए यहाँ कथानक विकसित होता है। विसंगति और विडम्बना के बीच तत्सम शब्दावली को 'नमूना' बनाकर प्रस्तुत करने की कला केवल श्रीलाल शुक्ल के यहाँ मिलती है। जन जीवन की गहरी पहचान और जनभाषा अवधी की ठसक से उनकी रचनाधर्मिता समृद्ध है। पाठक एक साथ प्रमुदित, विचलित और विस्मित होता है। राजनीति और प्रशासन तंत्र में निहित टुच्चेपन को शायद ही किसी दूसरे रचनाकार ने इतनी विदग्ध दृष्टि से देखा हो। इसे 'संपोला' कहानी में अद्भुत अभिव्यक्ति मिली है। **'जोगी बाबू'** जिस तरह अपने पी.ए. को कार से कुचलना चाहते हैं और जिस तरह केंचुआ की कल्पना सपोला के रूप में करके वे भयाक्रांत हो उठते हैं, उससे उनका वर्ग चरित्र साफ झलकने लगता है। **'दंगा'** कहानी के नायक पर लेखक की यह टिप्पणी प्रशासन संबंधी उनकी गहरी समीक्षात्मक समझ का प्रमाण है, ''अपनी साफ-सुथरी अंग्रेजी में ऊँचे स्तर की बैठकों में पूरे तथ्यों की तफ़सील देने, उनका विश्लेषण करके निर्णयों के सभी विकल्प प्रस्तुत करने और उनमें सबसे ज़्यादा उपयुक्त विकल्प को स्वीकार कराने के लिए वे पूरी पुलिस फोर्स में विख्यात थे।'' कहना मुनासिब होगा कि श्रीलाल शुक्ल की कहानियाँ टुकड़ों टुकड़ों में स्वातंत्र्योत्तर भारतीय समाजशास्त्र के बिंब उपस्थित करती हैं। वैसे उन्होंने **'रागदरबारी'** को भी कई कहानियों का एकाग्र संस्करण कहा है, एक साक्षाकार में। भाषा की नितांत निजी छाप, व्यंगय की अप्रतिम काट और समझ की अचूक मार से भरी इन कहानियों में उस आम आदमी का पक्ष है...प्रतिवाद है जो सत्ता-व्यवस्था के हाथों कदम कदम पर जुतियाया जा रहा है। उन लोगों की आशाएँ मुरझा सकती है, जो केवल किसी शाश्वत चिंतन के लिए शब्दों को कहानी के तड़ाग में तैराते हैं। नरनारी संबंधों के सुधी समीक्षक भी खिन्न हो सकते हैं।...लेकिन यह क्या कम है कि **मुक्तिबोध व हरिशंकर परसाई** के साथ मिलकर श्रीलाल शुक्ल भारतीय समाज की वास्तविकताओं के विश्लेषण हेतु हमें आधार सामग्री मुहैया कराते हैं। श्रीलाल शुक्ल के यहाँ यह काम पछत्तर वर्ष का होने के बाद भी धीमा नहीं पड़ा है। □

हिंदी कहानी में कथा-समय अर्थात् समय का अवकाश में विलय

रमेश दवे

क्या कहानी समय के सीमांतों को निरस्त करती है ? कथा में समय क्या है ? कथा में जो समय है, वह किसका समय है—कथा का कथाकार का या उस भौतिकता का, जिसे इतिहास-समय की संज्ञा दी जाती है ? प्रश्न यह भी है कि क्या कथा किसी समय विशेष में जन्म लेती है, या कथा में समय जन्म लेता है ? जब किसी भी सर्जन-विधा को लेकर ऐसे प्रश्न उठते हैं, तो समय को लेकर अनेक प्रतिप्रश्न भी पैदा होते हैं। हमारे सामने समय का एक रूपक तो वह है, जिसे हम काल-संज्ञा में तिथि, वर्ष आदि के रूप में देखते हैं। एक समय वह भी है, जिसे कोई घटना निर्धारित करती है, जिसमें तिथि, माह या वर्ष भले ही याद न रहें, मगर घटना समय बनकर हमारी स्मृति में जीवित रहती है। यह घटनात्मक समय घटना के ज़रिए साकार होता है जैसे अकाल का समय, भूकंप का समय, महामारी का समय, महायुद्ध का समय। ऐसा समय किसी गणना-पटल का समय न होकर, स्मृति-पटल का समय होता है और इसलिए यहाँ स्मृति अधिक महत्त्वपूर्ण होती है और भौतिक तिथियाँ गौण हो जाती हैं।

समय का यह सवाल जब किसी कथा से जोड़कर देखा जाता है तो यह तर्क पैदा होता है कि कथा में समय क्या है ? क्या वह वही प्राकृतिक समय है, जिसमें मनुष्य और जीव-जगत विचरण करता है या कथा में समय अपनी प्राकृतिक संज्ञा बदल देता है ? यदि कथा में जो समय अवतरित होता है या रचा जाता है, उसे किसी इतिहास-समय की तरह देखा जाए, तो उसे कथा में समय का दस्तावेज़ीकरण कहा जा सकता है क्योंकि किसी भी समय का इतिहास-वस्तु हो जाना एक प्रकार का अभिलेखन ही है। संभवतया इसी कारण ऐतिहासिक कथा-साहित्य श्रेष्ठता के मानकों के मुताबिक उतना श्रेष्ठ नहीं माना गया, जितना इतिहास-वस्तु से मुक्त साहित्य। वाल्टर स्कॉट और वृंदावनलाल वर्मा ऐतिहासिक उपन्यासकार तो माने गए, लेकिन शुद्ध कथा या उपन्यासकार के रूप में उनका रचना में जो समय-विन्यास हुआ उसे केवल इतिहास का कथात्मक रूपांतरण ही माना गया। जब कोई कथा अपने समूचे वस्तु-तत्त्व के साथ कथाकार में प्रवेश करती है, तो कथाकार भले ही उसे किसी समय विशेष में सोचे या किसी समय विशेष में लिखे, लेकिन यदि वह कथा को उसकी वस्तु में ही श्रेष्ठत्व का उत्कर्ष देता है, तो वहाँ कथा में समय का विलोप हो जाता है। समय का यह विलय या विलोपन ही कथा-समय का स्मृति हो जाना है या अंततः एक ऐसा अवकाश बन जाना है, जिसमें समय के भूत, वर्तमान और भविष्य नहीं होते और रचना निष्काल होकर अपने अवकाश में जीती है। ऐसी रचना जब भी पढ़ी जाती है, वह उसी समय की लगती है, सार्वकालिक लगती है, बल्कि स्मृति में एक धरोहर की तरह उतर जाती है। धरोहर हो जाने का अर्थ भी इतिहास हो जाना नहीं है, क्योंकि कथा-रचना किसी पुरातत्त्व के स्मारक की तरह नहीं हो सकती, बल्कि वह तो सतत और शाश्वत रूप से जीवित है, अमर्त्य है और उसने जो अवकाश रचा है वह समयमुक्त अवकाश है।

कथाकार प्राकृतिक समय का रूपांतरण करता है संवेदन-समय में, विचार-समय में, शिल्प-समय में और भाषा-समय में। सृजन में समय वस्तु की तरह न आकर, शिल्प की तरह आता है। यही

कारण है कि जब **सआदत हसन मंटो टोबा टेकसिंह** लिखते हैं, तो भौतिक समय तो विभाजन का अवश्य है, लेकिन संवेदन, शिल्प, भाषा और विचार के समय ने विभाजन की भौतिकता को लाँघ दिया है, और पागलपन का एक समय रचा है। विभाजन की भौतिक घटना का यह पागलपन हो जाना, समय का अपने आप ही घटना-समय से मुक्त होना है। पागलपन का कोई समय नहीं हो सकता। पागलपन शाश्वत है और वह मनुष्य ही नहीं बल्कि पशुतंत्र में भी एक समय-मुक्त स्थिति है। जब कथा में यह समय-मुक्त स्थिति आकार लेती है, तो वह अवकाश में रूपांतरित हो जाती है और इस प्रकार हमारे स्मृति-संज्ञान का हिस्सा बन जाती है। इसलिए **टोबा टेकसिंह** में निरूपित पागलपन भी अवकाश है, समय नहीं। यदि इससे और आगे जाया जाए, तो **प्रेमचन्द** की कहानी **कफन** में समय क्या है ? वहाँ तो न गरीबी का समय है, न पत्नी की मौत का समय, न तिथि न वर्ष और न ऐसी कोई बड़ी घटना है, जिसे अकाल, महामारी, भूकंप या महायुद्ध से जोड़ कर देखा जाए। **कफन** संपूर्ण रूप से समय-शून्य कथा है, यहाँ तक कि कथा में कथा का मूल उपकरण **कफन** भी तिरोहित हो जाता है। कथा में जिस मर्म, जिस संवेदन और जिस नैराश्य से उपजी अकरुण विद्रूपता ने आकार लिया है, वहाँ विद्रूपता भी सौंदर्य लगती है, व्यथा भी आनंद लगती है, और कथा अपने रूप, अपनी वस्तु, और अपने भावतत्त्व में समय का अतिक्रमण कर जाती है, या यों कहें कि **कफन** किसी समय को रचती ही नहीं, वह अवकाश ही अवकाश है, ऐसा अवकाश जो जीवंत है और सतत जीवित भी। इसलिए यह कहा जा सकता है कि चाहे **चन्द्रधर शर्मा गुलेरी उसने कहा था** लिखें, या **प्रेमचन्द कफन** जब कोई कथाकार समय-संज्ञा से मुक्त होता है, तो एक प्रकार से वह अवधूत-प्रज्ञा में होता है, वह रचना में समाधि लेता है, समय-बोध से बाहर निकल आता है और तब वह **नीत्शे** के किसी निर्भाव पशु-समय में न होकर, अपने कथा-समय में होता है, जो उसका अपना अवकाश है, वह समय न मौजूद रहता है, न बीतता है। जब कथाकार, नीत्शे के इस पशु-समय का उल्लंघन करता है, जो लगभग हमारा भी प्राकृतिक समय है, तो कथाकार रचना में जो दिन-रात, माह-वर्ष, तिथि-तारीख रचता है, वे सब गौण हो जाते हैं और कथा ही कथा हमारे आसपास होती है, हमारी चेतना में भी स्मृति में भी और हमारे अवबोध में भी। कविता के पास ऐसी समय-मुक्त अवकाश-संज्ञा बहुत सहज है, लेकिन एक कथाकार के पास वह इतनी सहज नहीं होती, बल्कि उसे यह अवकाश स्वयं पैदा करना होता है, स्वयं अपने लिए भी, और कथा के लिए भी।

नीत्शे कहता है कि मवेशी का कोई समय नहीं होता। मवेशी जब हमारे पास से गुज़र रहे होते हैं, तो वे यह नहीं जानते कि बीते हुए कल का क्या मतलब है और आज का क्या अर्थ है। वे आसपास छलाँग लगाते हैं, कूदते हैं, आवाज़ें करते हैं और ऐसा वे सामान्य रूप से रोज़ करते हैं। वे तो अपने क्षण की बेड़ियों से बँधे रहकर कभी खुश होते हैं, तो कभी नाखुश, मगर उनका कोई अवसाद नहीं होता, ऊब नहीं होती, विमर्श नहीं होता, विचार नहीं होता। नीत्शे जानवरों को सुखी मानता है, क्योंकि उनका कोई समय या समयबोध नहीं होता, इसलिए न उनका इतिहास या इतिहास-बोध है, न स्मृति। उनके पास न भूत-भविष्य के डर हैं, न वर्तमान की उलझनें। इसलिए नीत्शे की मवेशी अनालोच्य हैं और समयमुक्त भी। मगर अब प्रश्न यह है कि यदि नीत्शे का पशु-समय वास्तव में कोई समय नहीं है, और हम कथा की उत्कृष्टता भी समय-मुक्त होने में देखते हैं, तो फिर पशु-समय और कथा-समय में अंतर ही क्या होगा ? नीत्शे का यह विचार हमें दो प्रकार से उकसाता है। पशु के समय-मुक्त होने को मनुष्य एक क्रूर खुशी के साथ देखता है, लेकिन मनुष्य का समय-मुक्त होना कथा में एक प्रकार से सर्जनात्मक चुनौती है। समय इतिहास होकर, स्मृति होकर यहाँ तक कि वस्तु होकर भी समय ही बना रहता है, लेकिन सर्जन होकर वह अपनी समय-संज्ञा से मुक्त हो जाता है। हमारे समस्त महाकाव्य, महाआख्यान क्या इस बात के उदाहरण नहीं हैं ? जो लोग इतिहास और आख्यान को अलग-अलग ढंग से परिभाषित करते हैं, वे यह कहते हैं कि इतिहास अगर मेटा-नरेटिव या महाआख्यान का रूप लेता है और यदि महाआख्यान बनकर वह अविश्वसनीय भी हो जाता है, तो अपने आप ही इतिहास के रूप में मर जाता है। इतिहास की मृत्यु उसके आख्यान के रूप में जन्म लेते ही हो जाती है। इसलिए इतिहास स्पेस या अवकाश नहीं बनता, लेकिन आख्यान अवकाश बन जाता है, क्योंकि आख्यान सौंदर्य है, और इतिहास तथ्य। तथ्य का समय हो सकता है, सौंदर्य का कोई समय नहीं होता। यही वजह है कि जब कोई बड़ी कथा जन्म लेती है, तो वह तथ्य या तिथि नहीं बनती, बल्कि वह सौंदर्य और संवेदन बनती है और यही संवेदन या सौंदर्य कभी भी किसी भी समय विशेष में

रचा गया हो, लेकिन वह अंततः अवकाश हो जाता है। यह अवकाश ही सच पूछा जाए तो कथा-समय है।

हिंदी कथा-आलोचना में समय, घटना, वस्तु, पात्र भाषा और शिल्प को लेकर कथा-विवेचन बहुत हुआ और चूँकि कथा-आलोचना के कोई निर्धारित मानक बने नहीं, इसलिए काव्यशास्त्र के ही मानक कथा पर भी आज़मा दिए गए। अब तो यह भी माना जाने लगा है कि कोई भी रचना अपने उत्कृष्टतम में काव्य ही हो जाती है। एक ऐसे काव्यमय ब्रह्मांड की परिकल्पना भी की गई, जिसमें रूप, वस्तु, गुण, ध्वनि, समय, स्मृति सबके सब काव्य-कल्प ग्रहण कर लेते हैं। इसलिए कथा का उत्कृष्टतम भी काव्य हो जाना है और इस प्रकार जिस प्रकार काव्य अपनी प्रकृति से समय-निषेध स्वीकारता है कथा भी वैसा ही निषेध उपलब्ध करके अवकाश हो जाती है। इससे कथा को इतिहास, स्मृति, घटना, विचार या विचारधारा में देखने के बजाय उसके रचनात्मक सौंदर्य, उसके संवेदन और शिल्प में देखा जाएगा और तब कथा मात्र भौतिक जीवन-वस्तु न रहकर भाव-वस्तु हो जाएगी, क्योंकि अंततः तो भाव ही कालातीत हो सकता है, जीवन नहीं। इसलिए कथा में इतिहास का अविश्वास इतिहास की अवमानना नहीं है, न इतिहास का निषेध है, बल्कि इतिहास का सौंदर्य वस्तु में रूपांतरण है, उसकी स्मृति में स्थापना है और अवकाश में शाश्वतता।

प्रश्न यह भी उठाया जा सकता है कि यदि कथा-समय अवकाश रचता है तो इतिहास-समय फिर क्या है ? इतिहास को कितना भी अविश्वसनीय बनाकर उसे कथात्मक सौंदर्य के आधार पर आख्यान कह दिया जाए, लेकिन आख्यान का अर्थ विश्वास-रहित हो जाना नहीं है। आख्यान सौंदर्य हो सकता है, लेकिन स्वप्न नहीं, फैंटेसी नहीं। अंततः इतिहास हो, आख्यान हो या कथा, उनका मूल संबोधी तो मनुष्य ही है। मनुष्य का अपना यथार्थ है, जिसे वह तरह-तरह के समय में जीता और भोगता है। यदि यह यथार्थ किसी इतिहास से उपजता है, या किसी समय विशेष से, तो इसे नकारा कैसे जा सकता है ? यदि **प्रेमचन्द** की कहानी **सद्गति** किसी समय विशेष की जघन्यता का यथार्थ है, तो उस यथार्थ का कथायन क्या समय का ही कथायन नहीं है ? यदि वह यथार्थ सार्वकालिक होकर कथा-अवकाश हो जाता तो **सद्गति** जैसी कहानी का यथार्थ आज भी जारी रहता और समाज के पास एकमात्र विक्षोभ ही होता, विरोध नहीं। यहाँ तो **प्रेमचन्द** की कहानी को एक खास इतिहास-समय में देखना ही होगा। फिर यह तर्क अपने आप ही समाप्त हो जाएगा कि कथा इतिहास-समय में नहीं हो सकती। अब प्रश्न यह है कि हम इतिहास-समय को कथा के लिए आवश्यक मानें या न मानें, मगर किसी कथा को पढ़कर हमारे मन में दो प्रकार की संभावनाएँ पैदा हो सकती हैं। एक तो है वह पशुवत संभावना, जिसमें नीत्शे के मवेशी की तरह किसी खुशी या ग़म में कोई भेद-अभेद नहीं हो सकता और दूसरी वह संभावना, जो रचना में भेद, अभेद और वैविध्य सबके लिए उकसाती है। उत्तर-इतिहासवादी स्थितियाँ ऐसी भेद-अभेद भरी खुशियाँ पश्चिमी मनुष्य के सामने रखती हैं। एक है एक प्रकार की देहाती या चरवाहेपन की सी पहचान-रहितता और इस पहचान विहीनता से उपजा आनंद और दूसरे अपने 'आत्म' या 'स्व' का इस प्रकार विलय कि हम रचना में समय के आधार पर आनंद या पीड़ा नहीं अनुभव करते, बल्कि समय-मुक्त और इतिहास-मुक्त होकर कथा-वस्तु के आनंद में होते हैं, संवेदन के आनंद में होते हैं, भावातीत होते हैं, और भाषाशिल्प के आनंद में होते हैं। चरवाहेपन की इतिहासमुक्तता और मनुष्य की कथात्मक इतिहासमुक्तता में यहाँ भेद ही यह है कि कथा में मनुष्य 'स्व' की खोज भी करता है, और 'स्व' को स्थापित भी, जबकि चरवाहेपन में 'स्व' कहीं नहीं होता। चरवाहेपन की नीत्शे की यह पहचानरहितता कहानी में सौंदर्य बनकर अवतरित होती है, कथा में से कथाकार विलुप्त भी हो सकता है लेकिन कथा में कथाकार जो रच जाता है, वह पहचानरहित नहीं होता। इसलिए नीत्शे के चरवाहेपन की पहचानरहितता से कथाकार की पहचानरहितता भिन्न है। गांधी का उदाहरण यहाँ उपयुक्त हो सकता है। गांधी मोहनदास के रूप में विलुप्त हो गए, लेकिन गांधी ने विचार और कर्म से जो सौंदर्य रचा, जो समय रचा, जो प्रज्ञा और चेतना रची वही स्मृति बनी, वही गांधी बनी, इसलिए पहचानरहित मोहनदास, पहचानवान गांधी के रूप में अवकाश हो गए। इसी प्रकार कथा भी समय से उठकर अवकाश बन जाती है।

कथा-समय को लेकर पहली बहस कथा साहित्य में ही शुरू हुई। इसके पीछे संभावित कारण ये हो सकते हैं कि उत्तर-आधुनिकता ने भाषा, लिंग, इतिहास, राजनीति और समाजशास्त्र को लेकर जिन अवबोधों की रचना की, उनमें कथा साहित्य को समय में या समय से बाहर रखकर देखना सबसे सरल था, क्योंकि कहानी अपने संरचनात्मक आचरण में इतिहास, राजनीति और समाजशास्त्र तीनों से टकराती है, उन्हें टक्कर मारकर उनसे पृथक् भी होती

है और इतिहास-समय के प्रत्यय को भी किसी आख्यान या संवेदनशिल्प में बदलकर समय का भी अतिक्रमण कर सकती है। यदि हम हीगेलियन या मार्क्सवादी अवधारणा पर गौर करें, तो वहाँ जो भी इतिहास-समय है या समकालीनता है, उसमें समय आत्म-उपस्थित-सा लगता है। इसका अर्थ यह भी हुआ कि मार्क्सवादी भौतिकवाद में समय भी एक भौतिक वस्तु है। उसे मार्क्सवादी अपना यथार्थ भी कहते हैं, जबकि यथार्थ भी एक अवकाश ही है, उसे भौतिक समय के रूप में देखना ठीक नहीं लगता। मार्क्सवादी आलोचक **बेंजामिन** उत्तर-आधुनिक नॉन-टाइम या उत्तर-इतिहास से अपने समय को उसकी क्षणिकता में नहीं स्वीकारता। वह कहता है **'इतिहास-समय तो है, वह अंतरनिष्ठ समय है, बहु-स्तरीय समय है, उसमें अतीत और भविष्य की क्षणिकताएँ हैं, वह सरल न होकर जटिल है, वह एकवचनीय तक है, और इतिहासवाद की कोख से पैदा हुआ ही समय है, जिसे उत्तर-आधुनिक नॉन-टाइम कह रहे हैं।' (उद्धरण फ्रांसिस बार्कर की पुस्तक 'दी कल्चर ऑफ वायलंस', पृ. 107-108 से)**। यदि बेंजामिन के इस समय-प्रत्यय को माना जाए तो यह धारणा बनती है कि वह उत्तर-आधुनिकता के नॉन-टाइम को एक प्रकार से मार्क्सवादी, क्रांति-मुखी और उपस्थिति-बोधक इतिहास-समय पर हमला मानता है। इसका अर्थ यह भी हुआ कि मार्क्सवाद में समय न केवल भौतिक वस्तु है, बल्कि इतिहास-वस्तु भी है और उस इतिहास-वस्तु का स्वभाव क्रांतिमुखी है, इसलिए समय मार्क्सवाद में क्रांति का एक उपकरण भी है। बेंजामिन यह भी मानता है कि रचना से समय को निरस्त करने का मतलब है, समय को एक समग्र घटक के रूप में उसकी पहचान से वंचित कर देना। नॉन-टाइम बेंजामिन के लिए अवकाश नहीं है, वह तो यह भी मानता है कि रचना क्षणों को जिस प्रकार महत्त्वपूर्ण बनाती है, वह उसका समय भी है, इतिहास भी, यथार्थ भी और इसलिए समय अस्मिता-रहित हो ही नहीं सकता। हिंदी कहानी ने पश्चिम का कथा-रूप अपनाया, इसलिए वह भारतीय आख्यानों या पुराकथाओं का विस्तार या पुनःसृजन नहीं है। समय-विहीनता का एक बड़ा रूपक तो भारतीय आख्यान परंपरा में विद्यमान है और यही कारण है कि हमारे तमाम महाकाव्य या महाआख्यान इतिहास की तरह न पढ़े जाकर, कथा की तरह ही पढ़े जाते हैं, लेकिन आधुनिकता के साथ ही हिंदी कहानी में समय-सहित और समय-रहित होने का द्वंद्व पैदा हुआ, इतिहास की जीवन-मृत्यु के प्रश्न पैदा हुए, यथार्थ और सौंदर्य के भेद-अभेद खड़े हुए और विचारधाराओं के सहारे कहानी-सर्जन के पूरे साहित्य का दशकीकरण हो गया। ऐसी स्थूल विभाजकता कविता ने नहीं अपनाई, लेकिन कहानी के आकलन का समूचा आलोचनाभाव विचारधारा और दशक में सीमित हो गया। कथा जिसे समयमुक्त कर अवकाश-संज्ञा में देखने की कोशिश की गई थी, वही समय के मानदंड से ग्रस्त हो गई।

ल्योतार ने 1984 में लिखे अपने एक लेख में जब उत्तर-आधुनिकता की परिभाषा में महाआख्यानों की अविश्वसनीयता को शामिल किया और उस अविश्वसनीयता के लिए जिस प्रकार से इतिहास के होने को एक मुख्य कारण माना, उससे इतिहास और आख्यान अलग-अलग तो हो गए, लेकिन ल्योतार फिर भी उत्तर-आधुनिक सोच में फोकू की तरह इतिहास की मृत्यु घोषित नहीं कर सके। उसके बाद **फूकूयामा** ने अमेरिका की एक कट्टरतावादी पत्रिका **'दी नेशनल इंटरेस्ट'** में 1989 में जब इतिहास के अंत की घोषणा की, तो उस अवधारणा के साथ फूकूयामा ने पूँजीवाद की जीत को एक प्रकार से विश्व-विजय का उत्सव बताया और यह अफसोस भी जताया कि इतिहास की मृत्यु एक दुखद समय है, और उत्तर-इतिहासवादी समय-विहीनता में इतिहास ही नहीं, बल्कि कला और दर्शन तक भी समाप्त हो जाएँगे और जो कुछ बचेगा वह केवल मानव-संग्रहालयों में एक व्यवस्था बचेगी, जो मनुष्य के इतिहास होने के प्रमाण की तरह मौजूद रहकर उसकी देखभाल करती रहेगी। यहाँ फूकूयामा यह मानता है कि समय के प्रति एक नास्टेलजिया या एक प्रकार की याद आएगी और इस याद या स्मृति से शायद हम यह मानने लगेंगे कि इतिहास था क्योंकि जो उत्तर-आधुनिक संसार है वह अंततः एक प्रतियोगी संसार है और ऐसे में उसके पास स्पर्धा कराने या टकराने के लिए इतिहास के सिवा और कुछ रहेगा ही क्या ? इससे ल्योतार यह भी स्पष्ट करना चाहता है कि इतिहास और स्मृति अलग-अलग हैं, क्योंकि स्मृति स्पर्धा नहीं करती और न इतिहास से टकराती है। स्मृति तो अपने श्रेष्ठतम में अवकाश ही बन सकती है।

यदि उत्तर-इतिहासवाद अपने नास्टेलजिया के साथ वर्तमान की स्पर्धा से टकराता है, तो उत्तर-संरचनावाद, उत्तर-उपनिवेशवाद और उत्तर-मार्क्सवाद सभी को प्रतियोगी बनकर उतरना होगा, जो भाषा, समाज, व्यवस्था, विचार सबसे टकराएँगे और ऐसे में

इतिहास वर्तमान के समक्ष बार-बार हलाल किया जाएगा। इससे एक समस्या और पैदा होगी और वह यह, कि जो ऐतिहासिक कहानी या उपन्यास, नाटक आदि पढ़ते हैं, या इतिहास-वस्तु को अपनी सर्जन-वस्तु बनाते हैं, उनके लिए इतिहास केवल विमर्श का विषय बनकर रह जाएगा, जिसके ज़रिए वे वर्तमान और भविष्य के व्यूहों की व्याख्या भर कर पाएँगे। इस प्रकार इतिहास और निर्जीव पुरातत्त्वीय स्मारक में ज़्यादा अंतर नहीं होगा। यहाँ फ्रांसिस बार्कर एक रोचक बात यह कहता है कि इतिहासवाद और उसके सांस्कृतिक अवतार सहजीवी तो रहेंगे, मगर वैचारिक रूप से इतिहास और संस्कृति एक-दूसरे के विकल्प या पर्याय नहीं होंगे। अ-इतिहासीकरण और समवर्ती-नवीन नए मूर्तिभंजकों की तरह उभरेंगे और इस प्रकार द्वंद्ववादी दुराकांक्षाओं के विरुद्ध संयुक्त आक्रमण करेंगे। इसलिए नृत्तत्वशास्त्रीय मान्यताएँ जब 'नया-नया-नया' कहती हैं, तो इतिहास-रहित नहीं होतीं, बल्कि यदि इस ध्वनि को समय की समग्रता में सुना जाए, तो उससे 'पुराना-पुराना-पुराना' भी पुनर्जीवित हो जाता है, अर्थात् इतिहास मरने के बजाय स्मृति में रूपांतरित हो जाता है।

हिंदी कहानी में कहानी से नई-कहानी और अ-कहानी तक 'नया-नया' के भीतर से 'पुराना-पुराना' का जो राग प्रवाहित होता है, उससे **जैनेन्द्र, प्रेमचन्द**, यहाँ तक कि **जयशंकर प्रसाद** भी स्मृति की तरह लगते हैं। **प्रेमचन्द** यदि अपनी कहानी में मनुष्य के यथार्थ, और आदर्श पर केंद्रित थे, तो **यशपाल** उसी यथार्थ में से भारतीय अस्मिता खोज रहे थे, लेकिन **जैनेन्द्र** इन दोनों से अलग हटकर कथा में संवेदना का कलात्मक उत्कर्ष रच रहे थे। यहाँ एक प्रश्न यह उठाया जा सकता है कि हिंदी कथा ने भले ही उत्तर-आधुनिकता के अवबोधों को अपनाया हो, लेकिन **जयशंकर प्रसाद, मुक्तिबोध, जैनेन्द्र, यशपाल** और **प्रेमचन्द** की ही परंपरा को अलग-अलग रूपों में **रांगेय राघव, अज्ञेय, फणीश्वरनाथ रेणु** और कुछ हद तक **शैलेश मटियानी** ने इस प्रकार जारी रखा कि ये कथाकार भी समय का भौतिक फलक चीरकर कथा-समय रच सके, यानी कथा ही उनका समय बनी और चूँकि कथा समय-आबद्ध नहीं थी, इसलिए कथा अपने रूप-तत्त्व और राग-तत्त्व में अवकाश हो गई।

हिंदी कथा-साहित्य ने जिस प्रकार की गतिशीलता दिखाई, उससे विचार और विचारधारा का भी कथा में हस्तक्षेप तो हुआ, लेकिन कथा-वस्तु के कलात्मक और संवेदनात्मक शिल्प ने विचार या विचारधारा की ऐतिहासिकता को गौण बना दिया। पाँचवें दशक की कहानियों में तो यह उत्कर्ष दिखाई दिया ही, लेकिन छठे दशक का कहानीकार, जिसकी मुद्राएँ अधिक विचारधारा प्रतिबद्ध थीं, वह भी ऐतिहासिकता के मोह से मुक्त अवश्य हुआ। इसलिए नई कहानी जीवनखंडों या घनीभूत क्षणों का संप्रेषण न होकर उनमें निहित मानवीय अर्थों या संवेदनात्मक मूल्यों की कहानी है। **कमलेश्वर** ने कहानी-वस्तु के चुनाव को महत्त्वपूर्ण मानकर हिंदी कथा की अर्थगर्भा स्थितियों का महत्त्व जब स्वीकारा, तो यह स्पष्ट है कि चयन भले ही इतिहासबद्ध हो, विचारधाराबद्ध हो, किंतु अंततः तो कथा का अर्थगर्भा होना ही उसका श्रेष्ठत्व है। इसलिए यह कहा जा सकता है कि हिंदी कहानी ने **प्रेमचन्द** और **जैनेन्द्र** की परंपरा से जो प्रस्थान किया था, वह परवर्ती नए कथाकारों में संवेदन-संस्कार के रूप में प्रतिफलित हुई।

जैनेन्द्र ने अपने कहानी **'नीलम देश की राजकन्या'** में जब 'शायद है, नहीं है, शायद अकथित है, शायद है और अकथित है, शायद है, नहीं है और अकथित' जैसे प्रश्न उठाए, तो कहानी को किसी ठोस वस्तु की तरह पढ़ने के बजाए उसके सौंदर्य में पढ़ने का संस्कार बना। इसी का विस्तार हम **अज्ञेय** में पाते हैं, जब वे कहते हैं–'हर व्यक्ति अद्वितीय है, हर चेहरा स्मरणीय, सवाल यह है कि हम उसके विशिष्ट पहलू को देखने की आँखें रखते हों।' **राजेन्द्र यादव** की **'प्रश्नवाचक पेड़'**, **कमलेश्वर** की **'राजा निरबंसिया'**, **कृष्ण बलदेव वैद** की **'बीच का दरवाजा'**, **नरेश मेहता** की **'तथापि'**, रेणु की **'मारे गए गुलफाम'**, **मोहन राकेश** की **'मलबे का मालिक'**, **भीष्म साहनी** की **'चीफ की दावत'**, **श्रीकांत वर्मा** की **'टोसो'** ऐसा ही कहानियाँ हैं जिनके प्रमाण इतिहास या विचारधारा में नहीं खोजे जाते, बल्कि कथा स्वयं अपनी अस्मिता रचती है। **निर्मल वर्मा** अपनी कहानी **'परिंदे'** और **कृष्णा सोबती** अपनी औपन्यासिक कहानी **'मित्रो मरजानी'** और **'डार से बिछुड़ी'** में जिस प्रकार के जातीय संबोधन और संवेदन रचती हैं, उससे दोनों ही कथाकार संवेदन और शिल्प के कथाकार के रूप में प्रकट होते हैं, न कि किसी समय-विशेष का इतिहासीकरण करने वाले। यही वजह है कि **निर्मल वर्मा** और **कृष्णा सोबती** कथा-समय को अपनी स्पेस या अपने अवकाश में उसी तरह रूपायित कर पाते हैं, जिस प्रकार **जैनेन्द्र, प्रेमचन्द** या **अज्ञेय** कर सके हैं। लगभग इसी प्रकार का कथा-भाव आगे चलकर हम **राजी सेठ, मन्नू भंडारी, गोविन्द मिश्र** और **ज्योत्स्ना मिलन** की कथाओं में भी पाते हैं, लेकिन बीच-बीच में प्रतिबद्धता-मूलक आलोचना ने जब अलग-अलग

हाशिये बना दिए, तो **राजेन्द्र यादव, कमलेश्वर, अमरकांत, ज्ञानरंजन** से लेकर **भीष्म साहनी, काशीनाथ सिंह, स्वयं प्रकाश, उदयप्रकाश** और **शिवमूर्ति** तक को उन हाशियों पर डाल दिया गया। जिसका बड़ा नुकसान यह हुआ कि हिंदी कथा की निरपेक्ष आलोचना दृष्टि सिमट गई और आलोचना किसी को स्थापित या विस्थापित करने का उपकण बनकर रह गई। संभवतया इस हाशियेबंदी का एक परिणाम यह हुआ कि **राजी सेठ, मृदुला गर्ग, चित्रा मुद्गल, ज्योत्स्ना मिलन, रमेशचंद्र शाह, नासिरा शर्मा, शानी** आदि पर कथा-आलोचना में उतना ध्यान नहीं दिया गया, जितना एक ओर **निर्मल वर्मा** या **कृष्णा सोबती** पर दिया गया और दूसरी ओर **भीष्म साहनी** और **अमरकांत** पर दिया गया। इस कारण **धर्मवीर भारती, रघुवीर सहाय, गोविन्द मिश्र, गिरिराज किशोर, शैलेश मटियानी** और यहाँ तक कि **मोहन राकेश** भी हिंदी कथा साहित्य में उत्कृष्ट कथा-रचना के बावजूद खेमेबंद आलोचना के शिकार हो गए। **मार्कण्डेय की धुन, राजेन्द्र यादव की अभिमन्यु की आत्महत्या, राजकमल चौधरी की बस-स्टॉप, अमरकान्त की ज़िंदगी और जोंक, रमेश बक्षी की मेज़ पर रखी कुहनियाँ, कमलेश्वर की खोई हुई दिशाएँ, शिवप्रसाद सिंह की गदल, प्रियंवद की एक अपवित्र पेड़, रमेशचंद्र शाह की आशा की कहानी और मुहल्ले का रावण** आदि कहानियाँ ऐसी हैं, जिनका वैचारिक और कला, दोनों ही पक्ष बहुत समर्थ हैं। मानवीय आस्थाएँ, जीवनगत व्यथा और करुणा, आंतरिक रहस्य, प्रेम, मिथक, शोषण, क्रूरता, व्यवस्था, आर्तनाद आदि अनेक मनोवेग इन कहानियों की कथावस्तु के रूप में इस तरह प्रस्तुत हुए हैं, कि कहीं ऐसा लगता ही नहीं कि कथा-फलक किसी विचारधारा से बद्धफलक है। एक कथाकार जब जीवन को केंद्र में रखकर कथा रचता है, तो उसके अंदर से उसकी ही प्रतिबद्धताएँ खंडित होने लगती हैं, वह उदात्त और उदग्र दोनों होता है वह स्वायत्त और व्यग्र भी होता है और कथा का अवकाश उसे अपने अंदर इस प्रकार समाहित कर लेता है कि वह जो समय कथा में रचता है, वह कथा-समय बन जाता है।

कई बार ऐसा भी होता है कि कथा में वस्तु की समानता होने लगती है। एक सामान्य और सर्वव्यापी थीम अपने समय की किसी घटना से जुड़कर अनेक कथाकारों को समान रूप से आंदोलित करती है। आजादी के आंदोलन, शहीदों के चरित्र, सैनिक क्रांतियाँ, दंगे आदि ऐसी घटनाएँ हैं, जो एक सर्जक को भीतर से उकसाती हैं। यदि इन घटनाओं को उनके ठोस वस्तु-रूप में रख दिया जाए, तो फिर वह कथा नहीं होगी लेकिन जब उनकी रचना संवेदनात्मक और मर्मपरक होती है, तो रचना-शिल्प अनेक प्रकार के आकार ग्रहण करने लगता है। हम कुछ कथाओं में समय-विशेष को उपस्थित पाते हैं, जैसे **मंटो की 'टोबा टेकसिंह' ए. हमीद की 'पत्तर अनारां दे', अशफाक अहमद की 'गडरिया', कृष्णा सोबती की 'सिक्का बदल गया', अज्ञेय की 'शरणदाता', मोहन राकेश की 'मलबे का मालिक', विष्णु प्रभाकर की 'अपना वतन', राजेन्द्र सिंह बेदी की 'लाजवंती' और राजी सेठ की 'पुल'।** सभी विभाजन की मार्मिकता की कथाएँ हैं, इसलिए इतिहास-समय तो इन कहानियों में है, लेकिन शिल्प का सौंदर्य और वस्तु की प्रस्तुति इन कथाओं से भौतिक या ऐतिहासिक समय को गायब करके कथा-समय में उन्हें परिवर्तित कर लेती है। इसलिए कथा-समय ही वास्तविक समय है और यही समय स्पेस या अवकाश में तबदील होता है। यदि कथा का अपना समय अवकाश की तरह नहीं होता, तो **जैनेन्द्र, प्रेमचन्द, यशपाल, इलाचन्द्र जोशी, मुक्तिबोध, धर्मवीर भारती, अज्ञेय, कृष्णा सोबती, कृष्ण बलदेव वैद** आदि सबके सब इतिहास का कथायन करने वाले माने जाते या ऐतिहासिक जीवनीकार बनकर रह जाते। हिंदी कथा-व्योम में **निर्मल वर्मा, कृष्णा सोबती, राजी सेठ, गोविन्द मिश्र** यदि शहरीपन, अंग्रेजी या पश्चिमीपन और भाषाई संरचना का संधान नए-नए शिल्प के साथ करते सर्जक हैं; तो **शैलेश मटियानी, नागार्जुन, फणीश्वरनाथ रेणु** उस आदिम आधारभूत लोकपरकता से जुड़ते हैं, जहाँ मानवीय जिज्ञासाएँ हलचल मचाती हैं। **शैलेश मटियानी चील, महाभोज और प्रेतमुक्ति** जैसी कहानियों में आंचलिकता के सीमित दायरों को भी पार करते हैं और आंचलिकता में एक प्रकार का सर्वव्यापी संवेदन रचते हैं। **शेखर जोशी** के संग्रह **'नौरंगी बीमार है'** में समकालीन जनजीवन के यथार्थों का उद्घाटन है, तो **सत्येन कुमार की 'पनाह'** में पीड़ा का दैनंदिन ताप है। **गोविन्द मिश्र की वरफांजलि, फांस और पगला बाबा** ऐसी कथाएँ हैं, जिनमें **गोविन्द मिश्र** स्पष्ट रूप से इतिहास-समय को कहानी में प्रवेश ही नहीं देते, बल्कि संवेदन का जो कथा-समय है, वही इन कहानियों में फैलता और सिकुड़ता है। **राजी सेठ** की कहानियों में जीवन के प्रति निकटतम लगाव भी है तो काल की संज्ञा दुर्घटनाग्रस्त भी होती है। राजी के लिए प्रेरणा संदर्भ नहीं है, आघात है। इसलिए **'यह कहानी नहीं'** और **'दूसरे देशकाल में'** की कहानियाँ जिजीविषा के प्रति विराग भाव भी पैदा करती हैं और देशकाल से मुक्ति

भी। अलका सरावगी की कथाओं में आधुनिकतावादी जीवन की संवेदनहीनता देखी जा सकती है। बीज, संभ्रम, टिफिन जैसी कहानियों में अलका शक्ति की सहजता की खोज में हैं और जटिलता और सरलता के बीच में वे विचरण करती हैं। कहानी उनके लिए एक प्रकार का व्रत है। कथा का व्रत ही तो कथा का अवकाश है। यहाँ समय याद ही नहीं आता।

कथा-समय या जिसे कथा-स्पेस या अवकाश कहा जाए, तो उसकी विवेचना के कई कोण हो सकते हैं। कथा-समय किसी प्रकार के मानक रचने के लिए नहीं है। इतना अवश्य है कि आलोचना में जब कथा उतरे, तो समय और अवकाश भी उसके मानदंड बनें, मगर कथा-समय को हमें बहुवचनीय बनाना होगा। वह एकांगी या जातीय स्मृति और इतिहास के नाम पर संकीर्ण नहीं हो सकता। यदि कथाकारों को समय, इतिहास और जातिगत अवबोधों से बाँधकर देखा गया, तो कथा-समय आगे नहीं जा सकेगा। वह अपनी क्षणिकता में जन्म लेगा और मर जाएगा। वह स्मृति या अवकाश नहीं बन पाएगा। उदाहरण के लिए यदि हम **इब्राहीम शरीफ, बदीउज़्ज़मा, आलम शाह, राही मासूम रज़ा, गुलशेर शानी, असगर वजाहत, मंज़ूर एहतेशाम, मेहरुन्निसा परवेज़, नासिरा शर्मा, अब्दुल बिस्मिल्लाह,** आदि कथाकारों को केवल मुसलमान कथाकार के रूप में लेंगे, तो प्रश्न यह उठेगा कि क्या किसी भी कथा का कोई मुस्लिम समय हो सकता है ? इसी तरह **कृष्णा सोबती, मन्नू भंडारी, शिवानी, ममता कालिया, राजी सेठ, उषा प्रियंवदा, मृदुला गर्ग, चित्रा मुद्गल, दीप्ति खंडेलवाल, मंजुल भगत, ज्योत्स्ना मिलन, अलका सरावगी** आदि की कथाओं में क्या किसी स्त्री-समय की खोज कर सकते हैं ? हम कहने को कह सकते हैं कि **भीष्म साहनी, काशीनाथ सिंह, राजेन्द्र यादव, कमलेश्वर, से. रा. यात्री, अमरकान्त, दूधनाथसिंह, रवीन्द्र कालिया, मुद्राराक्षस, विष्णु नागर, रमेश उपाध्याय, ओमप्रकाश मेहरा, स्वयंप्रकाश, शशांक** आदि में समय का एक मुहावरा है, जो शायद वाम विचार को संबोधित है, लेकिन क्या कथा को विचारधारामुक्त होने पर ऐसा लगता है कि इनका कोई वाम-समय है और **निर्मल वर्मा, धर्मवीर भारती, मनोहर श्याम जोशी, हिमांशु जोशी, रामदरश मिश्र, महीपसिंह, रमेशचन्द्र शाह, गोविन्द मिश्र** आदि का कोई दक्षिण पंथी समय ? इससे इतना तो साफ है कि कथा में कथा का ही समय होता है, न वह इतिहास-समय है, न विचार या विचारधारा-समय और न घटना-समय। कथा जब अपने आंतरिक शिल्प में समय का संयोजन शिल्प की तरह कर लेती है, भाषा की तरह कर लेती है, मर्म की तरह कर लेती है, तो कथा प्रेमचन्द युग की हो या आज की, उसे जैनेन्द्र लिखें या निर्मल वर्मा, वह यदि किसी स्थूल समय से मुक्त होती है, तो निश्चित ही अपनी एक स्पेस रचती है, अपना अवकाश रचती है।

हिंदी कथा के पास कथा आंदोलनों का समय अवश्य है। कहानी, नई कहानी, अकहानी, लघु कहानी को लेकर तरह-तरह के आंदोलन आए। 1937-38 से लेकर 1955 तक वामवादी विचारों का जुनून भी रहा, 'कहानी' पत्रिका के शुरू होने और बंद होने से लेकर 'नई कहानी' के प्रकाशन तक भी कथा का एक समय रहा, लेकिन इसी बीच 'प्रतीक', 'नया प्रतीक', 'कल्पना' और 'माध्यम' जैसी पत्रिकाओं का भी उद्भव हुआ, जहाँ सर्जक का समय भूत या वर्तमान के स्थूल या पंचांगी-समय से अलग हुआ। इस प्रकार कथा-समय जब सार्वभौम हुआ, तो कथा भी सार्वभौम हुई। हिंदी कथा **काफ्का, मार्क्वेज़, बोर्खेज** की तरह विश्व-संज्ञा नहीं बन सकी और न **चेखोव** और **दोस्त्येवस्की** के कथा लोक की तरह उनका समय-फलक उतना व्यापक हुआ, फिर भी **जैनेन्द्र** और **निर्मल वर्मा** ने हिम्मत के साथ विचारधारा के स्थूल समय से बाहर आकर कथा समय में ही कथाएँ रचीं। **अशोक वाजपेयी** का कविता-समय और **प्रभाकर श्रोत्रिय** का कथा-समय मात्र दो मुहावरे नहीं हैं, बल्कि उनमें स्मृति, शिल्प, भाषा, संरचना, संवेदन और वस्तु का रागात्मक संयोजन है। मनुष्य यहाँ कथावस्तु है, भाषा और शिल्प भी यहाँ कथारूप हैं। इसलिए कहा जा सकता है कि हिंदी कथा का कथा-समय एक विराट स्पेस है, आकाश की तरह, पृथ्वी की तरह, प्रकृति या मनुष्य की तरह और जब यह अवकाश एक कथासर्जक रच लेता है, तो समय की भौतिक संज्ञा अपने आप ही लुप्त हो जाती है।

हिंदी का कथाकाल दशकों में विभाजित काल तो अवश्य है, लेकिन इन दशकों के बीच से अनेक नए और उत्कृष्ट कथाकार हिंदी में उभरे। हिंदी ने कथा का आधुनिक या पश्चिमी फारमेट भी अपनाया, लेकिन इससे हिंदी कथा का अपना स्थानीय भाव प्रभावित नहीं हुआ और न हमारा देशकाल पश्चिम की प्रतिकृति बना। रचना में तो समय बार-बार जन्म लेता है, मरता है फिर जन्म लेता है और इस तरह एक ऐसा भी क्षण आता है, जब रचना ही समय हो जाती है। रचना का समय हो जाना ही, उसका स्पेस या अवकाश में रूपांतरण है। **दोस्त्येवस्की** अपनी एक कहानी

'दी हेवनली क्रिसमस ट्री' में कहता है **'मैं एक उपन्यासकार हूँ, और मैं मानता हूँ कि मैंने ही यह कहानी गढ़ी है। मैं इसे लिखता हूँ और मैं यह भी मानता हूँ कि मैं उस तथ्य से वाकिफ हूँ जिसके कारण मैंने यह कथा बनाई है, फिर भी मैं ऐसी कल्पना में विचरण करता रहता हूँ जैसे कोई घटना कहीं-न-कहीं घटी हो, किसी-न-किसी समय में घटी हो, या शायद वह क्रिसमस की शाम को घटी हो, शायद किसी बड़े शहर में, शायद भयावह कोहरे के समय में। मैं जानता हूँ कि यह सब मैंने गढ़ा है, मैंने ही लिखा है, फिर भी मैं तो एक लड़के की तरह स्वप्न में विचरण करता हूँ, एक छोटे छह बरस के बच्चे की तरह या उससे भी छोटे बच्चे की तरह।'** दोस्त्येवस्की जिसे स्वयं रच रहा है, उसका ही स्वप्न देख रहा है। उसे समय मुकाम और स्थिति सब मालूम है, फिर भी वह स्वप्न या क़ल्पना में बच्चा बनकर विचर रहा है। क्या यह कथा-समय पंचांग समय को खंडित नहीं करता ?

निर्मल वर्मा ने **कला का जोखिम** में सही कहा है। **'समय-जो मरता है, पुनर्जीवित होता है, फिर मरता है-काल की यह सतत प्रवहमान चेतना दुर्भाग्यवश उस क्षण नष्ट हो जाती है, नष्ट नहीं तो अवचेतन में दब जाती है, गौण पड़ जाती है, ज्योंही मनुष्य इतिहास में प्रवेश करता है।'** हिंदी कथा में इतिहास का इस प्रकार का प्रवेश यदि समय बनकर होता है, तो कथा-समय अपनी स्वायत्तता में प्रकट नहीं हो सकता। एक कथा को, उसके सर्जक को, और उसकी सर्जन-वस्तु को इसलिए मुक्त तो होना होगा, समय के उस भौतिक कालखंड से, जिसमें समय बोलता है और कथा चुप रहती है। उसे तो रचना होगा कथा-समय या कथा का अपना अवकाश, जिसमें अवकाश या कथा-समय कथा से संवाद करता है, वहाँ कथा की चुप्पी भी सुनाई देती है, चिन्ह भी बोलते हैं, कोरा-कागज भी ध्वनियाँ पैदा करता है। हिंदी कथा को **बोर्खेज** के **पेरेकल्स** की तरह ऐसा उत्कर्ष पाने के लिए अपने अवकाश के प्रति अधिक चिंतित होना होगा। हिंदी कथा-आलोचना को भी पारंपरिक मानदंडों से हटकर समय, अवकाश, इतिहास, स्मृति, जातीय अस्मिता और सार्वभौमिकता के साथ नए आलोचना मानदंड अपनाने होंगे, तब कथा चाहे आधुनिक हो या उत्तर-आधुनिक, उसकी एक सार्वभौम स्पेस पैदा होगी और हिंदी-कथा पश्चिम के किसी फार्म या रूप का प्रतिरूप न होकर, अपनी ही संवेदना से लबालब एक कथा-समय होगी, अवकाश होगी।

□

हिय आँखिन नेह की पीर तकी*

रामदेव शुक्ल

अपनी कविता के साथ अपने संबंध की रचना और रचनाकार के नए संबंध की व्याख्या करने वाले आनन्दघन के छंद से बात आरंभ हुई थी। आरंभ करने से पहले जो शीर्षक पंक्ति ली गई, वह आनन्दघन की न होकर उनके परम प्रशंसक समकालीन रचनाकार ब्रजनाथ भट्ट की है। पूरा छंद इस प्रकार है—

प्रेम सदा अति ऊँचो लहै सु कहै इहि भाँति की बात छकी।
सुनिके सबके मन लालच हौरे पै बौरे लखैं सब बुद्धिचकी।
जग की कविताई के धोखे रहैं ह्याँ प्रवीनन की मति जाति जकी।
समुझैं कविता घनआनन्द की हिय आँखिन नेह की पीर तकी ॥

ब्रजनाथ बताते हैं कि अत्यंत ऊँचे स्तर का प्रेम प्राप्त करके उसी में छकी हुई वाणी को सुनने वाले सभी के मन में लालच दौड़ता है—(हाय, ऐसा मेरे साथ भी होता, या अरे, यही तो प्रेम का अनुभव है) किंतु उस पर विचार करते हुए सभी बावले की तरह देखते हैं, सभी की बुद्धि जड़ हो जाती है, जग की कविता के धोखे में रहकर वे आनन्दघन की कविता को समझना चाहते हैं—यहाँ हालत यह है कि प्रवीण लोगों की मति भी कुछ नहीं कर पाती। आनन्दघन की कविता बुद्धि-कौशल और सांसारिक काव्यशास्त्र के आधार पर समझी नहीं जा सकती। उसे तो वही समझ सकता है जिसके हृदय की आँखों ने नेह की पीर को तकते रहने का सौभाग्य पाया हो।

आनन्दघन और उनकी रचना की प्रशस्ति में ब्रजनाथ के अनेक छंद मिलते हैं। एक उनके लिए है जो आनन्दघन की वाणी का बखान करना चाहते हैं—

नेही महाब्रजभाषा प्रवीन और सुंदरतानि के भेद को जानै।
जोग-वियोग की रीति में कोवि भावना-भेद स्वरूप को ठानै।
चाह के रंग में भीज्यो हियौ, बिछुरे-मिले प्रीतम सांतिन मानै।
भाषा प्रवीन सुछंद सदा रहै, सो घन जू के कवित्त बखानै ॥

समझने के लिए तो 'हिय आँखिन नेह की पीर का तकना' पर्याप्त है, किंतु जो आनन्दघन की कविता की व्याख्या करना चाहे, उसको तो तलवार की धार पर चलकर भी पर्याप्त योग्यता नहीं प्राप्त हो सकती। ध्यान से देखें, आनन्दघन की जितनी विशेषता आज तक उनके व्यक्तित्व और कृतित्व पर विचार करनेवालों ने बताई है और जो उनके छंदों से बनी छबि का निर्माण करनेवाली है—ब्रजनाथ ने उन सभी की अपरिहार्यता उस व्यक्ति के लिए बता दी है जो आनन्दघन की कविता का बखान करना चाहता हो। उसे नेही, नहीं—महा नेही होना चाहिए, ब्रजभाषा में प्रवीण होना चाहिए, सुंदरता के समस्त भेदोपभेद—संपूर्ण सौंदर्यशास्त्र का ज्ञाता होना चाहिए, संयोग शृंगार और वियोग शृंगार (के वर्णन की रीति) में अति चतुर होना चाहिए, मानव हृदय में तरंगित होने वाली भावनाओं, उनके भेद, उनके प्रभाव आदि के स्वरूप का पारखी होना चाहिए। इतने पर भी अगर चाह के निजी अनुभव

*हिंदी के रीतिमुक्त कवि घनआनन्द पर प्रकाशित इस लेख का पूर्वार्द्ध 'समुझै कविता घनआनन्द की' शीर्षक के अंतर्गत सहित के प्रवेशांक (जुलाई, 2000) में प्रकाशित हो चुका है। प्रस्तुत लेख उसी का समापन भाग है।

—संपादक

से अछूता है, तो सारा ज्ञान, सारी प्रवीणता धरी रह जाएगी। उस व्यक्ति को चाह के रंग में सराबोर हृदयवाला होना चाहिए और ऐसा उत्कट प्रेमी होना चाहिए जो न तो प्रियतम से मिलकर शांति का अनुभव करे, न उससे बिछुड़कर। उसे भाषा-प्रवीण होना चाहिए। ध्यातव्य है, ब्रज भाषा प्रवीन पहले ही कहा जा चुका है—यह प्रवीणता काव्य भाषा की है। और सबसे बड़ी अर्हता—'सुछंद सदा रहे।' न जाति का बंधन माने, न संप्रदाय का, न किसी शास्त्र का, न रीति-पद्धति का, न देश काल का, न भाषा-भूगोल का अर्थात् जैसा सुछंद स्वयं 'प्रेम' होता है, वैसा होना चाहिए। स्पष्ट है कोई चश्मा—चाहे वह शास्त्र, धर्म, रहस्यानुभूति और अध्यात्म का ही क्यों न हो—आनन्दघन की वाणी की व्याख्या करने में बाधक होगा।

आचार्य रामचन्द्र शुक्ल ने अपने इतिहास में आनन्दघन को 'साक्षात् रसमूर्ति' कहा है। ब्रजनाथ की अपेक्षा पर कोई 'रसमूर्ति' ही खरा उतरेगा।

चाहे जैसा विलक्षण विद्वान और प्रवीण हो—'जग की कविताई' के धोखे में रहा, तो रह जाएगा। उस समय की जग की कविताई क्या थी, इसका अनुमान ठाकुर कवि के छंद से किया जा सकता है—

सीखि लीनो मीन मृग खंजन कमल नैन,
सीखि लीनो जस औ प्रताप को करानो है।
सीखि लीनो कल्पवृक्ष कामधेनु चिंतामनि
सीखि लीनो मेरुह औ सुमेरि गिरि आनो है।
ठाकुर कहत याकी बड़ी है कठिन बात
याको नहीं भूलि कहूँ बाँधियतु, बानो है।
डेल सों बनाय आप मेलत सभा के मध्य,
लोगन कवित्त कीबो खेल करि जानो है।

यह तो था धनलुब्ध दरबारी कवियों का हाल। ठाकुर एक अन्य छंद में बताते हैं कि उन्हें कैसे कवि पसंद हैं और कैसी कविता उन्हें भाती है—

ठाकुर सो कवि भावत मोहिं
जो राजसभा में बड़प्पन पावै।
पंडित और प्रवीनन को जोइ
चित्त हरै सो कवित्त कहावै ॥

राजसभा में सम्मान पानेवाला कवि, और पंडितों-प्रवीणों का चित्तहरण करनेवाला काव्य ! 'जंग की कविताई' का आदर्श !

अब इसका क्या करें कि हम जिस कवि (और उसके व्याख्याकार) पर विचार कर रहे हैं, वह दरबार में होता हुआ भी—साक्षात् सम्राट् का अनादर करता है—उसके हुक्म की तामील नहीं करता, उसी दरबार में अपनी प्रिया—एक सामान्य गायिका के इशारे पर गाता है—और राजसमाज के सारे मानसम्मान के साथ, उस प्रिया को भी वहीं छोड़कर, खाली हाथ ब्रज की धूल में लोटने के लिए निकल पड़ता है।

आनन्दघन की रचनाओं में, उनकी ओर से उनके इतिहास-भूगोल का कोई परिचय नहीं मिलता। जो साक्षात् रसमूर्ति है, वह अपना कौन-सा इतिहास बतावे और कौन-सा भूगोल ? किंतु 'रसमूर्ति' को अपने जीवनकाल में ही जनश्रुतियों और लोककथाओं का नायक बनना ही होता है।

दरबार को लात मारकर—वह चाहे जो दरबार रहा हो—आनन्दघन जब वृंदावन पहुँचे और देहधारी सुजान की 'देह' का आकर्षण छोड़, उसी 'नाम' का सूत्र—'सुजान कान्ह' से जोड़कर गाने लगे—

रसना गुपाल के गुन उरझी।
बहुत भाँति छल-छंद-बंद बकवाद-फंद तें सुरझी।
ब्रजमोहन-रस-चसकैं बींधी हिलग-जाल गसि गुरझी।
आनन्दघन-रस-पान-चातकी आन-कथा-रुचि मुरझी ॥
रसना गुपाल...

साधना प्रखरतर होती गई, तो वहाँ जाकर रुके जहाँ पहुँचने के लिए एक से एक 'भगत लोग' जनम भर लगे रहकर देहरी के भीतर झाँकने की अनुमति तक नहीं पा सके थे।

आनन्दघन इतने अच्छे गायक और प्रसिद्ध कवि के रूप में विख्यात हो गए थे कि जब ब्रज पहुँचे तो वहाँ के लोग उन्हें जानते थे। कवि, कलावंत, प्रेमी और राजाओं तक को महत्त्व न देने वाले 'रूप धरे अभिमान' को झेल लेने में 'साधुओं' को कोई परेशानी नहीं होती। उन्हें इस बात का संतोष रहता कि यह नारकी जीव है, उनकी भक्ति के क्षेत्र से बाहर रहकर वह जो चाहे करता रहे, उनकी अपनी 'साधुता' उनके साथ रहेगी, किंतु उनके अपने क्षेत्र—निंबार्क संप्रदाय में दीक्षित होकर अपनी साधना-भक्ति केवल पर 'बहुगुनी' के रूप में (राधा-कृष्ण की सहचरी के रूप में) स्वीकृत हो जाना 'साधुओं' को कैसे बर्दाश्त होता ? एक 'साधु' ने अपने मन की सारी कुंठा निकाल ली गालियों और भड़ौवा छंदों में। चार छंदों में से एक है—

करै गुरनिंदा वह तुरकिनी को बंदा महा
निरघिनी गंदा खात पनीर औ नान है।
बैन कों चुरावै ताको मजमून लावै कूर
कविता बनावै गावै रिजौली सी तान है।
सुरा-घट-सोखी देह मांस ही सो पोषी, विप्र
गैयन को दोषी रूप धरे अभिमान है।
पाप को भवन करै अगम गमन ऐसो
मुड़िया अनन्दघन जानत जहान है।

इतने से जी नहीं भरा तो 'साधु महाराज' ने आनन्दघन की कला को भी लांछित करने के लिए डोमढाढ़ियों की तरह डफली बजाकर तुरकों को रिझानेवाली कह दिया।

डफरी बजावै, डोमढाढ़ी सम गावै काह
तुरकै रिझावै तब पावै झूठो नाम है
हुरकिनी सुजान तुरकिनी को सेवक है
तजि रामनाम वाके पूजे काम-धाम है।
पीवे भंगकुंडा वह राखे संग गुंडा
भसुंडा अनन्दघन गुंडा सरनाम है।

दो अन्य छंद हैं, जिनमें एक में आनन्दघन की ओर से विधाता से प्रार्थना की गई है कि वे उन्हें सुजान के इजारबंद की जूँ बना दें और दूसरे छंद में आनन्दघन अपने मुख को सुजान का पीकदान बनाने की प्रार्थना करते हैं।

छंदों से पहले एक टिप्पणी गद्य में लिखी गई है—**'कायथ आनन्दघन महाहरामजादा हो। सु ब्रज की कटा में आयौ परंतु अपजस वाकोथिर है। ताको बर्नन...।**

आनन्दघन की यह प्रशस्ति श्री भवानी शंकर याज्ञिक को मिली। आनन्दघन पर काम करने वाले सभी लेखकों ने इसे उद्धृत किया है। उपर्युक्त निंदा से इतना हुआ है कि आनन्दघन का कायस्थ होना, सुजान नामक मुस्लिम-नर्तकी पर उनका आसक्त होना, उनका बाद में साधु (मुंड़िया) होकर ब्रज में आना, स्वाभिमानी (रूप धरे अभिमान) होना और गायक होना प्रमाणित हो जाता है। शोधकर्त्तागण जहाँ अनेक आनन्दघन और आनंद नामक कवियों के चक्रव्यूह में फँसे हुए हैं, उनको सुजानप्रेमी आनन्दघन के विषय में निश्चित हो जाना चाहिए। यह तो वही है जो 'साधु' कवि का लक्ष्य है। बेचारे 'साधु' को तो कभी किसी युवती के 'काम-धाम' को देखने तक का अवसर न मिला होगा, ऐसा होता तो बेचारा साधु ही क्यों होता। साधु की रचनाओं से एक बात और स्वतः प्रमाणित हो जाती है कि आनन्दघन की शृंगारी रचनाएँ उनके वृंदावन पहुँचने से पहले ही लोक में प्रचारित हो गई थीं। गृहस्थ काव्यप्रेमी तो उन्हें पढ़ते ही रहे होंगे, तथाकथित साधु सज्जन भी छिपकर उन्हें अवश्य पढ़ते रहे होंगे। अब तो इसके प्रमाण भी उपलब्ध हैं।

हंगरी निवासी ब्रजभाषारसिक शोधकर्त्ता इमरे बंघा की पुस्तक 'सनेह को मारग' (वाणी प्रकाशन, दिल्ली, 1999) में पहली बार आनन्दघन की रचनाओं के मर्म को पहचानने वाले उनके समकालीन कवि ब्रजनाथ भट्ट की ऐतिहासिक आधार पर स्पष्ट पहचान कराई गई है। इस नाम के भी अनेक व्यक्ति हो चुके हैं, जिनके संबंध में खोज करते हुए लेखक वास्तविक ब्रजनाथ तक पहुँच सके हैं। ब्रजनाथ के जीवन और कार्यों के संबंध में आनन्दघन के उन भक्तों और प्रेमियों का पता चलता है, जो अपने प्रिय भक्त कवि आनन्दघन की रचनाओं का संशोधन इस रूप में कर रहे थे कि तुरकिनी सुजान के साथ उनके संबंध के सारे प्रमाण मिटा दिए जाएँ। इमरे बंघा ने अनुमान किया है कि 'सुजानहित भी किसी भक्त ने संगृहीत किया होगा क्योंकि उसमें आनन्दघन को भक्त के रूप में दिखाने की कोशिश की गई है। संग्रह के शुरू में संयोग शृंगार की प्रधानता है, बाद में वियोग और अंत में भक्ति की। यह क्रम सुजान के लौकिक शृंगार से कृष्ण के अलौकिक प्रेम तक विकास का सूचक है। इस संग्रह में आनन्दघन के प्रेम संबंधी दर्शन को व्यक्त करने वाले 'प्रेम को महोदधि...' वाले कवित्त का भी ऐसा पाठांतर दिया गया है जो इस विकास का समर्थन करता है।' (पृ. 118) ब्रजनाथ ने आनन्दघन के वास्तविक साहित्यिक महत्त्व को पहचाना और 'आनन्दघन-कवित्त' का संपादन किया। इमरे बंघा ठीक लिखते हैं कि—'अधिकांश लोग आनन्दघन को आज भी ब्रजनाथ की आँखों से देखते हैं। एक तरफ आनन्दघन के कवित्तों की निंदा की जाती थी तो दूसरी तरफ लोग लुकछिपकर ब्रजनाथ से उनको लिखवाकर पढ़ते थे।' (स. को मा., पृ. 120)

स्वयं ब्रजनाथ बताते हैं कि आनन्दघन के प्रेम संबंधी कवित्तों को किस तरह छिपाकर लोग उनसे लिखवाते थे।

मैं अतिकष्ट सों लीनो कवित्त ये लाज बढ़ाई सुभाय को खोय कै।
सो दुख मेरो न जाने कोऊ ले बखाने लिखाइये मोहू को गोय कै॥

आनन्दघन के घोर निंदक उनके जिन छंदों के आधार पर उनकी निंदा करते थे, उन्हीं को श्रेष्ठ प्रेमकाव्य के रूप में उनके

समकालीन ब्रजनाथ ने अति कष्ट से 'लाज बड़ाई सुभाय' को खोकर एकत्र किया, संगृहीत किया और सुरक्षित रखा। काव्य के क्षेत्र में ब्रजनाथ इसलिए सदा स्मरणीय रहेंगे कि उन्होंने आनन्दघन के निंदकों और उनके अंधभक्त प्रशंसकों–दोनों से आनन्दघन की कविता को बचाकर निकाल लिया। ब्रजनाथ की ऐतिहासिकता की खोज के लिए इमरे बंघा बधाई के पात्र हैं।

आनन्दघन के संयोग-शृंगार के छंदों की चर्चा पहले हो चुकी है। कुछ चित्र और हैं, जो उनके अनुभव, उनके संयोग-सुख की अद्वितीयता के प्रमाण हैं।

सोए हैं अंगनि अंग समोए सु भोए अनंग के रंग निस्यों करि।
केलि-कला-रस-आलस-आसव-पान छके घन आनन्दघन यों करि।
प्रेम-निसा-मधि रागत पागत, लागत अंगनि जागत ज्यों करि।
ऐसे सुजान-विलास-निधान हैं, सोए हैं, जागे हैं ब्यौरिए क्यों करि॥

देहमन की ललक से भरे आवेगमय अनुभावों का लावण्य शृंगार को कैसी संपूर्णता प्रदान करता है–

केलि की कलानिधान सुंदर सुजान महा
आनन समान छबि छाँह पै छिपैये सोनि।
माधुरी-मुदित मुख-उदित सुसीलभाल
चंचल बिसाल नैन लाज-भीजियै चितौनि।
पिय अंग संग घन आनन्द उमंग हिय
सुरति-तरंग रस-बिबस उर-मिलौनि।
झूलनि अलक, आधी खुलनि पलक, स्रम
स्वेदहि झलक भरि ललक सिथिल होनि॥

संयोग के ऐसे सघन क्षणों में भी जो चित्त अतृप्ति से–बिछोह की खरक से–आकुल रहता हो, उसी को जब प्रिय से बहुत दूर रहना पड़े तो क्या होगा ? दूरी भी इतनी कि 'बात के देस ते दूरि परे !' तब भी, एक ओर देह ठंडी पड़ती जा रही है, दूसरी ओर वह प्राणों के निकट बैठा हुआ जलाए जा रहा है, नियरे सियरे हियरे दुख दाहे।'

जहाँ तक बात–संदेश–भी न पहुँच पाए, वहाँ स्थित प्रिय के पास संदेश कौन ले जाए ? सर्वत्र गमन करने में समर्थ वीर पवन सबके प्राणों का आधार है, छोटे-बड़े का भेद न मानकर सभी को सुख देता है। इसलिए पवन से कहा जा रहा है कि वह प्रिय के पाँवों की धूल ला दे जिसे आँखों में भर लेने से बिरह की जलन मिट जाएगी।

ए रे वीर पौन तेरो सबै ओर गौन
बीरी तो सो और कौन मनै ढरकौंही बानि दै।
जगत के प्रान ओछे बड़े को समान
घन आनन्द निधान सुखदान दुखियानि दै।
जान उजियारे गुन भारे अंतमोही प्यारे
अब है अमोही बैठे पीठि पहचानि दै।
विरह-विथाहि मूरि आँखिन में राखौं पूरि
धूरि तिन पायन की हाहा नैकु आनि दै॥

धूल का एक कण पड़ जाने पर आँखों में जलन होने लगती है। यहाँ विरह की जलन को मिटाने के लिए प्रिय के पाँवों की धूल को आँखों में भर लेने की अभिलाषा है। प्रवासी प्रिय को निष्ठुर कहा जाता है, यहाँ अंततः उसे मोही बताया गया है। कुछ विवशता होगी कि वह अमोही जैसा आचरण कर रहा है, पहचान को भूल नहीं गया, कुछ समय के लिए पहचान को पीठ देकर बैठ गया है।

पवन का नाम प्रभंजन है क्योंकि वह रास्ते में आने वाले पदार्थों को तोड़-फोड़कर उड़ा देता है, दूसरों के दुख दल को विदीर्ण करनेवाला है, इसलिए मौन रहनेवाली विरहिणी उसे देखकर बोल पड़ती है कि वह उसके पास की भस्म-दशा का दर्शन प्रिय को करा दे और प्रिय की देह-गंध का एक झोंका उसके पहुँचा दे–

पर दुखदल के दलन को प्रभंजन हौ,
ढरकौहैं देखि के बिबस वकि परि मौन।
इतकी भसम दसा लै दिखाय सकत जू
लालन सुवास सों मिलाय हू सकत पौन॥

'पद्‌मावत' में जायसी की मर्मस्पर्शी पंक्तियाँ हैं–

यह तनु जारौं छार कै कहौं कि पवन उड़ाय
मकुतेहि मारग उड़ि परौं, कंत धरै जहँ पाँव॥

यहाँ विरह ताप से बचने के लिए जलकर भस्म हो जाना और उड़कर प्रिय के पाँवों के नीचे पड़ जाने की कामना है–आनन्दघन लक्षणा की अपूर्व शक्ति के बल पर 'भसम-दशा' का संप्रेषण चाहते हैं। 'भसम-दशा' की सूक्ष्मता अन्य कवियों के वश की नहीं। 'दग्ध'–जले हुए को भाण वही दे सकता है जो अकूत जलराशि की वर्षा करके पृथ्वी के प्राणियों को आप्लावित करता हो। पर्जन्य बादल को कहते हैं–जो दूसरों के सुख के लिए ही जन्म धारण करता हो। वे सभी को जीवन (जल) देते हैं, समुद्र के खारे पानी को अमृत के समान मधुर बनाते हैं। बादल चाहे तो विरहिणी

के आँसुओं को ले जाकर प्रवासी के आँगन में बरसा सकता है।

परकाजहि देह को धारे फिरो परजनम जथारथ ह्वै दरसो।
निधि-नीर सुधा के समान करौ सबही विधि सज्जनता सरसो
घन आनन्द जीवनदायक हौ कछू मेरियो पीर हिए परसौ।
कबहूँ वा बिसासी सुजान के आँगन मो अँसुवान को लै बरसो।

प्रिय से दूर होने पर अभिलाषा के अनंत रूप मन प्राणों में भरने लगते हैं, यहाँ तक कि हृदय में साँस को धारण करना भी नहीं सुहाता—

अभिलाखनि लाखनि भाँति भरे
हियरा मधि साँस सुहावति ना।

मन की उसी शक्ति से मनमोहन को पा लेना है, जिसमें अभिलाषाओं की बाढ़ आई हुई है—

अभिलाषनि पूरित ह्वै उफन्यौ
मन ते मनमोहन पाय हौं जू ॥

जो अभिलाषाओं की निधि को धारण करनेवाला है, वह चिरंजीवी रहे, सुखी रहे, उसकी प्राप्ति का सुख भी मिल ही जाएगा।

चिरजीजै दीजै सुख कीजै मनभायो मेरो,
मेरी अभिलाषनि की निधि कों धरत हौ॥

'बात के देस की दूरी पर स्थित प्रवासी का संदेश मिला। लौटने की अवधि की सूचना मिल गई। तब से लाख-लाख अभिलाषाओं से भरी आँखें कंप और रोमांच के साथ प्रिय के मार्ग पर ही दौड़ रही हैं।'

अभिलाषनि लाखनि भाँति भरी बहनीन रुमांच ह्वै कांपति हैं।
जब तें तुम आवन औधि बदी तब तें अँखियाँ मग मापति हैं।

आनन्दघन लक्षणा की शक्ति और विरोधाभास अलंकार के माध्यम से अभिव्यक्ति को अनोखी वक्रता देते हैं। विरहानुभूति की तीव्रता ऐसी है कि बिना मृत्यु आए ही क्षण-क्षण मरना पड़ता है और प्रिय के लौटने की आशा इतनी बलवती है कि शरीर में जीवन के लक्षण नहीं रह गए हैं, तब भी जीना पड़ता है।

बात अनोखी कहा कहियै सुनि बैठे सरै न करै कछु कीवो।
देखत देखत सूझ परै नहिं बूझत बूझत बौरई लीवो।
एहो सुजान दुहेली दसा दुख हाथ लगे हू न छीजत दीवो।
है घन आनन्द सोच महा मरिबो अनमीच बिना जिय जीवो॥

बिना मौत के मरना है और बिना जीवन के जीना है।

फूल और पीतल-काँसे के बर्तन चटक जाते हैं तो उनको जोड़ने के लिए राँगे को पिघलाकर दरकन (दरार) को भर देते हैं। लालसा और अन्य आवेगपूर्ण चेष्टाओं की दृष्टि से एक अद्भुत चित्र है—

मूरति सिंगार की उजारी छबि आछी भाँति
दीठि लालसा के लोयननि लै आंजिहौं।
रति-रसना-सवाद पांवड़े पुनीतकारी
पाय चूमि चूमि कै कपोलनि सों मांजिहौं।
जान प्यारे प्रान अंग-अंग रुचि रंगनि मैं
बोरि सब अंगनि अनंग दुख भांजिहौं।
कब घन आनन्द ढरौहीं बानि देखें सुधा
हेत मन-घट-दरकनि सुहि रांजिहों।

मन का घट प्रेमसुधा से भरा हुआ है, किंतु वियोग के असह दुख के कारण वह दरक गया है। प्रिय के अंग अंग की क्रांति में सर्वांग डुबोकर अनंग दुख को मिटाने और उसी की द्रवणशीलता (ढरौंहीवानि) से उस दरकन को राँजने (भरने) की आकांक्षा। देखने की लालसा, स्पर्श की आकुलता, अंग-अंग की उमंग को मूर्त करने वाले इस चित्र को संयोग के आवेगपूर्ण चित्रों के साथ रखकर देखना चाहिए, तब इनका रहस्य खुलता है।

मीन और पतंग आदर्श प्रेमी माने जाते हैं। पतंग (शलभ) अपने प्रिय (दीपक) की रूप-ज्वाला में अपने प्राणों की आहुति देकर अपने को अनन्य प्रेमी प्रमाणित करता है। मीन अपने प्रिय (जल) से बिछुड़कर पलभर भी जीवित नहीं रहता, तत्काल प्राण त्याग करके अपनी अनन्यता प्रमाणित करता है। इस कवि के भीतर का बिरही इन दोनों को कायर प्रेमी मानता है। उसका दावा है कि ये दोनों मेरे हृदय की गति का स्पर्श भी नहीं कर सकते। उन दोनों में दुख का आनंद लेने का धैर्य नहीं है—

मरिबो बिसराम गनै वह तो, वह वापुरो मीत तज्यौ तरसै।
वह रूप-छटा न सहारि सकै, यह तेज तवै चितवै बरसै।
घन आनन्द कौन अनोखी दसा मति आबरी बावरी ह्वै थरसै।
बिछुरैं मिलैं मीन पतंग-दसा, कहा मोजिय की गति को परसै॥

प्रिय के रूप की ज्वाला में सतत् जलते रहकर उस जलन का स्वाद लेते रहना और प्रिय से वियुक्त होकर उससे बिछुड़ने के असह दुख को सहन करते हुए, उसको निष्ठुरता के कलंक से बचाए रखना और आशा के सूत्र को सँहाले रखना—यह तो इसी विरही का काम है।

जल से वियुक्त होते ही मीन अपने प्राण छोड़कर दो अपराध करता है। पहला यह कि मीन की मृत्यु का कारण लोग जल

की निठुराई बताते हैं। 'सूरसागर' में गोपियाँ कृष्ण की निठुराई के लिए जल की उपमा पसंद करती हैं—सागरकूल मीन तरफत है—हुलसि होत जल पीन। इस प्रकार अपने प्रिय को कलंकित करने का अक्षम्य अपराध। दूसरा अपराध है प्रेम के क्षेत्र में निराश और कायर के रूप में उपस्थित होना—दुख को सहन करने के बदले मर कर उससे छुट्टी पा जाना।

हीन भएँ जल मीन अधीन कहा कछु मो अकुलानि समानै।
नीरसनेही को लाय कलंक निरास है कायर त्यागत प्रानै।
प्रीति की रीति सु क्यों समुझै जड़, मीत के पानि परे को प्रमानै।
या मन की जु दसा घन आनन्द जीव की जीवनि जान ही जानै॥

मरकर छुट्टी पा लेना और प्रिय पर निठुराई का कलंक मढ़ देना, जड़ता और कायरता का काम ही तो है। प्रीति की रीति को ऐसा जड़ और कायर कैसे समझ सकता है?

आनन्दघन की प्रणयानुभूति में निराशा और कायरतावश मृत्यु के वरण को सर्वथा त्याज्य माना गया है। यहाँ तो मरने के बाद भी आशा के बंधन को गले में उसी तरह पड़े रहना है, जिस तरह मृत व्यक्ति के गले में फाँसी का फंदा पड़ा रह जाता है।

दुख धूम की धाँधरि में घनआनन्द जो यह जीब घिर्‌यो घुटिहै।
मनभावन मीत सुजान सों नातो लग्यो तन को नतऊ छुटि है।
वनजीवन प्रान को ध्यान रहो, इक सोच बच्योऽब सोऊ लुटि है।
पुरि आरा की पास उसास-गरे जुपरी सुमरेहू कहा छुटि है।

मरने से सोच का अंत हो जाएगा, प्रिय के साथ नाते का अंत नहीं होगा। प्रेम और आशा को तो मौत भी नहीं मार सकती।

अपनी दुख-दशा के प्रकाशन के लिए आनन्दघन की रससिद्ध वाणी जो मार्ग अपनाती है, वह लक्षणा की अपार शक्ति का मार्ग है, जिस पर अन्य कवियों की गति पंगु हो जाती है। लक्षणा पर आधारित विरोधाभास इनके यहाँ मात्र अलंकार नहीं है, इनकी अनुभूति का प्रकाशन केवल इसी रूप में हो सकता है। विरही की आँखों का प्रिय-विरह में उजड़ना, उघरी रहना और बरसते रहना सर्वविदित है। प्राकृतिक क्रिया है कि आकाश में बादल घिरते-घिरते सघन होते हैं, तब वर्षा होती है। इसे इस रूप में कहा जाता है कि बादल घिरकर बरसते हैं और वर्षा के बादल उघर जाते हैं। इनके यहाँ आँखें हैं, जो प्रिय को देखे बिना—देख पाने की लालसा में—उघरी रहती हैं और साथ ही आँसुओं की वर्षा करती रहती हैं।

बदरा बरसैं रितु में घिरि कै, नितही अँखिया उघरी बरसैं।

आनन्दघन—आनंद के बादल—को घिरना, छा जाना, उघर जाना छा-छाकर भी उघरे रहना, घुर-घुर कर बरसना आदि क्रिया रूप बेहद पसंद हैं।

हौ तो जानराय, जाने जाहु न अजान यातें
आनंद के घन छाय छाय उघरे रहौ।

सबकुछ जानते हो, इसलिए जानराय (सुजान) हो, किंतु बार-बार जाननेवाले भी तुम्हें जान नहीं पाते, इसलिए अजान हो। आनंद के बादल हो—बार-बार छा जाते हो, तब भी उघरे रहते हो। कहीं कहीं घिरकर बरसते हो, कहीं घुल-घुलकर रससिक्त (होते और दूसरों को) करते हो।

जीव सोच सूखै गति सुमिरें आनन्दघन
कित हूँ उघरि कहूं घुरि कै रसत हौ।

प्रिय सामने नहीं है तो आँखें उजड़ी रहती हैं, वे बसेंगी तब, जब प्रिय का रूप उनके सामने उपस्थित होगा। 'उजड़ना' और 'बसना' दो परस्पर विरोधी क्रियाएँ हैं। लक्षणा की शक्ति विरोधाभास के साथ मिलकर इन दोनों को बिरही की आँखों में एक साथ रख देती है—

उजरनि बसी है हमारी अँखियानि देखौ
सुवस सुदेस जहाँ भावते बसत हौ।

जहाँ तुम हो वही सुंदर सुदेश है और तुम्हारे न रहने पर हमारा यह हाल है कि हमारी आँखों में 'उजरनि' स्थायी रूप से 'बस' गई है।

आनन्दघन की विरहानुभूति मानवीय प्रेम-जीवन में आने वाले अप्रस्तुत विधान की अपर्याप्ता को रेखांकित करती हुई, अपनी विलक्षणता के साथ अपना स्वतःस्फूर्त (स्पांटेनियस) प्रकाशन करती है। किसी वस्तु को अपनी ओर खींच लेने की शक्ति का और खिंचनेवाली वस्तु की विवशता का जगत् विख्यात उदाहरण है। चुंबक द्वारा लोहे को खींच लिया जाना। लोहे की चुंबक के सामने पड़ना चाहिए कि वह खिंचकर उससे मिल जाएगा। आनन्दघन जिस खिंचाव-आकर्षण की पीड़ा झेल रहे हैं, वह तय भी होता है—बल्कि तीव्रेतर रूप में होता है, जब खींचनेवाला सामने नहीं होता।

देखें अनदेखें तहीं अटक्यो अनन्दघन
ऐसी गति कहौ कहाँ चुंबक औ लोह की॥

खींच रहा है मन प्राणों को सारी चेतना को गहराई से खींचे

जाने की पीड़ा–असह्य पीड़ा–हो रही है और खींचनेवाला सामने है ही नहीं !

क्या कभी लोहे की यह दशा होती है ?

आनन्दघन की वाणी जो विधान करती है उसमें इतनी क्षमता होती है कि अन्य द्वारा अननुभूत, यहाँ तक कि अकल्पनीय, चित्र प्रस्तुत कर दे। जगत्प्रसिद्ध प्रेमियों और उनका बखान करने वाले कवि कोविदों द्वारा लाए गए अप्रस्तुतों की अपर्याप्तता के बावजूद अपनी बात पूरी तीव्रता के साथ संप्रेषित कर देना, इस कवि की निजी विशेषता है।

जो प्रिय अंततः मोही है, किसी कारणवश निठुराई धारण किए बैठा है।, वह अगर जानबूझकर ऐसा कर रहा है, बहाना कर रहा है, तो उसे अपनी ज़िद से हटना ही पड़ेगा।

आनाकानी आरसी निहारिबो करौगे कौ लों
कहा मो चकित दसा त्यों न दीठि डोलिहै।
मौन हू सों देखिहौं कितेकपन पालिहौजू
कूकभरी मूकता बुलाय आप बोलिहै।
जान घनआनन्द यौ मोहिं तुम्हें पैज परी
जानियैगी टेक टरैं कौन धौं मलोलिहै।
रूई दिए रहोगे कहाँ लौं बहराइवे की
कबहूँ तो मेरियै पुकार कान खोलिहै।

बहाना बनाने के लिए दर्पण देखते रहना रूपगर्विता सुंदरियों की अतिप्रसिद्ध मुद्रा है। यहाँ आनाकानी (बहानेबाजी) रूपी आरसी देखती हुई सुंदरी है। बहरापन लाने के लिए कान में रूई ठूँस ली जाती है। यहाँ बहरापन रूपी रूई ठुँसी हुई है। इसीलिए न सुनने की टेक धारण करनेवाली को बिना बुलाए–मौन की पुकार से–सुनने को विवश कर पाने का अटूट आत्मविश्वास है। यह जो मौन (मूकता) है–पुकार (कूक) से भरी हुई है। शब्दों में प्रकट पुकार होती तो नहीं भी सुनी जा सकती थी, यह तो शब्दहीन पुकार की अप्रकट, इसीलिए असीम शक्ति है।

छायावाद के विशिष्ट कवि जयशंकर प्रसाद ने 'आँसू' में प्रिय की बहानेबाजी की मुद्रा का एक मोहक चित्र प्रस्तुत किया है–

रो रोकर सिसक-सिसककर कहता मैं करुण कहानी।
तुम सुमन नोचते सुनते करते जानी अनजानी ॥

'सुमन' के सुंदर श्लेष से काव्यात्मकता और बढ़ जाती है।

आनन्दघन के छंद में 'टेक' के मानवीकरण से व्यंजकता विशेष रूप से बढ़ जाती है–वह टेक ही जानेगी कि कौन उसके टूटने पर पछताएगा (कि कहाँ से कहाँ ऐसी टेक धारण करने की भूल की।)

प्रिय को हृदयहीन मानकर उसे कलंकित करना इस प्रेमी को कभी स्वीकार नहीं। यह अलग बात है कि वह इतना सुंदर, इतना गुणी और इतना सर्वप्रिय है कि सभी उसे अपनी ओर आकृष्ट करने में लगे हुए हैं। ऐसी दशा में इसका संभावना हो सकती है कि वह एकांत समर्पित प्रेमी की मनःस्थिति को थोड़ी देर के लिए न जान सके। इसके लिए एक उपाय सुझाया गया है, पलभर के लिए अपने आपसे अलग होना।

लैही रहे हो सदा मन और को दैबो न जानत राजदुलारे।
देख्यौ न है सपनेहू कहूं दुख, त्यागे सकोच औ सोच सुखारे।
कैसो संजोग वियोग धौं आहि फिरौ घनआनन्द ह्वैमतवारे।
मो गति बूझि परे तबही जब होहु घरीकहू आयु ते न्यारे॥

राजा के घर जन्मे पुत्र को प्रत्येक व्यक्ति प्रेम और आदर से देखता है। वह स्वयं किसी को आदर से देखे, इसका अवसर प्रायः नहीं आता। वह यह जान ही नहीं पाता कि किसी के लिए तड़पना क्या होता है। यही हाल चंद्र और चकोर के संबंध का है। चंद्र को कैसे पता हो सकता है कि उसकी ओर एकटक निहारने वाले अगणित चकोरों को कैसा लगता है, जब वे उसे देखने से वंचित हो जाते हैं। ठीक उसी तरह बादल को ही एकमात्र प्रियतम मानकर उसकी ओर टकटकी लगाए चातक के ऊपर क्या बीत रही है। वह क्या जाने। बादल तो अपनी मस्ती में–अपने मतवालेपन में सारे आकाश में, जब जहाँ चाहे विचरण करता रहता है। उसे क्या पता, कि धरती के किस कोने पर कौन-सा चातक आँखें बिछाए मात्र उसी के लिए तड़प रहा है। इसलिए निठुराई का आरोप लगाए बिना यहाँ मात्र यह कहा जा रहा है कि तुम्हें मेरी हालत का पता तब चल सकेगा, जब पलभर के लिए अपने आप से अलग होकर देख सको। अब यह कठिन तो है–अपने आप से अपने को अलग करना, किंतु इसके बिना उस अनन्य प्रेमी की मनोदशा को समझना संभव नहीं। इस बिंदु पर आनन्दघन का प्रेम देह की सीमा का अतिक्रमण करता हुआ दिखाई पड़ता है। इसलिए लोगों को यह भ्रम हो जाता है कि आरंभ से अंत तक आनन्दघन आध्यात्मिक प्रेम की बात ही करते रहे हैं। ऐसा मान लेने पर एक सरल मार्ग रहस्यानुभूति का निकल आता है।

आनन्दघन की प्रेम संबंधी अवधारणा इतनी स्पष्ट है कि

किसी अन्य कवि से उसकी तुलना नहीं की जा सकती। बिल्वमंगल, नंददास और तुलसीदास जैसे कवियों के संबंध में इस प्रकार की मान्यता निर्विवाद है कि वे अपनी प्रेमिका या पत्नी के प्रति घोर आसक्ति में पड़े हुए थे और जब किसी प्रकार उनका मोहभंग हुआ, उन्हें प्रबोध हो गया तो अपनी भूल का मार्जन करने के लिए उन्होंने अपने पूर्व प्रेम को प्रयत्नपूर्वक विस्मृत कर दिया और भगवान के प्रति समर्पित हो गए। सूफ़ियों के विषय में प्रसिद्ध है कि इश्क हक़ीकी (ईश्वरीय प्रेम) तक पहुँचने के लिए उनके यहाँ इश्क मज़ाजी (लौकिक प्रेम) अनिवार्य माना जाता है। सूफ़ी साधक जब इश्क हक़ीकी की ओर अग्रसर हो जाता है, तो इश्क मज़ाजी को पूरी तरह छोड़ देता है। लौकिक प्रेम उसके लिए साधन मात्र है। आनन्दघन की प्रेम संबंधी अवधारणा में मानवीय प्रेम और ईश्वरीय प्रेम में से कोई छोटा-बड़ा, ऊँचा-नीचा, त्याज्य-ग्राह्य या निंदनीय-प्रशंसनीय नहीं है। दोनों तत्त्वतः एक हैं। वेदांत और सर्वात्मवाद में आत्मा-परमात्मा का जो संबंध है, वही आनन्दघन के यहाँ उनके प्रेम का भी है, अर्थात् दोनों तत्त्वतः एक हैं–जीव और ब्रह्म–भेद केवल मात्रा का है। बूँद भी वही है, जो समुद्र है–क्वालिटी एक, भेद मात्रा का है। एक अति लघु है, दूसरा अति विराट्।

प्रेम को महोदधि अपार हेरि कै विचार
बापुरो हहरि वार ही ते फिरि आयो है।
ताही एकरस ह्वै बिबस अवगाहैं दोऊ,
नेही हरिराधा जिन्हें देखे सरसायो है।
ताकी कोऊ तरल तरंग संग छूट्यो कन
पूरी लोक लोकनि उमंगि उफनायो है।
सोई घन आनन्द सुजान लागि हेत होत
ऐसे मथि मन पै सरूप ठहरायो है॥

प्रेम का समुद्र अपार है। उसकी थाह कोई नहीं पा सकता क्योंकि मनुष्य तो मनुष्य है, विचार भी उस अपार प्रेम-समुद्र के पार जाने की बात तो दूर उसमें उतरने का साहस भी नहीं कर सकता। जो विचार सबकुछ की थाह लगा लेता है, वही सर्वसमर्थ 'विचार' इस अपार प्रेम-समुद्र के तट पर खड़ा होकर बेचारा (बापुरो) असहाय होकर बिना उसमें प्रवेश किए लौट पड़ता है। स्पष्ट है कि वह विचार का विषय ही नहीं है। उस अपार प्रेम-समुद्र में अवगाहन करनेवाले केवल दो हैं–नेही हरि और राधा। ये दोनों रस-विवश होकर–बिना ऊबे या थके–एक रस उसमें अवगाहन करते रहते हैं। इंद्रियों की सीमा और काल की बाधा वहाँ लागू नहीं होती। और सबसे मजेदार बात यह कि वह अपार प्रेम-समुद्र जड़ नहीं है। वह भी अपनी गोद में अवगाहन करते नेही हरिराधा को देख देखकर प्रसन्न पुलकित तरंगित होता रहता है। 'चेतना का ही अपार समुद्र यह' (निराला)

उस प्रेम-समुद्र की अपार विराटता का अनुमान इससे लगाया जा सकता है कि उसकी एक लहर से उछली हुई एक बूँद–जल के एक कण–में तीनों लोक उफनाए हुए हैं। एक बूँद में तीनों लोकों को डुबो लेने की शक्ति है, उस बूँद का धारक समुद्र विचार की पकड़ में कैसे आए।

आनन्दघन कहते हैं कि मन को (अनुभव के आधार पर) मथ करके मैंने यह ठहराया है–स्थापित किया है कि वही प्रेम आनन्दघन और सुजान के बीच हेत (लौकिक शृंगार) होकर दिखाई पड़ता है।

ध्यातव्य है कि मानवीय प्रेम ईश्वरीय प्रेम से भिन्न नहीं, उसी का एक कण है। वह त्याग देने, भुला देने, सीढ़ी के रूप में छोड़ देने का विषय नहीं है।

यही अवधारणा आनन्दघन को वह साहस प्रदान करती है कि सुजान की देह से अपनी देह के अलग हो जाने और अपनी प्रखर साधना के बल पर राधा की अंतरंग सखी 'बहुगुनी' के रूप में स्वीकृत हो जाने के बाद भी न वे सुजान को भूल जाते हैं, न उससे घृणा करने लगते हैं, न अपने किए पर पछताने लगते हैं; उस नाम को देह की सीमा से उठाकर अपार समुद्र में एकरस अवगाहन करने वाले नेही हरिराधा से जोड़ देते हैं।

प्रेम के इसी तत्त्व की कुछ झलक पद्मावत के अंत की पंक्तियों में जायसी को मिलती है, जब वे कहते हैं–

मानुस प्रेम भयउ बैकुंठी। नाहिं त काह ? छार एक मुंठी।

एक मुट्ठी धूल ही तो ! इसी प्रेम में सनकर बैकुंठी हो जाना। विश्व की सर्वश्रेष्ठ कविता देशकाल की सीमा का अतिक्रमण करती हुई इसी 'प्रेमतत्त्व' को सर्वोपरि स्वीकार करती है।

आनन्दघन भक्ति के क्षेत्र में कहाँ पहुँचे, इसका उल्लेख हो चुका है। 'कृपा' को स्वतन्त्र विषय बनाकर बासठ छंदों में उन्होंने जो रचा है, उसकी कल्पना भी अन्य कवि-भक्त नहीं कर सकते। 'पदावली' के अनेक पद इसी कोटि में आते हैं।

रसना गुपाल के गुन उरझी।
बहुत भाँति छल छंद बंद बकवाद फंद तें सुरझी।–के आधार

पर यह निर्णय दे देना कि अपनी शृंगारी रचनाओं के प्रति आनन्दघन का तिरस्कारभाव विकसित हो गया था—उनके प्रति अन्याय होगा। प्रेम की सर्वश्रेष्ठ अवधारणा को मूर्त करनेवाला छंद दोनों प्रकार के अनुभवों की सघनता से होकर निकल आने के बाद ही रचा गया है, इसके लिए किसी बाहरी प्रमाण की आवश्यकता नहीं है।

आनन्दघन का व्यक्तित्व और कृतित्व उनके मरण-दृश्य को पूर्ण प्रामाणिक सिद्ध करता है। यह वे ही कर सकते थे कि तलवार के एक झटके से गर्दन उड़ा देनेवालों को रोककर कहें कि देर तक वार करते रहो ताकि रक्त की एक-एक बूँद को ब्रज की धूल में मिल जाने का भरपूर अवसर मिले। प्रवासी प्रिय के पाँवों की धूल को आँखों में भरकर विरह-ताप मिटाने की कामना करने वाले को जब अपार प्रेम-सिन्धु की ओर प्रस्थान का अवसर मिला, तो ब्रज की धूल को रक्त के कण-कण में आत्मसात् करके चलने से अच्छा क्या हो सकता था। प्रेमी आनन्दघन, भक्त आनन्दघन और दोनों की अनुभव-राशि को अभिव्यक्ति देने में समर्थ कवि आनन्दघन का विकास विलक्षण परिपूर्णता के साथ होता हुआ दिखाई पड़ता है। □

सृजक (ऑथर) का विलोपन

रोलाँ बार्थेस्

हिंदी अनुवाद : इन्दुप्रकाश कानूनगो

अपनी कहानी *सर्रासाइन* में, बालज़ाक ने, स्त्री के छद्मवेश धरे किसी बधिया का जिक्र इस तरह किया है : *'वह स्त्री ही थी, स्वयं, अपनी आकस्मिक आशंकाओं, अपनी बेतुकी तरंगों, अपनी नैसर्गिक चिंताओं, अपने विवेकशून्य दुस्साहस, अपनी बतंगड़बाजियों, और अपनी रुचिर भावप्रवणता से सृजित स्त्री।'* अब सोचो, इस तरह कौन बोल रहा है ? स्त्री के वेश में छिपे बधिया से अनभिज्ञ बने रहने पर अड़ा हुआ कथानायक ? या, स्त्री की किसी तात्त्विक मीमांसा में घुली अपनी वैयक्तिक अनुभूति से लैस स्वयं बालज़ाक ? या, नारीत्व पर 'साहित्यिक' विचारों का प्रदर्शन करता स्वयं सृजक (ऑथर) बालज़ाक ? या, क्या यह सार्वभौम प्रज्ञा है ? रोमानी मनोविज्ञान ? हमें कभी पता नहीं चलेगा, इसका सबसे बड़ा कारण यह कि लिखना उद्‌गम के हर स्वर, हर बिंदु का ध्वंस है। लिखना ऐसा तटस्थ, मिश्रित, वक्र अवकाश है जहाँ हमारा सचेत–व्यक्तित्व ओझल हो जाता है, वह ऐसी छाया है जहाँ सारी पहचान, लेखन–निकाय की मूल पहचान से लगाकर शेष सारी पहचान, लोप हो जाती है।

बेशक, सदा ऐसा ही रहा आया है। जैसे ही कोई तथ्य–यथार्थ के प्रति जरा भी प्रत्यक्षतया पेश आने के इरादे से नहीं, बल्कि पदार्थ, विषय, उद्‌देश्य, कर्म के साथ कोई संबंध प्रत्यक्षतया नहीं बनाते हुए, यों कहें कि स्वयं प्रतीक ही की मूल वृत्ति के कार्यव्यापार के अतिरिक्त किसी भी अन्य कार्य व्यापार के अतिरिक्त किसी भी अन्य कार्यव्यापार के बाहर जा *बयाना* जाता है, वैसे ही यह वियोजन घटता है, भाषा अपना उद्‌गम खो देती है, सृजक (ऑथर) अपने स्वयं ही के विलोपन में दाखिल होता है, हाँ तब, लिखना आरंभ होता है। इस संघटना की समझ, बहरहाल, बदल गई है; नृजातीय समुदायों में, किसी आख्यान के लिए, उत्तरदायित्व किसी व्यक्ति द्वारा कदापि नहीं बल्कि किसी ऐसे मध्यस्थ, शामन या वाचक द्वारा धारण किया जाता है जिसकी 'अदायगी'–हाँ, जिसके अंदाजे बयाँ की दक्षता–शायद सराही जा सकती है लेकिन उसकी 'प्रतिभा' कदापि नहीं। सृजक (ऑथर), कि जिसने 'व्यक्ति', बल्कि ज़्यादा शालीनता से कहें 'मानवीय व्यक्ति' की प्रतिष्ठा खोजी, वह आधुनिक शख्सियत है, वह उस हद तक हमारे समाज ही का कोई उत्पाद है कि जहाँ तक वह मध्ययुगों और आंग्ल-अनुभववाद (एंपिरिसिज़्म) तथा, फ्रांसीसी बुद्धिवाद और 'धर्मसुधार–(रिफार्मेशन)–में–निजी–यकीन' से उभरा है। अतएव यह तर्कसंगत लगता है कि साहित्य में इस प्रत्यक्षवाद (पासिटिविज़्म)–पूँजीवादी आदर्शवाद के इस चरमोत्कर्ष और निचोड़–ही ने सृजक (ऑथर) की 'शख्सियत' के प्रति जबर्दस्त एहमियत संबद्ध की होगी। *सृजक (ऑथर)* अभी भी साहित्य के इतिहासों, लेखकों की आत्मकथाओं, साक्षात्कारों, पत्रिकाओं में उतना ही छाया हुआ है जितना कि वह डायरियों या जीवनवृत्तों द्वारा अपने और अपने कृतित्व को संयुक्त करने को आतुर विद्वानों की ठीक चेतना में घर बनाए हुए है। सामान्य संस्कृति में साहित्य की आम छवि सृजक (ऑथर) उसकी शख्सियत, उसके जीवन, उसकी रुचियों, उसके मनोवेगों पर जालिमाना ढंग से केंद्रित है; इसके चलते आलोचना के बहुतांश में यही कहा जा रहा है कि बादलिएर की कृति के पीछे उसके

[दि डेथ ऑफ़ ऑथर : अंग्रेज़ी अनुवाद : एस. हीथ, संपादक : इमेज, म्यूज़िक, टेक्स्ट (1968), पृ. 142-8]

व्यक्तित्व की नाकामयाबी का, वानगाग की सृजनाओं के पीछे उसके पागलपन का, त्वाइकोवस्की की कृति के पीछे उसके व्यसनों का हाथ है। किसी कृति की *व्याख्या* उस पुरुष या स्त्री में खोजी जाती है जिसने उसे रचा, मानो वह अंततः सदैव ही, गल्प की कमोबेश पारदर्शी अन्योक्ति के द्वारा किसी एक अकेले व्यक्ति की—हम पर 'भरोसा' रखे हुए सृजक(ऑथर) की—आवाज ही हो।

यद्यपि सृजक (ऑथर) का अपनी 'नैतिक-शक्ति-द्वारा-उत्पन्न प्रभाव' शक्तिशाली बना रहता है (नई आलोचना ने उसे सुदृढ़ बनाने के अतिरिक्त और कुछ प्रायः किया भी नहीं है) अतः कहने की जरूरत नहीं कि कतिपय लेखकों ने बहुत पहले ही से उसे ढीला करने का यत्न किया है। फ्रांस में निस्संदेह मलार्मे, व्यक्ति (उनके अपने युग तक भाषा का पूरा स्वामी माने जा रहे व्यक्ति) की एवज में स्वयं भाषा ही को प्रतिस्थापित किए जाने की बात को पूरी तरह समझने वाले, और उसका पूर्वानुमान लगा लेने वाले सर्वप्रथम चिंतक हैं। उनके लिए, हमारे लिए भी, सृजक (ऑथर) नहीं भाषा ही बोलती है; लिखना, किसी पूर्वापेक्षित व्यक्तित्वशून्यता (इसे यथार्थवादी उपन्यासकार की 'वस्तुपरकता के बधियाकरण' —केस्ट्रेटिंग आब्जेक्टिविटी—के साथ कत्तई उलझाया न जाए) के द्वारा उस बिंदु तक पहुँचना है जहाँ सिर्फ भाषा कार्यरत है, वो ही 'करतब, कौतुक, अभिनय आदि सारी अदायगी' करती है, याद रहे 'मैं' कुछ नहीं करता। मलार्मे का समूचा काव्यशास्त्र—लिखने के हितों के मद्देनजर—सृजक (ऑथर) के निषेध किए जाने में बसा है (जिसका मतलब, जैसाकि आगे हम देखेंगे, पाठक का स्थान पुनःप्रतिष्ठित करना है)। वेलेरी ने, अहं (ईगो) के मनोविज्ञान से भारग्रस्त वेलेरी ने, मलार्मे के मत को काफी कुछ शिथिल किया तथापि, क्लासिसिज़्म के प्रति दिलचस्पी जिसे रेहटरिक के अध्ययनों की ओर पलटा ले गई, उसने भी सृजक (ऑथर) को संदेह के घेरे में रखना और उसकी खिल्ली उड़ाना कभी बंद नहीं किया; उसने उसकी गतिविधि के भाषिक और, मानों वाकई ऐसा रहा आया, 'खतरनाक' स्वभाव को रेखांकित किया, और अपने समूचे गद्य में साहित्य की मूलभूत वाचिक अवस्था के पक्ष ही में संघर्ष किया, कि जिसके होते हुए भी सहायता के लिए, लेखकीय-लघुता की शरण जाना उसे निरा अंधविश्वास मालूम दिया। स्वयं प्रूस्त, अपने तथाकथित *विश्लेषणों* (analyses) के प्रतीयमानतः मनोवैज्ञानिक स्वरूप के बावजूद, लेखक और उसके पात्रों के दरम्यान बने संबंध को, बेहद बारीकी के साथ, निर्मम होकर, धुँधला देने के उद्यम से प्रत्यक्षतया संबद्ध रहा आया; आख्यानक को वो नहीं जिसने देखा और अनुभव किया या वो भी नहीं जो *लिखने जा रहा है* (उपन्यास का नौजवान—यद्यपि क्या मालूम वाकई कितनी आयु का है, और क्या मालूम कौन है ?—लिखना चाहता है लेकिन लिख नहीं सकता; उपन्यास तब खत्म होता है जब लेखन अंततः संभव होता है)—ऐसा बनाते हुए—आधुनिक लेखन को अपना महाकाव्य प्रदान किया। किसी उग्र विपर्यय के द्वारा, उपन्यास में अपना जीवन डालने—जैसाकि प्रायः निश्चयपूर्वक किया जाता है—की बनिस्बत उसने अपनी ही जिंदगी से कोई ऐसी कृति बनाई जिसके लिए उसकी स्वयं की किताब प्रतिमान रही आई; ताकि हमें यह स्पष्ट हो जाता है कि चार्ल्स जो है वो मांतेस्क्यू का अनुकरण नहीं करता है बल्कि मांतेस्क्यू—अपनी किस्सागोई, ऐतिहासिक सत्ता में—चार्ल्स से व्युत्पन्न कोई गौण अंश बना होने से ज़्यादा कुछ नहीं। अंततोगत्वा, आधुनिकता के इस प्रागैतिहास के पार न जाते हुए, अतियथार्थवाद ने, यद्यपि भाषा को कोई सर्वोच्च स्थान प्रदान नहीं करते हुए (भाषा व्यवस्था है इसलिए अतियथार्थवादी आंदोलन के लक्ष्य में, रूमानी रूप से, संहिताओं का कोई प्रत्यक्ष उच्छेदन किया जाना है—यह स्वयं भ्रांतिजनक भी है : कोई संहिता नष्ट नहीं की जा सकती, सिर्फ बराबरी—पर छूटी—बाजी—का—फैसला—तय—करने के लिए फिर मुकाबला होता है) अर्थ की अपेक्षाओं को सहसा विफल करने (अतियथार्थवादी 'झटका'=Surrealist 'Jolt' बाबत सभी को ज्ञात) की निरंतर अनुशंसा करते हुए, हाथ को—वह सब कि स्वयं मस्तिष्क जिससे सर्वथा बेखबर हो—लिखने का उद्यम (स्वचालित लिखना) प्रदान करते हुए, कई लोगों का एक साथ लिखना—इस सिद्धांत और तजुर्बे—को सही करार देते हुए, सृजक (ऑथर) की छवि की पूजनीय पवित्रता मिटा देने में सहयोग दिया है। साहित्य (लिटरेचर) ही को परे खिसका (ऐसे विभेद वाकई अमान्य) भाषाशास्त्र ने अभी-अभी किसी बहुमूल्य विश्लेषणात्मक युक्ति द्वारा सृजक (ऑथर) का ध्वंस यह दर्शाते हुए किया कि समूचा निरूपण खोखली प्रक्रिया है जो अपने लिए संभाषियों के व्यक्तित्व द्वारा संपूरित होने की किसी भी माँग के बगैर ही परिपूर्णतया कार्यरत है। भाषा विज्ञानी तौर पर, सृजक (ऑथर) जो है वो लिखने के दृष्टांत के अतिरिक्त कदापि कुछ नहीं है, ठीक वैसे जैसे *मैं* जो है वह *मैं* कह रहे दृष्टांत के अतिरिक्त कुछ नहीं :

भाषा कोई 'विषय' जानती है कोई 'व्यक्ति' नहीं, और अपने को निर्धारित करते सिर्फ निरूपण के बाहर असार यह विषय भाषा को 'कुलमिला सँभाले रहने' के लिए पर्याप्त है, यों कहें, कि उसे निःशेष करने के लिए पर्याप्त है।

सृजक, यानी ऑथर, का विलोपन–(यहाँ हम किसी खरे 'अलगाव' के प्रवर्तक ब्रेश्त को याद करें : यानि, सृजक का साहित्यिक–मंच के दूरस्थ किनारे, किसी छोटी होती जाती प्रतिमा में घट जाना ध्यान में उतारें)–महज कोई ऐतिहासिक तथ्य या लिखने की कोई हरकत भर ही नहीं; दरअसल यह विलोपन आधुनिक पाठ को सर्वथा बदल देता है [या–यह भी वही बात होती–पाठ अब इस तरह रचा और पढ़ा जाता है कि उसके समस्त तलों पर सृजक (ऑथर) गैरहाजिर है]। यह अल्पकालिकता अनोखी है। सृजक (ऑथर)–किंचित उसके होने को मान लें तो–वह सदैव अपनी ही पुस्तक के अतीत के रूप में मनोगम्य होता है : पुस्तक और सृजक (ऑथर) किसी *पूर्व* और किसी *पश्चात्* को विभक्त कर रही किसी एक अकेली रेखा पर यंत्रवत टिके होते हैं। सृजक (ऑथर) पुस्तक का *पालक-पोषक* माना गया, यानी, वह उसके पहले विद्यमान है, उसके लिए सोचता, तड़पता, जीता है। अपनी कृति के साथ पूर्ववर्तिता के उसी रिश्ते में है जैसे पिता अपने पुत्र के साथ। इसके नितांत विपरीत, आधुनिक लिपिक (माडर्न स्क्रिप्टर) पाठ के समक्षणिक उत्पन्न होता है, वह लिखने के किसी पूर्ववर्ती या अतिक्रमणित अस्तित्व से जरा लैस नहीं है, पुस्तक विधेय वह कर्ता हो ऐसा नहीं है; निरूपण के अतिरिक्त कोई अन्य समय नहीं है और हर पाठ निरंतर *तत्क्षण* लिखा हुआ है। तथ्य यों (या फलतः यों) कि *लिखना* पहले की तरह अभिलेखन, संकेतन, निरूपण, 'चित्रण' (कि जैसा क्लासिकी में होता आया) की प्रक्रिया का नाम नहीं रहा; बल्कि–भाषावैज्ञानिक जिस तरह, आक्सफोर्ड फिलासफी का उल्लेख करते हुए, पुकारते हैं–वह किसी आनुष्ठानिक, दुर्लभ वाचिक रूप (उत्तम पुरुष और वर्तमान-काल ही में बयाने गए वैसे रूप) का नाम है जिसके अनंतर निरूपण में कोई अन्य विषयवस्तु (कोई अन्य प्रतिज्ञप्ति) नहीं है सिवाय उस गतिविधि के कि जिसके जरिए वह व्यक्त हुआ–कुछ यों जैसे : मैं राजाओं की *स्तुति करता हूँ* या मैं अतिप्राचीन कवियों का *गुणगान करता हूँ।* सृजक (ऑथर) को लोप कर, आधुनिक लिपिक (माडर्न स्क्रिप्टर), अपने पूर्ववर्तियों के करुणाजनक दृष्टिकोण के अनुसार, यों नहीं मान सकता कि यह हाथ भी उसके विचार या भावावेग के लिए अत्यंत धीमा है कि फलस्वरूप, आवश्यकता का कोई नियम बनाते हुए, उसे इस *विलंब* को बल प्रदान करना ही होगा और अपने रूप को अनियत 'मांजना' ही होगा। उसके लिए, इसके विपरीत, हर स्वर से विच्छिन्न, यह हाथ, उकेरण की (न कि अभिव्यक्ति की) किसी खालिस चेष्टा द्वारा उत्पन्न कोई उद्गमविहीन क्षेत्र–या ऐसा कोई क्षेत्र–जिसमें कम-से-कम स्वयं भाषा, भाषा कि जो सारे उद्गमों पर संदेह प्रगट करे, को छोड़ कोई अन्य उद्गम न हो–खोजता है।

हम अब जानते हैं कि कोई पाठ मात्र किसी एक 'ब्रह्मविज्ञानी' अर्थ [सर्जक–प्रभु (ऑथर गाड) का 'संदेश'] निसरन कर रहे शब्दों की पंक्ति भर नहीं बल्कि कोई बहु-आयामी अवकाश है जिसमें विविध कृतियों–जिनमें कोई मौलिक नहीं–गुत्थमगुत्थ भी होती हैं और परस्पर टकराती भी हैं। पाठ असंख्य संस्कृति-केंद्रों से निःसृत उद्धरणों की कोई संरचना है। बाउवार्द और पियूचेक के समान, वे अनंत नकलनवीस उदात्त भी हैं मसखरे भी, उनकी प्रबल विद्रूपता लिखने के सत्य ही को प्रगट करती है; लेखक किसी ऐसी भावमुद्रा ही की नकल कर सकता है जो सदैव पूर्ववर्ती हो, मौलिक कदापि नहीं। उसकी एकमात्र ताकत कृतियों को–यों कि उनमें से किसी एक पर कदापि स्थिर न होते हुए–परस्पर घोल देने, कुछ को कुछ, अन्य से टकरा देने में बसी है। क्या उसने *स्वयं को अभिव्यक्त करना चाहा,* उसे कम-से-कम इतना तो ज्ञात होना चाहिए कि आंतरिक 'चीज' (थिंग) कि जिसे वह 'रूपांतरित' करना चाहता है वह कोई बनी-बनाई डिक्शनरी है जिसके शब्द अन्य शब्दों द्वारा ही और इसी तरह अनंत, ऐसा कुछ कि जो अनुकरणीय ढंग से युवा थामस डी-क्विंसी द्वारा अनुभव किया गया, उस थामस द्वारा जिसमें यूनानी भाषा की इतनी गहरी समझ थी कि नितांत आधुनिक प्रत्ययों और बिंबों को उस ठहर चुकी भाषा में रूपांतरित करने के इरादे, जैसाकि हमें बादलिएर ने *(पैराडिस आर्टिफिशेल्स में)* बताया, 'क्विंसी के थामस ने स्वयं के लिए ऐसा अचूक शब्दकोश रचा जो नितांत साहित्यिक विषयवस्तुओं पर केंद्रित औसत अध्यवसाय से प्रतिफलित हुए शब्दकोशों की बनिस्बत अत्यंत विशद और संश्लिष्ट ग्रंथ है।' सृजक (ऑथर) को पीछे छोड़ आगे आया लिपिक अब अपने भीतर आवेगों, हास-परिहासों, भावनाओं, प्रभावों को नहीं, बल्कि कदाचित इस विशाल डिक्शनरी को धारण करता है जिसमें से वह ऐसी कोई कृति खींच निकालता है जो ठहरना नहीं जान पाती : जीवन पुस्तक का अनुकरण करने

से ज़्यादा कुछ नहीं करता, और स्वयं पुस्तक संकेतों की कोई बुनावट, हाँ, लोप हो चुकी, अनिश्चित रूप से मुल्तवी हो चुकी, कोई अनुकृति है।

जैसे ही सृजक (ऑथर) लोप हुआ, कि किसी पाठ की गुत्थी खोलने का दावा बिल्कुल निरर्थक हो जाता है। किसी पाठ को कोई सृजक (ऑथर) देना उस पाठ पर किसी सीमा को लाद देना है, किसी अर्थगर्भित सिरे से लैस करना है, लिखना अवरुद्ध करना है। आलोचना के लिए ऐसी अवधारणा बिल्कुल उपयुक्त है, तब आलोचना कृति के नीचे दबे सृजक (या उसके तत्त्वों : समाज, इतिहास, मानस, मुक्ति) को खोजने का महत्त्वपूर्ण उद्यम स्वयं अपने ही जिम्मे ले लेती है : सृजक (ऑथर) के खोज लिए जाते ही पाठ 'विवेचित हो गया'—आलोचक जिंदाबाद ! अतः इस तथ्य में कोई अचंभा नहीं कि ऐतिहासिक तौर पर, सृजक (ऑथर) का बोलबाला आलोचक का भी बोलबाला रहा आया, और इसमें भी कोई अचरज नहीं कि आलोचना (चाहे वह नयी आलोचना ही हो) आज सृजक (ऑथर) ही के साथ-साथ घिस-पिट गई है। लिखने की बहुलता में सबकुछ *सुलझाना* होता है, कोई *गूढ़ अर्थ खोजना* नहीं होता; संरचना का पीछा किया जा सकता है, वह हर बिंदु और हर तल पर 'तानी जा सकती' (जुर्राब के तागे-सी) है, जबकि नीचे दबा कुछ नहीं है : लिखने के अवकाश का विषयांतर करना होता है, उसे भेदना नहीं होता; लिखना अर्थ को, अर्थ का अनवरत वाष्पन करते जाने के लिए, अर्थ के किसी सुव्यवस्थित विमोचन को संपन्न करते जाते हुए, अनवरत किसी असलियत के रूप में धारण करता जाता है। बिल्कुल यों साहित्य (लिटरेचर) [बेहतर होगा अब आगे से लेखन (राइटिंग) कहें], पाठ को (बल्कि पाठ स्वरूप संसार को) कोई 'भेद' कोई चरम अर्थ सौंपने से मुकरते हुए, कोई तथाकथित ब्रह्मविज्ञान-विरोधी गतिविधि—ऐसी गतिविधि जो दरअसल क्रांतिकारी है क्योंकि अर्थ-निर्धारण से मुकरना, अंततः ईश्वर और उसके मूलभूत तत्त्वों : विवेक, विज्ञान, विधि : से मुकरना है—विमोचित करता है।

अब बालज़ाक प्रसंग पर लौट चलें। वहाँ ऐसा कोई भी, हाँ, कोई भी 'व्यक्ति' नहीं है जो वैसा बोल रहा है : वह स्रोत, वह गला, लेखन में नहीं पठन में है। दूसरा—अत्यंत सुस्पष्ट—दृष्टांत इसे समझने में सहायक होगा : हाल की (जे.पी. वेनांत[1] द्वारा की गई) गवेषणा ने यूनानी ट्रेज़ेडी के मूलभूत द्विअर्थी स्वभाव को खोज कर यह प्रदर्शित किया है, कि उसके पाठ द्विअर्थी शब्दों द्वारा यों बुने हुए हैं कि पाठ को प्रत्येक पात्र एकतरफा—एकपक्षीय समझता है (सो यह सतत गलतफहमी ही 'ट्रैज़िक' है); कोई-न-कोई, बहरहाल है, जो प्रत्येक शब्द को उसकी द्वैधता में समझता है और जो, इसके अतिरिक्त, अपने समक्ष बोल रहे पात्रों का बहरापन भी सुन रहा है—यह कोई जो है वह पाठक (यहाँ श्रोता) ही है। इस तरह लेखन का संपूर्ण अस्तित्व उद्घाटित हो जाता है : कोई पाठ, अनेक संस्कृतियों से निसर कर और संवाद, पैरोडी, विवाद के परस्पर संबंधों में उलझकर कई लेखनों से बनता है, हालाँकि एक ऐसी जगह है जहाँ यह बहुलता एकाग्र होती है, और वह जगह है पाठक, न कि सृजक (ऑथर) कि जैसा अब तक माना गया। पाठक वह जगह है जिस पर कुलमिला लेखन बने हुए वे सारे उद्धरण—एक के भी लोप हुए बगैर—अंकित होते हैं : पाठ की अन्विति उद्गम में नहीं लक्ष्य में स्थित है। गो यह लक्ष्य अब कत्तई वैयक्तिक हो नहीं सकता : पाठक जो है वह इतिहास, जीवनी, मनोविज्ञान के बगैर है; वह बस ऐसा कोई-न-कोई है जो किसी एक अकेले क्षेत्र में सारे संकेतों को बाँधे रखता है कि जिनसे लिखा हुआ पाठ गठित है जो इसलिए, कि मिथ्याचारी ढंग से पाठक के अधिकारों का हिमायती बना दिए गए किसी मानवतावाद के नाम पर, नवलेखन का तिरस्कार हास्यास्पद होगा। क्लासिक आलोचना ने पाठक की ओर कभी ध्यान नहीं दिया; उसके लिए बस लेखक ही मौजू है। अब हम भले समाज के उद्धत, एंटीफ्रेस्टिकल[2] प्रत्यारोपों द्वारा उस चीज ही का पक्ष लेने के लिए बहलाए नहीं जा सकते कि जिस चीज ही को वह परे खिसकाए, टाले, मुरझाए, या तोड़े-फोड़े; हमें मालूम कि लेखन को उसका भविष्य देने के लिए मिथक का उखाड़ फेंका जाना अवश्यंभावी है : पाठक का जन्म सृजक (ऑथर) के विलोपन की कीमत पर ही होना चाहिए।

टिप्पणी : (1) ज्याँ पिएरे वेनांत द्वारा (पिएरे विदाल—नाखेत के साथ) लिखी पुस्तक : मिथे एत ट्रेज़ेडी एन ग्रीस एंसीएने : पेरिस, 1972, पृ. सं. 19-40, 99-131.

(2) एंटीफ्रेस्टिकल : किसी शब्द का अपने समीचीन अर्थ के विपरीत इस्तेमाल करने वाले।

□

कभी-कभार के बहाने

(अशोक वाजपेयी की पुस्तक 'कभी-कभार' पर)

सदन झा

दो पाटों में बँटा हुआ ग्लौसी पेपर का कवर जिधर से आप किताब खोलते हैं। (दाएँ तरफ़) उस हिस्से में शब्दों में लंबवत लिखा हुआ लेखक का नाम—अशोक वाजपेयी। कवर के दूसरे पाट में लेखक का चिर परिचित चश्मे वाला सौम्य स्मित चेहरा। मंद-मंद मुस्कराते मानो आपको देखते हुए, मानो अपने में लीन, मानो शून्य में ध्यानस्थ या फिर शायद दुनिया को देखते हुए—वेनिस से लेकर चित्रकार जगदीश स्वामीनाथन के चित्रों और उसके परे उनका अनुभवों गें बसे पहाड़ी कोरबा आदिवासियों के मिथकों तक पसरी हुई दुनिया। पुस्तक के कवर के इस चित्र, लेखक के चश्मे, मुस्कान, दृष्टि और दाँतों की शृंखला (जैसे बोलते-बोलते एक क्षण के लिए अवकाश लिए हों) में अर्थों को एक दुनिया बसाई जा सकती है। परंतु आगे बढ़ना होगा। कवर पृष्ठ के मध्य से कुछ ही ऊपर किताब का नाम लिखा हुआ—कभी-कभार। लेखक के नाम के अक्षरों की तुलना में बहुत छोटा परंतु दोहरे लकीरों में, मानो अक्षर की इकहरी लकीर उपस्थिति दर्ज कराने में काफ़ी नहीं थी या फिर शालीनता का एक नया अंदाज़।

एक फलक में अशोक वाजपेयी की नयी कृति कुछ ऐसी ही 'इमेज' उपस्थित करती है। पर ज़रा ठहरिए। गौर करें, कवर के जिस हिस्से में शब्दों में लेखक का नाम लिखा है वहाँ ध्यान से देखने पर एक धुँधला-सा चेहरा नज़र आएगा ऐसे जैसे शून्य से बाहर आता लेखक का अक्स किताब के पिछले हिस्से में दो अधिक स्पष्ट चेहरे इंतज़ार करते हुए। अनुक्रमणिका सहित 455 पृष्ठों को पढ़ने के बाद तो साफ़ नहीं हुए हैं ये चेहरे ? एक लेखक का चेहरा किताब के पन्नों के भीतर जीता है या उसके बाहर, यह एक बड़ा मुद्दा है परन्तु किताब के बाद उससे बाहर निकलते हुए आप महसूसते हैं कि आप बदल चुके हैं।

पुस्तक समीक्षा के प्रचलित व्यवहारों से मैं थोड़ा अलग हटने की कोशिश कर रहा हूँ। सम-इच्छा मेरे लिए संभव नहीं। मैंने पहले ही कहा है कि पुस्तक पढ़ने के क्रम में पाठक बदल जाता है। साथ ही लेखक का चेहरा भी बदल जाता है। ऐसे में समीक्षा कहाँ तक संभव हो पाएगी। अतः मैंने अंग्रेजी शब्द 'रिव्यू' को अपने अधिक समीप पाया है। पुस्तक का रिव्यू ही कही जा सकती है मेरा यह निबंध। रिव्यू अर्थात् 'फिर से देखना'। उन परिस्थितियों की ओर वापस मुड़ना है, जिनमें किसी पुस्तक की रचना होती है या फिर उत्तर-संरचनावादियों के नजरिए से सोचें तो उन परिस्थितियों का अध्ययन जिसमें किसी पुस्तक के पाठों की रचनाएँ होती हैं।

'' 'कभी-कभार' हिंदी के महत्त्वपूर्ण कवि अशोक वाजपेयी की अनौपचारिक उपस्थिति के एक दस्तावेज़ जैसा है—कवि के अपने समय और समाज में व्याप्ति का दस्तावेज़।'' यह कवर फ्लैप की पहली पंक्ति, एक किताब की पहली पंक्ति है। पहली पंक्ति का पाठ पूरे किताब के पाठों को महत्त्वपूर्ण रूपेण प्रभावित करता है परन्तु यदि इस पहले पंक्ति के उपपाठों पर ध्यान दें तो ये अपने आप में परिवर्तनशील हैं 'हिंदी', 'महत्त्वपूर्ण कवि', 'अनौपचारिक उपस्थिति', 'एक' 'दस्तावेज़ जैसा' आदि उपपाठों को पुस्तक पढ़ने के क्रम में आप अपने रूपों में रचते हैं और ध्वस्त करते हैं परन्तु यह पहली पंक्ति आपको इस पुस्तक के पाठों में प्रवेश करने के रास्तों को खोलती हैं। यह मार्ग धीरे-धीरे

चौड़ा होता जाता है। कवर फ्लैप की अंतिम दो पंक्तियों में उपपाठ का 'महत्त्वपूर्ण कवि' अपना विस्तार लेता है। हम पढ़ते हैं, ''कवि आलोचक, संपादक, कलाप्रेमी, घुमक्कड़ और सबसे बढ़कर पुस्तक प्रेमी अशोक वाजपेयी के व्यक्तित्व के विविध आयामों को यह पुस्तक हमारे सामने लाती हैं ऐसा रूप जो उनके पाठकों के लिए अनजाना न सही अनचीन्हा तो ज़रूर है।''

इन पंक्तियों से एक सहज बाल जिज्ञासा आकार लेती है—कौन हैं ये पाठक ? साथ ही इस बात की पड़ताल भी महत्त्वपूर्ण हो जाती है कि इन पाठकों को पुस्तक का लेखक कैसे देख रहा है ?

यदि लेखक की उँगलियाँ थाम कर चलें तो पाते हैं कि पुस्तक के पाठक हैं 'उलझे और अबूझ होते समय' के लोग (देखें, भूमिका का दूसरा पृष्ठ, पृष्ठ संख्या अंकित नहीं)। लेखक ने इन पाठकों के लिए 'टुकड़े टुकड़े समय का टुकड़ा टुकड़ा अभिलेख' लिखा है (भूमिका, तीसरा पन्ना) पर मैं अपने आपको एक गरीब पाठक मानता हूँ। मेरे लिए टुकड़े-टुकड़े समय के इस टुकड़े-टुकड़े अभिलेख को टुकड़े-टुकड़े समय में पढ़ने का सुख नहीं बदा था। लगभग तीन-चार सालों में बिखरे हुए इन टुकड़ों को अंत होते सदी के साथ सप्ताह-सप्ताह पढ़ने का आनंद और समय की इन इबारतों को पुस्तकाकार पढ़ने का अनुभव एक दूसरे से सर्वथा भिन्न हैं एक किताब के पन्नों को पलटने का अनुभव सप्ताह तक 'कभी-कभार' के इंतज़ार के रोमांच से मुकाबला शायद ही कर पाए प्रस्तुत पुस्तक 'जनसत्ता' के साप्ताहिक स्तंभ 'कभी-कभार' का पुस्तकाकार संग्रह है। इन स्तंभों से तिथियाँ हटा दी गई हैं ताकि इन्हें एक अबाधित तारतम्य में पढ़ा जा सके एक कलाप्रेमी लेखक के जर्नल्स की तरह जो उसने प्रायः तत्समय नहीं बाद में याददाश्त से लिखे हैं, निजी नहीं सार्वजनिक बही खाते की तरह (भूमिका, दूसरा पन्ना)।

एक पुस्तक की अपनी माँग होती है और कला की तो खैर असंख्य ही। पर एक इतिहास के छात्र होने के कारण, तिथियों के महत्त्वहीनता के दौर में भी किसी दस्तावेज़ से तिथियों की अनुपस्थिति थोड़ा परेशान करती है। ये परेशानियाँ ऐसे स्तम्भों (निबंधों) में और भी बढ़ जाती हैं जहाँ समय के सूक्ष्म सन्दर्भ तो दर्ज हैं परंतु उन संदर्भों की संरचना हम पुस्तक के पाठक के लिए अनुपस्थित जैसे, पृष्ठ 422 पर 28 फरवरी तो अंकित है परंतु वह साल नहीं जिस वर्ष अमुक 28 फरवरी आया था (यद्यपि यहाँ यह कहा जा सकता है कि 28 फरवरी, जो फिनलैंड में राष्ट्रीय कालेवाला दिवस के रूप में मनाया जाता है, किसी खास वर्ष की सीमा के परिधि में नहीं बँधा है)।

इस प्रकार, यह भी संभव है कि तिथियों के प्रति मेरा आग्रह इतिहास के पुराने पड़ चुके मानदंडों के कारण हो परंतु कम से कम अनुक्रमणिका या विषय सूची में निबंधों के स्तंभों के रूप में होने के इतिहास को जीवित रखा जा सकता था (महात्मा गाँधी के बिखरे स्तंभों और पत्राचारों को जिस प्रकार उनके प्रकाशन के समय के साथ संग्रह किया गया है)।

समय, निबंध, स्तंभ और पुस्तक के संबंधों के प्रति एक अंतिम बात 'समयातीत के सामने' से उद्धृत इस अंश में मैं चाहूँगा कि 'मूर्ति' के बिम्ब की तुलना 'स्तंभ' के सापेक्ष रखकर पढ़ी जाए :

''मैंने उनसे पूछा कि क्या आपको कभी यह लगता है कि मसलन दसवीं शताब्दी की जिस मूर्ति को आपने किसी संग्रहालय में (आप ?) कभी देखते हैं, वह मूर्ति भी आपको देख रही है ? वह मूर्ति तो दस शताब्दियों से है और आगे भी अनेक शताब्दियों तक, अगर अनन्त तक नहीं, रहेगी जबकि आप, जो शुद्ध संयोग और सौभाग्यवश उसे देख रहे हैं, कुछ ही समय के लिए अस्तित्व में हैं और शायद जल्दी ही आपका कोई नामोनिशान नहीं बचेगा। क्या यह अहसास आपको अपनी नश्वरता के प्रति सजग करते हुए विनयशील बनाता है ? हम जो मूर्तियाँ अतीत की, अपने समय में किसी विन्यास में रखते हैं तो हमें यह नहीं भूलना चाहिए कि इन मूर्तियों का अपना, हमसे स्वतंत्र और हमारे हस्तक्षेप से परे, समय है : मानो कि कला ने उन्हें अनंत के एक संग्रह में हमारे जाने बिना पहले से ही विन्यस्त कर रखा है। अगर हम फिर विनयशील हों तो अपने समय में उन्हें एक या दूसरे स्थान पर रखते हुए इस बात के प्रति जागरूक रहेंगे कि वे समयातीत में भी विन्यस्त हैं।'' (127-28)

मूर्ति, स्तंभ, संगीत, चित्र, हिंदी, कवि की नागरिक उपस्थिति, कविता की सांस्कृतिक राजनीति, समय उनके यहाँ मुक्त नहीं है हमेशा ही इतिहास से घिरा हैं कविता इस घेरेबंदी पर चौकसी है (384), कवि और चितेरे की डाड़ामेड़ी—पुस्तक के स्तरों की कभी न ख़त्म होने वाली शृंखला। टुकड़ों को इस निबंध में कहाँ तक जोड़े कहीं से भी अपने पाठ के सपाट स्वरूप से बाहर निकलना संभव नहीं हो पा रहा है मेरे लिए भिन्न-भिन्न देशकालों में पढ़ने की क्रियाओं से सजे सँवरे कालमों को और पढ़ने की उन प्रक्रियाओं

को सप्ताह दर सप्ताह स्वरूपित करते कालम को पुस्तक के रूप में पढ़ना और फिर उस अनुभव को शब्दबद्ध करने में कहीं न कहीं हीनता का बोध शायद स्वाभाविक ही हो खैर...

'कभी-कभार' से बिला नागा हर सप्ताह तक के सफर की दास्तान है यह पुस्तक। एक नितांत अनौपचारिक सा नाम 'कभी-कभार' एक अजीब किस्म की स्वतंत्रता का बोध कराता है यह। जब जार्ज आर्वेल को 1943 में ट्रिब्यून में एक साप्ताहिक स्तम्भ लिखने के लिए आमंत्रित किया गया तो उन्होंने भी कुछ इसी तरह के नाम रखे 'एज आई प्लीज़'।

अख़बार के स्तंभों का इतिहास सोलहवीं सदी में जाता है। मोनटेग्ना स्तंभ के संस्थापक माने जा सकते हैं फ्रांसिस बेकन इनके उत्तराधिकारी हुए। परंतु मोनटेग्ना और बेकन के स्तंभों को निबंध कहना अधिक उचित होगा। इनके शब्दों की कोई सीमा नहीं हुआ करती थी और न ही कोई निश्चित प्रकाशन तारीख ही। परन्तु, बेकन के 'एसेस' और 'एफोथोमस' का दर्शन में अपना अलग महत्त्व है।

स्तंभों के वर्तमान स्वरूप की दृष्टि से देखें तो इनकी कड़ियाँ अठारहवीं सदी से शुरू मानी जा सकती हैं। बीसवीं सदी में तो स्थायी स्तंभों ने ही कई विद्वानों को जनता से जोड़े रखा। ये स्तंभ उच्च दर्शन और जन संस्कृति के बीच सेतु का कार्य करते रहे। समाजशास्त्री रेमण्ड एरोन का फ्रांसीसी पत्र 'फिजारो' में, आल्बेट कामू का 'कम्बैंट' में, सार्त्र का 'ली टेम्पस् मोडर्ने' में आते स्थायी स्तंभ इस सेतु के कुछ उदाहरण माने जा सकते हैं। कभी-कभार के तरह ही इनमें से बहुतेरे स्तंभों का पुस्तकाकार संग्रह भी प्रकाशित हो चुका है। रोलां बार्थ का 'माईथोलाजी' ऐसे ही स्तंभों का एक संग्रह है।

स्तंभ और स्तंभकारों की संस्कृतियाँ भी भिन्न-भिन्न देशों में भिन्न-भिन्न होती हैं एक बार अम्बर्टो इको से एक अमेरिकी साक्षात्कर्ता ने प्रश्न किया कि वे कैसे एक साथ एक विद्वान, एक यूनिवर्सिटी प्रोफेसर, यूनिवर्सिटी प्रेसों से प्रकाशित किताबों के लेखक और अन्य प्रकार के लेखनी का कार्य जिन्हें अमेरिका में स्तंभकार का विशिष्ट कार्य कहा जाता है, सभी कुछ कर पाते हैं, उत्तर में इको ने कहा कि इसमें कोई विशिष्टता नहीं है यदि कुछ अनोखा है तो वह अमेरिकी विद्वानों की समस्या है जो एक ऐसी संस्कृति में रहते हैं जहाँ यूनिवर्सिटी प्रोफेसर और 'मिलिटेंट इंटलैक्चुअल्स' के मध्य श्रम विभाजन अन्य किसी भी देश की तुलना में अधिक कठोर है। यह सही है कि बहुतेरे अमेरिकी प्रोफेसर सांस्कृतिक विषयों पर लगातार स्तंभ लिखते रहे हैं परंतु, यूरोप में विद्वानों और आलोचकों ने स्तंभों में राजनीतिक प्रश्नों को जिस प्रकार केंद्र में रखा है वह दर्शाता है कि यूरोप में स्तंभ लेखन विद्वानों के जीवन पद्धति का स्वाभाविक पहलू मात्र नहीं है यह उनके राजनीतिक कर्तव्य का महत्त्वपूर्ण हिस्सा है।

परन्तु यूरोप और अमेरिका की जनतांत्रिक संस्कृतियों में भारतीय स्तंभ कभी-कभार और भारतीय स्तंभकार अशोक वाजपेयी को किन रूपों में देखा जाए—मैंने अपने इस प्रश्न को कुछेक बिंदुओं के इर्दगिर्द रखकर इसकी जटिलताओं को पढ़ने का प्रयास किया है। इस निबंध में 'समय' के संबंध में ऊपर लिखा जा चुका है और इस विषय पर वापस भी आना होगा परन्तु इससे एक स्तंभकार को उसके नजरिए से देखने की कोशिशों पर कुछ देर ठहरा जाए।

कभी-कभार के बहुतेरे स्तंभों में लेखक अचानक ही अपने आपको निर्णायक होने से बचाने की कोशिश करता पाया जाता है। ऐसा लगता है कि अंत आने से ठीक पूर्व उस पूरी प्रक्रिया पर ही संशय कर रहा हो जो हमें ठीक कुछ क्षणों पूर्व तक बड़े जतन से एक तार्किक अंत की ओर ले जा रहा था। ''कौन जाने यह सही आकलन न हो और मेरी अधेड़ और पूर्वाग्रहग्रस्त आँखों को अब ठीक नज़र ही न आता हो'' (175) सच्चाई, भाषा, साहित्य और इन सबके मध्य के अंतःसंबंधों का तानाबाना बुनते हुए लेखक को हम अकसर ही उलझन में पाते हैं इन स्तंभों में। इसी उलझन में एक लेखक की सार्थकता (सफलता हो या न हो मैं नहीं जानता) नज़र आती है। इन उलझन भरे क्षणों में, संशय ग्रस्त अंतिम पंक्तियों में और अपने आत्म में सिकुड़ने की चाह में लेखक भाषा के उस राजनीति पर प्रहार करता प्रतीत होता है जो मूलतः 'आथेरिटेटिव नेरेटिव्स' की ही अगली कड़ी होती है। इस उलझन से, प्रभावशाली नेरेटिव्स पर हुए कुठाराघात से सबसे अधिक लाभ पाठक को ही होता है। अचानक ही पाठ के भीतर पाठक के लिए एक बड़ा जगह (स्पेस) बन जाता है जहाँ वह अपने मनचाहे खेल आसानी से खेल सकता हो। एक अन्य स्थान पर पाठक का यह जगह कुछ अजीब शक्ल अख्तियार करता दीखता है जब स्तम्भ के लेखक अपने लेखक होने पर ही सवालिया निशान लगाते हैं, ''उस जमात में (लेखकों के लिए प्रयुक्त) मैं जाकर क्या करता क्योंकि चालीस बरस के बाद भी मुझे ठीक से अब तक पता

नहीं चल पाया है कि मैं क्यों और क्या लिखता हूँ। अपनी कुख्यात छवि के बावजूद मेरे पास दूसरों को देने के लिए कोई संदेश नहीं है—मैं होता कौन हूँ दूसरों को संदेश देने वाला और दूसरे, वे जो भी हों, इतने बेबस नहीं है कि उन्हें मेरे संदेश की तवक्को (?) हो !'' (85)

कभी-कभार में हर जगह स्तंभकार के अकेले हो जाने की चाह एक प्रकार के सूफ़ीवादी रहस्यवाद का निर्माण करते चलती है। भाषा-विज्ञान की दृष्टि से यह उचित तो नहीं होगा पर यदि हम लेखक की पारंपरिक-परिभाषा को अपनाते हुए 'कभी-कभार' के लेखक अशोक वाजपेयी की दूसरी कृतियों की ओर ध्यान दें तो कवि की एकांत कामना और स्तंभों के रहस्यवादी प्रभावों की एक शृंखला नज़र आती है।

कुमार गंधर्व पर लिखे गई कविताओं, निबंधों और साक्षात्कार की किताब 'बहुरि अकेला' की शुरुआत निर्गुणी भाण्ड की इन पंक्ति से होती है।

''सभी ठौर जमात हमारी, सब ही ठौर पर मेला।
हम सब भाय, सब है हम भाय हम ही बहुरि अकेला।''

एक 'रिव्यू' में लेखक को किताब से बाहर निकालना एक बचकानी बात लगती है और मैं भी बहुत दूर तक जाने से हिचकता हूँ परंतु 'कभी-कभार' तीन-चार वर्षों में पसरे स्तंभों का संग्रह है। ऊपर की पंक्तियां जिस पुस्तक से ली गई हैं वह 'बहुरि अकेला' 1999 की कृति है अर्थात् बहुरि अकेला पुस्तक का प्रकाशन और कभी-कभार के स्तंभों का प्रकाशन कहीं न कहीं एक दूसरे से टकराते हैं और एक का प्रभाव दूसरे पर हो यह सर्वथा असंभव नहीं है।

वस्तुतः कभी-कभार के स्तंभों में हम लगातार ही लेखक को कवि, स्तंभकार और लेखक के बीच संघर्षरत पाते हैं। अकेला होना कवि की नियति है और एक स्तंभकार के लिए विलगाव (एलियनेशन) एक प्रोफेशनल आवश्यकता पर यह स्तंभकार अधिक दूर तक अकेला नहीं चल पाता है। पर एक कवि का अकेलापन इस स्तंभकार का साथ कहीं नहीं छोड़ता।

संगीत और 'स्पेस' (जगह) पर बोलते हुए कुमार गंधर्व ने कहा था :

''संगीत में एक और बात है, जो दूसरी किसी कला में नहीं है संगीत में आप सिर्फ जा सकते हैं, बिना आए...तो उसमें आप जितना चाहें स्पेस का निर्माण कर सकते हैं।'' (बहुरि अकेला)। संगीत और कविता की तुलना में एक स्तंभ में स्पेस की गुंजाइश एक अलग ही शक्ल अख्तियार करती है। बीसवीं सदी के अंत में प्रचलित हुए 'मैजिकल रियालिज्म' विशेषतः गैबरियल गार्सिया मार्केज के रिपोर्ताजों ने 'जर्नलिस्टिंग राइटिंग' (मैंने इसका हिंदी अनुवाद नहीं किया है क्योंकि हिंदी अनुवाद से इस शब्द की राजनीति और इस शब्द के स्वरूप को परिवर्तित होते जाने का खतरा नहीं उठाया जा सकता है।) मैंने स्पेस को नितांत नए रूपों में व्याख्यायित किया है। कभी-कभार के कुछ स्तंभों (विशेषतः 'परदेस' अंश में) में इस जादुई यथार्थ से पाठक अपने को घिरा पाते है। जोसेफ ब्राडस्की के वेनिस को वेनिस के शाम में जीते हुए कुछ ऐसे ही जादुई माहौल का निर्माण होता है।

''होटल दानियाली, जहाँ मैं ठहरा था, उस पुराने जेलखाने के बगल में है जहाँ प्रख्यात रति नायक कासानोवा को कभी कैद रखा गया था। बगल की नहर पर जो पुल है उसका नाम है 'आहों का पुल' क्योंकि पुराने जमाने में वहाँ से कैदियों की आहें सुनाई पड़ती थीं। हर पुल का एक नाम है। टेढ़े पुल का 'टेढ़ा पुल' एक और का 'ईमानदार स्त्री का पुल' जिसके बारे में किंवदंती है कि वह ढह जाएगा अगर कोई ईमानदार स्त्री उसे पार करेगी। वैनीशियन नागरिक यह हँसकर बताना नहीं भूलते कि अबतक पुल के कभी भी ढहने की नौबत नहीं आई।

यह पता करना मुश्किल है कि वेनिस की गलियाँ कब बिलकुल सुनसान हो जाती हैं। मैं रात काफ़ी देर गए और सुबह सवेरे वहाँ कई बार भटका और हर बार पाया कि मेरे अलावा उस गली में कम से कम एक और भी था।'' (356)

लोग कहते हैं कि किसी शब्द का शाब्दिक अर्थ और बिम्बात्मक इमेज (मेटाफोरिकल मीनिंग्स) जब एक साथ निःसरित होते हैं तो जादुई यथार्थ का निर्माण होता है। वेनिस का इतिहास, इसकी उच्च संस्कृति, शहर की भव्यता और पुरुष प्रधान इतिहास से समृद्ध होते किवदंतियों को जीता एक विदेशी कवि। पर गलियों का इतिहास कहाँ रहने देता है इस कवि को एक क्षण भी अकेला। हर पल गली में वह इतिहास मौजूद है।

मैंने जब वेनिस का यह वर्णन पढ़ा तो इतिहास के छात्र होने के नाते स्तंभकार पर 'आक्सीडेंटल' होने के शक से अपने को बचा नहीं पाया। परंतु शक निराधार था। वेनिस और कोलंबिया के अंतर से पाठक अछूता नहीं रह सकता है। 'पिंजड़ों के अंदर'

की मनियारी की अधखुली दुकानों, अपहरण और हिंसा की संस्कृति जो मार्केज की रचनाओं की पृष्ठभूमि बनती रही है उस लैटिन अमेरिकी देश कोलंबिया में कवि और कविताओं के प्रति अबाध प्रेम और उत्साह हिंसा और कविता के बीच के संबंधों को फिर से पड़ताल करने हेतु उत्साहित करता है। मैजीन के बाज़ार का दृश्य मर्मस्पर्शी है। आप अचानक अपने को लेखक के स्थान पर एक बाजार में खड़ा पाते हैं : ''मैदैजीन के बाज़ार में एक शाम यकायक एक महिला ने मेरे हाथ को थामकर कहा 'पोएता, पोएता'। मुझ अजूबे को अपनी छोटी बच्ची को दिखाया'' (396)।

क्या ऐसे अनुभवों की समीक्षा हो सकती है ? हम अपने रामझरोखे से इन अनुभवों के शिल्प को बनते तोड़ते देख सकते हैं। इस देख सकने, इस पढ़ सकने को कहीं न कहीं रुकना होगा। पुस्तक के पाठों के अपने अनुभवों को अल्प विराम तो देना ही होगा अपने रिव्यू के अंत की अनिवार्यता के लिए अंतिम कवर तक आना ही होगा। लेखक के दो अधिक स्पष्ट चेहरे—पर कितने गूढ़ कह नहीं सकता। □

कभी-कभार; अशोक वाजपेयी, वाणी प्रकाशन, नयी दिल्ली, 2000, मूल्य 395 रु., पृ. 456

इनसानी नस्ल : पेचीदगियाँ जो ज़िंदगी हैं

अनुशीलन

(नासिरा शर्मा के कहानी संग्रह 'इनसानी नस्ल' पर)

विशाल श्रीवास्तव

'ये अंतर्धारा को पकड़ती इनसानी पेचीदगियों की कहानियाँ हैं, जो इनसान की आंतरिक व्यवस्था को दर्शाती हैं।'

(दो शब्द से)

संसार का सबसे सहज परंतु गंभीर साहित्य मानवीय अस्तित्व की नवीन संभावनाओं को तलाश करता है। वैसे तो हर साहित्यिक रचना के पाठ में, अमूर्त्त या मूर्त्त रूप से जीवन और अस्तित्व के प्रति एक दार्शनिक चिंतन मौजूद रहता है, पर विशेष अभिप्राय के रूप में यह सदैव कुछ स्थापनाएँ इंगित करता है। आज साहित्य और कहानी जिस धरातल से लिखे जा रहे हैं, या कि कहें, पढ़े जा रहे हैं वहाँ यह काबिले गौर है कि उस धरातल की निजी स्थापनाएँ क्या हैं और सार्वभौमिक व मानवीय संदर्भों पर उनकी क्या प्रतिबद्धताएं हैं ? क्या उनका डिक्शन एक इनसान को जज़्बाती सलाहियत के नए रास्ते देता है ? और कहीं हम अपनी विशुद्ध बौद्धिक, वैयक्तिक फ़िक्रों से ऐसे बीज तो नहीं बो रहे जो उलझी हुई इनसानी नस्ल की तामीर हों ?

ये कुछ प्रश्नचिह्न हैं, जो बेबाक सहजता से यह संग्रह उठाता है। जाहिर है, सवाल नए नहीं हैं, नया है तो सिर्फ वक्त और रीतते समय के संक्रमण में ऐसे सवालों के दोहराने की हमेशा गुंजाइश रहती है। हर कहानी या आख्यान के पीछे उसके रचनाकार का जाती मुहावरा होता है, 'यूनिवर्सल सब्जेक्ट्स' पर भी उसके अपने सिद्धान्त होते हैं, अपनी मान्यताएँ होती हैं। इसे प्रामाणिक अनुभूति कह सकते हैं, भोगा हुआ यथार्थ भी या फिर निजी दर्शन। दीगर यह कि, इस तरह के सार्वभौमिक विषय पर यदि ट्रीटमेंट की अपेक्षा की जाए तो यह स्पष्ट होना चाहिए कि वह बहुत कुछ रचनाकार के 'पर्सनल एप्रोच' और बुनियादी दार्शनिक अवधारणाओं पर निर्भर करेगा। ये कहानियाँ कुछ ऐसा ही जाहिर करने की कोशिश हैं।

'असली बात' पहली कहानी है जो बड़ी तेज़ी से दंगों के नीरस घटनाक्रम से दौड़ती हुई ऐसे मोड़ पर आ टिकती है जहाँ से स्पष्ट दीखता है कि नमाज़, कलमे, अज़ान व मंत्र, शास्त्र और शंखनाद इन सभी के अलग-अलग निजी प्रभावों और आग्रहों के बावजूद आज भी भूख और रोटी ही वह आदिम कड़ी है जो इनसान को जोड़ती और अलग करती है। इस बात को कहानी में दो अलग-अलग स्तरों पर उकेरा गया है, मझोले दुकानदारों (हिंदू और मुसलमानों) का जीविका पर प्रश्नचिह्न लगने पर एक होना तथा दूसरी ओर ग़रीब तम्बोलन का भण्डारे में प्रसाद ग्रहण। बेहद ज़मीनी तरीके से दो पूर्णतया पृथक् सामाजिक स्तरों पर एक ही संदर्भ को स्थापित किया गया है। यह कहानी अपने आप में एक मिथक भी है क्योंकि आमतौर पर ऐसे मसाइल का हल जिन स्तरों पर ढूँढ़ा जाता है, उन पर उनकी अहमियत नहीं होती, सांप्रदायिक समस्याओं के विश्लेषण के लिए यह सीधा विचार-बिंदु है।

'अपराधी' कहानी में रिटायर्ड पुलिसमैन राममनोहर त्यागी स्वयं में एक ठहरे हुए समय का प्रतीक है, उस समय का, जहाँ हर शै के लिए तय पूर्वानुमान हैं और चाह कर भी उनके विवेक का अंतःस्वर उसे नकार नहीं पाता। यह गंभीर दृष्टि है—राममनोहर त्यागी का समय उनके लिए भले आज एक समस्या हो, लेकिन

सूक्ष्म दृष्टि से देखें तो क्या उनका यह 'स्टैंड' उनके अनुभव का निष्कर्ष नहीं। कहानी में एक बड़े तत्त्व 'संस्कार' के प्रतिमानों पर बात की गई है, त्यागी जी को पुलिस महकमे में रहकर भी मांस-मच्छी और मदिरा से परहेज है और क्रिस्तान बहू वाले परिवार और मुस्लिम पड़ोसी उन्हें रास नहीं आते। परंतु कहानी के चरम बिंदु पर इनके इस विश्वास पर जो आघात होता है वह उनकी मान्यता बदल देता है। यह किसी हद तक अस्वाभाविक भी लग सकता है क्योंकि अंततः इस कहानी का निष्कर्ष में हमें वहीं छोड़ता है, जहाँ से हम चले थे। संस्कार, परंपरा या आमिष-निरामिष भोजन ही आदर्श की रेखाओं की प्रदक्षिणा भर बनकर नहीं रह सकते, उनके लिए कुछ व्यापक मान्यताएँ और विश्वास हैं। इस स्थिति से सामंजस्य और यथास्थितिवाद में घिरे इस अधेड़ की कहानी जहाँ बहुत कुछ झुठलाती है वहीं माहौल का बदला हुआ खाका भी पेश करती है। यह कहानी विशुद्ध रूप से पीढ़ी के अंतर की भी कहानी नहीं है, यहाँ सभी किरदार अपने एतमाद पर कायम हैं कुल मिलाकर कोई सतही बिगाड़ की भी स्थिति नहीं है। पर कहीं, कुछ ऐसा जरूर है जो त्यागी जी को तोड़ता है चाहे वह उनकी खुद की मान्यता या विश्वास हो या फिर बदले हुए माहौल की छटपटाहट।

'रह नहीं गया था बल्कि वापस लौटा दूँ अपने में एक नई ज़िंदगी जीने के लिये' (पृ. सं. 30)

तीसरी कहानी पाँचवाँ बेटा की अमतुल बेटों की उपेक्षा और बढ़ती उम्र से बरज़ार है। खासे कमाते बेटों के होते भी अपनी आस्था के परचम, इमामबाड़े की छत की मरम्मत के लिए कारीगर न जुटा पाने की वज़ह उसे सालती रहती है। यहाँ लगता है कि नासिरा की स्त्री पात्र एक ख़ास क़िस्म की रिवायत से बँधी-सी नज़र आती है, वे या तो बागी होती हैं या फिर निष्क्रियप्राय। ताज़ियों के भीग जाने का अदृश्य डर भी उसे यह इज़ाजत नहीं देता कि इमामबाड़े को किसी गैरमुस्लिम के हाथों पनाह मिले। यह नागवारी एक तरह की अस्थायी ज़िद भी हो सकती है या कोई विशिष्ट परंपरा बोध भी। बहरहाल, गैरमुस्लिम सुलाखी का छत सँभालना व इसी वज़ह से बीमार होना उसे कहीं अंदर से बदल देता है, बल्कि इतना कि इमामबाड़े की नापाकीजगी का डर आते-जाते सुलाखी पर खुदाई कहर नाजिल होने के डर में तब्दील हो जाता है। चार लायक बेटों की माँ का यह अहसास कि उसकी ज़ानिब एक पाँचवाँ बेटा भी है जो कहीं ज़्यादा फिक्रमंद और फरमाबरदार है, काफी खुशनुमा है।

'बड़े पर्दे का खेल' तथाकथित आधुनिक भारतीय समाज के रूढ़िवाद पर केंद्रित है, दुनिया के सबसे बुनियादी और उतने ही पुरखलिश रिश्ते—औरत-मर्द के संबंध पर एक और तजवीज़। कहानी की पृष्ठभूमि में एक ऐसा पुरुष है जो कथित तौर पर संबंधों की व्यापकता में विश्वास रखता है—स्वच्छंदता और उच्छृंखलता की सीमा तक। मुख्य भूमि में नायिका है, जो कई अन्य लड़कियों की तरह उसके लिए रूमानी और संजीदा रह चुकी है। विशेष है एक ही इनसान से जुड़ी इन ब्याही-अनब्याही लड़कियों की सामूहिक उपेक्षा और मानसिक त्रास के जरिए विरोध की योजना। कहानी इस फैसले पर खत्म होती है। यह पक्ष एक सीमा तक ऐसे मर्दों के लिए नए और खतरनाक अनुभव का संदेश देता है। यह काबिले गौर है कि इस तरह के खेल से किसी नशे जैसे मानसिक सुकून का अंदाज़ किया जा सकता है पर रिश्तों के किसी भविष्य से इसका कोई लेना-देना नहीं है।

कहानी 'जोड़ा' एक अनुभव की कहानी है, ऊबे हुए रुटीन के सातत्य से उपजे अनुभव की। समकालीन जीवन-पद्धति में अहसास को लेकर जो नाआशनाई है उसका सिरा ढूँढ़ती है यह। हम चाहे बेहद गैरअमली तरीके से व्यावहारिक व्यस्तता को लें या फिर सघन बौद्धिकता उपजे वैचारिक शून्य को, एक अजीब किस्म का खालीपन हर ओर दीखता है। ये कहानी एक कलाकार की कहानी है, जिसकी ज़िंदगी में तमाम रंगों के फैलाव के बाद भी जेहनी कैनवास सादा ही है। एक व्यावसायिक अनुभव के दौरान मिले नितांत खुशनुमा क्षण में वह एक अज़ीब-सा फैसला करता है—उस क्षण से कटने का।

'उसे सिर्फ बदन की चाहत नहीं थी बल्कि उसकी ज़रूरत एक ऐसे अनुभव की थी जो उसकी रूह पर छाई थकान को उतार दे, उसे फिर ताज़ादम बनाकर ज़िंदगी की पेशानी पर पड़ी सिलवटों को पोंछ दे।' (पृ. सं. 61)

यह सोच एक मानसिक बदलाव का संकेत है। हालिया दौर में, जहाँ सिजोफ्रेनिक जुनून को प्रेम की संज्ञा दी जा चुकी हो, ऐसे अहसासों का अस्तित्व भर होना, रिश्तों के मुताल्लिक गहरी उम्मीद है।

'अग्निपरीक्षा' में लेखिका पुनः ज़मीनी ज़िंदगी जीने वालों से रू-ब-रू होती है। इसका ढाँचा बहुत कुछ प्रेमचन्द के यथार्थवादी चित्रण-सा है—पुराना गाँव, सामंतवादी लोग और बेहद संकीर्ण

परंपरावादी और अंधविश्वासी सोच। कम्मो जो निर्बल परिवार के अपंग बेटे की पत्नी है, नुमायाँ किरदार है। गाँव के समर्थ कुम्हार के बेटे द्वारा कम्मो को सताना, बदनाम करना दोहराये जा चुके वर्णन हैं, अलग है—कम्मो का विद्रोही पर शान्त और सुलझा हुआ दृष्टिकोण।

'जो मैंने उस पापी का नाम बता दिया, जिसने मेरे साथ बलात्कार किया तो सरपंच उसे क्या सजा देंगे ?'

(पृ. सं. 70)

घटनाएँ बहुत हैं, पर इस संकीर्ण बर्बरता के प्रति ऐसा बुनियादी दृष्टिकोण बहुत स्वाभाविक तौर पर सुलभ नहीं हैं। शायद यही कारण है कि कहानी के अंत में लेखिका इनके दोहराये जाने की आशंकाओं से ग्रस्त दिखती है।

'मरुस्थल' एक मासूम कहानी है। कच्चे आकर्षण से उपजे झंझावातों की कहानी। कहानी राकेश हिब्बर, ममता मुखर्जी और इन्दु राजन की। यह साधारण प्रेम त्रिकोण नहीं है। जाति, धर्म, आर्थिक स्तर जैसी परंपरागत चीजें यहाँ रुकावट नहीं हैं। एक उलझाव-सा है, जिसने इन तीनों ज़िंदगियों को अपने-अपने वजूद को साबित करने में कहीं अक्षम कर दिया है। कहते हैं—जो परिपक्व नहीं वह कतई प्रेम नहीं। यहाँ कुछ ऐसा ही है, कौन किसके ज़्यादा क़रीब है, फैसला मुश्किल। इनकी अलग-अलग क़रीबी और बदलते समीकरण इनके गहरे मानसिक भटकाव का कारण बनते हैं।

'ममता को लगता कि वह एकदम अजनबी-सी वहाँ बैठी है बल्कि अब वह इन्दु की भूमिका अदा कर रही है और इन्दु ममता की।'

(पृ. सं. 74)

'आखिर किसने किसके साथ छल किया था, जो अकस्मात् वह सब ढह गया जो मजबूती से अपना आकार ले रहा था।'

(पृ. सं. 78)

कहानी एक बार फिर पुरुष के असंतृप्त मन की परछाईं सी लगती है, सिद्ध करती है कि प्रेम को लेकर स्त्री के फैसले जितने आसान और दृढ़ होते हैं, पुरुष के फैसले उतने ही मुश्किल और कमज़ोर।

'उजड़ा फकीर' यथार्थवादी कहानी है, पारंपरिक रूप से समृद्ध परिवार के 'ग्लोबलाइजेशन' में कमज़ोर हो जाने की। वह भी इतना कमज़ोर कि महाजन ग्वाले की बहू को गोबर के उपलों के लिए दर-दर भटकना पड़े। कमर के नीचे अपंग पति की आँखों में संतुष्टि के कुछ चरागों की आस में रानी अपनी अधेड़ हड्डियों के खम से जीवंतमान रहती है। यह एक बड़े वैचारिक नैराश्य का प्रतिलोम है। सब कुछ होते हुए न जीने की इच्छा के प्रति कुछ न होते हुए भी जीने की इच्छा द्वारा किया गया अस्वीकार। एक जिजीविषा है, गहरी जो अपंग पति की गुमशुदगी पर रानी को पगला देती है। किसे परवाह है भागती दौड़ती जिंदगी के पाँवों तले कुचलते मामूली वजूदों की।

'माना कि दुनिया गोल है, मगर उस चपटी दिखनेवाली पृथ्वी के दोनों किनारों की आपस दूरियाँ पार करना कितना कठिन होता जा रहा है और शहर का इतिहास इस मानवीय पीड़ा को दर्ज़ करना फ़जूल समझेगा।'

(पृ. सं. 89)

प्रायः नासिरा की स्त्री पात्रों को एक विशेष आत्मछवि में कैद बताया जाता है। 'दुनिया' कहानी एक अपवाद है, यहाँ स्त्री अपने आपसे एक समझौता करती है—काफी बड़े मूल्य पर, स्वयं पर गहरा प्रश्नचिह्न लगाती हुई। शोभना एक ऐसे बड़े वर्ग की प्रतिनिधि है जो आज हमारे समय में कामकाजी महिलाओं के रूप में उपस्थित है। यहाँ विशेष यह कि—महत्त्वाकांक्षा के प्रति व्यावसायिक और दार्शनिक लहजे और स्वीकार-अस्वीकार के बीच की ऊहापोह काफी आम होने के बाद भी एक विशेष संदर्भ को लेकर है। प्रायः माता-पिता के प्रति बेटी के मोह को अपेक्षाकृत वज़नी माना जाता रहा है, कहानी यह मिथक तोड़ती है।

'उन दोनों के लिए यह बात पहेली बन गई थी कि मामूली सी चाय पार्टी और नानाजी की मौत के बीच माँ इस तरह क्यों खड़ी हो गई हैं ?'

(पृ. सं. 97)

यह निजी संबंधों से हमारे नितांत भौतिक पलायन का मसविदा है। सामाजिक उपलब्धियों के गुबार में खोते इनसानी वजूदों की दास्तान।

'वही पुराना झूठ' आत्मसंतोष के छलावे का कैनवास है। प्रायः वक्त को पकड़ न पाने पर बंद मुट्ठियों में उसकी झूठी छुअन के एहसास सरीखा अनुभव, इसी भ्रम की कहानी है यह। अनाथ जाहिदा को ब्याहने कलकत्ता से दिल्ली आई रज्जो बी मजबूत मगर सहमा हुआ किरदार है। अचानक आन पड़ी मुश्किलों से बेज़ार हो उससे जो फैसला होता है—उसकी परिणति जाहिदा

के गुम हो जाने में होती है। कहानी का संवेदनशील लमहा बुजुर्ग मियाँ के जाहिदा को दुल्हन की बजाय बेटी बनाने के प्रस्ताव पर तगड़ा और स्तब्ध इनकार है, यह इस समाज में आज भी औरत मर्द के रिश्तों में हदों का बखान है—रिश्तों की इस पाबंदगी ने हमें काफी सँकरा सोचने को मजबूर कर दिया है। बूढ़ी आँखों के उदास सपने की तरह रज्जो बी की आँखों में जाहिदा की अनहुई शादी के सपनों के तैरते इंद्रधनुष इनसान की भरोसों पर पाबंदगी की पैमाइश करते हैं।

कहानी 'इनसानी नस्ल' संग्रह की नुमाइंदगी सी करती लगती है, वजह यह कि प्रतिनिधि रूप में एक निष्कर्ष इसके जरिए हमें दिखता है। यह कहानी गैरमजहबी ब्याह के बारे में है। बदलते वक्त में भी जैनब की नाफरमाबरदार बहू नसरीन को तमाम नखरों के बाद भी इस बात का शिकवा है कि घर में गैरमुस्लिम बहू की वजह से उसके बच्चों के रिश्तों में मुश्किल होगी। जैनब की औलादों में सबसे लायक होने के बावजूद नवाब की बीवी सविता हाशिये पर रह जाती है। अरसे बाद घर लौटे नवाब और सविता को जैसे ही खुद का तनिक घर से जुड़ता महसूस करते हैं तो एक गुमनाम अंदेशा उनकी फ़िक्रों को बढ़ाकर उन्हें उस जहाँ से अलग कर देता है, वे सोचने को मजबूर हो जाते हैं—'कि ऐसे हालत में नई इनसानी नस्ल के बच्चे को पैदा करना क्या ज़रूरी है ? हो गया तो उसे हम क्या देंगे—साझी संस्कृति या बँटा हुआ हिंदुस्तान ?' (पृ. सं. 129)

'एक न समाप्त होने वाली प्रेमकथा' पुनः घटते मानवीय मूल्यों और एक औरत के ज़िंदगी के साथ खालिस व्यावसायिक प्रयोगों की कहानी है। बंद घर में प्रताड़ित होता कुत्ता एक सशक्त प्रतीक है—पूरी कहानी में। एडफिल्म मेकर और आर्ट क्रिटिक जैसे घोर व्यावसायिक पेशों से जुड़े दम्पति सिद्धार्थ और रमा का पड़ोस की इस घटना पर संवेदनशील स्टैंड प्रभावित करता है। 'जीव के इस क्रूर यथार्थ को साहित्य और कला किस हद तक अभिव्यक्त कर पाते हैं ? इनसान के एहसास को दर्शाने वाला हर माध्यम अधूरा है। सब कुछ गूँगा।' (पृ. सं. 137) असहाय पुरुष का जीवन के प्रति एकांतिक समर्पण और उसके फलस्वरूप स्त्री की गगनचुंबी वर्ज्य चाहतों का संक्रमण एक घुटन उपजाता माहौल बनाता है जिसकी परिणति घिनौनी होती है। यह एक उदाहरण है कि कैसे ज़हीन फलसफों का घटिया इस्तेमाल आज की जेहनी मशक्कत का अभिप्राय बन गया है।

'वर्तमान समय में जब संवेदनाएँ शुष्क हो रही हों, उस समय भी इनसानों में प्रेम का मोह बाकी है, तभी वह उन लोगों के जाल में फँसकर वह सबकुछ हार बैठते हैं जिनके लिए यह शब्द खोखला है।'

(पृ. सं. 145)

भारतीय समाज में दूसरी औरत को लेकर काफी भदेस परिकल्पनाएँ हैं, और खासतौर से उसकी कोख से जाए बच्चों के लिए। उस पर भी, मुस्लिम समाज और वह भी आज का नहीं, दशकों पहले का सामन्ती मुस्लिम परिवेश, जो अपनी प्रवृत्तियों के चलते सँकरा सोचने को मजबूर है, इसी भावभूमि में कहानी 'कनीज बच्चा' जन्म लेती है।

अहमद मियाँ का खाता-पीता परिवार उनके वालिद की अवैध संतान शब्बीर के उसी जिले में कलक्टर बनकर आने से हिल जाता है। खासकर बड़ी बेगम जो काफी रिवाजी हैं। अचानक, शब्बीर की माँ जैनब का उदार अंदाज माहौल को बदल देता है, कि विरासतों, रिवाजों और उसूलों से हटकर कहीं कुछ और भी है जो ज़्यादा बड़ा है, ज़्यादा ज़रूरी, कहानी इसी फलसफे की तामीर सी करती है। कुछ सवाल भी उठते हैं कि अचानक रवैयों गें बदलाव और पुरखुलूस माहौल की यह शक्ल क्या किसी विनिमय के ही इंतज़ार में थे ?

'माँ के पैरों में जन्नत होती है, मगर यह वह शुक्रिया का अंदाज़ था जिसने आनेवाली पीढ़ी को नफ़रत के जज़्बात से आज आज़ाद किया था।'

(पृ. सं. 164)

इन सारी कहानियों के किरदार हमारे आस-पास के माहौल के हर स्तर से निकले हैं, पर आए हैं कमोबेश रिश्तों की एक सी तपिश का अवसाद लेकर। इनके साथ का समय जितना इनके बाहर भागता-दौड़ता है, उससे कहीं ज़्यादा इनके भीतर ठहरा हुआ है। ज़िन्दगी को लेकर इन सबकी अपनी-अपनी अलग-अलग परिकल्पनाएँ हैं, जिनके सहारे ये फसलफे बुनते हैं—कभी आसान तो कभी मुश्किल। इसी स्थापनावादी निष्कर्ष की वज़ह से हम इन कहानियों को यथास्थितिवाद से एक कदम आगे का कह सकते हैं। हर कहानी अपने चरम पर यथार्थ और अभिप्राय को लेकर जूझती है, इसे उसके वैचारिक तथ्य के वैकल्पिक निष्कर्ष के रूप में देखा जाता है। यहाँ, इन तमाम कहानियों में वही निष्कर्ष, वही वैचारिक तथ्य एक अभिधामूलक आस्वाद के रूप में मिलता

है। जो कहा गया, वह समझे जाने की पूरी संभावनाओं के साथ, लेकिन वह अपनी वाकफियत के लिए, सुगबुगाता नहीं, बस हौले से महसूस होता हुआ गुजर जाता है। अपने इसी निष्कर्ष के लिए कहानी भीतरी हर घटना, हर मोड़, हर क्रम से सहमकर गुज़रती है और हर क्षण के साथ पाठक के समक्ष उसका वह संदर्भ रखती है जो उसका मूल अभिप्राय है। इस दृष्टि से किसी भी कहानी पर शिल्प के ठहराव का आरोप लग सकता है पर वहाँ यह सोचने योग्य है कि 'डिस्क्रिप्टिव मोटिफ' पर 'स्ट्रक्चरल मोटिफ' को तरजीह देना कहाँ तक और कितना स्वाभाविक होगा ?

नासिरा शर्मा के पूर्व के कथा-संग्रहों से लेकर 'इनसानी नस्ल' तक के परिप्रेक्ष्य में देखें तो यथास्थितिवाद से वैचारिक यथार्थवाद की ओर एक बढ़ता हुआ एक दायरा स्पष्ट होता है। उनके पहले संग्रह 'पत्थर गली' से लेकर 'इब्नेमरियम', 'संगसार', 'शामी कागज़', 'सबीना के चालीस चोर' और 'खुदा की वापसी' तक सभी में भले ही मूल समस्याओं और घटनाओं को लेकर विभेद रहा हो लेकिन उनका विज़न हमेशा स्पष्ट रहा—खारिज होती आस के सिरे पर एक नई उम्मीद की तलाश, जो नए दिन की तामीर हो।

कहानियाँ और उनसे जुड़े फलसफे एक लेखक के आत्मबोध को दरकरार होते हैं। लिखने से पहले उसके दिमाग में न मनोविश्लेषणवाद होता है, न समाजशास्त्र, वह सिर्फ और सिर्फ एहसास सोचता है, यह आलोचना या विश्लेषण तो बाद में आते हैं। इन सारे विश्लेषणों से ऊपर साहित्य के लिए जो अभीष्ट है वह है, लिखने वाले के निजी अहसासों का निशान बनना, ऐसे निशान जो नस्ल के लिए सही राह का माध्यम हों।

आज, जब यह आसानी से मान लिया जाता है कि हर लिखने वाले का एक निजी और तय माहौल होता है जो उसके असमीमित फैलाव का निषेध करता है, स्त्रीवाद, मुस्लिम विमर्श (पूर्व में लेखिका के लेखन के बड़े हिस्से में ये दिखते भी हैं।) सरीखे काम्प्लीमेंट्स की धारा से अलग यह संग्रह सहज संदर्भों और प्रतीकों का सुखद अनुभव है। □

इनसानी नस्ल (कहानी-संग्रह) : नासिरा शर्मा, प्रतिभा प्रतिष्ठान, नई दिल्ली, मूल्य 150/-

समय के साथ स्मृति का सर्जनात्मक संवाद

(अखिलेश की पुस्तक 'वह जो यथार्थ था' पर)

सुशील सिद्धार्थ

'स्मृति को उजाड़ने की प्रक्रिया जारी है इन दिनों। ये विचारधारा, इतिहास के अंत का जो चलन है, यह दरअसल स्मृति के अंत की योजना है। विचार की और इतिहास की, कविता की धुरी है स्मृति। ज्ञान की भी धुरी है स्मृति। सामाजिक सद्भाव और सामाजिक व्यवहार की धुरी है स्मृति।...जब किसी समाज के पास स्मृतियाँ नहीं बचतीं, नई स्मृतियों की रचना न हो और पुरानी स्मृतियाँ क्षीण होती जा रही हों तब उस समाज के नागरिक मनुष्य होने की स्वाभाविकता से वंचित होने लगते हैं।' (वह जो यथार्थ था/78-79)

किसी भी रचना को विधा की पूर्वनिश्चित सुविधा के साथ पढ़ने वालों के लिए अखिलेश की पुस्तक 'वह जो यथार्थ था' एक विरल अनुभव है।...और यह अनुभव प्रत्याशित आस्वाद में तब्दील होने लगता है। लगभग तीन दशक पहले एक कस्बे में घटे समय का स्मृति की रोशनी में पुनर्पाठ करते हुए कथाकार अखिलेश ने रचना के कुछ अनूठे मानक बनाए हैं। कस्बे की समाजशास्त्रीय जीवनी में लेखक का बचपन उदाहरणार्थ आया है। कहने को इसे गैर कथात्मक रचना ही कहा जाएगा, किंतु 'कथा' के सारे श्रेष्ठ तत्व यहाँ मौजूद हैं। इन तत्वों में पुस्तक को अद्भुत रूप से पठनीय बनाया है।...अतीत (...और उसका स्वयं से नज़दीकी रिश्ता है तो खास कर) किसी भी रचनाकार के संतुलन की कड़ी परीक्षा लेता है। यदि यह संस्मरणों में उतरे तो अक्सर अतियों या भावोच्छ्वासों का खतरा मंडराता रहता है। भोक्ता और दृष्टा के बीच साक्षीभाव की सक्रियता हो तभी **'ग़ालिब छुटी शराब' (रवींद्र कालिया)** और 'वह जो यथार्थ था' जैसी रचनाएँ वजूद में आती हैं। जाहिर है, किसी भी भाषा में ऐसी रचनाएँ नया आत्मबल जगाती हैं।

स्मृति शब्द का 'वह जो यथार्थ था' में एक खास महत्व है। देखा जाए तो खिलेश ने बिना किसी शास्त्रीयता में उलझे हुए स्मृति के ढेर सारे नए मंतव्य खोज निकाले हैं। स्वाभाविक है कि बीते यथार्थ का स्मरण आज के यथार्थ के संदर्भ में ही है। यही स्मृति का मूल चरित्र है। आचार्य विश्वनाथ ने 'साहित्य दर्पण' में लिखा है कि 'सदृशज्ञान चिंता-द्यैर्भूसमुन्नयनादिकृत। स्मृतिः पूर्वानुभूतार्थ विषय ज्ञानमुच्यते।' आशय यह कि सदृश वस्तु के अवलोकन तथा चिंतन आदि से पूर्वानुभूत वस्तु के स्मरण को स्मृति कहते हैं। अनुभव, स्मरण और विश्लेषण के संयोग से स्मृति ने इस पुस्तक में अपना प्रस्थान बिंदु तय किया है। तभी यह रचना कई स्थलों पर आलोचना के इलाके में चहलकदमी करती दिखने लगती है। कई विधाओं की यह आवाजाही इरादतन नहीं है। ऐसा लगता है कि कथ्य ने प्रसंगानुसार स्वयं 'फार्म' चुन लिया है।

'वह जो यथार्थ था' एक कस्बे के जीवन की वास्तविकताओं, इच्छाओं, स्वप्नावलियों, तकलीफों, मुस्कानों और उसमें नज़र आते परिवर्तनों को रेखाँकित करती है। केंद्र में कस्बा है, मगर उसे समझने के लिए लेखक के बचपन का स्मृतिपरक अनुभव एक प्रविधि की तरह है। यह कहना उचित होगा कि बचपन और उससे जुड़ी ढेर सारी बातों पर इस तरह और कहाँ लिखा गया, याद करना कठिन है। बचपन के मनोविज्ञान का रचनात्मक विवेचन इस पुस्तक की खासियत है। कई प्रश्न पाठक को जिज्ञासा की नई दुनिया में ले जाते हैं, जैसे—"हम क्षीण सी कौंध या धूसर धुँधली छवियों के सहारे बचपन के बिंबों को जगाते हैं, फिर क्यों वह इतना आत्मीय, सम्मोहक, ताजा लगता है ? क्यों वह इतना सांद्र असर डालता है ?" इससे मिलते जुलते

सवालों को उठाते हुए अनेक रचनाकारों ने अपने अपने तर्क दिए है। और लगभग सबको बचपन के बिंब उद्वेलित करते है। **'आविन्यों'** में **अशोक वाजपेयी** द्वारा लिखा 'झुरमुट में प्रतीक्षा करती गेंद' इस प्रसंग का एक नायाब उदाहरण है। यानी, 'यों बचपन बहुत याद नहीं आता—अपने आप।

...अलबत्ता कुछ घटनाएँ और चीजें पटल पर ज़रूर उभरती हैं। ...कविताओं में भी बचपन को अक्सर ऐसी ही छवियों के माध्यम से पुनरुज्जीवित किया है।' अशोक वाजपेयी बचपन की देखी सुनी चीजों के बारे में एकदम ठीक कहते हैं कि 'उनमें से अब कई अस्तित्व में ही न रह गई होंगी पर हमारे मन में उनकी छवि स्थायी और अमिट हो जाती है जैसे वे अपने भौतिक अस्तित्व से मुक्त होकर हमारे जीवन के स्पेस में अपनी सत्ता हासिल कर लेती हैं। जब तक हम रहेंगे, वे छवियाँ भी रहेंगी इस तरह कि उनका होना ही हमारा जीवन हो।' इस टिप्पणी के ये अंतिम वाक्य साबित करते हैं कि बचपन के संदर्भ में यह एक कवि की विलक्षण स्मृति है—'ऐसे ही किसी झुरमुट में रखी गेंद उस समय याद आ रही है। जीवन के उस अधेड़ झुरमुट में बचपन अब गेंद की तरह ही रखा हुआ है। अब खेल नहीं सकते, सिर्फ महसूस भर कर सकते हैं।' इस सांद्र-अनुभव को गद्यकार अखिलेश के यहाँ एक दूसरा आयाम मिलता है। समय के बेहद्दी मैदान में कस्बे और बचपन ने मिलकर जो खेल खेले हैं, उनका समाजशास्त्री विश्लेषण अखिलेश ने पूरी आंतरिकता के साथ किया है। 'वह जो यथार्थ था' कथाकार अखिलेश की हार्दिकता और बौद्धिकता को प्रभावी रूप में प्रस्तुत करती है। उनका चिंतक रूप संभवतः पहली बार पाठकों के सामने आया है। इसी चिंतक रूप का परिणाम है कि बचपन की स्मृतियों के आधार पर कस्बे की वास्तविकताओं में पैठने का उपक्रम स्थान-स्थान पर एक दार्शनिक अर्थ हासिल कर सका है। संस्मरण पढ़ते हुए शायद ही कहीं उससे जुड़े छोटे-छोटे महत्त्वपूर्ण शब्दों की इतनी निष्णात व्याख्या पढ़ने को मिले। इसीलिए यह पुस्तक अनेक विधाओं का अतिक्रमण करते हुए स्वयं के लिए किसी उपयुक्त 'विधा निर्धारण' की चुनौती भी देती है।

अखिलेश ने यहाँ स्मृति की रचना प्रक्रिया बताते हुए 'स्मृति का सौंदर्य शास्त्र' रचा है। स्मृति और विस्मृति के बीच ठिठक गए बिंबों से एक खास तरह का भाव व्यंजित हुआ है। जैसे गुसलखाने के प्रसंग में, 'और वहाँ शायद एक घिसा हुआ पीढ़ा था। या शायद मुझे ऐसा लग ही रहा है कि वहाँ एक घिसा हुआ पीढ़ा था।' या फिर मुन्नू साव की पत्नी को याद करते हुए, 'जब मुन्नू साव की पत्नी चलती थीं तो पायलों से छम-छम की आवाज बजती या केवल मुझे ऐसा लगता है।' इस 'अनिश्चय' का स्मृतियों का संदर्भ में बड़ा महत्त्व है। स्मृतियाँ क्या बचाती हैं, क्यों बचाती हैं, रूप, रस, गंध, स्पर्श, स्वाद का उनसे क्या रिश्ता है—आदि तमाम बातों को अखिलेश ने सर्जनात्मक दृष्टिकोण से विश्लेषित किया है। स्मृति और रचना के अंतःसंबंधों का प्रसंग मौलिकता से भरा हुआ है।

एक बात यह भी प्रतीत होती है कि हर चीज की तरह स्मृतियों का भी वर्ग चरित्र होता है, भले ही वह कितने अप्रत्यक्ष रूप से काम करता रहे। सामाजिक ऊँच-नीच को अपने ढंग से बच्चा महसूस करता है। मुन्नू साव के घर का विवरण देते हुए अखिलेश ने बिना अतिरिक्त टिप्पणी किए इस बात को व्यक्त कर दिया है। एक छोटे से कस्बे में सामान्य जन का जीवन छोटी-छोटी घटनाओं और स्थितियों में दुखित-आनंदित होता रहता है। कस्बे में अपने परिवार को अखिलेश ने 'उदाहरणार्थ' इसलिए रखा है क्योंकि यहाँ से एक समय को प्रामाणिकता के साथ देखा जा सकता है। इस समय ने कस्बे को बदला और बचपन को भी। शायद यह सरोकारों, प्राथमिकताओं, उत्सुकताओं और समूची जीवन-शैली का बदलाव है। तीन दशकों में फैली इस परिवर्तन गाथा को पुस्तक में बेहद संवेदनशीलता के साथ अभिव्यक्ति मिली है।

किराए का मकान उसकी बाहरी-भीतरी बनावट, सदस्यों की छवियाँ, पास-पड़ोस, मोर, स्कूल, बेहया के पौधे, मासूम टोटके—यह सब कथा की तरह वर्णित है। कहने की आवश्यकता नहीं कि भाषा से अखिलेश ने अद्भुत परिणाम प्राप्त किए हैं। जैसे—'एक स्त्री पेड़ पर चढ़ती है या एक बच्चा, तो पेड़ गहरे रोमांच से भर उठता है। खुश हो जाता है। पेड़ ही क्यों—रेत में एक बच्चा कोई आकृति बना दे और दूसरी आकृति वयस्क बनाए। देख लीजिए, किस आकृति में रेत अधिक खुश और खिली हुई दिखती है।' जैसा कि पहले कहा गया कस्बे और बचपन के बदलाव की गाथा है 'वह जो यथार्थ था', तो समय ने इन दोनों से धीरे-धीरे क्या-क्या छीना झपटा है, या दोनों ने क्या-क्या खोया-गँवाया है इसका भी उल्लेख बराबर किया गया है। जैसे, 'सितारों भरी रात अब घरों में नहीं दिखती। बच्चों का प्रिय, उनकी गेंदों का प्रिय आँगन अदृश्य हो गया।'

यह पुस्तक स्मृतियों के बीच से कुछ ऐसे सवाल जगाती है जो सोच को नयी ऊर्जा देते हैं। एक सवाल स्त्री का। मध्यमवर्गीय स्त्री के कष्ट, स्वप्न और हौसले बहुत दबे ढँके रहते हैं। अखिलेश ने अनायास 'स्त्री विमर्श' को कई सूत्र दे दिए हैं। गीली लकड़ियों के

सहारे चूल्हा जलाने की कोशिश करती माँ का वर्णन जैसे स्त्री के जीवन का ही रूपक बन जाता है—'माँ फिर चूल्हा फूँकती। माँ की आँखों में धुआँ भर जाता था और धुएँ में माँ की आँखें गर्म हो जातीं। चूल्हे की राख उड़कर चेहरे पर चिपक उठती। कुछ राख उसके बालों में गिरती। धुएँ से उसकी आँखें गीली हो जाती थीं। वैसे क्या ऐसा नहीं हो सकता है कि माँ सचमुच रोती रही हो।' ऐसा लगता है कि लेखक के उपन्यास 'अन्वेषण' या कहानी 'मुक्ति' से चलकर ये वाक्य यहाँ आ गए हैं। स्त्री कई तरह से अपना रुदन छुपाती है तो अपने सपने भी। 'बचपन और स्वप्न' के प्रसंग में अखिलेश लिखते हैं कि 'आखिर हमारे मुल्क में अधिकतर स्त्रियाँ कहाँ अपने स्वप्न बता पाती हैं। ...किशोर होती हैं, युवा होती हैं, पत्नी बनती हैं लेकिन वे कहाँ अपने सपने को बयान कर पाती हैं।' यह वाक्य तो अर्थ का एक विराट व्यापार स्वयं में छिपाए है कि, 'वे जब छिपकर एकांत में रोती हैं तब भी उनके रुदन और आँसुओं में सपने होते हैं।' हालाँकि वर्णित कस्बे और समय में 'स्त्रियों की ...कोई भूमिका नहीं थी' फिर भी सौंदर्य तथा संवेदना की वजह से, '...स्त्रियों की याद की जड़ें ज्यादा गहरी-सुदीर्घ होती हैं' ऐसा लेखक का मत है। स्त्रियों की न जाने कितनी 'मुक्तियाँ' धीरे-धीरे दम तोड़ती हैं। कस्बे की एक तवायफ़ 'प्रेमा' के प्रति बच्चों के आकर्षण का मनोवैज्ञानिक विश्लेषण फिर एक व्यापक अर्थात् में परिणत होता है। सुख-सुविधा सौंदर्य के तमाम छोटे-छोटे पर अलभ्य साधनों को स्त्रियाँ हसरत से निहारती हैं, मगर इच्छा को स्पेस ही नहीं मिलता, 'ठीक है कि साबुन शरीर पर घिसा नहीं गया लेकिन साबुन लगाने की इच्छा अनेकानेक साल घिसती रही। यह स्त्री ही है कि बुरी तरह घिसी और घिसट जाने के बावजूद उसकी इच्छा बनी रहती है।' कस्बे की स्त्री का सघन विवरण ऐसे कई प्रसंगों में पढ़ सकते हैं।

आनंद, मनोरंजन और कस्बा। रामलीला, जादू, नौटंकी कठपुतली, मेला। लेखक ने इस बहाने कस्बे के आंतरिक आवेग की थाह ली है। मनोरंजन और आनंद में भेद करते हुए आम आदमी के जीवन में मनोरंजन के रेगिस्तान को उसने लक्षित किया है, 'कस्बा मनोरंजन की अभिलाषा और मनोरंजन के अभाव के द्वंद्व में फँसा था। उसमें मनोरंजन की तलाश इतनी ज्यादा थी या मनोरंजन का अभाव इतना था कि वह साइकिल सवार के गिर जाने में, पशुओं को मैथुनरत देखकर, सड़क पर लावारिस नवजात शिशु पड़ा पाकर रंजन महसूस करने लगता था।' मनोरंजन का वर्ग विभक्त समाज में...अभावग्रस्त समाज में क्या अस्तित्व है, इसको यहाँ समझा जा सकता है। जो पाठक राजदरबारी के व्यंग्य को समझने में दिक्कत महसूस करते हैं, उनके लिए यहाँ एक कुंजी है। आज मनोरंजन के व्यवसाय में करोड़ों-अरबों रुपये लगे हैं, फिर भी न जाने कितने कस्बे और गाँव मनोरंजन को तरसते हैं...आजादी की तरह। प्रसंगवश दलितों के बीच आनंद का अर्थ समझते हुए अखिलेश तमाम सिद्धांतों से अलहदा कुछ निर्मम हकीकतों पर उँगली टिकाते हैं, 'यह उनके जीवन की ही एक मार्मिक दृश्यावली है। जिस जिंदगी में इतनी गरीबी और भूख हो कि गोश्त की दावत चरम उपलब्धि लगे, उस जीवन की कारुणिकता का अंदाजा लगाया जा सकता है।' इस तमाम उजाड़ में अखिलेश को सुंदर हँसी वाला...बढ़िया लट्टू नचाने वाला भगवान दास चमार याद आता है। वैसे ही जैसे प्रेमचंद को 'गिल्ली डंडा' कहानी में बचपन का चैम्पियन दोस्त याद आता है। यही 'विपरीत परिस्थितियों में आनंद बटोरने का इल्म' है...यानी कुटज जैसा जीवन!

कस्बे के बाजार में दुर्बली का होटल या आइसक्रीम की फैक्ट्री या मेहनत-मजदूरी के तमाम ठिकाने अपनी-अपनी भूमिकाओं में काफी परिवर्तन कर चुके हैं। कस्बे की तहसील, कस्बे का पहनावा-ओढ़ावा, खान-पान, रोजी-रोजगार, स्कूल आदि का स्मृति आधारित विवेचन शहरीकरण के फेर में पड़े देश में छोटी जगहों की हैसियत का बखान है। कस्बे में आस्था या बचपन का ईश्वर ...अखिलेश का रचनात्मक चिंतन यहाँ अपने शीर्ष पर दिखता है। बचपन और ईश्वर के रिश्तों पर लिखे और वाक्य एक व्यापक समीक्षा की माँग करते हैं।

अंत तक आते-आते लेखक तीस साल पहले छोड़े कस्बे को आज से मिलाकर देखता है तो सहसा समूची विकास की प्रक्रिया प्रकाशित हो उठती है। बचपन में देखी जगहों...चीजों को नए समय में अटपटा पाकर...अनुपस्थित पाकर कई मार्मिक टिप्पणियाँ जन्म लेती हैं। जैसे रामलीला वाले बाग के सारे वृक्ष काट डाले जा चुके हैं—'सारे पेड़ खत्म तो हुए मगर वे अपने वध के पहले अपना बिंब जीवित छोड़ गए। पुराने लोग उस जगह पर...बाग का बिंब देखने लगते हैं। इसीलिए वे उस जगह को अभी भी बाग कहते हैं। नई पीढ़ी कस्बों और शहरों की नई पीढ़ी के पास एक दिन न बाग बचेंगे न बाग के बिंब।' स्मृति विरोधी, बिंब विरोधी, रचना विरोधी समय को इससे अधिक और किस वाक्य में आईना दिखाया जा सकता है। वर्तमान और अतीत दोनों पर अखिलेश की निगाह है। 'मैं और मेरा समय' का विवेचन करते हुए वे कहते हैं कि 'मनुष्य खत्म हो

रहे हैं, वस्तुएँ खिली हुई हैं'। यह अंश संपूर्ण पुस्तक का नया अर्थ विस्तार है। एक लेखक जिस तरह दुर्दमनीय समय से जूझ सकता है, उसके संकेत अपनी विशिष्ट और अलग से चमकती शैली में अखिलेश ने दिए हैं। उत्तर आधुनिकता, ग्लोबलाइजेशन, नवपूँजीवाद, बाजारवाद के आक्रमण के बाद की समाजशास्त्रीय पड़ताल लेखक ने यहाँ की है। झूठ और हिंसा के नए प्रारूपों/रूपों को चिह्नित करते हुए अखिलेश लिखते हैं, 'लेखक के रूप में इसी झूठ और सौंदर्य हत्या के विरुद्ध संघर्ष मेरा मंतव्य है।'

'वह जो यथार्थ था' निश्चित रूप से अत्यंत महत्त्वपूर्ण पुस्तक है। समकालीन रचना संसार में विरल। अखिलेश ने अपनी भाषा के ढाँचे में खासी रचनात्मक तोड़फोड़ की है। भाषा का एक दुर्लभ व्यक्तित्व पुस्तक में उद्घाटित हुआ है। समाजशास्त्र और मनोविज्ञान की पुस्तक न होते हुए भी इसका विवेचन इन दोनों ज्ञान क्षेत्रों में उद्धृत किया जा सकता है। भविष्य में संस्मरण या इसके समानांतर कुछ भी रचने वालों के लिए यह पुस्तक एक बड़ी चुनौती की तरह मौजूद रहेगी। कस्बा, बचपन और समय के साथ सृजन को जिस 'निस्संग आत्मीयता' और सामर्थ्य से अखिलेश ने शब्दबद्ध किया है, इससे निस्संदेह हिंदी गद्य को नयी आत्मिक शक्ति मिलेगी।

रचनाकार परिचय

विद्यानिवास मिश्र

संस्कृत आचार्य, निबंधकार, आलोचक एवं परंपराविद् अब तक प्रकाशित पुस्तकों में 'महाभारत का काव्यार्थ', 'रीति विज्ञान', 'मेरे राम का मुकुट भीग रहा है', 'पाणिनी की विवरणात्मक तकनीक', 'हिंदी साहित्य का पुनरालोकन', 'भारतीय चिंतनधारा', 'भारतीय भाषा दर्शन की पीठिका', 'सोहम्', 'कबीर वचनामृत', 'साहित्य का खुला आकाश', 'राधा माधव रंग रंगी', 'तंत्र-कला और आस्वाद', 'लागौ रंग हरी', 'निज मुख मुकुर', 'परंपरा बंधन नहीं', 'नैरंतर्य और चुनौती', 'रामायण का काव्य-मर्म' आदि विशेष चर्चित। नवभारत टाइम्स के प्रधान संपादक रहे। संपूर्णानंद संस्कृत विश्वविद्यालय के कुलपति रहे। मूर्तिदेवी पुरस्कार, साहित्य अकादेमी की महत्तर-सदस्यता, विश्वभारती पुरस्कार, मंगलाप्रसाद पारितोषक, शंकर-सम्मान, भारत-भारती पुरस्कार से सम्मानित। भारत सरकार के पद्मश्री व पद्मभूषण उपाधियों से अलंकृत। इंदिरा गाँधी राष्ट्रीय कला-केन्द्र, नई दिल्ली के मानद-सदस्य। आजकल साहित्यिक मासिक 'साहित्य-अमृत' के संपादक।

संपर्क-'वृंदा', एम-3, बादशाहबाग, सिगरा, वाराणसी (उत्तर प्रदेश)

मनजीत बावा

प्रमुख भारतीय चित्रकार। कला शिक्षा स्कूल ऑफ आर्ट, दिल्ली पॉलीटेक्निक से 1963 में पूर्ण की। भारत के समस्त महत्वपूर्ण कला संग्रहालयों सहित विदेशों में वॉशिंगटन, न्यूयार्क, पेरिस, जापान, लंदन, यूगोस्लाविया, जेनेवा, हवाना, टर्की, मिस्र, इज़राइल, मास्को, आस्ट्रेलिया, सीरिया, चीन, सिंगापुर, स्पेन आदि स्थानों पर एकल व भागीदारी वाली लगभग 85 कला प्रदर्शनियों में कलाकृतियाँ सम्मिलित। अंतरराष्ट्रीय फिल्म समारोह, कैन के लिए मणि कौण तथा संदीप बेदी की फिल्मों के चित्र बनाए। शौकिया थियेटरों में कभी-कभार अभिनय। इनके चित्र ललित कला अकादमी (नई दिल्ली व चेन्नई) नेशनल गैलरी ऑफ मार्डर्न आर्ट (नई दिल्ली), रूपंकर, भारत भवन (भोपाल), पंजाबी विश्वविद्यालय संग्रहालय (पटियाला), विश्व बैंक (वॉशिंगटन), चेस्टर हरविट्ज संग्रह (अमेरिका), टॉइम्स ऑफ इण्डिया (दिल्ली और मुम्बई) आदि स्थानों पर संकलित। ललित कला अकादमी, नई दिल्ली के राष्ट्रीय पुरस्कार से सम्मानित।

संपर्क : 305, गोल्फ अपार्टमेन्ट्स, सुजान सिंह पार्क, ख़ान मार्केट के समीप, नई दिल्ली।

मनीष पुष्कले

युवा चित्रकार। राष्ट्रीय कला प्रदर्शनियों में कलाकृतियाँ प्रदर्शित व प्रशंसित। पत्र-पत्रिकाओं में कला संबंधित लेख प्रकाशित। इन दिनों दिल्ली में रहकर कला-सेवा में संलग्न।

संपर्क : 43/7, ईस्ट पटेल नगर, नई दिल्ली 08।

कृष्णनाथ

लेखक, दार्शनिक। बौद्ध दर्शन के व्याख्याकार। विभिन्न पत्र-पत्रिकाओं में प्रकाशित यात्रा-वृत्त विशेष चर्चित। प्रमुख पुस्तकें 'किन्नर धर्मलोक', 'स्पीति में बारिश', 'जीवन-दर्शन की संभावना', 'पृथ्वी परिक्रमा', 'लद्दाख में राग-विराग' आदि। साहित्यिक पत्रिका 'कल्पना', अंग्रेजी पत्रिका 'मैनकाइन्ड', तथा अर्थशास्त्रीय पत्रिका 'आर्थिकी' के संपादन से संबद्ध रहे। लोहिया अतिविशिष्ट सम्मान से सम्मानित।

संपर्क :सा. 1156 डी, नवापुरा, सारनाथ, वाराणसी।

कुँवर नारायण

कवि-कथाकार, आलोचक। प्रकाशित पुस्तकों में 'चक्रव्यूह', 'परिवेश : हम तुम', 'अपने सामने', 'कोई दूसरा नहीं' (कविता-संग्रह), 'आत्मजयी' (प्रबंध-काव्य) 'आज और आज से पहले' (आलोचना), 'आकारों के आसपास' (कहानी-संग्रह) आदि शामिल। साहित्यिक पत्रिका 'युग-चेतना' के संपादक-मंडल में रहे। 'नया प्रतीक' और 'छायानट' के संपादक-मंडल में भी रहे। हिंदुस्तानी अकादेमी पुरस्कार, प्रेमचंद पुरस्कार, तुलसी पुरस्कार, कुमारन आशान पुरस्कार, साहित्य अकादेमी पुरस्कार, भवानी

प्रसाद मिश्र पुरस्कार, व्यास सम्मान, भारतीय भाषा परिषद्, कलकत्ता का शतदल पुरस्कार तथा उत्तर प्रदेश हिन्दी संस्थान के 'लोहिया-सम्मान' से सम्मानित। उत्तर प्रदेश संगीत नाटक अकादेमी के उपाध्यक्ष तथा भारतेन्दु नाट्य अकादेमी के अध्यक्ष रहे। आत्मजयी का इतालवी अनुवाद प्रकाशित। कवाफी के अनुवाद चर्चित। फिल्म और ललित कलाओं पर लेखन। इन दिनों दिल्ली में।

संपर्क :एस-371, ग्रेटर कैलाश पार्ट-1, नई दिल्ली-48।

अशोक वाजपेयी

वरिष्ठ कवि, आलोचक, संपादक। भारतीय प्रशासनिक सेवा से. सेवानिवृत्त। अब तक प्रकाशित पुस्तकों में 'शहर अब भी संभावना है', 'एक पंतग अनंत में', 'तत्पुरुष', 'अगर इतने से', 'बहुरि अकेला', 'कहीं नहीं वहीं', 'समय से बाहर', 'कविता का गल्प', 'सीढ़ियाँ शुरू हो गई हैं', 'फिलहाल', 'कवि कह गया है' तथा 'समय के पास समय' आदि शामिल। पूर्वग्रह, समवेत, समास, बहुवचन, पत्रिकाओं के संस्थापक-संपादक। अज्ञेय, मुक्तिबोध, शमशेर की प्रतिनिधि कविताओं का चयन प्रकाशित। भारत भवन के संस्थापक। साहित्य अकादेमी पुरस्कार तथा दयावती मोदी कवि शेखर सम्मान से सम्मानित। सम्प्रति-महात्मा गाँधी अंतरराष्ट्रीय हिन्दी विश्वविद्यालय के प्रथम कुलपति।

संपर्क : महात्मा गाँधी अंतरराष्ट्रीय हिंदी विश्वविद्यालय, द्वितीय तल, 16 सिरीफोर्ट रोड, नई दिल्ली-49।

मदन सोनी

आलोचक। 'कविता का व्योम और व्योम की कविता' तथा 'विषयान्तर' पुस्तकें प्रकाशित। एक काव्य-चयन 'होना शुरू होना' का संपादन। 'मालविकाग्निमित्रम्' (कालिदास), 'कॉकेशियन चॉक सर्किल' (ब्रेख्त) और 'टेमिंग ऑफ द श्रू' (शेक्सपियर) का बुन्देली में अनुवाद। भारत-भवन (भोपाल) के आलोचना त्रैमासिक 'पूर्वग्रह' के संपादक।

संपर्क : भारत भवन, ज. स्वामीनाथन मार्ग, शामला हिल्स, भोपाल-462002।

रामकुमार

प्रमुख भारतीय चित्रकार एवं कथाकार। दिल्ली के शारदा उकील स्कूल ऑफ आर्ट में प्रारंभिक कला प्रशिक्षण, फिर पेरिस में आंद्रे लोत एवं फर्नाद लेझे से। देश-विदेश में अब तक बहुतेरी प्रदर्शनियाँ आयोजित तथा अनेक देशी-विदेशी संग्रहों में काम संकलित। वाराणसी सीरीज के चित्र विशेष रूप से चर्चित। भारत सरकार के पद्मश्री, उत्तर प्रदेश हिंदी संस्थान के प्रेमचंद पुरस्कार तथा म.प्र. शासन के कालिदास-सम्मान से सम्मानित। इन दिनों दिल्ली में रहकर कला व लेखन में संलग्न।

संपर्क : 18, भारतीय आर्टिस्ट कॉलोनी, विकास मार्ग, नई दिल्ली-92।

मृदुला गर्ग

कथा-लेखिका, उपन्यासकार। प्रकाशित कृतियों में 'अनित्य' 'मैं और मैं', 'चित्तकोबरा', 'कठगुलाब' (उपन्यास), 'डैफोडिल जल रहे हैं', 'ग्लेशियर से', 'उर्फ सैम', 'टुकड़ा-टुकड़ा आदमी' (कहानी संग्रह) तथा 'जादू का कालीन' (नाटक) आदि शामिल। 'चित्तकोबरा' का जर्मन अनुवाद प्रकाशित। मध्य प्रदेश साहित्य परिषद् तथा उत्तर प्रदेश हिन्दी संस्थान के 'साहित्य-भूषण' सम्मान से पुरस्कृत।

संपर्क : ई-118, मस्जिद मोठ, ग्रेटर कैलाश-3, नई दिल्ली-48।

प्रेमशंकर

कवि, आलोचक। प्रकाशित कृतियों में 'भक्तिकाव्य का समाज दर्शन' 'भक्तिकाव्य की चेतना', 'कामायनी का रचना संसार', 'सृजन और समीक्षा', 'रामकाव्य और तुलसी' (आलोचना) तथा 'पहाड़ी पर बच्चा' (कविता-संग्रह) विशेष उल्लेखनीय। 'युगचेतना' पत्रिका के संपादक मंडल में रहे। इटली तथा त्रिनिदाद में कुछ वर्षों तक विज़िटिंग प्रोफेसर के पद पर कार्य। उत्तर प्रदेश संस्थान से पाँच बार पुरस्कृत, आचार्य वाजपेयी अवार्ड तथा द्विजदेव-सम्मान से सम्मानित।

संपर्क : बी-16 विश्वविद्यालय परिसर, सागर-470003, मध्य प्रदेश।

देवेन्द्र राज अंकुर

नाट्य निर्देशक और रंग-विशेषज्ञ। अनेक महत्वपूर्ण नाटकों का निर्देशन। राष्ट्रीय नाट्य विद्यालय में रंग वास्तुशिल्प के प्राध्यापक एवं वहाँ के विस्तार विभाग के अध्यक्ष तथा विद्यालय की पत्रिका 'रंग-प्रसंग' के संपादक मंडल में। भारत और विदेशों में अब तक 175 कहानियों, 15 उपन्यासों तथा 50 नाटकों की रंग प्रस्तुतियाँ। प्रकाशित पुस्तकों में 'पहला रंग' तथा 'रंग कोलाज़' चर्चित।

संपर्क : राष्ट्रीय नाट्य विद्यालय, बहवालपुर हाउस, भगवानदास रोड, नई दिल्ली 110001।

जयशंकर

कथाकार। तीन कहानी संग्रह 'शोकगीत' (पूर्वग्रह सीरीज), 'लाल दीवारों का मकान' एवं 'मरुस्थल तथा अन्य कहानियाँ प्रकाशित। भारतीय स्टेट बैंक, आमला में कार्यरत।

संपर्क : भारतीय स्टेट बैंक, ग्रामीण विकास शाखा, आमला, जिला बैतूल-460 551, मध्य प्रदेश।

शम्पा शाह

युवा सिरेमिक कलाकार, कहानीकार। पत्र-पत्रिकाओं में समीक्षाएँ, कहानियाँ, संस्मरण आदि प्रकाशित। भारत की प्रमुख कला प्रदर्शनियों में इनके कार्य प्रदर्शित व प्रशंसित।

संपर्क : एम-4, निराला नगर, मौसम कॉलोनी के पीछे, भदभदा रोड, भोपाल 462 003।

प्रभात रंजन

कहानीकार, समीक्षक, अनुवादक। विभिन्न पत्र-पत्रिकाओं में लेख प्रकाशित। मोलियर के नाटक 'मिसॅनथ्रॉप' का हिन्दी अनुवाद चर्चित। महात्मा गाँधी अंतरराष्ट्रीय हिंदी विश्वविद्यालय की शोध-योजना 'रामचरिमानस और महाभारत की सांस्कृतिक और लोक-जीवन में व्याप्ति' से संबद्ध। इसी विश्वविद्यालय की अंग्रेजी पत्रिका 'हिंदी' के सह-संपादक।

संपर्क : महात्मा गाँधी अंतराष्ट्रीय हिन्दी विश्वविद्यालय, द्वितीय तल, 16, सिरी फोर्ट रोड, नई दिल्ली-49।

प्रयाग शुक्ल

कवि, कथाकार, कला-समीक्षक। प्रकाशित कृतिधों में 'कविता संभव', 'यह एक दिन है', 'अधूरी चीज़ें तमाम', 'यहाँ कहाँ थी छाया', 'यह जो हरा है' (कविता-संग्रह), 'वह अंतर्देशीय', 'छायाएँ तथा अन्य कहानियाँ' (कहानी-संग्रह) तथा 'गठरी' (उपन्यास) विशेष चर्चित। राष्ट्रीय नाट्य विद्यालय, दिल्ली की पत्रिका 'रंग-प्रसंग' के संपादक।

संपर्क : 37 बी, डी.डी.ए. फ्लैट्स, फेज़ 1, मस्जिद मोठ, नई दिल्ली-48।

नवीन सागर

कवि, कथाकार। कथा-संग्रह 'उसका स्कूल' तथा कविता-संग्रह 'नींद से लंबी रात' खासे चर्चित। मध्य प्रदेश हिन्दी ग्रंथ अकादमी से संबद्ध रहे। 14 अप्रैल, 2000 को निधन। 'सहित' के लिए रचनाएँ श्रीमती छाया सागर से प्राप्त।

अनिरुद्ध उमट

कवि, कथाकार। एक उपन्यास 'अँधेरी खिड़कियाँ' प्रकाशित। उपन्यास लेखन के लिए मानव संसाधन विकास मंत्रालय की कनिष्ठ शोध-वृत्ति प्राप्त।

संपर्क : माजीसा की बाड़ी, राजकीय मुद्रणालय के सामने, बीकानेर-334 001।

विमल कुमार

कवि। विभिन्न पत्र-पत्रिकाओं में प्रकाशित कविताएँ विशेष चर्चित। 'सपने में एक औरत से बातचीत' कविता-संग्रह प्रकाशित।

संपर्क : यूनीवार्ता, 9 रफी मार्ग, नई दिल्ली।

गिरिराज किराडू

कवि, निबंधकार, अनुवादक। विभिन्न पत्र-पत्रिकाओं में कविताएँ, निबंध, अनुवाद, समीक्षाएँ आदि प्रकाशित। कुछ दिनों राजस्थान साहित्य अकादेमी की पत्रिका 'मधुमती' का सह-संपादक। भारतभूषण अग्रवाल स्मृति पुरस्कार से पुरस्कृत।

संपर्क : 2 जवाहर नगर, एम.एम.ग्राउण्ड के पीछे, बीकानेर (राजस्थान)।

सुशील सिद्धार्थ

आलोचक, स्वतंत्र पत्रकार। विभिन्न पत्र-पत्रिकाओं में अद्यतन साहित्य पर नियमित लेखन। 'तद्भव' पत्रिका के सह-संपादक।

संपर्क : 41, कालाकाँकर कालोनी, ओल्ड हैदराबाद, लखनऊ-226007।

रमेश दवे

वरिष्ठ आलोचक। आलोचना की अब तक कई पुस्तकें प्रकाशित।

विभिन्न पत्र-पत्रिकाओं में अद्यतन साहित्य से संबंधित समीक्षाएँ, लेख प्रकाशित।

संपर्क : 276, एल-कोटरा, सुल्तानाबाद, भोपाल-462 003 (म.प्र.)

रामदेव शुक्ल

उपन्यासकार, आलोचक। गोरखपुर विश्वविद्यालय के हिंदी विभाग के अध्यक्ष पद से सेवा निवृत्त। प्रकाशित कृतियों में 'घनानंद का काव्य' (आलोचना), 'ग्रामदेवता', 'मन दरपन', (उपन्यास) आदि शामिल। 'ग्रामदेवता' का भोजपुरी अनुवाद प्रकाशित।

संपर्क : विश्वविद्यालय आवास, हीरापुरी पार्क रोड, गोरखपुर-273009 (उ. प्र.)।

इन्दुप्रकाश कानूनगो

अनुवादक। प्रमुख पत्र-पत्रिकाओं में अनुवाद कार्य प्रकाशित। बोर्खेज़ की कहानियों के अनुवाद विशेष चर्चित।

संपर्क : 99, रेडियो कॉलोनी, इंदौर-452001।

सदन झा

युवा समीक्षक। विभिन्न पत्र-पत्रिकाओं में प्रकाशित समीक्षाएँ विशेष उल्लेखनीय।

संपर्क : इन दिनों दिल्ली में।

विशाल श्रीवास्तव

कवि, समीक्षक। 'सहित' में पहली बार प्रकाशित। 'समकालीन कविता का समाजशास्त्रीय अध्ययन' विषय पर शोधरत।

संपर्क : 5/2/70, साहबगंज, फ़ैज़ाबाद।

सूचना एवं जनसम्पर्क विभाग, उत्तर प्रदेश

के प्रकाशन

सूचना निदर्शिनी 2001	– उत्तर प्रदेश से सम्बन्धित सूचनाओं के साथ एक वर्ष का प्लानर, समूल्य उपलब्ध
सूचना डायरी 2001	– सूचना निदर्शिनी की सूचनाओं के साथ आकर्षक कवर में वर्ष 2001 की डायरी, समूल्य उपलब्ध
उत्तर प्रदेश संदेश	– उत्तर प्रदेश के हर गाँव तक पहुँचने वाली जानकारी परक मासिक पत्रिका एक अंक रु० 5/- मात्र, वार्षिक मूल्य रु० 60/- मात्र (डाक खर्च अतिरिक्त)
नया दौर (उर्दू)	– सांस्कृतिक एवं साहित्यिक विषय की एक उर्दू मासिक पत्रिका, एक अंक रु० 5/- मात्र, वार्षिक मूल्य रु० 60/- मात्र (डाक खर्च अतिरिक्त)
वार्षिकी 2001	– उत्तर प्रदेश के विभिन्न क्षेत्रों के विस्तृत आंकड़ों एवं सूचनाओं का वार्षिक विवरण मूल्य रु० 100/- मात्र (डाक खर्च अतिरिक्त)

उपरोक्त एवं अन्य महत्वपूर्ण पुस्तकों के लिए सम्पर्क करें :

डायरी एवं निदर्शिनी हेतु
सूचना भवन, 6 पार्क रोड, लखनऊ
कर्मचारी कल्याण निगम की सभी कैण्टीन पर

अन्य प्रकाशनों हेतु
सूचना भवन, 6, पार्क रोड, लखनऊ
तथा समस्त जिला सूचना कार्यालयों पर

उत्तर प्रदेश

उत्तर प्रदेश
इन्द्रदेव का आमंत्रण करें स्वीकार ।
रिमझिम फुहारों में आपका सत्कार ।।
झाँसी
चुनार
ललितपुर
कालिन्जर
विन्ध्याचल
मिर्जापुर
राबर्ट्सगंज
बुन्देलखण्ड और विन्ध्याचल, पौराणिक रूपकथाओं में डूबा एक जहान - उत्तर प्रदेश का 'इन्द्रदेश'। नई राहें, नई मंजिलें, छुट्टियों के आनंद का एक नया एहसास! उपभोग करें वर्षा का चिरस्मरणीय मनोहारी रूप। अविराम बहते झरनों के आंचल में तृप्त करे अपने अन्तर को। लीन हो जाएं प्राचीन इतिहास की स्मृतियों में। अविजित किलों पर विजय प्राप्त करें। मनमोहक झीलों के शीतल पानी में शांत वातावरण के प्रतिबिम्ब को निहारें। आईए! बुन्देलखण्ड और विन्ध्याचल का रोमांच आपकी प्रतीक्षा में है।
झाँसी
महोबा
कालिन्जर
चित्रकूट
ललितपुर
बरूआसागर
देवगढ़
चुनार
विन्ध्याचल
टान्डा
सिरसी
विन्डाम
देवदरी
चन्द्रप्रभा
बुन्देलखण्ड और विन्ध्याचल
मॉनसून का आनन्द, सिर्फ यहीं पर ।
naa/UPT/123/01
विस्तृत जानकारी हेतु सम्पर्क करें : पर्यटन निदेशालय, चित्रहार भवन, 3 नवल किशोर मार्ग, लखनऊ-226001.(उ.प्र.), भारत
फोन : (91-522) 228349, 225165. फैक्स :(91-522) 221776. वेबसाइट : http://www.up-tourism.com
ई-मेल : upstdc@sancharnet.in & yatrup@sancharnet.in

श्री राजनाथ जी
मुख्यमंत्री उ.प्र.

श्री अटल बिहारी वाजपेयी
प्रधानमंत्री भारत सरकार

श्री लालजी टंडन
नगर विकास मंत्री

सूडा द्वारा महिलाओं को स्वावलम्बी बनाने की दिशा में किये गये प्रयास

महिलाओं के विकास की योजनाएं

- स्वावलम्बी बनाने की ओर प्रयास/एक वर्ष तक स्वयं सहायता समूह बनाकर बचत करने पर 1000 प्रति सदस्य अनुदान, वर्तमान में इन समूहों की बेहतर प्रगति के लिए राष्ट्रीय महिला कोष से जोड़ने का लक्ष्य जिससे उक्त बचत के आधार पर महिलाएं रोजगार भी कर सकें. वर्तमान में 2000 समूह कार्यरत।
- उक्त समूह के सदस्यों एवं उनके पतियों का अगले 10 वर्ष का सामूहिक बीमा जिसमें मृत्यु होने/अपंगता पर रु. 25000 प्रति व्यक्ति भुगतान।
- महिलाओं को रोजगार के लिए दस्तकारी व घरेलू उद्योग धंधों में प्रशिक्षण व ड्वाकुआ के माध्यम से ऋण व अनुदान जो कि एक समूह को रु. 1,25,000 अधिकतम 1,200 ऐसे समूह गठित व 8,00 लाभान्वित।
- महिलाओं, बालिकाओं, बच्चों को रोजगार हेतु कम्प्यूटर प्रशिक्षण भी।
- स्वयं राहायता रामूह एवं ड्वाकुआ के माध्यम से प्रशिक्षण/स्वरोजगार में लगी महिलाओं को सामान बेचने के लिए दुकान/बाजार की व्यवस्था।

बालिकाओं के उत्थान/सुरक्षा की योजनाएं

- अगस्त, '97 के बाद हुई बालिका समृद्धि योजना की पात्र बच्ची का अगले 18 वर्ष का सामाजिक सुरक्षा बीमा। बीमा के माध्यम से 18 वर्ष तक की बालिकाओं के माता/पिता/अभिभावक की मृत्यु पर बीमा कम्पनी बालिका की शिक्षा के लिए 100 रु. से 200 रु. प्रति योगदान एवं शेष बची धनराशि ब्याज समेत 18 वर्ष के पश्चात वापस, उक्त बीमा 25000 रु. की धनराशि का।
- बालिका समृद्धि योजना के अवशेष धनराशि का किसान विकास पत्र के माध्यम से वितरण, 18 वर्ष की आयु प्राप्त होने पर धनराशि वितरण।
- मलिन बस्तियों के बच्चों की शिक्षा के लिए प्राथमिक विद्यालयों का निर्माण/पुर्ननिर्माण।
- बालवाड़ी, आंगनबाड़ी की सुविधा।
- बच्चों की उच्च शिक्षा में सहायता के लिए मोबाइल पुस्तक बैंक की योजना।
- सखीकोष से जुड़ी महिलाओं एवं उनके पति तथा आवास का 10 वर्ष का 25000-25000 रुपये का दुर्घटना बीमा।
- बालिका समृद्धि योजना द्वारा 95/- रुपये के प्रीमियम पर 25000 रुपये का बीमा।

उपलब्धियां

1. गरीब महिलाओं को स्वरोजगार में लगाने के लिए महिला (ड्वाकुआ) के अन्तर्गत कुल 1200 समूहों का गठन जिसमें लगभग 17,700 लाभार्थियों को रोजगार। इस वर्ष 305 समूहों के गठन का लक्ष्य।
2. ऋण के लिए साहूकारों से मुक्ति एवं बचत समूह योजनान्तर्गत 2,352 महिला समूहों का गठन एवं बचत की आदत डालकर छोटे-मोटे रोजगार उपलब्ध कराना। लगभग 25000 लाभार्थी लाभान्वित। इस वर्ष 769 समूहों के गठन का लक्ष्य।
3. बालिका समृद्धि योजना के अन्तर्गत 31682 बालिका शिशुओं को रु. 500/- प्रति दर से रु. 149.01 लाख अनुदान वितरित। वर्तमान वित्तीय वर्ष में लगभग 30448 बालिकाओं को लाभान्वित करने का लक्ष्य।

श्रीपाल वर्मा
अपर निदेशक

नवनीत सहगल
निदेशक

एस.आर. लाखा
सचिव/अध्यक्ष

राज्य नगरीय विकास अभिकरण, उ.प्र.

नवचेतना केन्द्र, 10, अशोक मार्ग, लखनऊ

ग्रामीण अभियन्त्रण सेवा प्रखण्ड फैजाबाद की उपलब्धियाँ

- *सुनिश्चित रोजगार योजना के अन्तर्गत वित्तीय वर्ष 2000-2001 में 12.00 किमी. मिट्टी, 32 अदद पुलिया, 6.00 किमी. खड़न्जा, का निर्माण कार्य सम्पादित कराते हुए 0.73 लाख मानव दिवसों का सृजन किया गया।*
- *सांसद निधि योजना के अर्न्तगत 20.00 किमी. मिट्टी, 22 अदद पुलिया, 8.00 किमी. सोलिंग तथा 0.50 किमी. लम्बाई में पेंटिंग स्तर का निर्माण कार्य सम्पादित कराते हुए 0.71 लाख मानव दिवसों का सृजन किया गया।*
- *पूर्वांचल विकास निधि योजनान्तर्गत 3.40 किमी. मिट्टी, 5.50 किमी. खड़न्जा, 2.50 किमी. इन्टरकोट पेंटिंग का निर्माण कार्य सम्पादित कराया गया।*
- *विधायक निधि योजनान्तर्गत 21.50 किमी. मिट्टी, 10 अदद पुलिया, 8.50 किमी. खड़न्जा तथा 1.00 किमी. लम्बाई में पेंटिंग स्तर का निर्माण कार्य सम्पादित कराते हुए 0.43 लाख मानव दिवसों का सृजन किया गया।*

उमा शंकर
अधिशासी अभियन्ता
ग्रामीण अभियन्त्रण सेवा,
प्रखण्ड-फैजाबाद

दया शंकर
मुख्य विकास अधिकारी,
फैजाबाद

अर्चना अग्रवाल
जिलाधकारी,
फैजाबाद

अयोध्या-फैजाबाद विकास प्राधिकरण फैजाबाद

अपील

- बगैर तलपट मानचित्र स्वीकृति के कोई भूखण्ड आवासीय/व्यावसायिक/कार्यालय निर्माण के लिए भूमि क्रय न करें।
- मार्गों पर किसी प्रकार का अतिक्रमण न करें।
- शहर आपका है, इसे सुन्दर, स्वच्छ व सुसज्जित बनाये रखें।
- बगैर स्वीकृति के निर्माण करना कानूनी अपराध है।

विभिन्न कार्यों हेतु समय सारिणी

कार्य कलाप	*समय सीमा*
1. कब्जा प्रमाण पत्र	समस्त औपचारिकताएं पूर्ण होने पर 60 दिन की सीमा।
2. हस्तान्तरण/नामान्तरण	समस्त अभिलेख जमा करने के 60 दिन की सीमा।
3. सम्पत्तियों का प्रत्यावर्तन	60 दिन के अन्दर (उपलब्धता तथा पात्रता होने पर)।
4. धनराशि की वापसी	28 दिन के अन्दर।
5. पट्टे की भूमि का फ्री	धनराशि जमा होने के दिनांक से होल्ड भूमि में परिवर्तन 90 दिन के अन्दर।
6. समय वृद्धि	समस्त अधिमूल्य (प्रीमियम अभिलेख) की प्राप्ति पर 15 दिन के अन्दर।
7. भूखण्ड का कब्जा	समस्त प्रपत्र/अभिलेख जमा होने की दिनांक से एक माह के अन्दर।
8. भवन मानचित्र स्वीकृति	एकल आवासीय इकाइयों के लिए समस्त औपचारिकतायें पूर्ण होने तथा भवन मानचित्र के जमा होने के दिनांक से 30 दिन के अन्दर। अन्य प्रकरणों में 90 दिन।
9. पूर्ण प्रमाण-पत्र	समस्त औपचारिकतायें पूर्ण करते हुए आवेदन करने की तिथि से 30 दिन के अन्दर।

हरि प्रसाद तिवारी, पी.सी.एस.
सचिव

"जनसेवा ही ईश्वर सेवा है"

अर्चना अग्रवाल, आई.ए.एस.
जिलाधिकारी/उपाध्यक्ष

जिला नगरीय विकास अभिकरण फैजाबाद

डूडा द्वारा संचालित की जा रही योजनाएं–

(1) स्वर्ण जयंती शहरी रोजगार योजनाएं

1. शहरी रोजगार कार्यक्रम (यू. एस. ई. पी.) गरीबी रेखा के नीचे जीवन यापन करने वाले व्यक्तियों के लिए प्रति व्यक्ति 50,000/- रुपये तक का ऋण बैंकों द्वारा दिया जाता है जिसमें 15 प्रति अनुदान के रूप में।
2. शहरी रोजगार कार्यक्रम (प्रशिक्षण) सी. डी. एस. द्वारा गरीबी रेखा के नीचे जीवन यापन करने वाली बेरोजगार महिलाओं की विभिन्न व्यवसायों हेतु प्रशिक्षण कार्यक्रमों का आयोजन।
3. शहरी मजदूरी कार्यक्रम (यू. डब्ल्यू. ई. पी.) स्थानीय निकायों के गरीबी रेखा के नीचे जीवन यापन करने वाले शहरी व्यक्तियों को मजदूरी पूरक रोजगार दिलाना।

(2) **ड्वाकरा योजना**–गरीब महिलाओं के समूह को रुचि के अनुसार प्रशिक्षण एवं परियोजना लागत का 50 प्रतिशत अनुदान एवं शेष राशि को बैंकों से ऋण दिलाकर सक्रिय किया जाता है।

(3) **थ्रिप्ट एण्ड क्रेडिक सोसाइटी**–10-12 गरीब महिलाओं के समूह से प्रति महिला प्रति माह एक निश्चित धनराशि जमा करायी जाती है एक वर्ष पूर्ण होने पर उन्हें अनुदान तथा रिवालिंग फण्ड के रूप में अधिकतम 25,000/- की धनराशि दी जाती है।

(4) **सामाजिक क्षेत्र (सोशल सेक्टर)**–गरीबी रेखा के नीचे वाले व्यक्तियों को ट्राई साइकिल, बैशाखी, धोती, कम्बल, चश्मा, शाल वितरण किया जाता है।

(5) **राष्ट्रीय मलिन बस्ती सुधार कार्यक्रम**–(एन. एस. डी. पी.) मलिन बस्तियों में स्वच्छ जल, शिक्षा, पर्यावरण, स्वास्थ्य एवं रहने की समस्याओं का समाधान कराना।

(6) **आश्रय कोष**–गरीबी की रेखा के नीचे जीवन करने वाले व्यक्तियों को आवास/दुकान निर्माण मरम्मत हेतु रु. 25000.00 तक धनराशि उपलब्ध कराई जाती है। जिसमें रु. 7500.00 अनुदान के रूप में रु. 5000.00 श्रमांश के रूप में लाभार्थी द्वारा उपलब्ध कराया जाता है तथा रु. 12500.00 ऋण के रूप में उपलब्ध कराया जाता है।

(7) **बालिका समृद्धि योजना**–15 अगस्त 1997 के बाद जन्मी लड़कियों को विभाग द्वारा 500/- की राशि अनुदान के रूप में दी जाती है।

टी. एन. सिंह
परियोजना अधिकारी

दयाशंकर
पी. सी. एस.
परि निदेशक/उपाध्यक्ष/मुख्य विकास अधिकारी

अर्चना अग्रवाल
आई. ए. एस.
जिलाधिकारी फैजाबाद/अध्यक्ष

हार्दिक शुभकामनाओं सहित

जनपद ईंट निर्माता कल्याण परिषद्

फ़ैज़ाबाद

महामन्त्री

अतुल कुमार सिंह

संरक्षक

गुरुभेज सिंह

अध्यक्ष

भगवान दास सावलानी

भूमि संरक्षण इकाई-फैजाबाद की उपलब्धियाँ

❖ गोमती वाढ़ोन्मुखी योजना के अन्तर्गत वित्तीय वर्ष 2000-2001 में 1700 है भौतिक लक्ष्य के सापेक्ष में 1648 हैक्टर क्षेत्र में विभिन्न भूमि संरक्षण विधियों को अपनाकर उपचारित किया गया तथा 0.65 लाख मानव दिवसों का सृजन किया गया।

❖ एकीकृत वंजर भूमि विकास योजनान्तर्गत 697 हैक्टर क्षेत्र, भूमि संरक्षण कि विभिन्न विधियों को अपनाकर उपचारित किया गया तथा 0.392 लाख मानव दिवसों का सृजन किया गया।

❖ विधायक निधि योजनान्तर्गत उपलब्ध धन रु. 19.921 लाख के सापेक्ष में रु. 14.439 लाख का व्यय सम्पर्क मार्ग, के निर्माण कार्य में व्यय करते हुए 0.261 लाख मानव दिवसों का सृजन किया गया।

कृष्ण मुरारी
भूमि संरक्षण अधिकारी
फैजाबाद

दया शंकर
मुख्य विकास अधिकारी
फैजाबाद

अर्चना अग्रवाल
जिलाधिकारी
फैजाबाद